W9-BBW-656

"Estamos viviendo en un tiempo importante y portentoso. Casi estamos en el hogar".
Desde el corazón
Elena G. de White

APIA
GEMA EDITORES

Título de la obra original en inglés: *From the Heart*
Original English edition Copyright ©2010 by Ellen G. White Estate, Inc.

DESDE EL CORAZÓN
es una coproducción de

Asociación Publicadora Interamericana
2905 NW 87 Ave. Doral, Florida 33172 EE.UU.
tel. 305 599 0037 – fax 305 599 8999
mail@iadapa.org – www.iadpa.org

Presidente: **Pablo Perla**
Vicepresidente Editorial: **Francesc X. Gelabert**
Vicepresidente de Producción: **Daniel Medina**
Vicepresidenta de Atención al Cliente: **Ana L. Rodríguez**
Vicepresidenta de Finanzas: **Elizabeth Christian**

GEMA EDITORES

Agencia de Publicaciones México Central, A.C.
Uxmal 431, Col. Narvarte, 03020 México D.F.
tel. (55) 5687 2100 – fax (55) 5543 9446
ventas@gemaeditores.com.mx – www.gemaeditores.com.mx

Presidente: **Erwin A. González**
Vicepresidente de Finanzas: **Fernando Quiroz O.**
Vicepresidente Editorial: **Alejandro Medina V.**
Vicepresidente de Producción: **Abel Sánchez Á.**
Vicepresidente de Ventas: **Hortencio Vázquez V.**

Traducción
Miguel Valdivia

Edición del texto
Ricardo Bentancur

Diseño de la portada
Trent Truman

Diagramación
Diane de Aguirre

En esta obra las citas bíblicas han sido tomadas de la versión Reina-Valera, la revisión de 1960: **RV60** © Sociedades Bíblicas Unidas. También se ha usado la revisión de 1995: **RV95** © Sociedades Bíblicas Unidas, la Reina-Valera Antigua de 1909: **RVA**, la Nueva Versión Internacional: **NVI** © Sociedad Bíblica Internacional.

En las citas bíblicas, salvo indicación en contra, todos los destacados (cursivas, negritas) siempre son del autor o el editor.

Las citas de los obras de Ellen G. White han sido tomadas de las ediciones clásicas de la Biblioteca del Hogar Cristiano.

ISBN: 978-1-61161-054-3

Impresión y encuadernación
Corporación en Servicios Integrales de Asesoría Profesional, S.A. de C.V.

Impreso en México
Printed in Mexico

1ª edición: agosto 2012

Procedencia de las imágenes: 123RF, Fotolia

Prefacio

En Efesios 4:11, el apóstol Pablo enumera cinco dones importantes del Espíritu Santo. Los dones dados a los apóstoles, los profetas, los evangelistas, los pastores y maestros. Los adventistas del séptimo día creen que Elena G. de White tuvo el don profético, pero su vida y ministerio dan evidencia de otros dones adicionales. No debiera sorprendernos entonces que ella decidió no limitar la identificación de su función a la de profeta. Así fue que escribió: "Mi misión abarca la obra de un profeta pero no termina allí" (*Mensajes selectos,* t. 1, p. 40).

Los escritos de la Sra. White pueden clasificarse en cuatro áreas generales. En primer lugar se encuentran sus libros temáticos, que cubren materias como el relato de la gran controversia, la educación, la salud, el evangelismo y otros temas importantes. En segundo lugar, escribió los *Testimonies for the church* [Testimonios para la iglesia], que comenzaron a publicarse en 1855 y continuaron hasta 1909, cada uno dedicado a una variedad de temas. En tercer lugar se encuentran sus cartas, más de 5.000. Pero este libro devocional se basa en material de la cuarta categoría: sus 5.000 artículos publicados en las varias revistas de la iglesia. Escribió para todas las revistas principales, comenzando con *The Present Truth* [La verdad presente], la *Review and Herald* [Revista Adventista] y el *Youth's Instructor* [El instructor de la juventud], y luego en *Signs of the Times* [Señales de los tiempos] y otras revistas de Norteamérica. Durante su servicio misionero en Europa y Australia, sus artículos aparecieron regularmente en las publicaciones locales.

A lo largo de su servicio profético, particularmente a mediados y al final del mismo, casi cada semana se publicaba un artículo suyo en una o más revistas. Estos artículos se convirtieron en su contacto regular con los miembros de iglesia. Durante muchos años se imprimían en la tapa de estos periódicos. Desde el corazón está compuesto de una selección de sus artículos.

Muchos de estos fueron escritos específicamente para ser publicados. Algunos eran transcripciones de sermones que predicaba. Otros eran notas tomadas durante sus viajes. Algunos eran recuentos de sus escritos, especialmente en torno al tema del gran conflicto. Algunos eran cartas. Algunos eran tomados de sus libros, en tanto que otros luego proveyeron material para sus libros. No puede negarse que fue una escritora prolífica. Se calcula que escribió fácilmente unas 100.000 páginas. ¡Qué magnífico legado para la iglesia y el mundo!

La selección que aparece en las páginas que siguen es evidencia de la diversidad de sus consejos. Habló y escribió a los líderes de la iglesia. A menudo estuvo presente cuando se tomaban decisiones importantes en los congresos de la Asociación General. Sentía un interés especial en el ministerio de la iglesia. Sus artículos sobre personajes de la Biblia son enriquecidos con lecciones para nuestros días. También sentía un profundo interés en cada miembro de iglesia. A menudo hablaba sobre el uso de los talentos, el tiempo y el dinero. Apoyaba con vigor las creencias doctrinales de la iglesia. La Biblia siempre fue el fundamento de lo que escribía. Su rico conocimiento de la Biblia es evidente en sus artículos. Ella abogaba con fuerza por el estudio de la Biblia, la oración y otros elementos de una vida devocional. Otra gran prioridad fue el apoyo de la iglesia con los diezmos y ofrendas. Y su mayor deleite se encontraba en presentar la vida de Cristo en toda su variedad, incluyendo las parábolas.

El ministerio total de Elena G. de White abarcó más de 70 años, desde su primera visión a los 17 años, en 1844, hasta su muerte a la edad de 87, en 1915. Este libro no permite el espacio para todos los temas que podrían incluirse. Es solo una muestra.

Desde el corazón es el vigésimo libro en una serie de libros devocionales de Elena G. de White. Cuando preparó su último testamento, instruyó a los fideicomisarios escogidos para velar por sus escritos que prepararan compilaciones de sus manuscritos. Los lectores probablemente estén al tanto de las muchas compilaciones que se han preparado desde su muerte. Sin esta estipulación de su testamento, mucho material apropiado y útil no estaría disponible. Elena G. de White publicó varias compilaciones de sus escritos mientras vivía. El tema del conflicto sufrió varias expansiones. *El camino a Cristo* fue compilado por Elena G. de White y sus empleados. Los tomos de los *Testimonios* también representan su obra de compilación. Podrían mencionarse otros; el caso es que este libro continúa una práctica que ella inició mientras vivía.

Como en otros libros devocionales, muchas referencias de la Sra. White al género masculino (tales como "hombre", "hombres" y "él") han sido cambiadas a formas más comunes para los lectores modernos. También se ha actualizado la puntuación, y se han sustituido sinónimos en el caso de palabras cuyo significado ha cambiado desde su escritura.

Los artículos de Elena G. de White han estado disponibles como reimpresiones facsímiles durante varias décadas. Pueden encontrarse en muchas bibliotecas adventistas privadas y en escuelas, iglesias y otras instituciones. Hoy se los encuentran en Internet y en CD-ROM. Pero esta es la primera vez que se los reúne en la forma de un libro de lecturas devocionales. Oramos para que los mensajes contenidos en Desde el corazón, puedan conducir al lector más cerca de Dios, día tras día.

La autora

Ellen [Elena] Gould Harmon de White fue escritora, conferenciante, consejera y cofundadora de la Iglesia Adventista del Séptimo Día, cuyos miembros creen que fue dotada con el don de la profecía. Nació el 26 de noviembre de 1827, en Gorham, Maine, una de ocho hijos de Robert y Eunice Harmon.

Durante sus setenta años de servicio activo a la iglesia, encontró la ocasión para escribir copiosamente. Se le acreditan haber producido unas 100.000 páginas manuscritas. Este extraordinario legado a la iglesia por sí solo podría haber ocupado la vida entera de Elena G. de White, de haber dedicado la mayoría de su tiempo a escribir. Pero su servicio a la iglesia abarca mucho más que escribir. Sus diarios hablan de su tarea pública, sus viajes, su labor personal, su hospitalidad, su contacto con los vecinos, además de la maternidad y su trabajo de ama de casa. Dios la bendijo abundantemente en estas actividades. Sus ambiciones y preocupaciones, sus satisfacciones y alegrías, sus penas, su vida toda, fueron para avanzar la causa que amó.

Elena G. de White es probablemente la autora más traducida del mundo y el autor (de cualquier sexo) más traducido de Norteamérica. Por ejemplo, su pequeño libro, *El camino a Cristo,* está disponible en más de 150 idiomas.

Tras una vida plena dedicada al servicio de Dios y el prójimo, murió el 16 de julio de 1915, confiando implícitamente en Aquel en quien había creído.

Notas biográficas

Elena G. de White, 1827-1915

Los primeros años, 1827-1860

Aunque nació en una casa de campo próxima a Gorham, Maine (Estados Unidos), Elena Harmon pasó su infancia y juventud en un pueblo cercano llamado Portland. Se casó con Jaime White en 1846, y la joven pareja vivió en diversos lugares de Nueva Inglaterra mientras trataba de animar e instruir a otros creyentes adventistas a través de la predicación, la visitación personal y las publicaciones. Después de publicar en forma irregular once números de *The Present Truth* [La Verdad Presente], en 1850 lanzaron a la existencia la revista *Second Advent Review and Sabbath Herald* [Revista del Segundo Advenimiento y Heraldo del Sábado]* en Paris, Maine. De ahí en adelante se trasladaron sistemáticamente a diferentes lugares ubicados más hacia el oeste: Saratoga Springs, y luego Rochester, en el Estado de Nueva York, a comienzos de la década de 1850, y finalmente, en 1855, Battle Creek, Míchigan, donde residieron durante los siguientes veinte años.

1827, noviembre 26	Nace en Gorham, Maine.
1836 (c.)	Sufre la fractura de la nariz y conmoción cerebral en Portland, Maine.

1840, marzo	Por primera vez oye a William Miller presentar el mensaje adventista.
1842, junio 26	Es bautizada y aceptada en la Iglesia Metodista.
1844, octubre 22	Experimenta el chasco cuando Cristo no vino.
1844, diciembre	Primera visión.
1845, primavera**	Viaja a la zona este de Maine para visitar a creyentes; encuentro con Jaime White.
1846, agosto 30	Casamiento con Jaime White.
1846, otoño	Acepta la verdad de que el día de reposo es el sábado.
1847-1848	Los White se instalan en Topsham, Maine.
1847, agosto 26	Nacimiento del primer hijo, Henry Nichols.
1848, abril 20-24	Asiste a la primera convención de adventistas observadores del sábado en Rocky Hill, Connecticut.
1848, noviembre 18	Visión para comenzar la obra de publicaciones.
1849, julio	Aparece el primero de los once números de *The Present Truth*, publicado como resultado de la visión de noviembre del año anterior.
1849, julio 28	Nacimiento de Jaime Edson, el segundo hijo.
1849-1852	Se traslada de un lugar a otro con su esposo, quien está dedicado de lleno a tareas editoriales.
1851, julio	Aparece su primer libro, *A Sketch of Experience and Views* [Notas sobre experiencias y opiniones].
1852-1855	Se radica en Rochester, Nueva York, donde su esposo publica la *Review and Herald* [Revista Adventista] y *Youth's Instructor* [El Instructor de la Juventud].
1854, agosto 29	Nace su tercer hijo, William Clarence.
1855, noviembre	Junto con la planta publicadora, se trasladan a Battle Creek, Míchigan.
1855, diciembre	Se publica *Testimony for the Church* [Testimonio para la iglesia], número 1, un folleto de 16 páginas.
1856, primavera	Se trasladan a su casita de campo en Wood Street.
1858, marzo 14	Tiene la visión sobre "El Gran Conflicto" en Lovett's Grove, Ohio.
1860, septiembre 20	Nace el cuarto hijo, John Herbert.
1860, diciembre 14	Fallecimiento de John Herbert a los tres meses.

Años del desarrollo de la iglesia, 1860-1868

La década de 1860 vio a Elena G. de White y a su esposo en el frente de la lucha para organizar la Iglesia Adventista del Séptimo Día como una institución estable. Esta década también fue decisiva porque en su transcurso el movimiento comenzó a destacar la importancia de la salud. En respuesta a una apelación de la Sra. White, la iglesia empezó a ver el valor que tiene una vida sana en la experiencia cristiana. En respuesta a su "Visión de Navidad" de 1865, al año siguiente se abrió nuestra primera institución de salud, el Instituto Occidental de Reforma de la Salud. Dicho instituto más tarde se convirtió en el Sanatorio de Battle Creek.

1860, septiembre 29	Se escoge para la iglesia el nombre de Adventista del Séptimo Día.
1861, octubre 8	Se organiza la Asociación de Míchigan.
1863, mayo	Organización de la Asociación General de los Adventistas del Séptimo Día.
1863, junio 6	Visión sobre la reforma prosalud, en Otsego, Míchigan.
1863, diciembre 8	Fallecimiento del hijo mayor, Henry Nichols, en Topsham, Maine.
1864, verano	Publicación de *Spiritual Gifts* [Dones espirituales], tomo 4, con un artículo de treinta páginas sobre la salud.
1864, agosto	Visita a la institución médica de James C. Jackson, "Nuestro Hogar en la Ladera", en Dansville, Nueva York, en ruta a Boston, Massachusetts.
1865	Publicación de seis folletos titulados *Health: or How to Live* [Salud, o cómo vivir].
1865, agosto 16	Jaime White sufre un ataque de parálisis.
1865, diciembre 25	Tiene una visión en la que se insta a crear una institución médica.
1865, diciembre	La Sra. White lleva a su esposo, Jaime, al norte de Míchigan para facilitar su recuperación.
1866, septiembre 5	Inauguración del Instituto Occidental de Reforma de la Salud, precursor del Sanatorio de Battle Creek.
1867	Los White compran una granja en Greenville, Míchigan, construyen una casa, se dedican al trabajo de campo y a escribir.

Los años de los congresos, 1868-1881

Mientras residía en Greenville y Battle Creek, Míchigan, hasta fines de 1872, y luego dividiendo su tiempo entre Míchigan y California, Elena G. de White dedicó sus inviernos a escribir y publicar sus escritos. Durante el verano asistía a congresos de la iglesia; algunos años, aunque parezca increíble, asistió a 28. Durante estos años fueron publicados los números 14-30 de Testimonios, que ahora se encuentran en *Testimonios*, tomos 2-4.

1868, septiembre 1-7	Asiste al primer congreso de la Iglesia Adventista, celebrado en el bosque de arces del Hno. Root, en Wright, Míchigan.
1870, julio 28	Su segundo hijo, Jaime Edson, se casa en el día cuando cumple 21 años.
1870	Se publica *The Spirit of Prophecy* [El espíritu de profecía], tomo 1, precursor de *Patriarchs and Prophets* [Patriarcas y profetas].
1872, julio	En las montañas Rocallosas, descansando y escribiendo durante su viaje a California.
1873-1874	Con su tiempo distribuido entre Battle Creek y California, asiste a congresos, pasa algunos meses de 1873 en Colorado, descansando y escribiendo.

1874, junio	Con Jaime White en Oakland, California, cuando él funda la Pacific Press Publishing Association y la revista *Signs of the Times* [Señales de los Tiempos].
1875, enero 3	En Battle Creek, para asistir a la dedicación del Colegio de Battle Creek. Visión de casas publicadoras en otros países.
1876, febrero 11	William Clarence, tercer hijo y gerente de la Pacific Press, se casa a la edad de 21 años.
1876, agosto	Habla a 20.000 personas en un congreso realizado en Groveland, Massachusetts.
1877	Se publica el tomo 2 de *The Spirit of Prophecy*, precursor de *The Desire of Ages* [El Deseado de todas las gentes].
1877, julio 1	Habla sobre temperancia a 5.000 personas en Battle Creek.
1878	Se publica el tomo 3 de *The Spirit of Prophecy*, precursor de la última parte de *The Desire of Ages* [El Deseado de todas las gentes] y de *The Acts of the Apostles* [Los hechos de los apóstoles].
1878, noviembre	Pasa el invierno en Texas.
1879, abril	Deja Texas para asistir a los congresos celebrados en el verano.
1881, agosto 1	Con su esposo en Battle Creek cuando él fue llevado enfermo.
1881, agosto 6	Muerte de Jaime White.
1881, agosto 13	Habla durante diez minutos en el funeral de Jaime White, en Battle Creek.

La década de 1881-1891

Después de la muerte de su esposo, Elena G. de White residió en California, a veces en Healdsburg y otras en Oakland. Allí se ocupó de escribir y hablar en diferentes lugares, hasta que partió a Europa en agosto de 1885, en respuesta a un pedido de la Asociación General. Durante los dos años que pasó en Europa residió en Basilea, Suiza, excepto mientras efectuó tres extensas visitas a los países escandinavos, a Inglaterra y a Italia. Tras regresar a los Estados Unidos en agosto de 1887, pronto se dirigió al oeste del país, a su casa de Healdsburg. Asistió al congreso de la Asociación General de 1888 en Minneapolis, en octubre y noviembre; tras el congreso, mientras residía en Battle Creek, trabajó entre las iglesias del centro y del este del país. Después de estar un año en el este, regresó a California, pero se le pidió que asistiera a la sesión del congreso de la Asociación General efectuado en Battle Creek en octubre de 1889. Permaneció en los alrededores de Battle Creek hasta que partió hacia Australia en septiembre de 1891.

1881, noviembre	Asiste al congreso de California celebrado en Sacramento, y participa en los planes para establecer un colegio en el oeste del país, el cual se abrió en 1882 en Healdsburg.
1882	Se publica *Early Writings* [Primeros escritos], que contiene tres de sus primeros libros.
1884	Tiene la última visión en público de la que haya registro, en un congreso en Portland, Oregon.
1884	Se publica el tomo 4 de *The Spirit of Prophecy*, precursor de *The Great Controversy* [El conflicto de los siglos].

1885, verano	Abandona California para viajar a Europa.
1887, verano	Se publica *The Great Controversy* [El conflicto de los siglos].
1888, octubre	Asiste al congreso de la Asociación General en Minneapolis.
1889	Se publica el tomo 5 de *Testimonies* (746 páginas), incorporando los *Testimonies*, números 31-33.
1890	Se publica *Patriarchs and Prophets* [Patriarcas y profetas].
1891, septiembre 12	Viaja en barco a Australia, vía Honolulú.

Los años en Australia, 1891-1900

En respuesta a un pedido de la Asociación General de visitar Australia para ayudar a establecer la obra educativa, Elena G. de White llegó a Sídney el 8 de diciembre de 1891. Aceptó la invitación con cierta reticencia, porque quería avanzar en la redacción de un libro más grande sobre la vida de Cristo. Poco después de su llegada se enfermó de reumatismo inflamatorio, lo que la obligó a pasar en cama unos ocho meses. Aunque sufría intensamente, persistió en escribir. A comienzos de 1893 fue a Nueva Zelanda, donde trabajó hasta el fin del año. Tras regresar a Australia a fines de diciembre, asistió al primer congreso en Australia. En esta oportunidad se trazaron planes para la creación de una escuela rural; esto resultó en el establecimiento de lo que con el tiempo llegó a ser el Colegio Avondale, en Cooranbong, a unos 150 km al norte de Sídney. Elena G. de White compró una propiedad en las cercanías, y a fines de 1895 edificó su casa "Sunnyside". Fue aquí donde vivió durante el resto de su permanencia en Australia, ocupada en escribir y visitar las iglesias hasta que regresó a los Estados Unidos en agosto de 1900.

1892, junio	Habla en la inauguración de la Escuela Bíblica Australiana, en dos edificios alquilados en Melbourne.
1892	Se publica *Steps to Christ* [El camino a Cristo] y *Gospel Workers* [Obreros evangélicos].
1894, enero	Participa en los planes para establecer una escuela permanente en Australia.
1894, mayo 23	Visita el lugar donde se levantaría la escuela en Cooranbong.
1895, diciembre	Se traslada a su casa "Sunnyside" en Cooranbong, donde escribió gran parte de *The Desire of Ages* [El Deseado de todas las gentes].
1896	Se publica *Thoughts From the Mount of Blessing* [El discurso maestro de Jesucristo].
1898	Se publica *The Desire of Ages* [El Deseado de todas las gentes].
1899-1900	Exhorta a que se establezca un sanatorio en Sídney.
1900	Se publica *Christ's Object Lessons* [Palabras de vida del gran Maestro].
1900, agosto	Parte de Australia hacia los Estados Unidos.

Los años en Elmshaven 1900-1915

Cuando Elena G. de White se estableció en Elmshaven, el nombre de su nueva casa ubicada cerca de Santa Elena, en el norte de California, esperaba que podría dedicar la mayor parte de su tiempo a escribir sus libros. Tenía 72 años, y todavía había una cantidad de libros que deseaba completar. Poco se imaginaba que se le pediría también que dedicase mucho tiempo a viajar, aconsejar y hablar en público. La crisis creada por controversias en Battle Creek también le demandaría gran parte de su tiempo y energías. Aun así, escribiendo temprano por la mañana, pudo producir nueve libros durante este período.

1900, octubre	Se instala en Elmshaven.
1901, abril	Asiste al congreso en Battle Creek.
1902, febrero 18	Se incendia el Sanatorio de Battle Creek.
1902, diciembre 30	Se incendia la imprenta Review and Herald.
1903, octubre	Enfrenta la crisis del panteísmo.
1904, abril	Viaja al Este para colaborar con la iniciación de la obra en la ciudad de Washington, para visitar a su hijo Edson en Nashville, y para asistir a importantes reuniones.
1904, noviembre	Participa en el establecimiento del Sanatorio Paradise Valley.
1905, mayo	Asiste al congreso de la Asociación General en la ciudad de Washington.
1905	Se publica *The Ministry of Healing* [El ministerio de curación].
1905, junio	Participa en la iniciación del Sanatorio Loma Linda.
1906-1908	Ocupada en Elmshaven con trabajo literario.
1909, abril	A los 81 años viaja a Washington para asistir al congreso de la Asociación General. Este fue su último viaje al Este.
1910, enero	Participa en el establecimiento del Colegio de Médicos Evangelistas en Loma Linda. Dedica su atención a la terminación de *The Acts of the Apostles* [Los hechos de los apóstoles] y a la reedición de *The Great Controversy* [El conflicto de los siglos], hasta 1911.
1911-1915	Debido a su avanzada edad, solo hace unos pocos viajes al sur de California. En Elmshaven se ocupa en su trabajo literario, y termina *Prophets and Kings* [Profetas y reyes] y *Counsels to Parents, Teachers and Students* [Consejos para maestros, padres y alumnos].
1915, febrero 13	Sufre una caída en su casa de Elmshaven y se fractura una cadera.
1915, julio 16	Termina su fructífera vida a los 87 años. Sus últimas palabras fueron: "Sé en quién he creído".

* Ahora conocida como la *Adventist Review* [Revista Adventista], una de las revistas religiosas más antiguas, publicadas ininterrumpidamente en los Estados Unidos.

** La mención de las diferentes estaciones del año se refiere al hemisferio norte. La primavera, el verano, el otoño y el invierno del hemisferio norte corresponden al otoño, el invierno, la primavera y el verano del hemisferio sur, respectivamente.

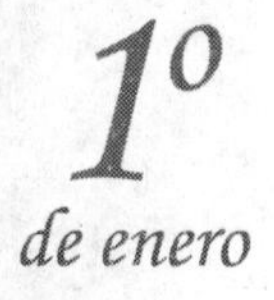

de enero

El año viejo y el nuevo

Examinaos a vosotros mismos si estáis en la fe; probaos a vosotros mismos. 2 Corintios 13:5.

Ya ha comenzado el año nuevo; sin embargo, antes de darle la bienvenida, nos detenemos para preguntar: ¿Cuál ha sido la historia del año que acaba de pasar a la eternidad con su carga de registros?... ¡No permita Dios que en esta hora tan importante nos encontremos de tal manera preocupados por otros asuntos que no tengamos tiempo para realizar un autoexamen serio, cándido y crítico! Dejemos atrás las cosas de menor importancia y ocupémonos ahora de las que conciernen a nuestros intereses eternos...

Ninguno de nosotros puede representar el carácter de Cristo por su propia fuerza; pero si Cristo vive en el corazón, el Espíritu que mora en él será revelado en nosotros. Así todo lo que nos falta quedará suplido. Al comienzo de este nuevo año, ¿quién se esforzará por obtener una experiencia nueva y genuina en las cosas de Dios? Rectifiquen sus equivocaciones, en la medida de lo posible. Confiesen unos a otros sus errores y pecados. Deséchese toda amargura e ira y malicia; que la paciencia, la longanimidad, la bondad y el amor lleguen a formar parte de su mismo ser. Entonces, todo lo puro y amable y de buen nombre madurará en su experiencia...

A nosotros nos corresponde cultivar individualmente la gracia de Cristo, ser mansos y humildes de corazón, ser firmes, inamovibles, constantes en la verdad; porque solo así se puede progresar en la santidad y ser aptos para la herencia de los santos en luz. Comencemos el año renunciando completamente al yo; oremos en procura de un discernimiento claro... para que lleguemos a ser testigos de Cristo en todo momento y lugar.

Nuestro tiempo y talentos pertenecen a Dios, para ser usados para su honor y gloria. Nuestro esfuerzo más ferviente y ansioso debiera ser permitir que la luz brille a través de nuestra vida y carácter para iluminar el camino hacia el cielo, para que las almas sean atraídas del camino ancho hacia el camino estrecho de la santidad...

Se necesitan en la iglesia hombres y mujeres fuertes, obreros exitosos en la viña del Señor, hombres y mujeres que se empeñarán en que la iglesia sea transformada a la imagen de Cristo en vez de ser conformada a las costumbres y prácticas del mundo. Tenemos todo que ganar o perder. Veamos que estemos del lado de Cristo, el lado ganador; que trabajamos firmemente para el cielo.— *Signs of the Times,* 4 de enero de 1883; parcialmente en *Exaltad a Jesús,* p. 9.

2

de enero

Velen y oren

Mas el fin de todas las cosas se acerca; sed, pues, sobrios, y velad en oración. 1 Pedro 4:7.

Nuestro Redentor comprendió perfectamente las necesidades de la humanidad. Él, que condescendió en tomar la naturaleza humana, conocía las flaquezas del hombre. Cristo vivió como nuestro ejemplo. Fue tentado en todo como nosotros lo somos, para saber cómo socorrer a los que fueran tentados...

Cristo tomó sobre sí nuestras flaquezas, y con la debilidad de la humanidad, necesitó buscar ayuda de su Padre. A menudo se lo encontraba en ferviente oración, en el huerto, junto al lago y en los montes. Nos ha ordenado velar y orar. El descuido de la vigilancia y el escudriñamiento cuidadoso del corazón es lo que lleva a la autosuficiencia y el orgullo espiritual. Sin un profundo sentido de nuestra necesidad de la ayuda de Dios, habrá tan solo muy poca oración ferviente y sincera en demanda de ayuda...

La vigilancia incesante es de gran ayuda para la oración... Aquel cuya mente se halaga de morar en Dios tiene una defensa fuerte. Tal persona será rápida en percibir los peligros que atentan contra la vida espiritual, y un sentido de peligro la llevará a buscar al Señor para obtener ayuda y protección.

Hay momentos cuando la vida cristiana parece plagada de peligros, y se hace difícil cumplir el deber. Pero las nubes que se amontonan en nuestro camino y los peligros que nos rodean, nunca desaparecerán ante un espíritu vacilante, dudoso y falto de oración. En momentos tales la incredulidad dice: "Nunca podremos superar estos obstáculos; esperemos hasta que podamos ver claramente el camino". Pero la fe propone avanzar con valor, esperándolo todo, creyendo todas las cosas...

La oración bien puede ser ofrecida diariamente por aquellos que tienen ante sí el temor de Dios, que él preserve sus corazones de los deseos malignos, y fortalezca sus almas para resistir la tentación...

La Palabra de Dios nos exhorta a que seamos hallados "orando en todo tiempo con toda oración y súplica en el Espíritu, y velando en ello con toda perseverancia" (Efe. 6:18); y añade: "Sed, pues, sobrios, y velad en oración" (1 Ped. 4:7). Esta es la salvaguardia del cristiano, su protección ante los peligros que rodean su senda.— *Review and Herald,* 11 de octubre de 1881; parcialmente en *A fin de conocerle,* p. 242).

de enero

Comprensión para todos

La exposición de tus palabras alumbra; hace entender a los simples.
Salmo 119:130.

La Palabra de Dios presenta el medio más poderoso de educación, así como la fuente más valiosa de conocimiento dentro del alcance del hombre. El entendimiento se adapta a las dimensiones de los temas con los que debe tratar. Si se ocupa únicamente de asuntos triviales y comunes, si no se lo emplea para esfuerzos fervientes a fin de comprender las verdades grandes y eternas, se empequeñece y debilita. De aquí el valor de las Escrituras como un medio de cultura intelectual. Su lectura, con espíritu reverente y disposición a aprender, expandirá y fortalecerá la mente como ningún otro estudio. Llevará directamente a la contemplación de las verdades más excelsas, ennoblecedoras y estupendas que puedan presentarse a la mente humana. Ellas dirigen nuestros pensamientos al infinito Autor de todas las cosas.

Vemos revelado el carácter del Eterno y escuchamos su voz cuando tiene comunión con los patriarcas y profetas. Vemos explicados los misterios de su providencia, los grandes problemas que han demandado la atención de toda mente pensadora, pero que, sin la ayuda de la revelación, trata inútilmente de resolver el intelecto humano. Abren a nuestro entendimiento un sistema de teología sencillo y sin embargo sublime, que presenta verdades que un niño puede entender, pero que son tan amplias como para desconcertar las facultades de la mente más poderosa...

Nuestro Salvador no ignora a los instruidos ni desprecia la educación. Sin embargo, eligió a pescadores incultos para la obra evangélica, porque no habían sido educados en las costumbres falsas y en las tradiciones del mundo. Eran hombres de habilidad natural y poseían un espíritu humilde, susceptible de ser educado; eran hombres a quienes podía educar para su gran obra...

A los cultos abogados, sacerdotes y escribas les fastidiaba ser enseñados por Cristo. Ellos deseaban enseñarle a él, y frecuentemente lo intentaron, pero su único resultado fue ser vencidos por la sabiduría que dejaba al descubierto su ignorancia y reprendía su necedad. En su orgullo y prejuicio, no aceptaban las palabras de Cristo, aunque se sorprendían por la sabiduría con la que hablaba... Pero las palabras y acciones del humilde Maestro, registradas por los compañeros iletrados de su vida cotidiana, han ejercido un poder viviente sobre la mente de hombres y mujeres desde ese entonces hasta el presente.— *Review and Herald, 25 de septiembre de 1883;* parcialmente en *A fin de conocerle,* pp. 10, 191.

4

de enero

La oración ferviente

La oración eficaz del justo puede mucho. Santiago 5:16.

Jesús es nuestro Salvador hoy. Él intercede por nosotros en el Lugar Santísimo del Santuario celestial, y él perdonará nuestros pecados. Espiritualmente hablando, hará para nosotros toda la diferencia del mundo el que dependamos de Dios, sin dudas, como de un seguro fundamento, o que tratemos de encontrar alguna justicia en nosotros mismos antes de venir ante él...

El Señor nos ama, y nos soporta incluso cuando somos desagradecidos para con él, olvidadizos de sus promesas, malvadamente incrédulos... Hagamos un cambio completo. Cultivemos la preciosa planta del amor, y deleitémonos en ayudarnos unos a otros...

Hay ricas promesas para nosotros en la Palabra de Dios. El plan de salvación es amplio. La provisión hecha por nosotros no es estrecha ni limitada. No estamos obligados a confiar en la evidencia que recibimos un año o un mes atrás, sino que podemos tener la certeza hoy de que Jesús vive y está haciendo intercesión por nosotros...

Si hemos de refrescar a otros, nosotros mismos debemos beber de la Fuente que nunca se seca. Es nuestro privilegio familiarizarnos con la Fuente de nuestra fuerza, aferrarnos del brazo de Dios. Podemos hablar con él de nuestros deseos reales; y nuestras peticiones fervientes mostrarán que advertimos nuestras necesidades y haremos lo que podamos para contestar nuestras propias oraciones. Debemos obedecer el mandato de Pablo: "Levántate de los muertos, y te alumbrará Cristo".

Martín Lutero era un hombre de oración. Trabajaba y oraba como si algo tenía que hacerse... Sus oraciones eran seguidas por la dependencia en las promesas de Dios; y por medio de la ayuda divina, fue dotado para sacudir el vasto poder de Roma, de manera que los fundamentos de la iglesia temblaron en cada país.

El Espíritu de Dios coopera con el obrero humilde que mora en Cristo y comulga con él. Oren... Cuando estén desanimados, cierren los labios ante otros; mantengan la oscuridad adentro, para que no traigan sombras a la senda de otro, pero díganselo a Jesús. Pidan humildad, sabiduría, valor, aumento de fe, para que puedan ver luz en su Luz y gozarse en su amor. Solo crean, y ciertamente verán la salvación de Dios.— *Review and Herald,* 22 de abril de 1884; parcialmente en *Mensajes selectos*, tomo 3, p. 169.

de enero

La importancia de la oración

Y Daniel propuso en su corazón no contaminarse con la porción de la comida del rey, ni con el vino que él bebía. Daniel 1:8.

La oración no es entendida como se debiera. Nuestras oraciones no han de informar a Dios de algo que él no sabe. El Señor está al tanto de los secretos de cada alma. Nuestras oraciones no tienen por qué ser largas ni decirse en voz alta. Dios lee los pensamientos ocultos. Podemos orar en secreto, y el que ve en secreto oirá y nos recompensará en público...

La oración no tiene por objeto obrar un cambio en Dios; nos pone a nosotros en armonía con Dios. No reemplaza al deber... La oración no pagará nuestras deudas a Dios. Los siervos de Cristo han de depender de Dios como Daniel en la corte de Babilonia. Daniel sabía el valor de la oración, su intención y su objetivo; y las oraciones que él y sus tres compañeros ofrecieron a Dios después de ser escogidos por el rey para la corte de Babilonia, fueron contestadas.

Había otro grupo de cautivos [entre los] llevados a Babilonia. El Señor les permitió a estos que fuesen arrancados de sus hogares y llevados a una tierra de idólatras porque ellos mismos continuamente se introducían en la idolatría. El Señor les permitió tener todo lo que desearan de las prácticas idólatras de Babilonia...

De acuerdo con la sabiduría del mundo, él [Daniel] y sus tres compañeros tenían toda la ventaja asegurada a su favor. Pero aquí debía sobrevenirles su primera prueba. Sus principios tenían que entrar en colisión con los reglamentos y las órdenes del rey...

Daniel y sus tres compañeros no fueron de la opinión que, debido a que sus alimentos y bebidas provenían por decreto del rey, era su deber participar de ellos. Oraron por el asunto y estudiaron las Escrituras. El carácter de su educación había sido tal que sentían que incluso en su cautiverio dependían de Dios... La apariencia de Daniel y sus compañeros era como la que debiera tener todo joven. Eran corteses, bondadosos, respetuosos y poseían la gracia de la mansedumbre y la modestia...

Cuando estamos rodeados por influencias destinadas a apartarnos de Dios, nuestras peticiones de ayuda y fuerza deben ser incansables. A menos que así sea, nunca tendremos éxito en quebrantar el orgullo y en vencer el poder que nos tienta a cometer excesos pecaminosos que nos apartan del Salvador.— *Youth's Instructor,* 18 de agosto de 1898.

de enero

Lecciones de Elías sobre la oración

Elías era hombre sujeto a pasiones semejantes a las nuestras, y oró fervientemente para que no lloviese, y no llovió sobre la tierra por tres años y seis meses. Y otra vez oró, y el cielo dio lluvia, y la tierra produjo su fruto. Santiago 5:17, 18.

Se nos presentan lecciones importantes en la experiencia de Elías. Cuando sobre el monte Carmelo ofreció la oración pidiendo lluvia, su fe fue probada, pero perseveró en presentar su pedido a Dios. Seis veces oró fervientemente, y aun así no hubo señal de que su pedido había sido contestado, pero con una fe vigorosa presentó su petición ante el trono de gracia. Si, desalentado, hubiera abandonado a la sexta vez, su oración no habría sido contestada, pero perseveró hasta que llegó la respuesta. Tenemos un Dios cuyo oído no está cerrado a nuestras peticiones, y si ponemos a prueba su palabra, él honrará nuestra fe. Quiere que todos nuestros intereses estén entrelazados con los suyos, y entonces podrá bendecirnos sin peligro, porque ya no nos atribuiremos la gloria cuando llegue la bendición; sino que daremos a Dios toda la alabanza.

Dios no siempre contesta nuestras oraciones la primera vez que le rogamos, porque si lo hiciera, pensaríamos que tenemos derecho a todas las bendiciones y favores que nos concede. En vez de escudriñar nuestros corazones para ver si acariciamos algún mal o nos complacemos en algún pecado, nos volveríamos descuidados y dejaríamos de comprender nuestra dependencia de él, y nuestra necesidad de su ayuda.

Elías se humilló hasta que estuvo en condiciones de no atribuirse a sí mismo la gloria. Esta es la condición por la cual el Señor escucha la oración, porque entonces daremos a él la alabanza…

Hemos de creer la Palabra de Dios, ya sea que exista una manifestación de sentimientos o no. Antes yo le pedía a Dios que me diera una sensación, pero ya no lo hago… Como Elías, vez tras vez yo presento mi petición al trono de gracia; y cuando el Señor ve que yo advierto mi ineficiencia y debilidad, la bendición llega…

He entregado la protección de mi alma a Dios como un fiel Creador, y yo sé que él guardará aquello que le he entregado hasta ese día…

Alabémosle con el corazón, el alma y la voz. Si alguno ha perdido la fe, que busque a Dios hoy. El Señor ha prometido que si lo buscamos con todo el corazón, será encontrado por nosotros.— *Review and Herald*, 9 de junio de 1891; parcialmente en *Conflicto y valor*, p. 212.

La oración modelo

Señor, enséñanos a orar. Lucas 11:1.

El Redentor del mundo frecuentemente se aislaba para orar. En una ocasión sus discípulos no estaban lejos y pudieron escuchar sus palabras. Quedaron profundamente impresionados por su oración, porque estaba cargada de un poder vital que alcanzó sus corazones. Era muy diferente de las oraciones que ellos mismos ofrecían, y diferente de cualquier oración que hubiesen oído de labios humanos. Después que Jesús se les unió nuevamente, le dijeron: "Señor, enséñanos a orar, como también Juan enseñó a sus discípulos"...

Orar a nuestro Padre celestial tiene un gran significado. Venimos a ofrecer nuestro imperfecto tributo de acción de gracias a sus pies en reconocimiento de su amor y misericordia, de la cual no somos totalmente merecedores. Venimos a dar a conocer nuestros deseos, a confesar nuestros pecados y a presentarle sus propias promesas...

Jesús nos ha dado una oración en la cual cada expresión está llena de significado, para ser estudiada y aplicada a la vida práctica... Es una oración que expresa los temas esenciales que necesitamos presentar a nuestro Padre celestial...

En el Padrenuestro, la solidez, la fortaleza y el fervor se unen con la humildad y la reverencia. Es una expresión del carácter divino de su Autor...

Las largas oraciones en una congregación son tediosas para aquellos que escuchan, y no preparan los corazones de la gente para el sermón que seguirá. La oración de Cristo guardaba un marcado contraste con estas largas oraciones con sus muchas repeticiones. Los fariseos pensaban que habrían de ser escuchados por hablar mucho, y hacían oraciones largas, tediosas e interminables...

La oración modelo de Cristo guarda un contraste marcado con las oraciones de los paganos. En todas las religiones falsas, las ceremonias y las formas han sustituido la piedad genuina y la piedad práctica...

Cristo reprobaba a los escribas y fariseos por sus oraciones llenas de justicia propia... Las oraciones de este tipo, que son hechas para ser escuchadas por los hombres, no producen bendición de parte de Dios... Pero la humildad siempre es reconocida por Aquel que dijo: "Pedid, y se os dará; buscad, y hallaréis; llamad, y se os abrirá" (Luc. 11:9).— *Review and Herald*, 28 de mayo de 1895.

8 de enero

La oración que prevalece

Sean conocidas vuestras peticiones delante de Dios en toda oración y ruego, con acción de gracias. Filipenses 4:6.

Dios ha hecho de la oración nuestro deber. Las riquezas del universo le pertenecen. Él tiene a su disposición todos los tesoros temporales y espirituales y puede suplir toda necesidad de su abundante plenitud. Recibimos nuestro aliento de él; toda bendición temporal que disfrutamos es don suyo. Dependemos de él no solo para [recibir] las bendiciones temporales sino la gracia y la fuerza para guardarnos de caer bajo el poder de la tentación. Necesitamos diariamente el Pan de Vida para darnos fuerza espiritual y vigor, de la misma manera que necesitamos alimentos para sostener nuestra fuerza física y darnos músculos firmes. Estamos rodeados por debilidad y flaquezas, dudas y tentaciones; pero podemos allegarnos a Jesús en nuestra necesidad, y él no nos dejará ir vacíos. Debemos acostumbrarnos a buscar la dirección divina por medio de la oración; debemos aprender a confiar en Aquel de quien proviene nuestra ayuda...

Debemos tener un sentido profundo y ferviente de nuestras necesidades. Debemos sentir nuestra necesidad y dependencia de Dios, e ir a él con contrición de alma y corazón quebrantado. Nuestras peticiones deben ser ofrecidas en perfecta sumisión; cada deseo debe ser llevado a la armonía con la voluntad de Dios, y su voluntad debe cumplirse en nosotros...

Si caminamos en la luz como Cristo está en la luz, podemos venir al trono de la gracia con atrevimiento santo. Podemos presentar las promesas de Dios en fe viva e insistir con nuestras peticiones. Aunque somos débiles, falibles e indignos, "el Espíritu nos ayuda en nuestra debilidad" (Rom. 8:26)... Cuando hemos ofrecido nuestra petición una vez, no debemos abandonarla, sino decir, como hizo Jacob cuando luchó toda la noche con el ángel: "No te dejaré, si no me bendices" (Gén. 32:26); y como él, hemos de prevalecer...

Solo velando en oración y mediante el ejercicio de una fe viviente, el cristiano puede conservar su integridad en medio de las tentaciones que Satanás arroja sobre él... Hable constantemente a su corazón el lenguaje de la fe: "Jesús dijo que me recibiría, y yo creo en su palabra. Lo alabaré y glorificaré su nombre". Satanás estará cerca, a nuestro lado, para sugerirnos que no sintamos gozo alguno. Contestémosle: ...Todo me hace feliz porque soy un hijo de Dios. Confío en Jesús.— *Signs of the Times,* 15 de mayo de 1884; parcialmente en *Recibiréis poder*, p. 362.

de enero

Enraizados y plantados en Jesús

El justo florecerá como la palmera. Salmo 92:12.

Será como árbol plantado junto a corrientes de aguas, que da su fruto en su tiempo, y su hoja no cae; y todo lo que hace, prosperará. Salmo 1:3.

Estos textos describen la feliz condición del hombre o de la mujer cuya alma está enraizada y plantada en Cristo. Pero siempre hay peligro de quedar satisfechos con un trabajo superficial; siempre hay peligro de que las almas no se anclen a sí mismas en Dios, sino que se contenten con vacilar de aquí para allá, haciéndole juego a las tentaciones de Satanás.

¿Ha comenzado a ver los defectos en su carácter? No se sienta inútil y desanimado. Mire a Jesús, quien conoce todas sus necesidades y se apiada de todas sus debilidades... No es vergonzoso confesar nuestros pecados y abandonarlos. La vergüenza está en aquellos que conocen sus pecados y continúan en ellos y apenan al querido Salvador por sus caminos torcidos. Un conocimiento de nuestros errores debiera ser más valorado que un revuelo feliz de los sentimientos, porque es evidencia de que el Espíritu de Dios está luchando con nosotros y que los ángeles nos rodean...

En una contrición genuina por el pecado, vayan al pie de la cruz y dejen allí sus cargas. Vayan con arrepentimiento a Dios porque han quebrantado su ley, y con fe en que nuestro Señor Jesucristo perdonará sus transgresiones y los reconciliará con el Padre. Crean lo que Dios dice; tomad a pecho sus promesas...

Vean al fatigado viajero que anda trabajosamente por la caliente arena del desierto, sin resguardo que lo proteja de los rayos del sol tropical. Su provisión de agua se ha agotado y no tiene nada con que calmar su ardiente sed. Su lengua comienza a hincharse. Se tambalea como un ebrio. Visiones del hogar y los amigos pasan por su mente, pues cree estar próximo a perecer. Repentinamente ve a la distancia, elevándose por sobre la triste vastedad arenosa, una palmera, verde y floreciente...

Así como la palmera, que obtiene su alimento de las fuentes del agua de vida, permanece verde y florida en medio del desierto, también el cristiano puede extraer ricas provisiones de gracia de la fuente del amor de Dios, y puede conducir a las almas cansadas, llenas de inquietud, y listas a perecer en el desierto del pecado, a esas aguas donde puedan beber y vivir.— *Signs of the Times,* 26 de junio de 1884.

10

de enero

Ejemplos destacados de oración

Si permanecéis en mí, y mis palabras permanecen en vosotros, pedid todo lo que queréis, y os será hecho. Juan 15:7.

La oración es el medio para obtener bendiciones que no recibiríamos de otro modo. Los patriarcas eran hombres de oración, y Dios hizo grandes cosas para ellos. Cuando Jacob dejó la casa de su padre para ir a una tierra extraña, oró en contrición humilde, y en las horas de la noche el Señor le respondió por medio de una visión. Vio una escalera, brillante e iluminada; su base reposaba en la tierra, y su peldaño más alto alcanzaba el cielo más alto… Después, mientras regresaba a la casa de su padre, luchó con el Hijo de Dios toda la noche, hasta el amanecer, y prevaleció. Se le dio la seguridad: "No se dirá más tu nombre Jacob, sino Israel; porque has luchado con Dios y con los hombres, y has vencido" (Gén. 32:28).

José oró, y fue preservado del pecado en medio de influencias que habían sido calculadas para apartarlo de Dios. Cuando fue tentado a dejar el camino de la pureza y la rectitud, dijo: "¿Cómo, pues, haría yo este grande mal, y pecaría contra Dios?" (Gén. 39:9).

Moisés, quien oraba mucho, era conocido como el hombre más manso sobre la faz de la tierra. Por su mansedumbre y humildad fue honrado por Dios, y cumplió con fidelidad las responsabilidades elevadas, nobles y sagradas que se le habían confiado. Mientras conducía a los hijos de Israel por el desierto, vez tras vez parecía que serían exterminados por causa de sus murmuraciones y rebelión. Pero Moisés fue a la Fuente misma de poder; colocó el caso ante el Señor…

Daniel era un hombre de oración, y Dios le dio sabiduría y firmeza para resistir cada influencia que conspiraba para atraerlo a la trampa de la intemperancia. Incluso en su juventud fue un gigante moral en la fortaleza del Poderoso…

En la prisión de Filipos, mientras sufrían por los crueles latigazos recibidos, Pablo y Silas oraron y cantaron alabanzas a Dios, y los ángeles fueron enviados del cielo para librarlos. La tierra tembló bajo los pasos de estos mensajeros celestiales, y las puertas de la prisión se abrieron súbitamente y dejaron libres a los prisioneros… Debiéramos continuamente ir disminuyendo la dependencia terrenal, e ir aferrándonos del cielo.— *Signs of the Times,* 14 de agosto de 1884.

11

de enero

Oraciones de forma y oraciones de fe

Y orando, no uséis vanas repeticiones, como los gentiles, que piensan que por su palabrería serán oídos. Mateo 6:7.

Hay dos tipos de oración: la oración de forma y la oración de fe. La repetición de frases fijas y acostumbradas cuando el corazón no siente la necesidad de Dios es una oración formal... Debemos ser extremadamente cuidadosos en nuestras oraciones de manera que hablemos los deseos del corazón y digamos únicamente lo que queremos decir. Todas las palabras floridas que tengamos a nuestra disposición no equivalen a un solo deseo santo. Las oraciones más elocuentes son palabrería vana si no expresan los sentimientos sinceros del corazón. La oración que brota del corazón ferviente, que expresa con sencillez las necesidades del alma así como pediríamos un favor a un amigo terrenal esperando que lo haga, esa es la oración de fe. El publicano que subió al templo para orar es un buen ejemplo de un adorador sincero y devoto. Sentía que era un pecador, y su gran necesidad lo llevó a un arranque de deseo apasionado: "Señor, sé propicio a mí, pecador"...

Para comulgar con Dios debemos tener algo que decirle sobre nuestra vida actual. La larga y negra lista de nuestros delitos está ante los ojos del Infinito. El registro está completo; ninguna de nuestras ofensas ha sido olvidada. Pero el que oyó las súplicas de sus siervos en lo pasado, oirá la oración de fe y perdonará nuestras transgresiones. Lo ha prometido, y cumplirá su palabra...

Después que hemos ofrecido nuestras peticiones, hemos de responderlas nosotros mismos tanto como podamos, y no esperar que Dios haga por nosotros lo que podemos hacer por nosotros mismos... La ayuda divina ha de combinarse con el esfuerzo, la aspiración y la energía humanos... No podemos ser sostenidos por las oraciones ajenas cuando nosotros mismos descuidamos la oración, porque Dios no ha hecho provisión tal para nosotros. Ni siquiera el poder divino puede elevar a una sola alma al cielo que no esté dispuesta a hacer esfuerzos por sí misma...

A medida que paso a paso ascendamos la escalera iluminada que lleva a la ciudad de Dios, cuántas veces nos desanimaremos y vendremos a llorar a los pies de Jesús por nuestros fracasos y derrotas... Pero no cesemos nuestros esfuerzos. Cada uno de nosotros puede alcanzar el cielo si luchamos lealmente, haciendo la voluntad de Jesús y creciendo a su imagen. El fracaso momentáneo debiera hacernos depender más de lleno en Cristo, y debemos proseguir con corazones valientes, voluntad firme y propósito inquebrantable.— *Signs of the Times,* 14 de agosto de 1884.

12 de enero

La religión de la Biblia es práctica

La religión pura y sin mácula delante de Dios el Padre es esta: Visitar a los huérfanos y a las viudas en sus tribulaciones, y guardarse sin mancha del mundo. Santiago 1:27.

La religión de la Biblia no es una pieza de ropa que puede ponerse o quitarse cuando se quiera. Es una influencia que todo lo trasciende y nos lleva a ser seguidores de Cristo pacientes y sacrificados, haciendo lo que él hacía, caminando como él caminaba... Esta religión nos enseña a ejercer la paciencia y a ser sufridos cuando estamos en lugares donde recibimos un trato duro e injusto...

Pero si permanentemente hacemos de la Palabra de Dios un principio de vida, cada cosa que hagamos, cada palabra o acto, por común que fuere, pondrá de manifiesto que estamos sujetos a Cristo Jesús, al que hemos sometido en cautiverio nuestros pensamientos. Si la Palabra de Dios es recibida en el corazón, lo vaciará de la suficiencia propia y de la autodependencia. La vida llegará a ser un poder para el bien debido a que el Espíritu Santo henchirá la mente con los asuntos de Dios. Practicaremos la religión de Cristo, porque la voluntad estará en perfecta conformidad con la de Dios...

“Escudriñad las Escrituras”. Ningún otro libro le dará pensamientos tan puros, elevadores y ennoblecedores; de ningún otro libro usted puede obtener una experiencia religiosa profunda. Cuando usted dedica tiempo al examen propio, a la oración humilde, a un estudio ferviente de la Palabra de Dios, el Espíritu Santo está cerca para aplicar la verdad a su corazón...

La Biblia y la Biblia sola, ha de ser la norma de nuestra fe. Es una hoja del árbol de la vida, y al comerla y recibirla en nuestra mente, nos haremos fuertes para hacer la voluntad de Dios...

Si no recibimos la religión de Cristo al alimentarnos de la Palabra de Dios, no tendremos el derecho de entrada a la ciudad de Dios. Al haber vivido comiendo alimento terrenal, y al haber educado nuestros gustos para amar las cosas terrenales... no podemos apreciar la corriente pura y celestial que circula [allí]...

Jesús dice: “Sin mí, nada podéis hacer” (Juan 15:5). Al vivir en Cristo, adheridos a Cristo, sostenidos por Cristo, obteniendo alimento de Cristo, llevamos frutos según la similitud de Cristo. Vivimos y nos movemos en él; somos unos con él y unos con el Padre. El nombre de Cristo es glorificado en el hijo de Dios que cree. Esta es la religión de la Biblia.— *Review and Herald,* 4 de mayo de 1897; parcialmente en *Recibiréis poder*, p. 118.

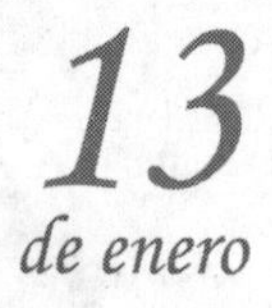

de enero

Confórmense a la Palabra

Pues en vano me honran, enseñando como doctrinas, mandamientos de hombres. Mateo 15:9.

Aquellos que desean conocer la verdad no tienen nada que temer de la investigación de la Palabra de Dios. Pero al llegar al umbral de la investigación de la Palabra de Dios, los indagadores de la verdad deben poner a un lado todo prejuicio y mantener bajo control toda opinión preconcebida, y abrir el oído para escuchar la voz de Dios de parte de su mensajero. Las opiniones acariciadas, las costumbres y hábitos practicados por mucho tiempo han de ser probados por las Escrituras; y si la Palabra de Dios se opone a sus opiniones, entonces, por el bien de su alma, no luche con las Escrituras, como muchos hacen para la destrucción de su alma con el fin de lograr que ellas den testimonio a favor de sus errores. Que su indagación sea: ¿Qué es la verdad? Y no: ¿Qué es lo que yo he creído hasta aquí que es la verdad? No interprete las Escrituras a la luz de sus creencias anteriores ni asegure que una doctrina de humanidad finita es la verdad. Que su indagación sea: ¿Qué dicen las Escrituras?...

Decida en su mente que sus teorías anteriores deben cambiar si no están en armonía con las doctrinas de la Biblia. Usted ha sido llamado a ejercer un esfuerzo diligente para descubrir qué es verdad. Esto no debe verse como un requisito duro; porque somos llamados a luchar por nuestras bendiciones temporales y terrenales, y no se espera que hayamos de encontrar el tesoro celestial a menos que estemos dispuestos a cavar en las minas de la verdad y ejercer todas nuestras facultades de la mente y el corazón para entender...

Tenga cuidado de no leer la Palabra de Dios a la luz de enseñanzas erróneas. En este mismo terreno es donde los judíos cometieron su error fatal. Declararon que no debía haber una interpretación diferente de las Escrituras que la dada por los rabinos en los años anteriores; y a medida que ellos multiplicaban sus tradiciones y máximas y las revestían de lo sagrado, la Palabra de Dios había perdido su efecto por causa de sus tradiciones; y si Jesucristo, la Palabra de Dios, no hubiera venido al mundo, la humanidad habría perdido todo conocimiento del Dios verdadero...

El plan concienzudo de Satanás es pervertir las Escrituras y llevarnos a colocar una estructura falsa a la Palabra de Dios... Todos los artículos de la fe, todas las doctrinas y credos, por sagrados que han sido considerados, han de ser rechazados si contradicen las declaraciones sencillas de la Palabra de Dios.— *Review and Herald*, 25 de marzo de 1902.

14

de enero

Dios escucha las oraciones

Los ojos de Jehová están sobre los justos, y atentos sus oídos al clamor de ellos. Salmo 34:15.

Cuando Jesús estuvo sobre la tierra y caminaba como un hombre entre los hijos de la humanidad, él oraba, y ¡cuán fervientes eran sus oraciones! ¡Cuán a menudo pasaba toda la noche sobre la tierra húmeda y fría en súplica agonizante! Y sin embargo, él era el amado e inmaculado Hijo de Dios. Si Jesús sentía la necesidad de comunión con su Padre y manifestaba tal fervor en clamar a él, cuánto más nosotros, a quienes él ha llamado para ser herederos de salvación, quienes somos sujetos a las fieras tentaciones del astuto enemigo y dependemos de la gracia divina para obtener la fuerza para vencer, debiéramos agitar el alma entera para luchar con Dios...

Satanás siempre está listo para insinuar que la oración es únicamente una formalidad que nada nos resuelve. No soporta que se apele a su poderoso rival. Al sonido de la oración ferviente, tiemblan los ejércitos de las tinieblas. Por temor a que sus cautivos escapen, forman un muro alrededor de estos, para que la luz del cielo no pueda alcanzar sus almas. Pero si en sus angustias e impotencia miran a Jesús, apropiándose de los méritos de su sangre, su Redentor compasivo escucha la oración ferviente y perseverante de fe, y envía un refuerzo de ángeles poderosos para librarlos. Y cuando estos ángeles, todopoderosos, vestidos con la armadura del cielo, vienen a ayudar a las almas desmayadas y perseguidas, los ángeles de las tinieblas se repliegan, sabiendo bien que han perdido la batalla, y que otras almas están escapando al poder de su influencia...

Si usted espera la salvación, ha de orar. Tome tiempo. No sea apurado ni descuidado en sus oraciones. Interceda con Dios para que obre en usted una reforma concienzuda, que los frutos del Espíritu moren en usted, y que por su vida santa, usted pueda brillar como una luz en el mundo...

Tome tiempo para orar. Y al hacerlo, crea que Dios lo escucha; mezcle fe con sus oraciones. Que la fe se aferre a la bendición, y esta será suya...

Cada petición que se ofrece a Dios con fe y con un corazón genuino será contestada. Tal oración nunca se pierde; pero es presunción reclamar que siempre sea contestada de la misma manera y con el don particular que deseamos. Dios es demasiado sabio para errar y demasiado bueno para retener alguna cosa buena de los que andan en rectitud.— *Signs of the Times*, 18 de noviembre de 1886.

15

de enero

Orad sin cesar

Orando en todo tiempo con toda oración y súplica en el Espíritu. Efesios 6:18.

No siempre estamos situados de manera que podamos entrar en nuestros aposentos para buscar a Dios en oración, pero no hay tiempo o lugar en que sea inapropiado ofrecer una petición a Dios. No hay nada que nos impida alzar nuestro corazón en el espíritu de la oración ferviente. Entre las multitudes de la calle, en medio de un compromiso de negocios, podemos enviar una petición a Dios y rogar por conducción divina, como hizo Nehemías cuando presentó su pedido ante el rey Artajerjes. Puede encontrarse un aposento de comunión donde estamos. Debemos tener continuamente abierta la puerta del corazón elevando nuestra invitación a Jesús para que venga y more como un invitado celestial en nuestra alma.

Aunque pueda haber una atmósfera manchada y corrompida alrededor nuestro, no necesitamos respirar de la misma, sino que podemos vivir en la atmósfera pura del cielo. Elevando el alma a la presencia de Dios por medio de la oración sincera, podemos cerrar toda puerta a las imaginaciones impuras y pensamientos impíos. Aquellos cuyos corazones están abiertos para recibir el apoyo y la bendición de Dios caminarán en una atmósfera más santa que la de la tierra y tendrán una comunión constante con Dios... El corazón ha de extenderse continuamente en un deseo por la presencia y la gracia de Jesús, de manera que el alma tenga iluminación divina y sabiduría celestial.

Necesitamos tener conceptos más claros de Jesús y una comprensión más completa del valor de las realidades eternas. La belleza de la santidad ha de colmar los corazones del pueblo de Dios, y para que esto se cumpla, debemos buscar las revelaciones divinas de las cosas celestiales...

Podemos mantenernos tan cerca de Dios que en toda prueba inesperada nuestros pensamientos se tornen a Dios tan naturalmente como la flor se torna hacia el sol. La flor del girasol mantiene su rostro hacia el sol. Si se la mueve de la luz, se tuerce por sí misma sobre su tallo hasta que levanta sus pétalos a los brillantes rayos del sol. Que todo el que ha entregado su corazón a Dios se torne hacia el Sol de Justicia y ansiosamente mire hacia arriba para recibir los brillantes rayos de la gloria que relucen en el rostro de Jesús...

El Señor no está obligado a conferirnos sus favores, sin embargo él ha comprometido su palabra que si cumplimos con las condiciones declaradas en las Escrituras, él cumplirá su parte del contrato. Los hombres y las mujeres a menudo hacen promesas pero no las cumplen. A menudo encontramos que al confiar en otros nos hemos apoyado sobre cañas rotas; pero el Señor nunca chasqueará al alma que cree en él.— *Signs of the Times*, 16 de diciembre de 1889.

16

de enero

El poder de la oración

Tú guardarás en completa paz a aquel cuyo pensamiento en ti persevera; porque en ti ha confiado. Isaías 26:3.

La oración al Gran Médico por la salud del alma trae la bendición de Dios. La oración nos une los unos a los otros y a Dios. La oración trae a Jesús a nuestro lado, y da fuerzas nuevas y gracia fresca al alma vacilante y a punto de perecer. Por medio de la oración los enfermos han sido animados a creer que Dios los mirará con compasión. Un rayo de luz penetra en el alma desesperada y se convierte en un sabor de vida para vida. Por la oración se "conquistaron reinos, hicieron justicia, alcanzaron promesas, taparon bocas de leones, apagaron fuegos impetuosos... se hicieron fuertes en batallas, pusieron en fuga ejércitos extranjeros" (Heb. 11:33, 34). Sabremos lo que esto significa cuando escuchemos los informes de los mártires de la fe.

Escucharemos sobre estas victorias cuando el Capitán de nuestra salvación, el Rey glorioso del cielo, abra el registro ante aquellos de los cuales escribió Juan: "Estos son los que han salido de la gran tribulación, y han lavado sus ropas, y las han emblanquecido en la sangre del Cordero" (Apoc. 7:14)...

Cristo nuestro Salvador fue tentado en todo como nosotros, pero sin pecado. Tomó la naturaleza humana, fue hecho en forma de hombre, y sus necesidades fueron las necesidades de la humanidad...

La oración precedió todo acto de su ministerio y lo santificó. Tuvo comunión con su Padre hasta el final de su vida; y cuando pendía sobre la cruz, de sus labios brotó el amargo clamor: "Dios mío, Dios mío, ¿por qué me has desamparado?" Luego, en una voz que ha alcanzado los mismos confines de la tierra, exclamó: "Padre, en tus manos encomiendo mi Espíritu"... Los momentos nocturnos de oración que pasaba el Salvador en la montaña o en el desierto eran esenciales para prepararlo para las pruebas que debía enfrentar en los días siguientes...

Todas las cosas son posibles para quienes creen. Nadie que venga al Señor con sinceridad de corazón será chasqueado. ¡Cuán maravilloso es que podamos orar eficazmente, que seres mortales indignos y falibles posean el poder de ofrecer sus pedidos a Dios!... Pronunciamos palabras que alcanzan el trono del Monarca del universo.— *Review and Herald,* 30 de octubre de 1900.

de enero

Dios nos habla

¿No ardía nuestro corazón en nosotros, mientras nos hablaba en el camino, y cuando nos abría las Escrituras? Lucas 24:32.

Después de la muerte de Cristo, dos discípulos que iban camino a Emaús desde Jerusalén hablaban sobre las escenas de la crucifixión. Cristo mismo se les acercó, sin ser reconocido por los tristes viajeros. Su fe había muerto con su Señor, y sus ojos, enceguecidos por la incredulidad, no reconocieron a su Salvador resucitado. Jesús, al caminar a su lado, anhelaba revelarse a sí mismo ante ellos, pero se dirigió a ellos meramente como compañeros de viaje y les preguntó: "¿Qué pláticas son estas que tenéis entre vosotros mientras camináis, y por qué estáis tristes?" Sorprendidos por la pregunta, le preguntaron si era extranjero en Jerusalén y si no había oído que un profeta, poderoso en palabra y obra, había sido crucificado. "Nosotros esperábamos que él era el que había de redimir a Israel", contestaron con tristeza.

"¡Oh insensatos, y tardos de corazón para creer todo lo que los profetas han dicho! —dijo Jesús— ¿No era necesario que el Cristo padeciera estas cosas, y que entrara en su gloria? Y comenzando desde Moisés, y siguiendo por todos los profetas, les declaraba en todas las Escrituras lo que de él decían" (Luc. 24:13-27).

Los discípulos habían perdido de vista las preciosas promesas conectadas con las profecías de la muerte de Cristo, pero cuando estas fueron traídas a la memoria, la fe revivió; y después que Cristo se les reveló, exclamaron: "¿No ardía nuestro corazón en nosotros, mientras nos hablaba en el camino, y cuando nos abría las Escrituras?"...

Si escudriñáramos las Escrituras, nuestro corazón ardería dentro de nosotros a medida que la verdad revelada en ellas se abriera a nuestra comprensión. Si reclamáramos las preciosas promesas repartidas como perlas a lo largo de los Escritos Sagrados, nuestras esperanzas se iluminarían. Si estudiáramos la historia de los patriarcas y profetas, hombres que amaban y temían a Dios y caminaban con él, nuestras almas brillarían con el espíritu que los animó a ellos...

Algunos preguntan: ¿Cuál es la causa de la carencia de poder espiritual en las iglesias? La respuesta es: permitimos que nuestra mente sea apartada de la Palabra... La Palabra del Dios viviente no ha sido meramente escrita, sino hablada. Es la voz de Dios que nos habla, tan ciertamente como si pudiéramos escucharla con nuestros oídos. Si advirtiéramos esto, con cuánta reverencia abriríamos la Palabra de Dios, con cuánto fervor estudiaríamos sus páginas.— *Review and Herald*, 31 de marzo de 1903.

18

de enero

El estudio de la Biblia fortalece el intelecto

He aquí yo he anhelado tus mandamientos; vivifícame en tu justicia.
Salmo 119:40.

Inspirada por Dios", puede "hacer sabio para la salvación", haciendo al "hombre de Dios... perfecto, enteramente preparado para toda buena obra" (Heb. 3:15-17): El Libro de los libros tiene el máximo derecho a nuestra reverente atención. El estudio superficial de la Palabra de Dios no puede satisfacer nuestra responsabilidad para con ella ni otorgarnos el beneficio prometido... Leer diariamente cierto número de capítulos, o memorizar una cantidad estipulada de las Escrituras, sin una meditación cuidadosa respecto del significado del texto, traerá poca ganancia.

Estudiar un pasaje hasta que su significado sea claro a la mente y su relación con el plan de salvación sea evidente es de mayor valor que hojear muchos capítulos sin un propósito definido a la vista y sin la obtención de instrucciones positivas. No podemos obtener sabiduría de la Palabra de Dios sin dar atención ferviente y suplicante a su estudio. Es verdad que algunas porciones de las Escrituras son ciertamente demasiado sencillas para ser malentendidas, pero hay muchas porciones cuyo significado no puede verse a simple vista, porque la verdad no yace en la superficie...

Ningún estudio es mejor para suplir energía a la mente, fortalecer el intelecto, que el estudio de la Palabra de Dios. Ningún otro libro tiene tal potencia para elevar los pensamientos, vigorizar a las facultades, como la Biblia, que contiene las verdades más ennoblecedoras. Si se estudiara la Palabra de Dios como se debiera, veríamos una amplitud de mente, una estabilidad de propósito y una nobleza de carácter que raramente se ven en estos tiempos...

De todos los libros que inundan el mundo, por valiosos que sean, la Biblia es el Libro de los libros, el que más merece nuestro estudio y admiración. No solo habla de la historia de este mundo sino que describe el mundo por venir. Contiene instrucciones acerca de las maravillas del universo; revela a nuestra comprensión el carácter del Autor de los cielos y la tierra...

Aquel que estudia la Biblia conversa con los patriarcas y los profetas. Se tiene contacto con la verdad revestida de un lenguaje elevado, que ejerce un poder fascinante sobre la mente y eleva los pensamientos de las cosas de esta tierra a la gloria de la vida futura inmortal. ¿Qué sabiduría humana puede compararse con la revelación de la grandeza de Dios? — *Signs of the Times,* 30 de enero de 1893; parcialmente en *En lugares celestiales*, p. 133.

de enero

El estudio personal es esencial

Hazme entender el camino de tus mandamientos, para que medite en tus maravillas. Salmo 119:27.

La Biblia no es exaltada según su lugar entre los libros del mundo, aunque su estudio es de importancia infinita para las almas de hombres y mujeres. Al buscar en sus páginas, la imaginación contempla escenas majestuosas y eternas. Contemplamos a Jesús, el Hijo de Dios, que viene a nuestro mundo y se ocupa en el misterioso conflicto que desconcertó a los poderes de las tinieblas. ¡Oh, cuán maravilloso, cuán increíble es que el Dios infinito haya consentido a la humillación de su propio Hijo para que nosotros fuésemos elevados a un lugar con él sobre su trono! Que todos los estudiantes de las Escrituras contemplen este magno hecho, y no saldrán del estudio de la Biblia sin haber sido purificados, elevados y ennoblecidos...

Hermosos manantiales de verdad celestial, paz y gozo se encuentran esparcidos por todo el terreno de la revelación. Estos alegres manantiales de verdad se encuentran al alcance de cada indagador. Las palabras de inspiración, ponderadas en el corazón, serán como corrientes de agua viva que fluyen del río del agua de vida... Cada vez que estudiamos la Biblia con un corazón reverente, el Espíritu Santo se acerca para explicarnos el significado de las palabras que leemos...

La apertura de la Palabra de Dios siempre es seguida por una notable apertura y fortalecimiento de las facultades humanas, porque la llegada de las palabras de Dios trae luz...

Si los pilares de nuestra fe no soportan la prueba de la investigación, es hora de que lo sepamos, porque es necio asentarnos en nuestras ideas y pensar que nadie debe interferir en nuestras opiniones. Que todo sea traído a la Biblia, porque es la única regla de fe y doctrina.

Debemos estudiar la verdad por nosotros mismos; no debiéramos depender de ninguna persona viviente para que piense por nosotros, no importa quién sea o en qué posición se encuentre. No debemos acudir a ningún ser humano como un criterio perfecto para nosotros. Hemos de buscar consejo de otros y sujetarnos unos a otros, pero a la misma vez hemos de ejercitar la habilidad que Dios nos ha dado para aprender lo que es verdad.

Cada uno de nosotros debe acudir a Dios en busca de iluminación divina, a fin de desarrollar individualmente un carácter que soporte la prueba del día de Dios.— *Signs of the Times*, 6 de febrero de 1893.

20
de enero

Jesús revela al Padre

He manifestado tu nombre a los hombres que del mundo me diste.
Juan 17:6.

Si los pobres y los iletrados no son capaces de entender la Biblia, entonces la misión de Cristo a nuestro mundo fue inútil, porque él dice: "El Espíritu del Señor está sobre mí, por cuanto me ha ungido para dar buenas nuevas a los pobres; me ha enviado a sanar a los quebrantados de corazón; a pregonar libertad a los cautivos, y vista a los ciegos; a poner en libertad a los oprimidos" (Luc. 4:18). Cristo dirigió la orden de escudriñar las Escrituras no solo a los fariseos y escribas, sino a la gran multitud del pueblo común que se apiñaba a su alrededor.

Si la Biblia no puede ser entendida por todo tipo de persona, ya sea rica o pobre, ¿para qué se necesitaría la orden del Salvador de indagar en las Escrituras? ¿Qué provecho habría en escudriñar lo que jamás podría entenderse?…

El deber de cada persona inteligente es escudriñar las Escrituras. Cada uno debiera saber con certeza las condiciones sobre las cuales se provee la salvación…

Los fariseos y los maestros religiosos representaban tan mal el carácter de Dios que fue necesario que Cristo viniera al mundo a representar al Padre. A causa de las sutilezas de Satanás, hombres y mujeres fueron llevados a acusar a Dios de poseer atributos satánicos; pero el Salvador replegó las gruesas tinieblas que Satanás había extendido ante el trono de Dios para interceptar los rayos brillantes de misericordia y amor que venían de Dios a nosotros…

Cristo tomó la humanidad sobre sí para que la luz y el resplandor del amor divino no extinguieran la raza humana. Cuando Moisés imploró: "Te ruego que me muestres tu gloria", fue colocado en la hendidura de la peña, y el Señor pasó ante él (Éxo. 33:18-23). Cuando Felipe le pidió a Jesús que le mostrara al Padre, él dijo: "El que me ha visto a mí, ha visto al Padre" (Juan 14:9)…

En un lenguaje sencillo, el Salvador le enseñó al mundo que la ternura, la compasión, el amor que él manifestó hacia la humanidad, eran los mismos atributos de su Padre en el cielo. Toda doctrina de gracia que él presentaba, toda promesa de gozo, todo acto de amor, toda atracción divina que él ejercía, tenía su fuente en el Padre de todos. En la persona de Cristo contemplamos al Dios eterno ocupado en una empresa de misericordia ilimitada hacia la raza caída.— *Signs of the Times*, 20 de agosto de 1894.

El deber del mayordomo

El que reparte, [que lo haga] con liberalidad. Romanos 12:8.

La liberalidad es un deber que no debe descuidarse de ninguna manera; pero ni el rico ni el pobre debe pensar por un instante que sus ofrendas a Dios pueden expiar sus defectos de carácter… El gran apóstol dice: "Y si repartiese todos mis bienes para dar de comer a los pobres, y si entregase mi cuerpo para ser quemado, y no tengo amor, de nada me sirve" (1 Cor. 13:3)…

El Señor pide nuestros dones y ofrendas para cultivar un espíritu de benevolencia en nosotros. Él no depende de los medios de los hombres para sostener su causa. Él declara por el profeta: "Mía es toda bestia del bosque, y los millares de animales en los collados" (Sal. 50:10)…

Podría convertir a los ángeles en embajadores de su verdad. Habría podido revelar su voluntad por medio de su propia voz cuando proclamó la ley desde el Sinaí. Pero ha elegido emplear a los hombres para que hagan su obra. Y la vida puede ser una bendición para nosotros únicamente en la medida en que cumplimos el propósito divino para el cual fuimos creados. Todas las buenas dádivas que Dios hace al hombre constituirán una maldición a menos que este las emplee para hacer felices a sus semejantes y para promover la causa de Dios en el mundo.

La Majestad del cielo cedió su elevada autoridad, su gloria con el Padre y hasta su propia vida para salvarnos. Y ahora, ¿qué haremos por él? Dios prohíbe que sus hijos profesos vivan para sí mismos… Es en esta vida que él requiere que traigamos todos nuestros talentos a la mesa de los inversionistas…

No debemos percibir el diezmo como el límite de nuestra liberalidad. A los judíos se les requería traer a Dios numerosas ofrendas aparte del diezmo; ¿y nosotros, que disfrutamos de las bendiciones del evangelio, no debiéramos hacer lo mismo para sostener la causa de Dios que lo que se hizo en la dispensación antigua, menos favorecida? Según se extiende sobre la tierra la obra para nuestro tiempo, los pedidos de ayuda aumentan constantemente…

Solamente cuando deseemos que el Padre infinito cese de proporcionarnos sus dones, podremos exclamar con impaciencia: ¿Tendremos que dar siempre? No solo deberíamos devolver siempre nuestros diezmos a Dios que él reclama como suyos, sino además llevar un tributo a su tesorería como una ofrenda de gratitud. Llevemos a nuestro Creador, rebosantes de gozo, las primicias de su generosidad: nuestras posesiones más escogidas y nuestro servicio mejor y más piadoso.— *Review and Herald,* 9 de febrero de 1886.

22

de enero

“Haceos tesoros en el cielo”

Sino haceos tesoros en el cielo, donde ni la polilla ni el orín corrompen, y donde ladrones no minan ni hurtan. Porque donde esté vuestro tesoro, allí estará también vuestro corazón. Mateo 6:20, 21.

¿Qué comeré?, ¿qué beberé? y ¿cómo me vestiré?, son las preguntas que ocupan la mente de hombres y mujeres, a la vez que la eternidad no forma parte de sus pensamientos. Hay algunos que no acuden al Señor Jesucristo como la única esperanza del mundo… Aquellos por los cuales él murió se concentran en proveer para sí cosas temporales que no se requieren. A la misma vez descuidan la preparación del carácter que los haría idóneos para una morada en las mansiones que él [Jesús] compró para ellos a un precio infinito…

Cuando las cosas temporales absorben la mente y ocupan la atención, toda la fuerza del individuo se empeña en el servicio del hombre, y las personas consideran la adoración que se le debe a Dios como un asunto trivial. Los intereses religiosos quedan supeditados al mundo. Pero Jesús, que ha pagado el rescate por las almas de la familia humana, requiere que los seres humanos subordinen los intereses temporales a los intereses eternos. Él quisiera que cesaran de acumular tesoros terrenales, de gastar dinero en lujos, y de rodearse de las cosas que no necesitan…

Al escoger la acumulación de un tesoro en el cielo, nuestros caracteres serán moldeados según la semejanza de Cristo. El mundo verá que nuestras esperanzas y planes se llevan a cabo teniendo en mente el progreso de la verdad y la salvación de las almas que perecen…

Al procurar un tesoro en el cielo, nos colocamos en una relación viviente con Dios, el dueño de todos los tesoros de la tierra, y quien suple todas las necesidades temporales esenciales para la vida. Cada alma puede obtener la herencia eterna… La más elevada sabiduría consiste en vivir de tal manera que se asegure la vida eterna. Esto puede lograrse al no vivir en el mundo para nosotros sino para Dios, al transferir nuestra propiedad a un mundo donde jamás perecerá. Al utilizar nuestra propiedad para avanzar la causa de Dios, nuestras riquezas inciertas son colocadas en un banco que no falla… Cada sacrificio hecho con el propósito de bendecir a otros, cada apropiación de medios para el servicio de Dios, será tesoro colocado en el cielo.— *Review and Herald,* 7 de abril de 1896; parcialmente en *Exaltad a Jesús*, p. 123.

de enero

"Les daré una nueva mente"

Os daré corazón nuevo. Ezequiel 36:26.

En la Biblia se revela la voluntad de Dios. Durante todo el tiempo este Libro ha de conservarse como una revelación de Jehová. Los oráculos divinos fueron entregados a los seres humanos para ser el poder de Dios. Las verdades de la Palabra de Dios no son meros sentimientos, sino las declaraciones del Altísimo. Quien hace de estas verdades una parte de su vida llega a ser en todo sentido una nueva criatura. No se le dan nuevos poderes mentales, pero la oscuridad que por la ignorancia y el pecado ha nublado el entendimiento se ha desvanecido.

Las palabras: "Un corazón nuevo pondré dentro de ti" significan: "Te daré una mente nueva". Este cambio de corazón siempre está acompañado de un claro concepto del deber cristiano y una comprensión de la verdad. La claridad de nuestra visión de la verdad será proporcional a nuestra comprensión de la Palabra de Dios. Quien presta cuidadosa y devota atención a las Escrituras, obtendrá una comprensión clara y un juicio sólido, como si al volverse a Dios hubiera alcanzado un grado más alto de inteligencia.

La Palabra de Dios, estudiada y obedecida como debe ser, dará luz y conocimiento. Su estudio fortalecerá la comprensión. Al entrar en contacto con las verdades más puras y exaltadas, la mente se ampliará, y el gusto se refinará.

Dependemos de la Biblia para un conocimiento de la historia temprana de nuestro mundo, de la creación de la vida humana y de la caída. Quiten la Palabra de Dios y todo lo que puede esperarse que quede son fábulas y conjeturas; y el debilitamiento del intelecto, como el resultado seguro de albergar el error.

Necesitamos la historia auténtica del origen de la tierra, de la caída de Lucifer y la introducción del pecado en el mundo. Sin la Biblia seríamos confundidos por las falsas teorías.

La mente estaría sujeta a la tiranía de la superstición y la falsedad... Dondequiera que estén los cristianos, pueden tener comunión con Dios. Y pueden disfrutar el conocimiento de la ciencia santificada...

Aférrese a la frase "escrito está". Expulse de la mente las teorías peligrosas, importunas, que si se albergan, colocarán a la mente en cautiverio para que no lleguemos a ser criaturas en Cristo.— *Review and Herald,* 10 de noviembre de 1904; parcialmente en *Mente, carácter y personalidad*, tomo 1, pp. 97, 99, 101.

24

de enero

Tiempo de persistir en la oración

Tiempo es de actuar, oh Jehová, porque han invalidado tu ley.
Salmo 119:126.

El Señor viene pronto. La maldad y la rebelión, la violencia y el crimen están llenando el mundo. Los clamores de los que sufren y los oprimidos ascienden a Dios por justicia. En vez de ser suavizados por la paciencia y la tolerancia de Dios, los impíos se están fortaleciendo en una rebelión obstinada. El tiempo en que vivimos es de una marcada depravación. La restricción religiosa es descartada y la gente rechaza la ley de Dios como indigna de su atención. Sobre la ley de Dios se coloca un desprecio poco común.

Dios nos ha dado por su gracia un momento de respiro. Cada facultad prestada del cielo ha de usarse en hacer la obra asignada por el Señor a favor de aquellos que perecen en la ignorancia. El mensaje de advertencia ha de resonar por todas partes del mundo. No debe haber demora. La verdad debe ser proclamada en los lugares oscuros de la tierra. Hay que hacer frente a los obstáculos y superarlos. Debe hacerse una gran obra, y esta obra ha sido confiada a los que conocen la verdad.

Ahora es el momento de echar mano del brazo de nuestra fuerza. La oración de los pastores y los miembros laicos debe ser la oración de David: "Tiempo es de actuar, oh Jehová, porque han invalidado tu ley". Lloren los siervos de Jehová entre el pórtico y el altar, clamando: "Perdona, oh Jehová, a tu pueblo, y no entregues al oprobio tu heredad" (Joel 2:17). Dios siempre ha obrado en favor de su verdad. Los designios de los impíos, de los enemigos de la iglesia, están sujetos a su poder y su providencia es capaz de predominar sobre ellos. Él puede obrar sobre los corazones de los estadistas; la ira de los turbulentos y desafectos aborrecedores de Dios, de su verdad y de su pueblo puede ser desviada, como se desvían los ríos cuando él lo ordena.

La oración mueve el brazo de la Omnipotencia. El que manda a las estrellas en su orden en el firmamento, cuya palabra domina todo el mar, el mismo Creador infinito obrará en favor de sus hijos si ellos lo invocan con fe. Él refrenará las fuerzas de las tinieblas, hasta que se dé al mundo la amonestación y todos los que quieran escucharla estén preparados para el conflicto.— *Review and Herald,* 14 de diciembre de 1905; parcialmente en *Joyas de los testimonios,* t. 2, pp. 152, 153, 154.

de enero

La Palabra de Dios es nuestra luz

Lámpara es a mis pies tu palabra, y lumbrera a mi camino.
Salmo 119:105.

Tengo un mensaje decidido del Señor para el pueblo que profesa creer la verdad para este tiempo…

La Biblia es la voz de Dios para su pueblo. Al estudiar los oráculos vivos, hemos de recordar que Dios le está hablando a su pueblo desde su Palabra. Hemos de hacer de esta Palabra nuestro consejero… Si advirtiéramos la importancia de escudriñar las Escrituras, ¡con cuánta mayor diligencia las estudiaríamos!… Las Escrituras serían leídas y estudiadas como la evidencia segura de la voluntad de Dios respecto de nosotros.

La Biblia ha de estudiarse con un interés especial, porque contiene la información más valiosa que los seres finitos pueden tener, y señala la manera en que hemos de prepararnos para la venida del Hijo del hombre en las nubes del cielo, descartando el pecado y colocándonos los mantos blancos del carácter que nos dará entrada a las mansiones que Cristo les dijo a sus discípulos que iba a preparar para ellos…

Si no recibimos la Palabra de Dios como alimento para el alma, hemos de perder el mayor tesoro que ha sido preparado para hombres y mujeres, porque la Palabra es un mensaje para cada alma… Si se la obedece, da vida espiritual y fortaleza. La corriente pura, espiritual que entra a la vida en una experiencia viva, es vida eterna para el receptor.

La Palabra de Dios es nuestra luz. Es el mensaje de Cristo a su heredad que ha sido comprada con el precio de su sangre. Fue escrita para nuestra conducción, y si hacemos de esta Palabra nuestro consejero, nunca andaremos en senderos extraños…

La vida espiritual se edifica por el alimento que se da a la mente, y si comemos el alimento provisto en la Palabra de Dios, el resultado será la salud espiritual y mental…

Cada uno de nosotros está decidiendo su destino eterno, y depende enteramente de nosotros si hemos de ganar la vida eterna. ¿Viviremos las lecciones dadas en la Palabra de Dios, el gran libro de lecciones de Cristo? Es el libro más grandioso y fácil de entender jamás provisto a los seres humanos. Es el único libro que preparará a los hombres y las mujeres para la vida que se mide con la vida de Dios.— *Review and Herald,* 22 de marzo de 1906; parcialmente en *En lugares celestiales*, p. 132.

26

de enero

La Palabra en forma humana

Porque les enseñaba como quien tiene autoridad, y no como los escribas. Mateo 7:29.

Revestido del manto de la humanidad, el Hijo de Dios descendió al nivel de los que deseaba salvar. En él no había ni engaño ni pecado; siempre fue puro e incontaminado; y sin embargo tomó sobre sí nuestra naturaleza pecaminosa. Al revestir su divinidad de humanidad, para poder relacionarse con la humanidad caída, trató de recuperar para el hombre lo que Adán había perdido como consecuencia de la desobediencia tanto para sí mismo como para el mundo. En su propio carácter exhibió ante el mundo el carácter de Dios; no se satisfizo a sí mismo, sino que fue por ahí haciendo el bien. Toda su historia durante más de treinta años fue de una benevolencia pura y desinteresada.

¿Nos asombra que quienes lo escucharon quedaran maravillados por sus enseñanzas? "Enseñaba como uno que tiene autoridad, y no como los escribas". Las enseñanzas de los escribas y fariseos eran una repetición continua de fábulas y tradiciones infantiles. Sus opiniones y ceremonias se basaban en la autoridad de máximas antiguas y dichos de los rabinos que eran frívolos e inútiles. Cristo no abundaba en refranes débiles e insípidos y teorías humanas. Se dirigía a sus oyentes como uno que poseía una autoridad superior; les presentaba temas pertinentes, y sus apelaciones llevaban convicción a sus corazones. La opinión de todos, expresada por muchos que no pudieron guardar silencio fue: "Ningún hombre ha hablado como este".

La Biblia enseña la voluntad total de Dios concerniente a nosotros... La enseñanza de esta Palabra es precisamente lo que necesitamos en toda circunstancia en que podamos ser colocados. Es una regla suficiente de fe y práctica, porque es la voz de Dios que habla al alma, dándoles a los miembros de su familia indicaciones sobre cómo guardar el corazón diligentemente. Si se estudia esta Palabra; no leyéndola meramente, sino estudiándola, nos brinda una abundancia de conocimiento que nos permite mejorar toda dotación de parte de Dios...

Todos los que vienen a la Palabra de Dios en busca de conducción, con mentes humildes e inquisitivas, determinados a conocer los términos de la salvación, entenderán lo que dice la Escritura...

Necesitamos humillar el corazón, y con sinceridad y reverencia escudriñar la Palabra de vida porque solo los que tienen una mente humilde y contrita podrán ver la luz... El Señor habla al corazón que se humilla a sí mismo ante él.— *Review and Herald,* 22 de agosto de 1907; parcialmente en *Comentario bíblico adventista*, tomo 7A, p. 450.

de enero

Lo que es la Palabra para nosotros

Procura con diligencia presentarte a Dios aprobado, como obrero que no tiene de qué avergonzarse, que usa bien la palabra de verdad.
2 Timoteo 2:15.

La Biblia contiene un sistema simple y completo de teología y filosofía. Es el libro que nos hace sabios para salvación. Nos dice cómo alcanzar la morada de eterna felicidad. Nos cuenta del amor de Dios según fue mostrado en el plan de redención, e imparte el conocimiento esencial para todos: el conocimiento de Cristo. Él es el Enviado de Dios; él es el Autor de nuestra salvación. Pero aparte de la palabra de Dios, no podríamos tener conocimiento de que tal persona como el Señor Jesucristo visitara alguna vez nuestro mundo, ni conocimiento de su divinidad, como lo indicó su existencia previa con el Padre.

La Biblia no fue escrita para el erudito solamente; al contrario, fue diseñada para la gente común. Las grandes verdades necesarias para nuestra salvación son hechas tan claras como el mediodía, y nadie errará ni perderá su camino excepto aquellos que siguen su propio criterio en lugar de la voluntad de Dios claramente revelada.

La Palabra de Dios golpea cada rasgo equivocado de carácter, y moldea a la persona total, interna y externamente, abatiendo el orgullo y la exaltación propia, llevando a tal persona a traer el espíritu de Cristo a los deberes pequeños tanto como a los grandes deberes de la vida. Nos enseña a todos a ser invariables en nuestra lealtad a la justicia y la pureza, y a la misma vez a ser siempre corteses y compasivos.

La apreciación de la Biblia aumenta con su estudio. Sea cual fuere la dirección que tome el estudiante, la infinita sabiduría y amor de Dios son desplegados. A todos los que son genuinamente convertidos, la Palabra de Dios es el gozo y la consolación de la vida. El Espíritu de Dios les habla, y su corazón se transforma en un jardín regado...

Ningún conocimiento es tan firme, tan consistente, tan abarcante como el que se obtiene del estudio de la Palabra de Dios. Si no hubiera ningún otro libro en todo el mundo, la Palabra de Dios, vivida mediante la gracia de Cristo, haría al hombre perfecto en este mundo, con un carácter apto para la vida futura, inmortal. Los que estudian la Palabra, recibiéndola por fe como la verdad, y recibiéndola en el carácter, serán completos en Aquel que es todo en todos. Gracias a Dios por las posibilidades que ofrece a la humanidad.— *Review and Herald,* 11 de junio de 1908; parcialmente en *En lugares celestiales*, p. 135.

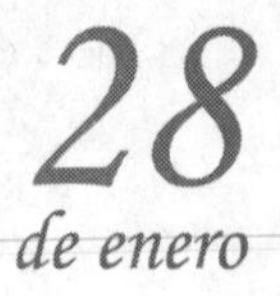

28

de enero

En mi nombre

Si algo pidiereis en mi nombre, yo lo haré.
Juan 14:14.

Los discípulos no conocían los recursos y el poder ilimitado del Salvador. Él les dijo: "Hasta ahora nada habéis pedido en mi nombre" (Juan 16:24). Explicó que el secreto de su éxito consistiría en pedir fuerza y gracia en su nombre. Estaría delante del Padre para pedir por ellos. La oración del humilde suplicante es presentada por él como su propio deseo en favor de aquella alma. Cada oración sincera es oída en el cielo. Tal vez no sea expresada con fluidez; pero si procede del corazón ascenderá al santuario donde Jesús ministra, y él la presentará al Padre sin balbuceos, hermosa y fragante con el incienso de su propia perfección…

"En mi nombre", ordenó Cristo a sus discípulos que orasen. En el nombre de Cristo sus seguidores han de permanecer delante de Dios. Por el valor del sacrificio hecho por ellos, son estimables a los ojos del Señor…

El Señor se chasquea cuando su pueblo se tiene en estima demasiado baja. Desea que su heredad escogida se estime según el valor que él le ha atribuido. Dios la quería; de lo contrario no hubiera mandado a su Hijo a una empresa tan costosa para redimirla. Tiene empleo para ella y le agrada cuando le dirige las más elevadas demandas a fin de glorificar su nombre. Puede esperar grandes cosas si tiene fe en sus promesas.

Pero orar en nombre de Cristo significa mucho. Significa que hemos de aceptar su carácter, manifestar su espíritu y realizar sus obras. La promesa del Salvador se nos da bajo cierta condición. "Si me amáis —dice—, guardad mis mandamientos" (Juan 14:15). Él salva a los hombres no en el pecado, sino del pecado; y los que le aman mostrarán su amor obedeciéndole.

Toda verdadera obediencia proviene del corazón. La de Cristo procedía del corazón. Y si nosotros consentimos, se identificará de tal manera con nuestros pensamientos y fines, amoldará de tal manera nuestro corazón y mente en conformidad con su voluntad, que cuando le obedezcamos estaremos tan solo ejecutando nuestros propios impulsos. La voluntad, refinada y santificada, hallará su más alto deleite en servirle.— *Review and Herald*, 14 de julio de 1910; también en *El Deseado de todas las gentes*, pp. 620, 621.

de enero

Dios no se apartará de nosotros

Todo lo que el Padre me da, vendrá a mí; y al que a mí viene, no le echo fuera. Juan 6:37.

Jesús mismo, cuando habitó entre los hombres, oraba frecuentemente. La oración precedía y santificaba cada acto de su ministerio....

Encontraba consuelo y gozo en estar en comunión con su Padre. Y si el Salvador de los hombres, el Hijo de Dios, sintió la necesidad de orar, ¡cuánto más nosotros, débiles mortales, manchados por el pecado, no debemos sentir la necesidad de orar con fervor y constancia!...

No cultive el pensamiento de que debido a que usted ha cometido fallas, debido a que su vida ha sido oscurecida por los errores, el Padre celestial no lo ama y no lo escucha cuando usted ora... Su amoroso corazón se conmueve por nuestras tristezas y aun por nuestra presentación de ellas... Ninguna cosa es demasiado grande para que él no la pueda soportar; él sostiene los mundos y gobierna todos los asuntos del universo. Ninguna cosa que de alguna manera afecte nuestra paz es tan pequeña que él no la note. No hay en nuestra experiencia ningún pasaje tan oscuro que él no pueda leer, ni perplejidad tan grande que él no pueda desenredar. Nadie ha caído tan bajo, nadie es tan vil, que no pueda encontrar liberación en Cristo....

Si mantenemos al Señor constantemente delante de nosotros, permitiendo que nuestros corazones expresen el agradecimiento y la alabanza a él debidos, tendremos una frescura perdurable en nuestra vida religiosa. Nuestras oraciones tomarán la forma de una conversación con Dios, como si habláramos con un amigo. Él nos dirá personalmente sus misterios. A menudo nos vendrá un dulce y gozoso sentimiento de la presencia de Jesús...

Es algo maravilloso que podamos orar eficazmente; que seres mortales indignos y sujetos a yerro posean la facultad de presentar sus peticiones a Dios. ¿Qué facultad más elevada podría desear el hombre que la de estar unido con el Dios infinito? El hombre débil y pecaminoso tiene el privilegio de hablar a su Hacedor. Podemos pronunciar palabras que alcancen el trono del Monarca del Universo...

El arco iris rodea el trono como una seguridad de que Dios es verdadero, que en él no hay mudanza ni sombra de variación... Cuando venimos a él confesando nuestra indignidad y pecado, él se ha comprometido a atender nuestro clamor. El honor de su trono está empeñado en el cumplimiento de la palabra que nos ha dado.— *Signs of the Times*, 18 de junio de 1902.

30
de enero

El dador alegre

Cada uno dé como propuso en su corazón: no con tristeza, ni por necesidad, porque Dios ama al dador alegre. 2 Corintios 9:7.

Debemos presentar con gozo todas nuestras ofrendas, porque proceden de los fondos que el Señor ha considerado conveniente colocar en nuestras manos con el propósito de llevar adelante su obra en el mundo, a fin de que el estandarte de la verdad pueda ser desplegado en las zonas rurales y urbanas del mundo. Si todos los que profesan la verdad quisieran dar al Señor lo que le pertenece en términos de diezmos, donativos y ofrendas, habría alimento en la casa del Señor. La causa de la liberalidad no dependería más de los donativos inciertos hechos por impulso y que varían de acuerdo con los sentimientos de los hombres. Los derechos de Dios serían aceptados de buena gana y se consideraría que su causa tiene derecho legítimo a una parte de los fondos confiados a nuestras manos. El Señor es nuestro divino Garante, y él nos ha hecho promesas por medio del profeta Malaquías que son muy sencillas, positivas e importantes. Significa mucho para nosotros si le estamos dando a Dios lo suyo o no. Él les permite a los mayordomos cierta porción para su propio uso, y si capitalizan lo que él les reclama, Dios bendecirá divinamente los medios en sus manos...

El único plan que el evangelio ha establecido para sostener la obra de Dios es el que deja el sostén de su causa librado al honor de los hombres...

Los que reciben su gracia, los que contemplan la cruz del Calvario, no tendrán duda acerca de la proporción que deben dar, sino que comprenderán que la ofrenda más cuantiosa carece de valor y no puede compararse con el gran don del Hijo unigénito del Dios infinito... Por medio de la abnegación hasta el más pobre encontrará la manera de conseguir algo para devolverlo a Dios...

Los ricos no deben pensar que pueden conformarse únicamente con dar su dinero... Los padres y los hijos no deben considerarse dueños de sí mismos y pensar que pueden disponer de su tiempo y propiedades en la forma como les plazca. Son la posesión adquirida por Dios, y el Señor pide los intereses de sus habilidades físicas, que deben ser utilizadas para llevar un aporte a la tesorería del Señor...

¿Quiere cada alma considerar el hecho de que el discipulado cristiano incluye la abnegación, el sacrificio de sí mismo, hasta el punto de entregar la propia vida, si esto fuera necesario, por amor al que dio su vida por la vida del mundo?.— *Review and Herald,* 14 de julio de 1896; parcialmente en *Consejos sobre mayordomía cristiana*, pp. 210, 211, 301-303.

de enero

La mensajera profética ora

Y hablaba Jehová a Moisés cara a cara, como habla cualquiera a su compañero. Éxodo 33:11.

[Oración ofrecida por Elena G. de White en el congreso de la Asociación General de 1903.]

Nuestro Padre celestial, venimos a ti esta mañana tal como somos, necesitados y totalmente dependientes de ti. Ayúdanos a tener un conocimiento claro de lo que debemos ser, y del carácter que debemos formar para poder estar preparados para unirnos con la familia celestial en la ciudad de nuestro Dios...

Oh, mi Padre, ¿cómo podemos proclamar tu bondad y tu misericordia y tu amor, a menos que los atesoremos en nuestros propios corazones y los revelemos en nuestra propia experiencia? Tú sabes cómo has presentado este asunto a tu sierva...

Aquí están tus ministros, cuya labor es la de proclamar la verdad de la Biblia. Te pido que ellos puedan tener una clara comprensión de las responsabilidades que reposan sobre ellos como guardianes y pastores de tu rebaño... Permíteles entender su propia debilidad, y que la santificación del Espíritu llegue a ellos...

Aquí se encuentran los que llevan responsabilidades en nuestras instituciones... No han dado un buen ejemplo al mundo en sus negocios. No advirtieron que otros estaban analizándolos, para ver si estaban santificados por la verdad.

¡Oh, perdona nuestras transgresiones y perdona nuestros pecados! Muéstranos en qué hemos fallado. Permite que tu Espíritu Santo descienda sobre nosotros. El mundo está pereciendo en el pecado, y te pedimos que nos hagas conscientes de nuestra responsabilidad en esta reunión...

Tú has abierto ante mí estas cosas, y solo tú puedes preparar las mentes y los corazones para escuchar el mensaje de que, a menos que los que han dejado su primer amor vuelvan a reconocer la obra que debe efectuarse en sus corazones individuales, tú vendrás pronto y quitarás el candelero de este lugar...

Debemos ser reconvertidos, santificados y hechos idóneos para llevar el mensaje del Señor...

Mi Padre, rompe las barreras; que se hagan confesiones, de corazón a corazón, de hermano a hermano. Que el Espíritu de Dios entre; y tu bendito nombre tendrá toda la gloria. Amén.— *General Conference Bulletin*, 2 de abril de 1903.

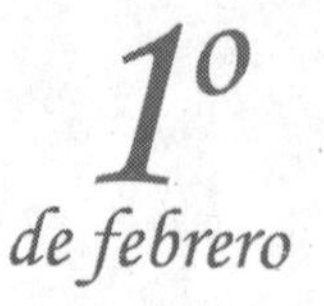

1º de febrero

Santidad en el Señor

Dura es esta palabra; ¿quién la puede oír? Juan 6:60.

Algunos seguidores profesos de Cristo podrían sentirse inclinados a decir, como los discípulos la vez que escucharon las verdades solemnes de los labios del Maestro divino: "Dura es esta palabra; ¿quién la puede oír?" Muchos podrían pensar que el camino se ha hecho demasiado recto. Cuando hablamos de la negación propia y del sacrificio por Cristo, ellos creen que abundamos demasiado en estos detalles. Preferirían que habláramos de la recompensa del cristiano. Sabemos que los que son fieles heredarán todas las cosas, pero la gran pregunta en nosotros debiera ser: ¿Quién se sostendrá en el día de su venida? ¿Quién estará en pie cuando él aparezca? ¿Quiénes serán contados por dignos de recibir la extraordinaria y preciosa recompensa que será dada a los vencedores? Quienes participen de los sufrimientos de Cristo compartirán con él su gloria.

Sin santidad, nos dice la Palabra de Dios, nadie verá al Señor. Sin pureza de vida, nos es imposible ser dotados y preparados para morar con los ángeles santos y puros en un cielo puro y santo. Allí no puede haber pecado. Ninguna impureza puede entrar por las puertas de perla de la ciudad dorada de Dios. Y la pregunta que debemos contestar es si hemos de abandonar todo pecado y cumplir las condiciones que Dios nos ha dado, para llegar a ser sus hijos e hijas. Él requiere de nosotros la separación del mundo para llegar a ser miembros de la familia real…

Creemos sin duda alguna que Cristo vendrá pronto, y por creerlo, sentimos una necesidad de rogarles a hombres y mujeres que se preparen para la venida del Hijo del hombre… Queremos que usted se encuentre en el grupo que se inclinará ante el trono de Dios y dirá: "Digno, digno, digno, es el Cordero inmolado por nosotros"…

Cuando estén todos preparados, habiendo vencido sus pecados, habiendo apartado de ustedes toda iniquidad, estarán en condición para recibir el toque final de la inmortalidad…

No será seguro para ustedes esperar una ocasión mejor para venir. Es hoy que se hace el llamado. Si alguno oyere su voz, no endurezca su corazón. Se trata de escuchar hoy la invitación de la misericordia. Se trata de rendir su orgullo, su insensatez, su vanidad, y rendir enteramente su corazón a Dios. Venga a él con sus talentos y toda la influencia que usted tiene, y coloque todo sin reservas a los pies de Aquel que murió en la cruz del Calvario para redimirlo.— *Review and Herald*, 12 de abril de 1870.

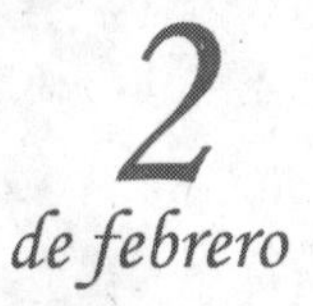

de febrero

¿Qué hemos sacrificado por el cielo?

Y amarás al Señor tu Dios con todo tu corazón, y con toda tu alma, y con toda tu mente y con todas tus fuerzas... Amarás a tu prójimo como a ti mismo. Marcos 12:30, 31.

Vemos belleza, hermosura y gloria en Jesús. Contemplamos en él encantos incomparables. Él era la majestad del cielo... Los ángeles se postraban en adoración ante él y obedecían en seguida sus mandatos. Nuestro Salvador lo dejó todo. Depuso su gloria, su majestad y esplendor, y descendió a esta tierra y murió por una raza de rebeldes que transgredían los mandamientos de su Padre. Cristo condescendió a humillarse a sí mismo para salvar la raza caída. Tomó de la copa del sufrimiento y nos ofrece en su lugar la copa de la bendición. Sí, esa copa fue apurada por nosotros; y aunque muchos saben todo esto, deciden persistir en el pecado y la locura; y aun así Jesús los invita... Las verdades de la Palabra de Dios han de ser colocadas sobre nosotros, y hemos de aferrarnos a ellas. Si hacemos esto, tendrán una influencia santificadora en nuestra vida; nos harán idóneos para que podamos prepararnos para el reino de gloria, para que cuando se cierre nuestro tiempo de gracia, veamos al Rey en su gloria y moremos en su presencia para siempre.

La pregunta clave es: ¿Estamos dispuestos a hacer el sacrificio?... "Salid de en medio de ellos, y apartaos, dice el Señor, y no toquéis lo inmundo; y yo os recibiré, y seré para vosotros por Padre, y vosotros me seréis hijos e hijas, dice el Señor Todopoderoso" (2 Cor. 6:17, 18). ¡Qué promesa!

¿Cree usted que al abrazar la verdad de Dios usted se está degradando?... La verdad siempre eleva al receptor... Trae pureza de carácter y pureza de vida y provee una aptitud para que podamos unirnos a la compañía celestial en el reino de gloria. Sin esta aptitud nunca podremos ver la morada celestial...

¿Requiere la verdad que uno tenga que sostenerse solo en su posición para servir a Dios, porque otros a su alrededor no están dispuestos a responder a las demandas que Cristo les hace? ¿Requiere separarse sentimentalmente de tales personas? Sí; y esta es la cruz que le toca llevar, lo que hace que muchos digan: No puedo ceder a las exigencias de la verdad. Pero Cristo dice: El que ama a padre, o madre, o hermana más que a mí, no es digno de mí... ¿Será este un sacrificio demasiado grande por Aquel que lo sacrificó todo por usted?.— *Review and Herald*, 19 de abril de 1870.

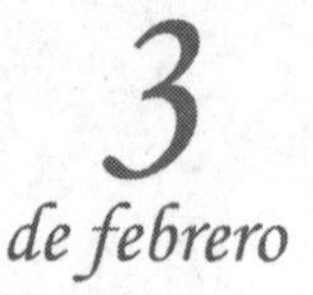

3

de febrero

Para crecer en la gracia

Tú, pues, hijo mío, esfuérzate en la gracia que es en Cristo Jesús.
2 Timoteo 2:1.

Buscar el reino de Dios y su justicia debe ser el objetivo y la dirección de nuestra vida. No es juego de niños cumplir este deber, pero sea cual fuere la negación propia requerida, todavía nos conviene en esta vida y la venidera obedecer esta orden. Hemos de tener la vista puesta en la gloria de Dios y así crecer en la gracia y en el conocimiento de nuestro Señor y Salvador Jesucristo. A medida que busquemos con fervor y diligencia la sabiduría divina, más firmemente establecidos estaremos en la verdad...

No siempre hemos de permanecer como niños en nuestro conocimiento y experiencia en las cosas espirituales. No siempre hemos de expresarnos en el lenguaje de uno que apenas recibió a Cristo, sino que nuestras oraciones y exhortaciones deben crecer en inteligencia según avanzamos en la experiencia de la verdad. El lenguaje de un niño de seis años de edad, en un niño de diez, no nos agradaría, y cuán doloroso sería escuchar expresiones de inteligencia infantil en una persona que ha llegado a los años de la madurez...

El joven que ha tenido varios años de experiencia en la vida cristiana no debiera tener la expresión entrecortada de un bebé en Cristo. Hay una falta de crecimiento en los cristianos profesos. Los que no están creciendo a la estatura completa de hombres y mujeres en Cristo Jesús manifiestan esto en la manera en que hablan de las cosas del reino de Dios...

Los testimonios que dan muchos de los profesos seguidores de Cristo son los de personas que son enanos en la vida cristiana. Falta el lenguaje de una experiencia genuina, profunda e inteligente...

No hemos de cultivar el lenguaje de la tierra, y estar tan familiarizados con la conversación humana que el lenguaje de Canaán se nos haga nuevo y extraño...

Los cristianos han de ser estudiantes fieles en la escuela de Cristo, siempre aprendiendo más del cielo, más de las palabras y la voluntad de Dios, más de la verdad, y de cómo emplear fielmente el conocimiento que han obtenido para instruir a otros y conducirlos a buscar primeramente el reino de Dios y su justicia. Hemos de tener un conocimiento inteligente de las Escrituras, porque ¿cómo habremos de saber la voluntad y el camino de Dios sin buscar los tesoros de la justicia de Dios en su Santa Palabra? Debemos conocer la verdad por nosotros mismos y entender tanto las profecías como las enseñanzas prácticas de nuestro Señor.— *Youth's Instructor*, 28 de junio de 1894.

Falsa santificación

Porque tú dices: Yo soy rico, y me he enriquecido, y de ninguna cosa tengo necesidad; y no sabes que tú eres un desventurado, miserable, pobre, ciego y desnudo. Apocalipsis 3:17.

Estimado hermano: Nos duele enterarnos de la condición del hermano B [A. W. Bartlett], y saber que Satanás lo está empujando para que cause insatisfacción en la Asociación de Indiana bajo el pío disfraz de la santidad cristiana. Tanto usted como nosotros creemos plenamente que es necesaria la santidad de la vida para capacitarnos para la herencia de los santos en luz. Argüimos que este estado debe alcanzarse según la Biblia. Cristo oró para que sus discípulos fueran santificados a través de la verdad, y los apóstoles predicaron de la purificación de nuestro corazón por la obediencia a la verdad.

La iglesia profesa de Cristo está llena de un elemento espurio, y una evidencia clara de esto es que a medida que los miembros beben más del espíritu de la santificación popular, menos aprecian la verdad presente. Muchos de los que han sido oponentes abiertos del sábado de Dios, el mensaje de los tres ángeles y la reforma prosalud, se encuentran entre los "santificados". Algunos de ellos han llegado a la conclusión casi desesperada de que no pueden pecar. Por supuesto, estos ya no necesitan la oración del Padrenuestro, que nos enseña a orar por el perdón de nuestros pecados, y muy poco necesitan de la Biblia, ya que profesan ser guiados por el Espíritu...

¡Qué terrible engaño! Creen que están completos en Cristo, y no saben que son miserables, ciegos, pobres y desnudos...

Advertimos a nuestros hermanos de la Asociación de Indiana y de otras partes: Nuestra posición siempre ha sido que la verdadera santificación, que soportará la prueba del juicio, es la que viene a través de la obediencia a la verdad y a Dios...

Dios dirige a un pueblo, pero Satanás siempre ha hecho el esfuerzo de inducir a ciertas personas para que juzguen contra el juicio del cuerpo [de la iglesia], y apartarlos así del cuerpo y llevarlos a la ruina segura. Así es como han caído almas engañadas a lo largo de la historia del mensaje del tercer ángel. Quienes son guiados por el fanatismo se sentirán gradualmente en armonía con los que rechazan enteramente la verdad, y a menos que pueda detenerse su proceder, tarde o temprano estarán en las filas de nuestros opositores más fieros. (Carta firmada por Jaime White y Elena G. de White).— *Review and Herald*, 6 de junio de 1878.

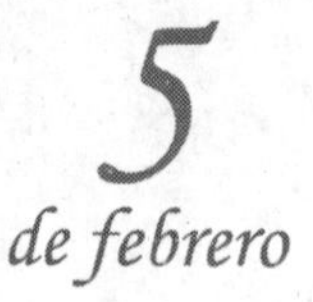

5

de febrero

Reconquistando al errante

Por tanto, si tu hermano peca contra ti, ve y repréndele estando tú y él solos; si te oyere, has ganado a tu hermano. Mateo 18:15.

Si usted está apenado porque sus vecinos o amigos están haciendo algo que los perjudica, si ellos están abrumados por su falla, siga la regla bíblica: "Repréndelo estando tú y él solos". Al acercarse a aquel que usted supone que está en error, asegúrese de hablarle con un espíritu manso y humilde, porque la ira del hombre no obra la justicia de Dios. El errante no puede ser restaurado de otra manera que no sea con espíritu de mansedumbre, tacto y amor tierno. Sea cuidadoso con su trato. Evite cualquier sabor de orgullo o autosuficiencia en apariencia o gesto, palabras o tono de voz. Guárdese contra la palabra o mirada que pueda exaltar su yo o presente su bondad y rectitud en contraste con sus fracasos. Esté atento contra la aproximación más remota al desprecio, el autoritarismo o el repudio. Evite con cuidado cualquier apariencia de enojo, y aunque hable con claridad, que no haya reproche, acusación insistente, ni afecto fingido, sino un amor ferviente. Sobre todo, que no haya una sombra de odio o malas intenciones, tampoco amargura ni gestos de desagrado...

Recuerde que el éxito de una amonestación depende grandemente del espíritu con que se expresa. No descuide la oración ferviente para poseer una mente mansa y que los ángeles de Dios obren en los corazones que usted intenta alcanzar antes que usted, y así los suavicen con impresiones celestiales, para que sus esfuerzos cuenten...

Quizás usted se ha justificado por hablar mal de su hermano o hermana o vecino a otros antes de hablar con ellos, y dar los pasos que Dios ha estipulado claramente. Quizás usted dice: "No hablé con nadie hasta que me sentí tan abrumado que no pude aguantar". ¿Qué es lo que lo abrumó? ¿Fue un descuido simple de su deber, un así dice el Señor? Usted se encontraba bajo la culpa del pecado porque usted no reprendió a su hermano en privado...

A veces el reproche más suave y tierno no tendrá un efecto positivo. En un caso tal, la bendición que usted quería que otro recibiera al seguir un camino de justicia, apartándose del mal y aprendiendo a hacer el bien, retornará a su propio seno. Si el errante persiste en el pecado, trátelo con bondad y déjelo con su Padre celestial.— *Review and Herald*, 17 de julio de 1879.

El secreto de la vida espiritual

El que no naciere de agua y del Espíritu, no puede entrar en el reino de Dios.
Juan 3:5.

Con frecuencia se hace la pregunta: ¿Por qué no hay más poder en la iglesia? ¿Por qué no hay más piedad vital? La razón es que las demandas de la Palabra de Dios no son satisfechas de hecho y en verdad; no se ama a Dios por sobre todo, ni a nuestro prójimo como a nosotros mismos. Esto abarca todo. De estos dos mandamientos dependen toda la ley y los profetas. Sean estos dos mandamientos de Dios obedecidos explícitamente, y no habrá discordia en la iglesia, no habrá desarmonía en la familia. En muchos, la obra es demasiado superficial. Las formas exteriores ocupan el lugar de la obra interior de la gracia… La teoría de la verdad ha convertido la cabeza, pero el templo del alma no ha sido limpiado de sus ídolos.

Cuando el mandamiento llegó a la mente y el corazón de Pablo, él dice que "el pecado revivió, y yo morí". En estos días de pretensiones, hay muchas conversiones fingidas. La verdadera convicción de pecado, la aflicción real del corazón por causa de la maldad, la muerte del yo, la superación diaria de los defectos de carácter y el nuevo nacimiento, representan las cosas antiguas que Pablo dice que han pasado, y he aquí todas son hechas nuevas. De esta obra muchos no saben nada. Injertaron la verdad en sus corazones naturales, y luego siguieron como antes, manifestando los mismos rasgos desdichados de carácter…

Plante un buen árbol y tendrá como resultado buenos frutos. La obra del Espíritu de Dios en el corazón es esencial para la piedad. Debe ser recibido en los corazones de quienes aceptan la verdad, y crear en ellos corazones limpios, antes que uno de ellos pueda guardar sus mandamientos y ser hacedor de la Palabra…

No se estudia la Biblia tanto como se debiera; no se convierte en la regla de la vida. Si se siguieran concienzudamente sus preceptos, y fueran la base del carácter, habría un propósito firme sobre el cual ninguna especulación comercial o asunto mundanal podría influir seriamente. Un carácter así formado y sostenido por la Palabra de Dios, soportará el día de la prueba, de las dificultades y de los peligros. La conciencia debe ser iluminada y la vida santificada por el amor a la verdad recibida en el corazón, antes que la influencia sea salvadora para el mundo.— *Review and Herald*, 28 de agosto de 1879; parcialmente en *Reflejemos a Jesús*, p. 200.

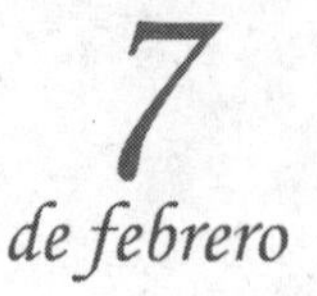

7

de febrero

Una iglesia viva

Cómo os convertisteis de los ídolos a Dios, para servir al Dios vivo y verdadero, y esperar de los cielos a su Hijo. 1 Tesalonicenses 1:9, 10.

Una iglesia viva será una iglesia que trabaja. El cristianismo práctico desarrollará obreros fervientes para el avance de la causa de la verdad… Anhelamos ver el carácter cristiano manifestado en la iglesia. Anhelamos ver a sus miembros libres de un espíritu liviano e irreverente; y fervientemente deseamos que adviertan su elevada vocación en Cristo Jesús. Algunos que profesan a Cristo se están esforzando hasta lo sumo para vivir y actuar de tal manera que su fe religiosa se recomiende a sí misma ante las personas de valor moral, para que sean inducidas a aceptar la verdad. Pero hay muchos que ni siquiera sienten la responsabilidad de mantener sus propias almas en el amor de Dios, y quienes, en vez de bendecir a otros por su influencia, son una carga para los que desearían trabajar, velar y orar…

Quienes están buscando exaltar la verdad de Cristo con humildad de mente por su trayectoria ejemplar, son representados en la Palabra de Dios por el oro fino, mientras que el grupo cuyo pensamiento y concentración principal es exhibirse a sí mismos, como metal que resuena y címbalo que retiñe…

Animamos a los que tienen una conexión con Dios a orar fervientemente y con fe, y a no detenerse allí, sino a obrar a la vez que oran por la purificación de la iglesia. El tiempo presente exige hombres y mujeres que tengan una certidumbre moral de propósito, hombres y mujeres que no serán moldeados o vencidos por ninguna influencia no santificada…

Ningún hombre o mujer puede triunfar en el servicio de Dios sin poner toda el alma en la obra y sin contar todo como pérdida por la excelencia del conocimiento de Cristo. Los que retienen alguna reserva, que se niegan a dar todo lo que tienen, no pueden ser discípulos de Cristo; y mucho menos sus colaboradores. La consagración debe ser completa…

Jesús ha ido a preparar mansiones para los que están velando y esperando su venida. Allí conocerán a los ángeles puros y a la multitud de los redimidos y se unirán a sus cantos de alabanza y triunfo. Allí el amor del Salvador rodea a su pueblo, y la ciudad de Dios es alumbrada con la luz de su rostro; una ciudad cuyos muros, altos y magníficos, están adornados de toda clase de piedras preciosas, cuyas puertas son perlas, y cuyas calles son de oro puro, como vidrio transparente.— *Review and Herald*, 3 de junio de 1880.

de febrero

La carrera cristiana

Despojémonos de todo peso y del pecado que nos asedia, y corramos con paciencia la carrera que tenemos por delante. Hebreos 12:1.

En este texto se utiliza uno de los juegos públicos famosos en el tiempo de Pablo para ilustrar la carrera cristiana. Los competidores en la carrera se sometían a un doloroso proceso de entrenamiento; practicaban la negación propia más rígida para que sus facultades físicas estuvieran en la condición más favorable, y entonces probaban dichas facultades hasta lo sumo para ganar el honor de una corona perecedera. Algunos nunca se recobraban de los efectos. Como consecuencia del terrible esfuerzo, los hombres a menudo caían al lado de la pista, sangrando por la boca y la nariz. Otros exhalaban su último aliento, aferrándose a la pobre chuchería que les había costado tanto.

Pablo compara a los seguidores de Cristo con los competidores de otra carrera. El apóstol dice: "Ellos... [corren] para recibir una corona corruptible, pero nosotros, una incorruptible" (1 Cor. 9:25). Aquí Pablo hace un contraste marcado, para avergonzar los débiles esfuerzos de cristianos profesos que defienden sus indulgencias egoístas y se niegan a colocarse en una posición en la que puedan tener éxito por la negación propia y hábitos estrictamente temperantes. Todos los que se añadían a la lista de los juegos públicos estaban animados y emocionados por la esperanza de un premio si tenían éxito. De una manera similar se ofrece un premio a los cristianos: la recompensa de la fidelidad hasta el fin de la carrera. Si ganan el premio, su bienestar futuro está asegurado; se reserva un "cada vez más excelente y eterno peso de gloria" (2 Cor. 4:17) para los vencedores...

En las carreras, se colocaba la corona de honor a la vista de los competidores, para que si alguno se veía tentado a relajar sus esfuerzos, la vista cayera en el premio y fuera inspirado con nuevo vigor. Así se presenta el blanco celestial a la vista del cristiano, para que tenga su influencia debida e inspire a todos con celo y ardor...

Todos corrían en la carrera, pero solo uno recibía el premio... No sucede así con la carrera cristiana. Nadie que sea ferviente y perseverante dejará de triunfar. La carrera no es del veloz, ni la batalla del fuerte. El santo más débil tanto como el más fuerte, puede obtener la corona de gloria inmortal si es verdaderamente ferviente y se somete a la privación y la pérdida por causa de Cristo.— *Review and Herald*, 18 de octubre de 1881.

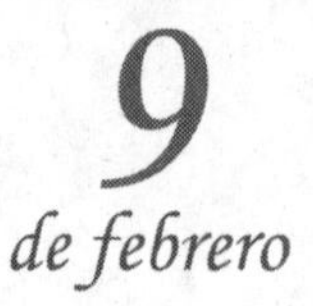

de febrero

La fe es la victoria

Prosigo a la meta, al premio del supremo llamamiento de Dios en Cristo Jesús.
Filipenses 3:14.

La mayor bendición que podemos tener es un conocimiento correcto de nosotros mismos, para que podamos ver nuestros defectos de carácter y por la gracia divina podamos remediarlos...

¿Estamos más cerca de Dios hoy que lo que estuvimos hace un año? ¡Qué cambio habría en nuestra experiencia religiosa, qué transformación en nuestro carácter, si día a día obráramos en base al principio de que no somos nuestros, sino que nuestro tiempo y talentos pertenecen a Dios, y cada facultad debiera utilizarse para hacer su voluntad y avanzar su gloria!...

Podemos estar rodeados por las promesas de Dios, que serán como un muro de fuego a nuestro alrededor. Queremos saber cómo ejercitar la fe. La fe es un don de Dios, pero el poder para ejercerla es nuestro. Si la fe está dormida, no nos trae ventaja; pero cuando se la ejercita, contiene todas las bendiciones en su haber. Es la mano por la cual el alma se aferra a la fuerza del Infinito. Es el medio por el cual se hace latir los corazones humanos, renovados por la gracia de Cristo, en armonía con el gran Corazón de amor. La fe se fundamenta en las promesas de Dios y las reclama como garantía de que él hará tal como dijo que haría. Jesús se allega al alma pecadora, impotente y necesitada y le dice: "Por tanto, os digo que todo lo que pidiereis orando, creed que lo recibiréis, y os vendrá" (Mar. 11:24). Crea, reclame las promesas y alabe a Dios por recibir las cosas que le ha pedido, y cuando su necesidad sea mayor, experimentará sus bendiciones y recibirá ayuda especial...

La pregunta en muchos corazones es: ¿Cómo puedo encontrar la felicidad? Nuestro objetivo no debiera ser vivir una vida feliz, pero seguramente la obtendremos en el camino de la obediencia humilde. Pablo era feliz. Él afirma repetidamente que a pesar de los sufrimientos, conflictos y pruebas que tuvo que llevar, él gozaba de una gran consolación. Él dice: "Lleno estoy de consolación; sobreabundo de gozo en todas nuestras tribulaciones" (2 Cor. 7:4). Todas las energías del mayor de los apóstoles estaban dirigidas a una preparación para la vida futura e inmortal, y cuando se acercaba el momento de su partida, pudo exclamar con triunfo santo: "He peleado la buena batalla, he acabado la carrera, he guardado la fe. Por lo demás, me está guardada la corona de justicia, la cual me dará el Señor, juez justo, en aquel día" (2 Tim. 4:7, 8).— *Signs of the Times*, 22 de mayo de 1884.

de febrero

Dar es un hábito nacido del amor

Cada uno de vosotros ponga aparte algo, según haya prosperado.
1 Corintios 16:2.

Dar es una parte de la religión del evangelio. El fundamento del plan de salvación fue puesto con sacrificio. Jesús abandonó las cortes reales y se hizo pobre para que por su pobreza nosotros fuésemos enriquecidos. La vida de Cristo en la tierra fue una vida de desinterés: se distinguió por la humillación y el sacrificio. ¿Es el siervo mayor que su Señor? ¿Debiéramos nosotros, partícipes de la gran salvación que él obró por nosotros, rehusarnos a seguir a nuestro Señor y a compartir su negación propia? ¿Practicará el Redentor del mundo la abnegación y el sacrificio por nosotros, y los miembros del cuerpo de Cristo se entregarán a la complacencia propia? La abnegación es una condición esencial del discipulado…

Cristo, como nuestra cabeza, nos guía en la gran obra de salvación. Él ha dado a su pueblo un plan para obtener sumas suficientes con las cuales financiar sus empresas. El sistema del diezmo se remonta hasta más allá del tiempo de Moisés. Ya en los días de Adán se requería de los hombres que ofreciesen a Dios donativos de índole religiosa…

Dios no nos obliga a dar para su causa. Nuestra acción debe ser voluntaria. No desea que su tesorería se llene con ofrendas hechas de mala gana. Su intención con el plan de dadivosidad sistemática era traernos a una relación íntima con nuestro Creador y a la simpatía y el amor hacia nuestros semejantes, colocando de tal manera responsabilidades sobre nosotros que contrarrestaran el egoísmo y fortalecieran los impulsos desinteresados y generosos. Tendemos a ser egoístas y cerrar nuestros corazones a las acciones generosas. El Señor requiere que se hagan donativos en tiempos determinados, para establecer el hábito de dar y para que la benevolencia se considere como un deber cristiano. El corazón abierto por un donativo, no debe tener tiempo para enfriarse egoístamente y cerrarse antes que se otorgue la próxima ofrenda…

Cada hombre, mujer y niño puede convertirse en un tesorero para el Señor…

Es por nuestro bien que él ha planeado que tengamos una parte en el avance de su causa. Él nos ha honrado al hacernos colaboradores suyos. Él ha ordenado que exista una necesidad de la cooperación de su pueblo, para que puedan cultivar y mantener activos sus afectos benévolos.— *Signs of the Times*, 18 de marzo de 1886; parcialmente en *Testimonios para la iglesia*, tomo 3, p. 428.

11

de febrero

El descanso del cristiano

Venid a mí todos los que estáis trabajados y cargados, y yo os haré descansar. Llevad mi yugo sobre vosotros, y aprended de mí, que soy manso y humilde de corazón; y hallaréis descanso para vuestras almas; porque mi yugo es fácil, y ligera mi carga. Mateo 11:28-30.

El mundo está lleno de agitación, pruebas y dificultades. Es una tierra enemiga, y a cada ocasión nos asaltan las tentaciones. "En el mundo —dice Jesús— tendréis aflicción, pero confiad; yo he vencido al mundo" (Juan 16:33). También dice: "Mi paz os doy" (Juan 14:27).

Nuestro Salvador representa sus requisitos como un yugo, y la vida cristiana consiste en llevar cargas. Sin embargo, al contrastar estos con el cruel poder de Satanás y con las cargas impuestas por el pecado, él declara: "Mi yugo es fácil, y ligera mi carga". Cuando intentamos vivir la vida de un cristiano, llevar sus responsabilidades y cumplir sus deberes sin Cristo como ayudador, el yugo es mortificante y la carga es intolerablemente pesada. Pero Jesús no desea que hagamos esto…

Muchos profesan venir a Cristo, mientras se aferran a sus propios caminos, que son un yugo doloroso. El egoísmo, la envidia, la ambición, el amor al mundo u otro pecado acariciado, destruye su paz y gozo…

El cristiano debe buscar representar a su Maestro en cada acto, para hacer que su servicio parezca atractivo. Que nadie haga de la religión algo repulsivo por medio de un pesimismo persistente, y al relatar sus pruebas y dificultades, su negación propia y sus sacrificios, que se note que el amor de Cristo es un motivo permanente en usted; que su religión no es como un manto que puede quitarse y ponerse según lo demandan las circunstancias, sino un principio, calmado, constante, invariable, algo que gobierna toda su vida…

Sea cual fuere su suerte en la vida, recuerde que usted está al servicio de Cristo, y manifieste un espíritu satisfecho y agradecido. Sea cual fuere su carga o su cruz, levántela en el nombre de Jesús, llévela con su fuerza…

El amor a Jesús no puede ser escondido, sino que se hará ver y sentir… Hace audaz al tímido, diligente al perezoso, sabio al ignorante. Hace elocuente la lengua vacilante y eleva a nueva vida y vigor el intelecto dormido… La paz en Cristo es de mayor valor que todos los tesoros de la tierra.— *Signs of the Times*, 17 de diciembre de 1885; parcialmente en *Reflejemos a Jesús*, p. 175.

de febrero

El desarrollo de un carácter como el de Dios

Mas el fruto del Espíritu es amor, gozo, paz, paciencia, benignidad, bondad, fe, mansedumbre, templanza; contra tales cosas no hay ley. Gálatas 5:22, 23.

Cada persona puede ser exactamente lo que haya escogido ser. El carácter no se obtiene recibiendo determinada educación. No se obtiene acumulando riqueza o ganando honores mundanos. No se obtiene haciendo que otros peleen la batalla de la vida por nosotros. Debe buscárselo, debe trabajarse en procura de él, hay que pelear por él; y requiere un propósito, una voluntad, una determinación. Formar un carácter que Dios pueda aprobar requerirá un esfuerzo perseverante. Exigirá una resistencia continua a los poderes de la tinieblas, colocarse bajo la bandera ensangrentada del Príncipe Emanuel, ser aprobado en el día del juicio, y el tener nuestros nombres conservados en el libro de la vida. ¿No vale mucho más la pena tener nuestros nombres registrados en ese libro, inmortalizados entre los ángeles celestiales, que oírlos celebrados en alabanza a lo largo de toda la tierra? Permítanme saber que Jesús me sonríe; permítanme saber que él aprueba mis acciones y mi proceder, y entonces dejen que venga lo que venga, que las aflicciones sean tan grandes como puedan, me resignaré a mi suerte y me gozaré en el Señor…

¿Ha atizado su fuego en el altar? Déjelo brillar en buenas obras para los que lo rodean. Reúnanse, y por su influencia divina y sus esfuerzos fervientes, esparzan la luz…

Debemos obrar para Dios y debemos obrar para el cielo, con toda la fuerza y el poder que hay en nosotros. No sean engañados por las cosas temporales de esta vida. Consideren las cosas de interés eterno. Yo deseo una conexión más íntima con Dios. Yo deseo cantar el canto de redención en el reino de gloria. Yo deseo que se coloque la corona de la inmortalidad sobre mis sienes. Con una lengua inmortal, deseo cantar alabanzas a Aquel que dejó la gloria y vino a la tierra a salvar a los que estaban perdidos. Yo deseo alabarlo. Yo deseo magnificarlo. Yo deseo glorificarlo. Yo deseo la herencia inmortal y la sustancia eterna. Y ¿qué me importan a mí las cosas de este mundo si pierdo o gano el cielo finalmente?, pregunto. ¿De qué ventaja me serán? Pero si estoy aferrada al cielo, puedo tener una conexión correcta con mis congéneres; puedo tener una influencia que constantemente hará presión contra la marea de maldad que hay en el mundo, y conducir a las almas al arca segura.— *Review and Herald*, 21 de diciembre de 1886; parcialmente en *Dios nos cuida*, p. 164.

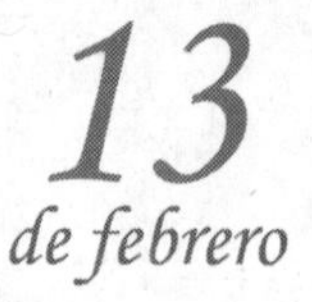

13 *de febrero*

Conducidos por el Espíritu

He aquí que en las palmas de las manos te tengo esculpida. Isaías 49:16.

Podemos seguir dos tipos de conducta. Una nos aparta de Dios y nos impide la entrada a su reino; y en este camino se encuentran la envidia, las luchas, el homicidio y todas las malas obras. Hemos de seguir la otra conducta y en su seguimiento se encontrará gozo, paz, armonía y amor… Es el amor que brillaba en el seno de Jesús lo que más necesitamos; y cuando se halla en el corazón, se revelará a sí mismo. ¿Podemos tener el amor de Jesucristo en el corazón, y que ese amor no se proyecte a los demás? No puede encontrarse ahí sin que testifique de su presencia. Se revelará a sí mismo en las palabras, en la expresión misma de nuestro rostro…

Cuando nuestro hijo mayor, en quien poníamos nuestras esperanzas más brillantes, y en quien esperábamos apoyarnos, y a quien habíamos dedicado solemnemente a Dios, nos fue arrebatado, cuando hubimos cerrado sus ojos en la muerte,* y llorado con gran pena debido a nuestra aflicción, entonces vino una paz a mi alma que superaba toda descripción, que traspasaba todo conocimiento. Pude pensar en la mañana de la resurrección; pude pensar en el futuro, cuando el gran Dador de la vida vendrá y romperá las ataduras de la tumba y llamará a los justos muertos de sus lechos de polvo; cuando soltará a los cautivos de sus cárceles; cuando nuestro hijo se encontrará nuevamente entre los vivos. En esto se encontraba una paz, un gozo, había una consolación que no puede describirse…

Cuando Cristo dejó el mundo, puso una encomienda en nuestras manos. Mientras estuvo aquí, él mismo llevó adelante su obra; pero cuando ascendió al cielo, sus seguidores quedaron para empezar donde él la había dejado. Otros tomaron el trabajo donde los discípulos lo dejaron; y así sucesivamente hasta que ahora nosotros hemos de hacer esta obra en nuestro propio tiempo…

No tenemos que caminar solos. Podemos llevar todas nuestras penas y pesares, problemas y pruebas, aflicciones y cuidados y derramarlos en el oído, dispuesto a escuchar, de Uno que presenta ante el Padre los méritos de su propia sangre. Él presenta sus heridas: "¡Mis manos, mis manos! Te he grabado en la palma de mis manos". Ofrece las manos heridas a Dios, y sus peticiones son oídas, y ángeles veloces son enviados para ministrar a hombres y mujeres caídos, para levantarlos y sostenerlos.— *Review and Herald*, 4 de enero de 1887.

---

*Henry Nichols White (1847-1863).

Sumando y multiplicando

Gracia y paz os sean multiplicadas, en el conocimiento de Dios y de nuestro Señor Jesús. 2 Pedro 1:2.

No hemos de confiar en nuestra fe, sino en las promesas de Dios. Cuando nos arrepentimos de nuestras pasadas transgresiones de su ley, y decidimos rendirle obediencia en el futuro, debemos creer que Dios nos acepta y perdona nuestros pecados por causa de Cristo.

A veces llegan al alma las tinieblas y el desánimo y amenazan con abrumarnos, pero no debiéramos descartar nuestra confianza. Debemos mantener la mirada fija en Jesús, sintamos o no sintamos. Debemos tratar de cumplir fielmente cada deber conocido, y entonces descansar calmadamente en las promesas de Dios...

Quizá no sintamos hoy la paz y el gozo que sentíamos ayer, pero por fe debemos aferrarnos de la mano de Cristo, y confiar en él tan plenamente en la oscuridad como en la luz.

Satanás puede susurrar: "Tú eres un pecador demasiado grande para que Cristo te salve". Si bien debemos reconocer que somos en verdad pecaminosos e indignos, debemos afrontar al tentador exclamando: "En virtud de la expiación, me aferro de Cristo como mi Salvador"...

Si tan solo permitiésemos que nuestras mentes se concentraran más sobre Cristo y el mundo celestial, obtendríamos un poderoso estímulo y apoyo en nuestra lucha por ganar las batallas del Señor... Cuando se le ha permitido a la mente ocuparse únicamente de cosas terrenales, la tarea de cambiar los hábitos de pensamiento resulta muy difícil. Las cosas que los ojos ven y los oídos oyen, demasiado a menudo atraen la atención y absorben el interés. Pero si hemos de entrar en la ciudad de Dios y contemplar a Jesús en su gloria, debemos acostumbrarnos aquí a mirarlo con los ojos de la fe...

La santificación es una obra progresiva. Las palabras de Pedro nos presentan los pasos sucesivos: "Vosotros también, poniendo toda diligencia por esto mismo, añadid a vuestra fe virtud; a la virtud, conocimiento; al conocimiento, dominio propio; al dominio propio, paciencia; a la paciencia, piedad; a la piedad, afecto fraternal; y al afecto fraternal, amor" (2 Ped. 1:5-7)... Este es un proceder mediante el cual podemos estar seguros de no caer jamás. Quienes están así obrando de acuerdo con el plan de adición en la obtención de las gracias cristianas, tienen la seguridad de que Dios obrará según el plan de multiplicación al otorgarles "los dones de su Espíritu".— *Review and Herald*, 15 de noviembre de 1887.

15

de febrero

Unidos con nuestro Hacedor

El que dice que permanece en él, debe andar como él anduvo. 1 Juan 2:6.

Si queremos heredar la vida eterna, tenemos que realizar una gran obra. Debemos negar la impiedad y las concupiscencias mundanas, y vivir una vida de justicia. Muchos enseñan que lo único necesario para la salvación es creer en Jesús. Pero, ¿qué dice la Palabra de verdad? "La fe sin obras está muerta" (Sant. 2:26). Hemos de pelear "la buena batalla de la fe", echar "mano de la vida eterna", tomar la cruz, negarnos a nosotros mismos, luchar contra la carne y seguir diariamente en las pisadas del Redentor. No hay salvación para nosotros fuera de Jesús, porque mediante la fe en él recibimos poder para ser hijos e hijas de Dios. Pero no se trata de una fe pasajera, sino que es una fe que hace las obras de Cristo…

La fe viva se manifiesta mostrando un espíritu de sacrificio y devoción hacia la causa de Dios. Los que la poseen están bajo el estandarte del Príncipe Emanuel, y luchan exitosamente contra los poderes de las tinieblas…

La fe genuina en Cristo conduce a la negación del yo, pero por elevada que sea la profesión, si el yo es exaltado y consentido, la fe de Jesús no está en el corazón. Los verdaderos cristianos manifiestan mediante una vida de consagración diaria que han sido comprados con precio y que no son suyos…

Quienquiera que tome la posición de que no significa nada si guardamos o no los mandamientos de Dios, no conoce a Cristo. Es un error fatal pensar que no hay nada que usted debe hacer para obtener la salvación. Usted ha de cooperar con los seres celestiales…

Los que están relacionados con Jesús están en unión con el Hacedor y Sustentador de todas las cosas. Tienen un poder que el mundo no puede darles ni quitarles. Pero aunque se les dan privilegios grandes y señalados, no deben únicamente gozarse en esas bendiciones. Como mayordomos de la multiforme gracia de Dios, deben convertirse en bendiciones para otros… Somos guardas de nuestro hermano. Cristo "se dio a sí mismo por nosotros para redimirnos de toda iniquidad y purificar para sí un pueblo propio, celoso de buenas obras" (Tito 2:14). Y esa fe que cumple este celo en nosotros es la única fe genuina. Si la rama está conectada a la Vid verdadera, su unión se hace manifiesta por el fruto que aparece, porque "por los frutos los conoceréis" (Mat. 7:16).— *Review and Herald*, 6 de marzo de 1888; parcialmente en *A fin de conocerle*, pp. 117, 127, 318.

Atributos celestiales

Santifícalos en tu verdad; tu palabra es verdad. Juan 17:17.

Cada momento de nuestro tiempo de prueba es precioso, porque es nuestro tiempo para la edificación del carácter. Debemos prestar diligente atención al cultivo de nuestra naturaleza espiritual. Debemos guardar nuestros corazones, guardar nuestros pensamientos, a menos que la impureza contamine el alma. Debemos intentar mantener cada facultad de la mente en la mejor condición posible, para que sirvamos a Dios hasta el alcance de nuestra habilidad...

Tenemos una obra que hacer en este mundo, y no debemos permitirnos llegar a ser egocéntricos, y así olvidar las exigencias de Dios y la humanidad para con nosotros. Si buscamos a Dios fervientemente, él nos impresionará por su Santo Espíritu. Él sabe lo que necesitamos, porque él conoce todas nuestras debilidades, y él quisiera que obremos aparte del yo, para que lleguemos a ser amables en palabra y obra. Debemos cesar de pensar y hablar del yo, de hacer de nuestras necesidades y deseos el único objeto de nuestros pensamientos. Dios quiere que cultivemos los atributos del cielo...

Cuán pacientemente debiéramos soportar las faltas y los errores de nuestros hermanos, al recordar cuán grandes son nuestros propios fracasos a la vista de Dios. ¿Cómo podemos orar a nuestro Padre celestial, "perdona nuestras deudas como nosotros perdonamos a nuestros deudores", si somos denunciadores, resentidos, exigentes en nuestro trato con los demás? Dios desea que seamos más bondadosos, más benignos y amables; menos criticadores y suspicaces. ¡Oh, si pudiéramos tener el espíritu de Cristo y saber cómo tratar a nuestros hermanos y vecinos!...

Hay muchos entre nosotros que profesan ser seguidores de Cristo y quienes buscan excusar sus propios defectos magnificando los errores de los demás. Debemos copiar el ejemplo de Jesús, porque cuando fue injuriado, él no injurió, sino que se encomendó a Aquel que juzga con justicia... Él era la Majestad del cielo, y en su pecho puro no había lugar para el espíritu de la venganza, sino únicamente para la compasión y el amor...

Quizá no recordemos algunos actos de bondad que hayamos hecho; quizá se borren de nuestra memoria. Pero la eternidad traerá en todo su esplendor cada acto realizado por la salvación de las almas, cada palabra hablada para animar a los hijos de Dios. Y estas cosas realizadas por amor de Cristo serán una parte de nuestro gozo a través de toda la eternidad.— *Review and Herald*, 24 de febrero de 1891; parcialmente en *En lugares celestiales*, p. 230.

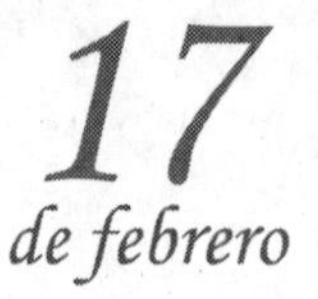

17

de febrero

Las bendiciones de Dios y nuestra responsabilidad

Volveos a mí, y yo me volveré a vosotros, ha dicho Jehová de los ejércitos. Malaquías 3:7.

Satanás constantemente presenta los pecados y errores de los que pretenden ser hijos de Dios, y echa en cara sus defectos a los ángeles de Dios. ¿Qué hará que el pueblo de Dios alcance una posición correcta ante él? El Señor responde a la pregunta en Malaquías, al decir: "Volveos a mí, y yo me volveré a vosotros, ha dicho Jehová de los ejércitos". Cuando busquemos al Señor de todo corazón, lo encontraremos.

Daniel decidió en su corazón que sería leal al Dios del cielo. Determinó que no comería de la carne del rey ni bebería de su vino; y sus tres compañeros determinaron que no deshonrarían a Dios arrodillándose ante la imagen dorada que Nabucodonosor erigió en la llanura de Dura. Cuando nos proponemos servir al Señor con una determinación como la de estos fieles siervos de Dios, el Señor tomará nuestra parte y nos permitirá aferrarnos a su fuerza...

Los ángeles observan con asombro la ingratitud de aquellos por los cuales Dios ha hecho tanto al conferirles continuamente favores y dones. La gente olvida las demandas de Dios y complace su egoísmo y mundanalidad...

Dios no puede bendecirnos con tierras y rebaños cuando no empleamos sus bendiciones para su gloria. No puede confiar su tesoro a quienes lo aplican mal. En el lenguaje más sencillo el Señor les ha dicho a sus hijos lo que requiere de ellos. Han de pagar diezmos de todo lo que poseen, y dar ofrendas de aquello que él les confiere. Sus misericordias y bendiciones han sido abundantes y sistemáticas. Él nos envía su lluvia y su sol, y hace que la vegetación crezca. Da las estaciones; la siembra y la cosecha llegan en su orden; y la bondad inagotable de Dios merece algo mejor que la ingratitud y el olvido que muchos le rinden.

¿No nos volveremos a Dios, y con corazones agradecidos le presentaremos nuestros diezmos y ofrendas? El Señor ha hecho tan claro el deber, que si descuidamos el cumplimiento de sus requisitos no tendremos excusa. El Señor ha dejado sus bienes en manos de sus siervos, para que los manejen con equidad; para que el evangelio pueda ser predicado en todo el mundo. No ha dejado al azar los arreglos y las provisiones para el esparcimiento de su verdad en el mundo.— *Signs of the Times*, 13 de enero de 1890.

de febrero

Deje brillar su luz

Mas el que practica la verdad viene a la luz, para que sea manifiesto que sus obras son hechas en Dios. Juan 3:21.

En el Sermón del Monte, Cristo le presentó al pueblo el hecho de que su fuerza radicaba en la piedad personal. Habían de rendirse a Dios, trabajando con él en una cooperación sin reservas. Las pretensiones elevadas, las formas y ceremonias, por imponentes que fueran, no hacían al corazón bueno ni al carácter puro. El amor genuino hacia Dios es un principio activo, un agente purificador...

La nación judía había ocupado la posición más elevada; habían edificado muros grandes y altos para protegerse de la asociación con el mundo pagano; se habían referido a sí mismos como el pueblo especial, leal y favorecido de Dios. Pero Cristo presentó su religión como desprovista de la fe que salva. Era una combinación de doctrinas secas y duras entremezcladas con sacrificios y ofrendas. Se cuidaban mucho de practicar la circuncisión, pero no enseñaban la necesidad de tener un corazón puro. Exaltaban los mandamientos de Dios en palabras, pero se negaban a exaltarlos en la práctica, y su religión era una piedra de tropiezo para otros...

Aunque habían tenido una autoridad indisputada en asuntos religiosos hasta ese momento, ahora les tocaba dar lugar al gran Maestro, y a una religión que no conocía límites y no hacía distinción de casta o posición en la sociedad, o de raza entre naciones. Pero la verdad enseñada por Cristo era designada para toda la familia humana. La única fe verdadera es la que obra por el amor y purifica el alma. Es como una levadura que transforma el carácter humano...

El evangelio de Cristo significa piedad práctica, una religión que eleva al receptor de su depravación natural. Aquel que contempla al Cordero de Dios sabe que él quita los pecados del mundo. La religión verdadera resultaría en un desarrollo de la vida y el carácter muy diferente del visto en la vida de los escribas y fariseos...

Dios no da luz para que sea ocultada egoístamente y no penetre en quienes viven en las tinieblas. Los agentes humanos son el canal escogido por Dios hacia el mundo. En vez de instruirlos para que oculten su luz, el Salvador le dice a su pueblo: "Así alumbre vuestra luz delante de los hombres, para que vean vuestras buenas obras, y glorifiquen a vuestro Padre que está en los cielos" (Mat. 5:16).— *Review and Herald*, 30 de abril de 1895.

19

de febrero

Nuestra necesidad del Espíritu Santo

Si vivimos por el Espíritu, andemos también por el Espíritu. Gálatas 5:25.

El Espíritu Santo no solo santifica sino que convence. No podemos arrepentirnos de nuestros pecados hasta que seamos convencidos de nuestra culpa. Cuán necesario entonces es que tengamos al Espíritu Santo con nosotros al esforzarnos por alcanzar las almas caídas. Nuestras habilidades humanas serán ejercitadas en vano a menos que se unan a esta agencia celestial…

En el ministerio de rescatar a los perdidos, los hombres y los ángeles deben trabajar en armonía para enseñar la verdad de Dios a los que todavía no la conocen, a fin de que puedan verse libres de las ataduras del pecado. Solo la verdad puede producir esta liberación. La libertad resultante del conocimiento del mensaje debe ser proclamada a toda criatura. Nuestro Padre celestial, Jesucristo y los ángeles del cielo están interesados en esta obra grandiosa y santa. Al hombre se le ha concedido el exaltado privilegio de manifestar el carácter divino por intermedio de la abnegación que requiere la tarea de rescatar a los que fueron arrojados al pozo de la ruina. Cada uno que desee someterse a la iluminación del Espíritu Santo será usado para realizar este propósito divinamente concebido…

Nuestro Salvador ha de ser reconocido y aceptado más claramente como la suficiencia completa de su iglesia. Solo él puede perfeccionar la fe de su pueblo…

Necesitamos dejar más espacio para la obra del Espíritu Santo, a fin de que los obreros se unan y puedan avanzar con la fuerza de un cuerpo unido de soldados… Una consagración entera al servicio de Dios revelará la influencia modeladora del Espíritu Santo a cada paso del camino…

Dios desea que la iglesia se aferre por fe a sus promesas, y pida el Espíritu Santo para que la ayude en todo…

Oh, si la frágil humanidad comprendiera que el General de los ejércitos del cielo es quien conduce y dirige el movimiento de sus aliados sobre la tierra. Cristo mismo es el poder renovador que, gracias al Espíritu Santo, actúa en y a través de cada soldado. Cada individuo ha de convertirse en un instrumento en sus manos para obrar por la salvación de las almas. A nadie que desee laborar para el Maestro se le negará un lugar, si es un verdadero seguidor de Cristo. La eficacia del Espíritu hará productiva la labor de todos los que están dispuestos a someterse a sus orientaciones.— *Review and Herald*, 16 de julio de 1895; parcialmente en *Recibiréis poder*, pp. 185, 189.

20

de febrero

Atrévase a ser un Daniel

Ahora vete; pero cuando tenga oportunidad te llamaré. Hechos 24:25.

No importa cuán pecadores hemos sido, no importa cuál haya sido nuestra condición, si nos arrepentimos y creemos, venimos a Cristo y confiamos en él como nuestro Salvador personal, podemos ser salvos hasta lo sumo. Pero cuán peligrosa es la posición de uno que conoce la verdad pero se demora en practicarla. Cuán riesgoso es para hombres y mujeres buscar entretener la mente, gratificar el gusto y satisfacer la razón, al descuidar lo que ha sido revelado como el deber, y deambular en busca de algo que no conocen…

Jesús dijo: "Andad entre tanto que tenéis luz, para que no os sorprendan las tinieblas" (Juan 12:35)… Practique cada precepto de la verdad que le fue presentada. Viva cada palabra que sale de la boca de Dios, y como resultado, seguirá a Cristo en todos sus caminos… El Señor no rehúsa dar el Espíritu a quien se lo pide. Cuando la convicción toca las cuerdas sensibles de la conciencia, ¿por qué no prestarle oídos para escuchar la voz del Espíritu de Dios? Cada vacilación y postergación nos sitúa en una posición en la que nos resulta cada vez más difícil aceptar la luz celestial y, por último, parece imposible que las admoniciones y advertencias nos impresionen. Los pecadores expresan cada vez con mayor facilidad: "Ahora vete; pero cuando tenga oportunidad te llamaré" (Hech. 24:25)…

Las almas que inicialmente se demoran y vacilan, resisten la luz y rechazan todo conocimiento, tienen excelentes intenciones de hacer un giro completo cuando llegue el momento conveniente; pero el artero enemigo que sigue sus huellas hace sus planes para enredarlas con las cuerdas imperceptibles de los malos hábitos. El carácter se compone de hábitos, y un paso en el camino descendente es una preparación para el segundo paso, y el segundo para los pasos que siguen…

Los hijos de Dios han de brillar como luces en medio de una generación perversa y torcida. Pero si no se cultivan los hábitos apropiados, cederán a las tendencias naturales y se tornarán autosuficientes, autocomplacientes, descuidados, envidiosos, vengativos, independientes, testarudos, arrogantes, inflados, amadores de los placeres más que de Dios…

El carácter de Daniel es una ilustración de lo que puede llegar a ser un pecador por la gracia de Cristo. Él era fuerte en poder intelectual y espiritual… El Espíritu Santo ha de ser en nosotros un habitante divino. Entonces permita que la gratitud y el amor a Dios abunden en su corazón.— *Review and Herald*, 29 de junio de 1897; parcialmente en *Recibiréis poder*, p. 34.

21

de febrero

Para ser un hijo de Dios

Mas a todos los que le recibieron, a los que creen en su nombre, les dio potestad de ser hechos hijos de Dios. Juan 1:12.

Si pudiéramos apreciar esta gran bendición, ¡qué ventaja sería para nosotros! Se nos da el privilegio de ser colaboradores de Dios en la salvación de nuestras almas. Recibir y creer es nuestra parte del contrato. Hemos de recibir a Cristo como nuestro Salvador personal, y hemos de continuar creyendo en él. Esto significa morar en Cristo, y [estando] en él, mostrar en todo tiempo y circunstancia, una fe que es una representación de su carácter: una fe que obra por el amor y purifica el alma de toda mancha...

Cada uno debemos obtener una experiencia por nosotros mismos. Nadie puede depender de la experiencia o práctica de cualquier otro individuo para salvarse. Cada uno debemos familiarizarnos con Cristo para poder representarlo adecuadamente al mundo... Ninguno de nosotros necesita excusar nuestro temperamento apresurado, nuestro carácter deforme, nuestro egoísmo, envidia, celo o cualquier impureza del alma, cuerpo o espíritu. Dios nos ha llamado a la gloria y la virtud. Hemos de obedecer el llamado...

¿Cómo podemos escapar del poder de uno que fuera una vez un ángel exaltado en las cortes celestiales? Él era un ser lleno de belleza y encanto personal, bendecido con un intelecto poderoso. Debido a su exaltación se creyó igual a Dios... ¿Cómo podemos discernir sus falsas teorías y resistir sus tentaciones? Solo a través de la experiencia individual ganada al recibir un conocimiento de Jesucristo nuestro Señor. Sin ayuda divina no podremos de manera alguna escapar las tentaciones y trampas que Satanás ha preparado para engañar las mentes humanas...

Hemos de andar como él anduvo, siguiendo de cerca sus pisadas, manifestando su mansedumbre y humildad... El servicio de Cristo es puro y elevado. El camino que él transitó no es de agrado propio o gratificación propia. Él les habla a sus hijos y les dice: "Si alguno quiere venir en pos de mí, niéguese a sí mismo, y tome su cruz, y sígame" (Mat. 16:24). El precio del cielo es el sometimiento a Cristo. El camino al cielo es la obediencia al mandato, "niéguese a sí mismo, tome su cruz y sígame". Como Jesús transitó, debemos transitar nosotros. El camino que él siguió, nosotros debemos seguir; porque ese camino conduce a las mansiones que él está preparando para nosotros.— *Review and Herald*, 24 de abril de 1900.

de febrero

Piedad con contentamiento

¡Cuán difícilmente entrarán en el reino de Dios los que tienen riquezas!
Lucas 18:24.

Estas palabras del Salvador tienen un significado profundo y merecen nuestro estudio más ferviente… Muchos que poseen grandes riquezas las han obtenido por medio de tratos ventajosos, beneficiándose a costa de otros seres humanos; y se ufanan de su astucia para cerrar un trato. Cada dólar obtenido de esa manera y su ganancia trae sobre sí la maldición de Dios…

Hombres y mujeres ricos han de ser probados más de lo que ya han sido. Si pasan la prueba, y eliminan las manchas de la deshonestidad y la injusticia de su carácter, y como mayordomos fieles le rinden a Dios lo que es suyo, a ellos se les dirá: "Bien, buen siervo y fiel; sobre poco has sido fiel, sobre mucho te pondré; entra en el gozo de tu señor" (Mat. 25:21).

"Ningún siervo puede servir a dos señores —dijo Cristo—; porque o aborrecerá al uno y amará al otro, o estimará al uno y menospreciará al otro"… Cuando los fariseos, que eran avaros, escucharon estas cosas, se burlaron de él. Pero dándose vuelta hacia ellos, Cristo dijo: "Vosotros sois los que os justificáis a vosotros mismos delante de los hombres; mas Dios conoce vuestros corazones; porque lo que los hombres tienen por sublime, delante de Dios es abominación" (Luc. 16:13, 15).

Al escribirle a su hijo en el evangelio, Pablo dice: "Pero gran ganancia es la piedad acompañada de contentamiento; porque nada hemos traído a este mundo, y sin duda nada podremos sacar. Así que, teniendo sustento y abrigo, estemos contentos con esto. Porque los que quieren enriquecerse caen en tentación y lazo, y en muchas codicias necias y dañosas, que hunden a los hombres en destrucción y perdición; porque raíz de todos los males es el amor al dinero, el cual codiciando algunos, se extraviaron de la fe, y fueron traspasados de muchos dolores" (1 Tim. 6:6-10).

Pablo quería imprimir en la mente de Timoteo la necesidad de dar una instrucción tal que eliminara el engaño que tan fácilmente se introduce en los ricos, de que debido a su riqueza son superiores a otros que no tienen tantas posesiones como ellos. Suponen que sus ganancias son muestra de piedad…

Hay intereses elevados y santos que requieren de nuestro dinero, y el dinero invertido en estos le rendirá al dador un gozo más elevado y permanente que si fuera gastado para la gratificación personal o acumulado egoístamente por avaricia o ganancia.— *Review and Herald*, 19 de diciembre de 1899.

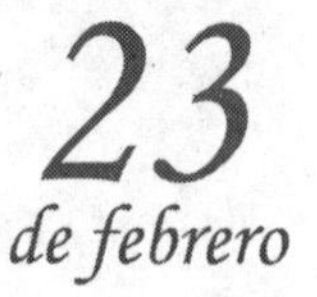

23

de febrero

¿Qué es la fe?

Es, pues, la fe la certeza de lo que se espera, la convicción de lo que no se ve.
Hebreos 11:1.

Es precioso el pensamiento de que la justicia de Cristo nos es imputada, no por algún mérito de nuestra parte, sino como don gratuito de Dios. El enemigo de Dios y del hombre no quiere que esta verdad sea presentada claramente; porque sabe que si la gente la recibe plenamente, habrá perdido su poder sobre ella. Si consigue dominar las mentes de los que se llaman hijos de Dios, de modo que su experiencia se componga de duda, incredulidad y tinieblas, logrará vencerlos con la tentación. Esta fe sencilla, que acepta al pie de la letra lo que Dios dice, debe ser estimulada. El pueblo de Dios debe poseer la clase de fe que se aferra al poder divino; "porque por gracia sois salvos por la fe; y esto no de vosotros, pues es don de Dios" (Efe. 2:8). Los que creen que por amor de Cristo, Dios ha perdonado sus pecados, no deben, por causa de la tentación, dejar de seguir peleando la buena batalla de la fe. Su fe debe volverse cada vez más fuerte hasta que su vida cristiana, como sus palabras, declare: "La sangre de Jesucristo... nos limpia de todo pecado" (1 Juan 1:7).

La fe significa confiar en Dios, creer que nos ama y sabe mejor qué es lo que nos conviene. Por eso nos induce a escoger su camino en lugar del nuestro. En vez de nuestra ignorancia, acepta su sabiduría; en vez de nuestra debilidad, su fuerza; en vez de nuestra pecaminosidad, su justicia. Nuestra vida, nosotros mismos, ya somos suyos; la fe reconoce su derecho de propiedad, y acepta su bendición. La verdad, la justicia y la pureza han sido señaladas como los secretos del éxito en la vida... Todo buen impulso o aspiración es un don de Dios; la fe recibe de Dios la única vida que puede producir desarrollo y eficiencia verdaderos.

Se debería explicar claramente cómo se puede ejercer fe. Toda promesa de Dios tiene ciertas condiciones. Si estamos dispuestos a hacer su voluntad, toda su fuerza nos pertenece. Cualquier don que se nos prometa se encuentra en la promesa misma... Tan ciertamente como se encuentra el roble contenido en la bellota, se encuentra el don de Dios en su promesa...

La fe que nos capacita para recibir los dones de Dios es en sí misma un don... Aumenta a medida que se la usa para asimilar la Palabra de Dios. A fin de fortalecer la fe debemos ponerla a menudo en contacto con la Palabra.

¡Cuán a menudo los que confiaron en la Palabra de Dios, aunque eran en sí mismos completamente impotentes, han resistido el poder del mundo entero!... Estos constituyen la verdadera nobleza del mundo. Constituyen su realeza.— *Review and Herald*, 24 diciembre de 1908.

El único tesoro

Porque somos hechura suya, creados en Cristo Jesús para buenas obras, las cuales Dios preparó de antemano para que anduviésemos en ellas.
Efesios 2:10.

Un carácter formado a la semejanza divina es el único tesoro que podemos llevar de este mundo al venidero... Considere cada momento de tiempo como si fuera oro. No lo malgaste en la indolencia, no lo gaste en tonterías, sino úselo en la obtención de tesoros elevados. Cultive los pensamientos y expanda el alma negándose a permitir que la mente sea llena de asuntos no importantes. Aproveche cada ventaja a su alcance para fortalecer el intelecto. No se quede satisfecho con una norma inferior. No se contente hasta que, por el esfuerzo fiel, la vigilancia y la oración ferviente, ha obtenido la sabiduría que viene de arriba...

Atesore cada rayo de luz que pueda obtener al escudriñar la Palabra de Dios. Ocúpese de la obra que Dios le ha dado hoy, y vea cuánto bien puede lograr con el poder de Cristo. Haga de Dios su consejero...

Cristo recordó nuestra naturaleza en los requisitos que estipuló. Tomó nuestra naturaleza sobre sí, y nos trajo poder moral para combinarlo con el esfuerzo humano... Nuestro espíritu puede estar tan identificado con su Espíritu, que seamos uno con él en pensamiento e intención...

Las facultades intelectuales, morales y físicas han de ser igualmente cultivadas y mejoradas, para que alcancemos la norma más elevada en el logro del conocimiento...

El Daniel de la historia sagrada no era más que un joven cuando fue llevado cautivo a Babilonia con sus amigos. Pero él permanece como un ejemplo brillante de lo que la gracia de Dios puede hacer por los pecadores ante el universo celestial, los mundos no caídos y un mundo rebelde... No fue por su elección que fue expuesto a la disolución, la glotonería y los hábitos de derroche de aquella nación pagana. Pero él dispuso en su corazón, que mientras estuviese allí, serviría al Señor. Cooperó con Dios. Se colocó bajo la bandera de Cristo como un sujeto leal del Rey celestial...

El carácter formado en este mundo determina el destino por la eternidad. El elemento de valor en la vida en este mundo será de valor en el mundo venidero. Nuestro futuro es determinado por la manera en que permitimos ahora ser influenciados... Tomamos el yugo de Cristo sobre nosotros, y aprendemos su camino.— *Youth's Instructor*, 17 de agosto de 1899; parcialmente en *Dios nos cuida*, p. 338.

El camino de Dios, no el mío

Muéstrame, oh Jehová, tus caminos; enséñame tus sendas. Salmo 25:4.

A veces se escucha a uno que profesa ser un seguidor de Cristo decir: "No deben sorprenderse si soy duro, si hablo rudamente, o manifiesto mal genio; es mi manera de ser".

¡Nos pide que no nos sorprendamos! ¿Acaso el cielo no se sorprende ante tales manifestaciones, dado que se ha diseñado un plan de salvación, dado que se ha hecho un sacrificio infinito en la cruz del Calvario, para que usted refleje la imagen de Jesús? ¿Entrará al cielo su manera de ser? Suponga que alguien se acerca a las puertas de perla y dice: "Yo sé que he sido rudo y desagradable, y que tengo la tendencia a mentir y robar; pero quiero entrar a las mansiones celestiales". ¿Conseguirá entrada a través de las puertas de la santa ciudad tal disposición? ¡No, no! Allí solo entrarán los que siguen el camino de Dios.

La manifestación de tendencias naturales y heredadas hacia la mala conducta no puede ser excusada por la alegación de que "es mi manera de ser". Los cristianos advierten que para poder introducir los principios del cristianismo en la vida diaria, necesitan mucho de la gracia de Cristo.

Los jóvenes que cooperan con Cristo encontrarán que su camino está lleno de errores que necesitan corregirse. De traerse a la edificación del carácter, estos errores son como maderos podridos. No permitan que ninguno permanezca. Que nadie alegue el privilegio de aferrarse a sus imperfecciones y se excuse diciendo "es mi manera de ser". Quienes gratifican el yo y se niegan a abandonar su camino por el camino de Cristo sufrirán el resultado seguro…

¿Intenta usted caminar en la senda de la verdad y la justicia? Entonces no permita que la tentación lo desanime. En verdad, será tentado, pero recuerde que la tentación no es pecado; no es una indicación del desagrado de Dios. Él permite que usted sea tentado, pero él mide la tentación según el poder que él le imparte para permitirle a usted resistirla y vencerla. Es en la hora de la tentación y la prueba que usted ha de medir el grado de su fe en Dios, y calcular la estabilidad de su carácter cristiano.

No diga "me es imposible vencer"… Con sus propias fuerzas, usted no puede vencer, pero se ha dispuesto ayuda de Uno que es poderoso. Susurre la oración: "Muéstrame, oh Jehová, tus caminos; enséñame tus sendas" (Sal. 25:4).— *Youth's Instructor*, 2 de octubre de 1902.

Fe que no duda

Y el hombre creyó la palabra que Jesús le dijo, y se fue. Juan 4:50.

En la ciudad de Capernaum, el hijo de un noble se encuentra enfermo de muerte. Su padre ha tratado en vano de salvarlo. Un mensajero llega a paso rápido a la mansión, y pide ver al noble. Este le dice que acaba de regresar de Jerusalén y que en Galilea hay un profeta de Dios, que muchos dicen que es el Mesías tan esperado... Quizá pueda sanar al niño.

A medida que el noble escucha, la expresión de su rostro cambia de desánimo a esperanza... Mientras se prepara para el viaje, la esperanza nacida en su alma cobra fuerzas. Antes del amanecer, ya va camino a Caná de Galilea, donde supone que Jesús se encuentra...

Al encontrar a Jesús, le ruega que venga a Capernaum y sane a su hijo. "Si no viereis señales y prodigios, no creeréis" (Juan 4:48), le responde Jesús. Hasta cierto punto, el noble sí creía, de otra manera no habría hecho tan largo viaje en ese momento crítico. Pero Cristo deseaba aumentar su fe.

Con un ruego desesperado, el padre clama: "Señor, desciende antes que mi hijo muera". Teme que cada minuto que pasa colocará a su hijo fuera del alcance del poder del Sanador... Con el deseo de conducirlo a una fe perfecta, el Salvador le dice: "Ve, tu hijo vive".

"Y el hombre creyó la palabra que Jesús le dijo, y se fue" (vers. 49, 50). Seguro de que la muerte que lo aterraba no le vendrá a su hijo, el noble no hace ninguna pregunta ni busca alguna explicación. Él *cree.* Vez tras vez repite las palabras, "tu hijo vive".

Y el poder de las palabras del Redentor fulgura como un relámpago desde Caná a Capernaum, y el niño es sanado... Los que velan junto a la cama notan casi sin respirar el conflicto entre la vida y la muerte. Y cuando en un instante la fiebre ardiente desaparece, se llenan de asombro. Sabiendo la ansiedad del padre se dirigen a su encuentro para compartir las alegres noticias. Él solo tiene una pregunta para hacerles: ¿Cuándo comenzó a mejorar el niño? Le dicen y queda satisfecho... Ahora su fe ha sido coronada con certeza...

En nuestro trabajo para Cristo, necesitamos más de la fe que no duda que tenía el noble... Aquel que confía implícitamente en el Salvador encuentra las puertas del cielo abiertas e inundadas con la gloria que procede del trono de Dios.— *Youth's Instructor*, 4 de diciembre de 1902.

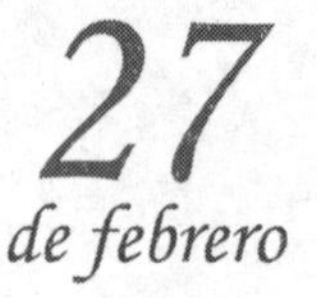

27
de febrero

El poder del canto

Cambiará su desierto en paraíso, y su soledad en huerto de Jehová; se hallará en ella alegría y gozo, alabanza y voces de canto. Isaías 51:3.

La melodía de alabanza es la atmósfera del cielo; y cuando el cielo se pone en contacto con la tierra, hay música y canto, "alabanza y voces de canto".

Por encima de la tierra recién creada, hermosa e inmaculada, bajo la sonrisa de Dios, "alababan todas las estrellas del alba, y se regocijaban todos los hijos de Dios". Los corazones humanos, al simpatizar con el cielo, han respondido a la bondad de Dios con notas de alabanza. Muchos de los sucesos de la historia humana han estado ligados al canto.

La historia de los cantos de la Biblia está llena de sugerencias en cuanto a los usos y beneficios de la música y el canto. A menudo se pervierte la música haciéndola servir propósitos malignos, y de ese modo llega a ser uno de los agentes más seductores de la tentación. Pero, debidamente empleada, es un precioso don de Dios, destinado a elevar los pensamientos a temas más nobles, a inspirar y elevar el alma.

Así como los israelitas, cuando andaban por el desierto, alegraron su camino con la música del canto sagrado, Dios invita a sus hijos hoy a alegrar su vida de peregrinaje. Pocos medios hay más eficaces para grabar sus palabras en la memoria, que el de repetirlas en el canto. Y un canto tal tiene poder maravilloso. Tiene poder para subyugar naturalezas rudas e incultas; para avivar el pensamiento y despertar simpatía; para promover la armonía de acción y desvanecer la melancolía y los presentimientos que destruyen el valor y debilitan el esfuerzo.

Es uno de los medios más eficaces para grabar en el corazón la verdad espiritual. Cuán a menudo la memoria trae al alma apremiada y pronto a desesperar alguna palabra de Dios, el tema olvidado de algún canto de la infancia, y las tentaciones pierden su poder, la vida adquiere nuevo significado y nuevo propósito, y se imparte valor y alegría a otras almas...

Cántense en el hogar cantos dulces y puros, y habrá menos palabras de censura y más de alegría, esperanza y gozo. Cántese en la escuela, y los alumnos serán atraídos más a Dios, a sus maestros, y los unos a los otros.

Como parte del servicio religioso, el canto es tanto un acto de culto como la oración.— *Youth's Instructor*, 29 de marzo de 1904; parcialmente en *Mensajes para los jóvenes*, pp. 289, 290.

La verdad derrota al mal

No penséis que he venido para traer paz a la tierra; no he venido para traer paz, sino espada. Mateo 10:34.

Algunos se han hecho esta pregunta: ¿Cómo puede existir acuerdo entre la declaración, "no he venido a traer paz, sino espada", y el canto entonado por los ángeles cuando Cristo nació en el pesebre de Belén, "gloria a Dios en las alturas, y en la tierra paz, buena voluntad para con los hombres"? El canto de los ángeles guarda armonía con las palabras del profeta Isaías, quien al predecir el nacimiento de Jesús, declaró que él era el Príncipe de paz. El evangelio es un mensaje glorioso de paz y buena voluntad para los hombres; la bendición que Cristo vino a traer fue la armonía y la paz. Dejó su trono de gloria y revistió su divinidad con humanidad para traer a los hijos de los hombres de la apostasía a la lealtad a Dios, y vincular sus corazones con el corazón de amor infinito. Vino a presentar a un mundo caído el remedio para el pecado, para que todo aquel que crea en él no se pierda, sino que al llegar a ser uno con él y el Padre, tenga vida eterna...

La condición del mundo cuando Cristo entró a los senderos de la humanidad no era excepcional. En ese tiempo las Escrituras habían sido enterradas debajo de las tradiciones humanas, y Cristo declaró que los que profesaban interpretar la Palabra de Dios ignoraban tanto las Escrituras como el poder de Dios...

Cristo les presentó a sus congéneres y al mundo el brillo, la belleza y la santidad, la naturaleza divina, que les permitiría vincularse con el corazón de amor infinito. Trajo luz al mundo para disipar las tinieblas espirituales y revelar la verdad... La verdad, que habría de restaurar y renovar, es un destructor del mal; y cuando el mal es atesorado persistentemente, se transforma en un destructor también del pecador...

La perversidad del pecador, su resistencia a la verdad, hacen que la misión de Cristo parezca lo que él le anunció a sus discípulos, el envío de una espada a la tierra; pero el conflicto no es el efecto del cristianismo, sino el resultado de la oposición en los corazones de los que no reciben sus bendiciones.

Desde la primera presentación del cristianismo al mundo, se ha instituido en contra suya una guerra mortal... Los que sufren por la verdad saben el valor de un evangelio puro, una Biblia libre y la libertad de conciencia.— *Bible Echo* (Australia), 12 de marzo de 1894.

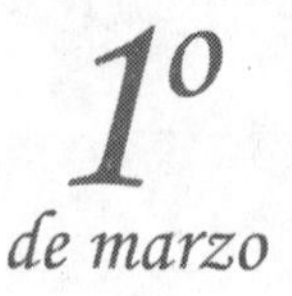

1º de marzo

El sacrificio por la causa de Dios

Si quieres ser perfecto, anda, vende lo que tienes, y dalo a los pobres, y tendrás tesoro en el cielo; y ven y sígueme. Mateo 19:21.

Jesús le dijo al joven rico: "Dalo a los pobres"... En esta referencia directa, le señaló su ídolo. Su amor por las riquezas era supremo, por lo tanto le era imposible amar a Dios con todo su corazón, con toda su alma, con toda su mente. Y este amor supremo por sus riquezas cerró sus ojos a las necesidades de sus congéneres. No amaba a su prójimo como a sí mismo, por lo tanto no guardaba los últimos seis mandamientos...

Vi que si los hombres y mujeres aman a sus riquezas más que a sus congéneres, más que a Dios o la verdad de su Palabra, y su corazón se encuentra absorbido por las riquezas, no pueden tener vida eterna. Preferirían ceder la verdad a vender y dar a los pobres. Aquí son probados para ver cuánto aman a Dios, cuánto aman la verdad, y como el joven rico en la Biblia, muchos se alejan tristes, porque no pueden tener sus riquezas y a la vez tener un tesoro en el cielo... El amor a Jesús y las riquezas no pueden morar en un mismo corazón...

Vi que Dios podría enviar medios desde el cielo para llevar a cabo su obra; pero esto no está en su mandato. Él ha ordenado que los hombres y mujeres deben ser sus instrumentos, que por haberse hecho un gran sacrificio para redimirlos, ellos deben jugar un papel en esta obra de salvación sacrificándose unos por otros, y al hacerlo demostrar cuánto valoran el sacrificio hecho por ellos...

He visto que algunos dan de su abundancia, pero aún no sienten carencia. No se niegan particularmente cosa alguna por la causa de Cristo. Todavía tienen todo lo que su corazón ansía. Dan liberalmente y de corazón. Dios lo toma en cuenta, y se conocen la acción y el motivo, y él lo registra estrictamente. No perderán su recompensa. Usted que no puede dar tan liberalmente, no debiera excusarse porque no puede hacer tanto como otros. Haga lo que pueda. Niéguese algún artículo del cual puede prescindir, y sacrifíquese por la causa de Dios. Como la viuda, eche sus dos blancas. En realidad dará más que todos los que han dado de su abundancia. Y sabrá cuán dulce resulta dar a los necesitados, negarse a uno mismo, sacrificarse por la verdad y hacerse tesoro en el cielo.— *Review and Herald*, 26 de noviembre de 1857.

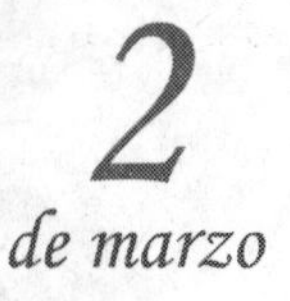

de marzo

Dios nos usa para ayudar a otros

Honra al Señor con tus riquezas y con los primeros frutos de tus cosechas. Así tus graneros se llenarán a reventar y tus bodegas rebosarán de vino nuevo. Proverbios 3:9, 10 (NVI).

Dios es capaz de cumplir abundantemente sus promesas. Cada bien terrenal proviene de su mano. Los recursos del Señor son infinitos, y él los emplea todos en el cumplimiento de su propósito. Los mayordomos fieles, que emplean sabiamente los bienes que Dios les ha confiado para hacer que la verdad avance y bendecir a la sufriente humanidad, serán recompensados por hacer tal cosa. Dios derramará [bendiciones]en sus manos mientras ellos [las] dispensan a otros. Él está haciendo que su causa avance en la tierra a través de mayordomos comisionados con su capital. Hay quienes desean profundamente las riquezas, pero se arruinarían si las poseyeran. Dios ha probado a los individuos dándoles talentos y medios. Tenían la opción de malgastar el don o utilizarlo para la gloria de Dios... Han sido probados y hallados infieles en el uso de lo ajeno como si fuese propio. Dios no les confiará las riquezas eternas.

Quienes manejan de una manera juiciosa y desinteresada los bienes del Señor, identificando así su interés con el de la sufriente humanidad, serán prosperados por cumplir el papel que Dios quería que tuvieran en su propio sistema de beneficencia...

Todo bien en esta tierra nos fue dado como una expresión del amor de Dios. Él hace de su pueblo sus mayordomos y les da talentos de influencia y medios para emplearlos en el cumplimiento de su obra en la tierra. Nuestro Padre celestial propone conectar a los seres humanos finitos consigo mismo. Como obreros, pueden ser sus instrumentos en la salvación de las almas...

Los que caminan en la luz de la verdad emitirán luz a los que están a su alrededor. Son testigos vivientes de Cristo. No serán como el mundo, que vive en la oscuridad moral, amándose a sí mismos y a las cosas del mundo y buscando los tesoros terrenales...

Dios nos ha hecho guardas de nuestros hermanos y nos tendrá por responsables de este gran legado. Dios nos ha tomado en unión consigo mismo, y ha planeado que obremos en armonía con él. Él ha provisto el sistema de beneficencia, de manera que los que él formó a su imagen podamos ser sacrificados en carácter, como él cuya naturaleza infinita es amor.— *Review and Herald*, 31 de octubre de 1878.

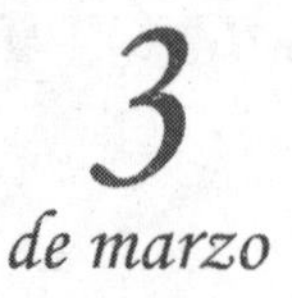

3

de marzo

El engaño de las riquezas

Porque raíz de todos los males es el amor al dinero, el cual codiciando algunos, se extraviaron de la fe, y fueron traspasados de muchos dolores.
1 Timoteo 6:10.

Muchos que profesan las verdades especiales para nuestro tiempo no tienen un discernimiento apropiado del carácter. No aprecian el valor moral. Pueden ufanarse mucho de su fidelidad a la causa de Dios y su conocimiento de las Escrituras, pero no son humildes de corazón. Tienen un aprecio especial por los que son ricos y prósperos, y olvidan que las riquezas no nos dan favor con Dios. La excelencia genuina del carácter es ignorada frecuentemente cuando la posee un pobre. El dinero ejerce una tremenda influencia. Pero, ¿le importa a Dios el dinero o las propiedades? Él es el dueño de los rebaños en miles de colinas, el mundo y todo lo que en él habita…

Dios les ha encomendado a sus mayordomos medios para utilizarse en hacer el bien, asegurando así un tesoro en el cielo. Pero si esconden sus medios como el hombre que tenía un solo talento, temiendo que Dios recibirá lo que le pertenece, no solo perderán la ganancia que le será otorgada finalmente al mayordomo fiel, sino también el capital que Dios les dio para que lo trabajaran…

El gran apóstol, en su carta a Timoteo, deseaba recalcar en la mente de este la necesidad de dar una instrucción tal que eliminara el engaño que se introduce tan fácilmente en los ricos: que debido a su habilidad para adquirir riquezas, son superiores en sabiduría y criterio a los que están en la pobreza, que las ganancias son [evidencia de] piedad…

Los individuos pueden dedicar toda su vida al objetivo de adquirir riquezas, pero al igual que no trajeron nada al mundo, no pueden llevarse nada… Han sacrificado principios nobles y elevados, han abandonado su fe por las riquezas, y si no están chasqueados en su objetivo, están chasqueados por la felicidad que se suponía que las riquezas traerían…

El apóstol muestra el único uso genuino de las riquezas, y le encarga a Timoteo que les encomiende a los ricos que hagan bien, que sean ricos en buenas obras, listos para distribuir, dispuestos a comunicar, porque al hacerlo están colocando un buen fundamento para sí mismos para el tiempo venidero —en referencia al cierre del tiempo— de manera que puedan aferrarse a la vida eterna… La piedad con contentamiento es una gran ganancia. He aquí el verdadero secreto de la felicidad y la prosperidad real del cuerpo y el alma.— *Review and Herald*, 4 de marzo de 1880.

de marzo

Dele a Dios lo que es suyo

Porque mío es el mundo y su plenitud. Salmo 50:12.

El fin de todas las cosas está cercano; lo que se hace para la salvación de las almas debe hacerse rápido. Por esta razón estamos estableciendo instituciones para la diseminación de la verdad por medio de las prensas, para la educación de los jóvenes y la restauración de los enfermos. Pero el egoísta y el que ama el dinero pregunta: ¿Para qué hacer todo esto cuando hay tan poco tiempo? ¿Acaso no es una contradicción de nuestra fe gastar tanto en las casas publicadores, las escuelas y las instituciones de salud? Preguntamos en respuesta: Si el tiempo ha de continuar apenas por pocos años, ¿por qué invertir tanto en casas y tierras, o en exhibiciones innecesarias y extravagantes, mientras se dedican sumas tan reducidas a la obra de preparación para el gran evento ante nosotros?...

Con la bendición de Dios, el poder de la prensa difícilmente puede sobrestimarse... Que las casas publicadoras sean sostenidas, y el mensaje de la verdad enviado a todas las naciones de la tierra.

Se han establecido escuelas para que nuestros jóvenes y niños puedan recibir la educación y la disciplina necesarias para prepararlos para el escudriñamiento que pronto vendrá a toda alma. En estas escuelas se debiera hacer de la Biblia uno de los temas principales de estudio. Se debe dar atención al desarrollo tanto de la facultad moral como la intelectual. Anhelamos que en estas escuelas puedan prepararse muchos obreros fervientes para llevar la luz de la verdad a quienes permanecen en tinieblas.

En una institución de salud proveemos un lugar donde el enfermo puede disfrutar el beneficio de los agentes curativos de la naturaleza, en vez de depender de drogas mortíferas. Y muchos de los que encuentran alivio de esta manera, estarán dispuestos a ceder ante la influencia de la verdad...

Las riquezas son una gran bendición si se las utiliza de acuerdo con la voluntad de Dios. Pero el corazón egoísta puede trocar en una pesada maldición la posesión de riquezas... Los que obtienen el gozo más real en esta vida son los que aprovechan la abundancia de Dios y no la abusan...

Dios es el dueño legítimo del universo. Todas las cosas le pertenecen. Cada bendición que los hombres y las mujeres disfrutan es el resultado de la beneficencia divina... Con justicia nos pide que le consagremos lo primero y lo mejor del capital que nos ha confiado. Si reconocemos así su soberanía legítima y su providencia gentil, él ha comprometido su palabra de que bendecirá el restante.— *Review and Herald*, 16 de mayo de 1882.

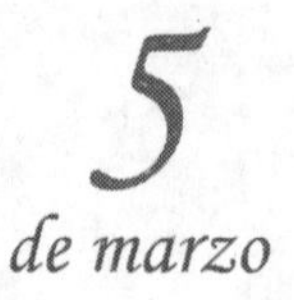

5

de marzo

La generosidad y el amor por la obra de Dios

Ningún hombre ni mujer haga más para la ofrenda del santuario. Así se le impidió al pueblo ofrecer más. Éxodo 36:6.

Bajo el sistema judío, se requería del pueblo que cultivara un espíritu de generosidad, tanto para sostener la causa de Dios como para suplir las necesidades de los pobres. En la cosecha y la vendimia, las primicias del campo —el maíz, el vino y el aceite— debían ser consagrados como ofrendas al Señor. El espigueo y los extremos de los sembrados estaban reservados para los pobres. Las primicias de la lana cuando se trasquilaban las ovejas, del grano cuando se apartaba el grano de la paja del trigo, habían de ser ofrecidas al Señor; y en la fiesta se ordenaba que se invitara a los pobres, las viudas, los huérfanos y los extranjeros. Al final de cada año se requería de todos que hicieran un solemne juramento respecto de si habían obedecido o no el mandato de Dios.

Dios había hecho este arreglo para inculcar en el pueblo que él debía ser el primero en todo asunto. Por este sistema de benevolencia, se les recordaba que su gentil Señor era el verdadero propietario de sus terrenos, sus rebaños y sus manadas, que el Dios del cielo les enviaba el sol y la lluvia para su siembra y su cosecha, y que todo lo que poseían era creado por él. Todo era del Señor, y él los había hecho mayordomos de sus bienes.

La generosidad de los judíos en la construcción del tabernáculo mostró un espíritu de benevolencia que no ha sido igualado por el pueblo de Dios en ninguna fecha posterior. Los hebreos habían sido liberados recientemente de su largo cautiverio en Egipto, eran vagabundos en el desierto; pero apenas habían sido librados de los ejércitos de los egipcios que los persiguieron en su apresurado trayecto, cuando la palabra de Dios vino a Moisés: "Di a los hijos de Israel que tomen para mí ofrenda; de todo varón que la diere de su voluntad, de corazón, tomaréis mi ofrenda" (Éxo. 25:2)...

Todos dieron gustosamente, no una cierta porción de su ganancia, sino una gran porción de sus posesiones actuales. La dedicaron alegremente y de corazón al Señor. Al hacer esto lo honraron. ¿Acaso todo no era de él? ¿No les había dado él todo lo que poseían? Si él lo pedía, ¿no era su deber darle al prestamista lo que era suyo? No era necesaria la insistencia. El pueblo trajo más de lo requerido; y se les dijo que desistieran, porque ya había más de lo que podía utilizarse.— *Review and Herald*, 17 de octubre de 1882.

de marzo

El gozo de avanzar la obra de Dios

Oh Jehová Dios nuestro, toda esta abundancia que hemos preparado para edificar casa a tu santo nombre, de tu mano es, y todo es tuyo.
1 Crónicas 29:16.

En la construcción del templo, el pedido de fondos recibió una respuesta calurosa. El pueblo no dio a regañadientes; se alegraron en la posibilidad de erigir un edificio para la adoración de Dios. Donaron más que suficiente para ese propósito. David bendijo al Señor ante toda la congregación, y dijo: "Porque ¿quién soy yo, y quién es mi pueblo, para que pudiésemos ofrecer voluntariamente cosas semejantes? Pues todo es tuyo, y de lo recibido de tu mano te damos" (1 Crón. 29:14)...

David entendía bien de quién procedían todas sus posesiones. Ojalá que todos los que hoy día se gozan en el amor de un Salvador advirtieran que su plata y su oro es del Señor, y deben ser usados para promover su gloria, y no retenidos de mala gana para enriquecerse y gratificarse a sí mismos. Él tiene un derecho indisputable a todo lo que le ha prestado a sus criaturas. Todo lo que ellas poseen es suyo.

Hay objetivos elevados y santos que requieren medios; cuando estos se invierten, le rendirán al dador un disfrute más elevado y permanente que si se los gastara en la gratificación personal o se los acumulara egoístamente por la avaricia de obtener ganancias...

Muchos retienen egoístamente sus medios y calman su conciencia con un plan de hacer algo grande para la causa de Dios después de su muerte. Hacen un testamento para donar una gran cantidad a la iglesia y sus agencias, y luego se tranquilizan con la sensación de que han hecho todo lo que requiere de ellos. ¿De qué manera se han negado a sí mismos en este acto? Por lo contrario, lo único que exhiben es egoísmo. Cuando ya no tengan uso alguno para su dinero, proponen dárselo a Dios. Pero lo retienen mientras puedan, hasta que son obligados a renunciar a él por un mensajero que no puede rechazarse.

Dios nos ha hecho a todos sus mayordomos, y en ningún caso nos autoriza a descuidar nuestro deber o dejar que otros lo cumplan. El pedido de medios para avanzar la causa de la verdad nunca será más urgente que ahora. Nuestro dinero nunca hará una mayor cantidad de bien que en el presente... Si dejamos que otros cumplan lo que Dios nos ha dejado a nosotros, obramos mal para con nosotros y Aquel que nos dio todo lo que tenemos... Dios desea en este asunto que todos sean los ejecutores de su propio testamento mientras estén vivos.— *Review and Herald,* 17 de octubre de 1882.

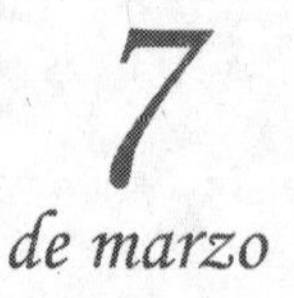

7

de marzo

Lo que Dios valora

Hay quienes reparten, y les es añadido más; y hay quienes retienen más de lo que es justo, pero vienen a pobreza. Proverbios 11:24.

La experiencia muestra que un espíritu de generosidad se encuentra con más frecuencia entre los que poseen recursos limitados que entre los acaudalados. Los donativos más liberales para la causa de Dios o el alivio de los necesitados vienen del bolsillo de las personas pobres, a la vez que muchos a quienes el Señor les ha encomendado abundancia para este mismo propósito, no ven la necesidad de medios para avanzar la verdad, ni escuchan los clamores de los pobres entre ellos...

El donativo de los pobres, el fruto de la abnegación, hecho para propagar la preciosa luz de la verdad, es como un incienso fragante delante de Dios. Cada acto de sacrificio hecho por el bien de los demás fortalecerá el espíritu de beneficencia en el corazón del donante, y lo unirá más estrechamente con el Redentor del mundo, quien fue rico, y sin embargo por amor a nosotros se empobreció, para que mediante su pobreza fuésemos ricos.

La suma más pequeña dada gozosamente como resultado de la abnegación es de más valor ante la vista de Dios que las ofrendas de los que podrían dar miles de dólares sin sentir necesidad. La pobre viuda que depositó dos blancas en la tesorería del Señor, mostró amor, fe y benevolencia. Dio todo lo que tenía, confiándose al cuidado de Dios para el incierto futuro. Nuestro Salvador manifestó que su pequeña dádiva fue la mayor que aquel día entró en la tesorería. Su precio fue medido, no por el valor de la moneda, sino por la pureza del motivo que la impulsaba.

La bendición de Dios sobre esa ofrenda sincera la ha convertido en una fuente de grandes resultados. Las blancas de la viuda han sido como una pequeña corriente que ha fluido a través de los siglos ampliándose y profundizándose en su curso y contribuyendo en mil direcciones a la extensión de la verdad y al alivio de los necesitados. La influencia de aquella pequeña dádiva ha actuado y reaccionado sobre miles de corazones en cada época y en cada país. Como resultado, innumerables dádivas han fluido a la tesorería del Señor de parte de pobres dadivosos y abnegados. Y más, el ejemplo de la viuda ha estimulado a las buenas obras a miles que viven con holgura, que son egoístas y que dudan, y sus dones también han ido a engrosar el valor de la ofrenda de ella.

La generosidad es un deber que no debe ser descuidado por ningún motivo...

El Señor pide nuestros dones y ofrendas para cultivar un espíritu de benevolencia en nosotros.— *Review and Herald*, 9 de febrero de 1886.

de marzo

Confiemos en la Palabra, no en los sentimientos

La palabra de Cristo more en abundancia en vosotros. Colosenses 3:16.

La Palabra de Dios es el fundamento de nuestra fe, y por lo tanto es por la Palabra de Dios que podemos obtener evidencia de nuestra condición ante Dios. No hemos de hacer de nuestros sentimientos una prueba por la cual discernir si gozamos del favor de Dios o no, ya sea que los consideremos animadores o no. Tan pronto como comenzamos a contemplar los sentimientos, estamos en terreno peligroso. Si nos sentimos gozosos, confiamos en que estamos en una condición favorable, pero cuando viene un cambio, como sucederá, porque las circunstancias se presentarán de manera que los sentimientos de depresión den tristeza al corazón, naturalmente nos inclinaremos a dudar que Dios nos haya aceptado...

Satanás no tardará en presentarle al alma arrepentida sugestiones y dificultades para debilitar la fe y destruir el valor. Él tiene múltiples tentaciones que puede enviar como tropas a la mente, una tras otra, pero los cristianos no deben concentrarse en sus emociones ni ceder a sus sentimientos, o pronto albergarán al invitado maligno, la duda, y se enredarán en las perplejidades del desánimo...

No exalte sus sentimientos ni sea influido por ellos, ya sea que fueren buenos, malos, tristes o alegres... La Palabra de Dios es la que tiene que ser su seguridad... Hay una guerra en la que cada alma que desea la corona de la vida debe enfrascarse. Pulgada tras pulgada el vencedor debe pelear la buena batalla de la fe, utilizando las armas de la Palabra de Dios. Debemos enfrentar al enemigo con un "escrito está"...

Cuando el enemigo comienza a apartar la mente de Jesús, a descartar su misericordia, su amor, su toda suficiencia, no le dedique tiempo precioso a la consideración de sus sentimientos, sino corra hacia la Palabra. En las Escrituras, Cristo se presenta como Aquel por quien Dios hizo los mundos. Él es la luz del mundo, y al estudiar la Palabra, nosotros, los que buscamos la luz, encontramos iluminación celestial...

¿Qué esperamos conseguir con el anhelo de que todo el mundo se convierta a Jesús al creer en su amor perdonador, cuando nosotros mismos no creemos en su amor ni encontramos reposo en su gracia? ¿Cómo podemos de alguna manera llevar a otros a una certeza completa, a una fe simple, como de niño en nuestro Padre celestial, cuando medimos y juzgamos nuestro amor por él basados en nuestros sentimientos?— *Signs of the Times*, 3 de diciembre de 1894.

de marzo

El Verbo se hizo carne

Sacrificio y ofrenda no quisiste; mas me preparaste cuerpo... He aquí que vengo, oh Dios, para hacer tu voluntad. Hebreos 10:5-7.

Si el ángel Gabriel fuera enviado a este mundo para tomar sobre sí la naturaleza humana, y para enseñar el conocimiento de Dios, cuán ansiosamente escucharían sus instrucciones los seres humanos. Supongamos que nos ofreciera un ejemplo perfecto de pureza y santidad, y que simpatizara con nosotros a causa de todas nuestras tristezas, congojas y aflicciones, y que sufriera el castigo de nuestros pecados, con cuánto afán lo seguiríamos...

Si al regresar a su hogar este ser celestial dejara tras sí un libro con la historia de su misión, con revelaciones concernientes a la historia del mundo, ¡con cuánta ansiedad se rompería su sello! ¡Cómo se esforzarían los seres humanos por obtener un ejemplar!... Pero Uno que sobrepasa todo lo que la imaginación puede ofrecer vino del cielo a este mundo... Cristo declaró de sí mismo: "Antes que Abraham fuese, yo soy". "Yo y el Padre uno somos" (Juan 8:58; 10:30).

Mientras Pablo contemplaba a Cristo en su gloria, prorrumpió con exclamaciones de admiración y sorpresa: "Indiscutiblemente, grande es el misterio de la piedad. Dios fue manifestado en carne, justificado en el Espíritu, visto de los ángeles, predicado a los gentiles, creído en el mundo, recibido arriba en gloria"... "Y él es antes de todas las cosas, y todas las cosas en él subsisten" (1 Tim. 3:16; Col. 1:17).

La Biblia es la voz de Dios que nos habla, tan ciertamente como si la escucháramos con nuestros oídos. Si advirtiéramos esto... con cuánto fervor estudiaríamos sus preceptos. La lectura y contemplación de las Escrituras serían consideradas una audiencia con el Infinito...

Las palabras de Cristo son el pan de vida. Al comer sus palabras, la comprensión de los discípulos fue avivada... El discernimiento de estas verdades los hizo pasar de la oscuridad del alba a la brillantez del mediodía.

Así sucederá con nosotros al estudiar la Palabra de Dios. Nuestra mente será avivada y nuestra comprensión ampliada. Quienes reciben y asimilan esta Palabra, haciendo que ella sea parte de cada acción, de cada atributo de carácter, se fortalecen en la fuerza de Dios. Ella imparte vigor al alma, perfecciona la experiencia y trae goces que permanecen para siempre.— *Signs of the Times*, 4 de abril de 1906; parcialmente en *Exaltad a Jesús*, pp. 28, 109.

¿Qué estamos leyendo?

Ocúpate en la lectura. 1 Timoteo 4:13.

El enemigo sabe que en gran medida la mente es afectada por aquello de lo cual se alimenta. Él está buscando conducir a los jóvenes y a los de edad madura a leer libros de cuentos, historias y otra literatura. Quienes ceden a esta tentación, pronto perderán su aprecio por la lectura sólida. No tienen interés en el estudio de la Biblia. Sus facultades morales se debilitan. El pecado parece cada vez menos repulsivo. Se manifiesta una infidelidad creciente, un desagrado en aumento por los deberes prácticos de la vida. Según la mente se va pervirtiendo, se dispone a aprovechar cualquier lectura de carácter estimulante...

Otras obras, que no son tan engañosas o corruptoras, deben de todos modos evitarse si engendran desagrado por el estudio de la Biblia. La Palabra de Dios es el verdadero maná. No nos es posible trabajar en la obra de Dios con una percepción clara de nuestros deberes, mientras nuestra mente esté ocupada por esta clase de lecturas...

Analice su propia experiencia respecto de la influencia de la lectura liviana. ¿Puede usted abrir la Biblia y leer con interés las palabras de vida después de dedicar tiempo a tal lectura? ¿Acaso no encuentra el libro de Dios aburrido?...

Para tener salud mental y principios religiosos sanos, debemos vivir en comunión con Dios por medio de su Palabra. Al señalar el camino de la salvación, la Biblia es nuestra guía a una vida superior y mejor. Contiene las historias y biografías más interesantes e instructivas que se hayan escrito. Aquellos cuya imaginación no ha sido pervertida por la lectura de ficción, encontrarán que la Biblia es el libro más interesante de todos.

Descarte resueltamente toda lectura sin valor. Tal lectura no fortalecerá su espiritualidad, más bien introducirá en la mente sentimientos que pervertirán la imaginación, haciéndole pensar menos en Jesús, y dedicar menos tiempo a sus lecciones preciosas...

La Biblia es el Libro de los libros. Si usted ama la Palabra y la escudriña según tiene oportunidad, para llegar a poseer los ricos tesoros que contiene y quedar totalmente equipado para toda buena obra, puede estar seguro de que Jesús lo está atrayendo hacia sí.— *Signs of the Times*, 13 de junio de 1906.

11
de marzo

La santificación verdadera y la falsa

Por sus frutos los conoceréis. Mateo 7:20.

Jesús vino al mundo porque la raza humana estaba bajo sentencia de muerte por sus transgresiones. Su obra era traerlos de vuelta a la lealtad a la ley de Dios, la que Pablo declara que es "santa, justa y buena". Él guardó los mandamientos de su Padre. Los que por el arrepentimiento y la obediencia demuestran su aprecio por la salvación que él vino a traer, mostrarán la obra del Espíritu en su corazón. Y la vida constituye la prueba. "Por sus frutos los conoceréis" (Mat. 7:20). "El que dice: Yo le conozco, y no guarda sus mandamientos, el tal es mentiroso, y la verdad no está en él" (1 Juan 2:4).

Pero a pesar de estos testimonios inspirados sobre la naturaleza del pecado, muchos aseguran estar santificados y ser incapaces de pecar, mientras constantemente transgreden la ley de Dios...

No todo el que pretende ser santo es verdaderamente santo. Los que son registrados como santos en los libros del cielo no están al tanto del hecho, y son los últimos en presumir de su propia bondad. Ninguno de los profetas y apóstoles alguna vez profesó santidad, ni siquiera Daniel, Pablo o Juan. Los justos nunca hacen gala de tal pretensión. A medida que se asemejan más a Cristo, más lamentan su desemejanza a él, porque su conciencia es sensible y consideran el pecado de manera más parecida a la de Dios...

La única posición segura para nosotros es considerarnos pecadores que necesitamos la gracia divina diariamente. Nuestro único alegato es la misericordia por medio de la sangre expiatoria de Cristo... Quienes tienen la verdad como se revela en esa Palabra Santa deben sostenerse en la plataforma de la verdad, y depender de un "escrito está"...

Dios tiene grandes bendiciones para otorgar a su pueblo. Ellos pueden tener "la paz de Dios, que sobrepasa todo entendimiento" (Fil. 4:7). Ellos pueden "comprender con todos los santos cuál sea la anchura, la longitud, la profundidad y la altura, y de conocer el amor de Cristo", y ser "llenos de toda la plenitud de Dios" (Efe. 3:18-19). Pero Cristo se manifestará solo a los que son mansos y humildes de corazón. Aquellos a quienes Dios justifica son representados por el publicano, no por el fariseo autosuficiente. La humildad nace del cielo, y nadie puede entrar por las puertas de perla sin ella. Sin que se la declare conscientemente, brilla en la iglesia y en el mundo, y brillará en las cortes celestiales.— *Signs of the Times*, 26 de febrero de 1885.

La familia real

El que cree en el Hijo tiene vida eterna. Juan 3:36.

Quienes son verdaderamente hijos de Dios, son creyentes, no escépticos ni gruñones crónicos... A lo largo de la historia y en cada nación, los que creen que Jesús puede y quiere salvarlos personalmente del pecado, son los elegidos y escogidos de Dios; son su tesoro peculiar...

Por medio del Espíritu Santo, el Señor ha abierto gentilmente a nuestro entendimiento ricas verdades, y debiéramos responder a esto con obras correspondientes de piedad y devoción, en armonía con los privilegios y ventajas superiores que se nos han otorgado. El Señor espera para ser deferente para con su pueblo, para darles un conocimiento mayor de su carácter paternal, de su bondad, su misericordia y su amor. Espera para mostrarles su gloria; y si ellos prosiguen a conocer al Señor, sabrán que sus salidas son tan seguras como la mañana.

El pueblo de Dios no ha de sostenerse en terreno común, sino sobre el terreno santo de la verdad evangélica. Ha de mantenerse al paso con su líder, mirando continuamente a Jesús, el Autor y Consumador de su fe, marchando hacia adelante y hacia arriba, sin tener comunión con las obras infructuosas de las tinieblas...

Es el privilegio de los hijos de Dios ser librados del control de los deseos de la carne, y preservar su peculiar carácter celestial, que los distingue de los amantes del mundo. Están separados del mundo en su gusto moral, sus hábitos y costumbres. ¿Quiénes son los hijos de Dios? Son miembros de la familia real, y de una nación real, un pueblo peculiar, que muestra las virtudes de aquel que los llamó de las tinieblas a su luz admirable...

¿Acaso aquellos a quienes se nos han encomendado los tesoros de la verdad, no consideraremos las ventajas superiores de luz y privilegio que han sido compradas para nosotros por el sacrificio del Hijo de Dios en la cruz del Calvario? Hemos de ser juzgados por la luz que se nos ha dado, y no podemos encontrar excusa para atenuar nuestra conducta. El Camino, la Verdad y la Vida ha sido colocado ante nosotros...

Hemos de colocar nuestra voluntad de parte de la voluntad del Señor, y determinar firmemente que por su gracia estaremos libres de pecado.— *Review and Herald*, 1 de agosto de 1893.

13

de marzo

Escoge hoy

He aquí yo estoy con vosotros todos los días, hasta el fin del mundo.
Mateo 28:20.

Durante muchos meses me he sentido perturbada al ver cómo algunos de nuestros hombres sensatos, a quienes Dios ha usado en su causa, se han sentido perplejos a causa de los argumentos científicos de los instrumentos satánicos. Mientras meditaba en estas cosas el sábado por la noche, hace una semana, tuve una visión en la que me vi hablando delante de una gran congregación que se estaba planteando muchas preguntas acerca de mi obra y escritos.

Un mensajero del cielo me instruyó en el sentido de que no debía sentir la responsabilidad de eliminar los pensamientos y las dudas que Satanás estaba colocando en las mentes. Se me ordenó: "Permanece como la mensajera de Dios en todas partes, en todo lugar y presenta el testimonio que te he dado. Sé libre. Presenta los testimonios que el Señor Jesús te ha encargado llevar para reprobar, para reprender, para la obra de animar y elevar el alma; 'enseñándoles que guarden todas las cosas que os he mandado; y he aquí yo estoy con vosotros todos los días, hasta el fin del mundo'".

Cuando desperté de la visión, oré en alta voz con gran fervor y ahínco. Mi alma se había fortalecido con las palabras que habían sido dichas: "Sé fuerte; sí, sé fuerte. No permitas que ninguna de las palabras seductoras de pastores o médicos angustie tu mente. Diles que acepten la luz que se les ha dado en las publicaciones. La verdad siempre llevará a la victoria. Prosigue en tu trabajo.

"Si se rechaza al Espíritu Santo, todas mis palabras no ayudarán a eliminar, ni siquiera por el momento, las falsas representaciones hechas, y Satanás está listo para inventarse otras. Si las convincentes representaciones e impresiones del Espíritu Santo, evidenciadas durante el último medio siglo, no son aceptadas como evidencias dignas de confianza, ninguna cosa posterior los convencerá, debido a que el engaño embrujador de Satanás ha pervertido su discernimiento"...

Dios ahora llama a todos los que escogen servirle a sostenerse firmes sobre la plataforma de la verdad eterna. Que los que han producido el estado presente de confusión al crear la división existente, se detengan a considerar seriamente si han de proseguir. "Escogeos hoy a quién sirváis"... "Si Jehová es Dios, seguidle; y si Baal, id en pos de él" (Jos. 24:15; 1 Rey. 18:21).— *Review and Herald*, 9 de agosto de 1906; parcialmente en *Alza tus ojos*, p. 166.

de marzo

El ejemplo de generosidad

El que siembra escasamente, también segará escasamente; y el que siembra generosamente, generosamente también segará. 2 Corintios 9:6.

La generosidad es uno de los impulsos del Espíritu Santo, y cuando el pueblo profeso de Dios retiene del Señor sus propios dones y ofrendas, encuentra pérdida espiritual…

Sería mucho mejor no dar nada que dar de mala gana, porque cuando compartimos nuestros recursos sin la intención de dar voluntariamente, nos burlamos de Dios. Recordemos que estamos tratando con Alguien de quien dependemos para recibir toda bendición, con Alguien que lee cada pensamiento de nuestro corazón y hasta los propósitos de la mente.

El apóstol Pablo tenía una obra especial que presentar ante sus hermanos corintios. Había una hambruna en Jerusalén, y los discípulos, "cada uno conforme a lo que tenía, determinaron enviar socorro a los hermanos que habitaban en Judea" (Hech. 11:29). Presentaron la necesidad a las iglesias, esperando recibir una suma pequeña para enviar socorro a los santos necesitados; y en oración presentaron a Dios la necesidad.

Pero los creyentes de Macedonia, movidos por el Espíritu de Dios, primero se consagraron a sí mismos a Dios, y entonces dieron todo lo que tenían. Sintieron que era un privilegio darle expresión a su confianza en Dios. Los creyentes macedonios eran pobres, pero no tuvieron que insistirles para que dieran. Se alegraron de tener la oportunidad de contribuir de sus medios. Por sí mismos se adelantaron e hicieron la ofrenda, en su sencillez semejante a la de Cristo, su integridad y su amor por sus hermanos, negándose a sí mismos alimentos y ropa en el caso de los que no tenían dinero. Y cuando los apóstoles quisieron restringirlos, les rogaron que recibieran la contribución y la llevaran a los santos afligidos.

Esta negación propia y sacrificio superó con creces las expectativas de Pablo, y él quedó lleno de gratitud; y al llenarse de ánimo por este ejemplo, él exhortó a Tito por medio de una epístola a que estimulara a la iglesia en Corinto a las mismas buenas obras…

"Exhortamos a Tito para que tal como comenzó antes, asimismo acabe también entre vosotros esta obra de gracia. Por tanto, como en todo abundáis, en fe, en palabra, en ciencia, en toda solicitud, y en vuestro amor para con nosotros, abundad también en esta gracia" (2 Cor. 8:6, 7).

Ese movimiento de parte de los macedonios fue inspirado por Dios para despertar en la iglesia de Corinto el espíritu de generosidad.— *Review and Herald*, 15 de mayo de 1900; parcialmente en *Consejos sobre mayordomía cristiana*, p. 210.

15

de marzo

En las huellas de Cristo

Haya, pues, en vosotros este sentir que hubo también en Cristo Jesús,... que se despojó a sí mismo, tomando forma de siervo, hecho semejante a los hombres. Filipenses 2:5-7.

El Hijo... había dejado sus riquezas, y honor, y gloria, y había revestido su divinidad con humanidad para que la humanidad se aferrase de la divinidad y llegara a ser partícipe de la naturaleza divina. No vino a vivir en los palacios de los reyes, sin preocupaciones ni trabajo, ni para disponer de todas las comodidades que naturalmente ansía la naturaleza humana. El mundo nunca vio a su Señor enriquecido. En los concilios del cielo había elegido permanecer en las filas de los pobres y oprimidos... y aprender del oficio de su padre terrenal. Vino al mundo para ser un reconstructor del carácter, e introducía en toda su obra de construcción la perfección que deseaba lograr en los caracteres que estaba transformando por su poder divino.

Tampoco rechazó la vida social de sus compatriotas. Para que todos se familiarizaran con Dios manifestado en la carne, se mezclaba con toda clase social, y fue llamado amigo de pecadores. En sí mismo, Cristo poseía un derecho absoluto a todas las cosas, pero se entregó a una vida de pobreza para que pudiésemos ser ricos en tesoros celestiales. Aunque era comandante en la corte celestial, tomó el lugar más bajo sobre la tierra. Era rico, pero por nosotros se hizo pobre...

Por un tiempo reducido, el Señor le permite a su pueblo que sean sus mayordomos, para probar su carácter. En ese tiempo ellos deciden su destino eterno. Si obran en oposición a la voluntad de Dios, no pueden pertenecer a la familia real...

La evidencia de la obra de la gracia en el corazón se produce cuando hacemos el bien a todos según la oportunidad. La prueba de nuestro amor está en un espíritu semejante al de Cristo, buena voluntad para impartir las cosas buenas que Dios nos dio, la disposición para practicar la abnegación y el sacrificio propio a fin de ayudar en el avance de la causa de Dios y a la humanidad sufriente. Nunca deberíamos pasar de largo junto al objeto que apela a nuestra generosidad...

El Señor empleará a todos los que se entreguen para ser usados. Pero él requiere un servicio de corazón... Cuando se da el corazón a Dios, nuestros talentos, nuestra energía, nuestras posesiones, todo lo que tenemos y somos, serán dedicados a su servicio.— *Review and Herald*, 15 de mayo de 1900.

Dios necesita nuestros talentos

Vosotros sois labranza de Dios. 1 Corintios 3:9.

Nuestra deuda con Dios y nuestra dependencia total de él debiera llevarnos a reconocerlo como el Dador de todas nuestras bendiciones, y reconocemos tal cosa por medio de nuestras ofrendas. De la abundancia que nos otorga, él requiere que le devolvamos una porción. Al darle al Señor lo suyo, declaramos al mundo que todas nuestras mercedes provienen de él, que todo lo que poseemos le pertenece...

Cuando los judíos tenían sus servicios de acción de gracias después de la recolección del tesoro de la naturaleza, ofrecían sacrificios a Dios. Para nosotros podría resultar extraño que las ofrendas en forma de sacrificios formaran una parte tan importante del regocijo de la comunidad; y en apariencia, era una extraña combinación mezclar el sacrificio de bestias con las expresiones de gozo. Pero esto se basaba en el fundamento verdadero, porque Cristo mismo era el tema de estos servicios ceremoniales. Cuando se derramaba sangre y se hacían ofrendas a Dios en estas reuniones festivas, el pueblo no solo le agradecía a él por sus misericordias presentes, sino que le estaba agradeciendo por la promesa de un Salvador, y así expresaba la verdad de que no puede haber perdón de pecados sin el derramamiento de la sangre del Hijo de Dios...

El Señor ha entregado talentos a hombres y mujeres para que sean más aptos para honrarlo y glorificarlo a él. A algunos les ha confiado medios; a otros ciertas cualidades especiales para el servicio; a otros, tacto e influencia. Algunos tienen cinco talentos, otros dos, y otros uno. Desde el más alto hasta el más bajo, a cada uno se le ha confiado algún don. Estos talentos no nos pertenecen. Le pertenecen a Dios. Él nos los ha dado para que los usemos concienzudamente, y un día nos pedirá cuenta de ellos.

La gran lección que hemos de aprender diariamente es que somos mayordomos de los dones de Dios: mayordomos de dinero, de razonamiento, intelecto e influencia. Como mayordomos de los dones del Señor, hemos de invertir estos talentos, por pequeños que sean...

Por pequeño que parezca su talento, utilícelo en el servicio de Dios, porque él lo necesita. Si se lo usa sabiamente, usted puede traer a Dios a un alma que también dedicará sus facultades al servicio del Maestro. Esa alma puede ganar a otras, y así un talento, usado fielmente, puede ganar muchos talentos.— *Review and Herald*, 24 de noviembre de 1896.

17

de marzo

Recibir para dar

Y tomó Jesús aquellos panes, y habiendo dado gracias, los repartió entre los discípulos, y los discípulos entre los que estaban recostados; asimismo de los peces, cuanto querían. Juan 6:11.

Por este milagro, Cristo ha mostrado cómo la obra misionera ha de estar vinculada con el ministerio de la Palabra. El Maestro no solo le dio a la gente alimento espiritual; por medio de un milagro también les proveyó alimento temporal para satisfacer su hambre física. Esta provisión misericordiosa ayudó a fijar en la mente del pueblo las palabras gentiles de verdad que él había hablado…

Por medio de este milagro Cristo desea enseñarnos la verdad de las palabras, "separados de mí, nada podéis hacer" (Juan 15:5). Él es la fuente de todo poder, el Dador de todas las bendiciones temporales y espirituales. Él emplea a los seres humanos como colaboradores, dándoles una parte para hacer con él como su mano ayudadora. Hemos de recibir de él, no para acumular para nuestra gratificación, sino para impartir a otros. Al hacer esta obra, no supongamos que hemos de recibir la gloria. Toda la gloria debe dársele al gran Artífice. Los discípulos no habrían de recibir la gloria por haber alimentado a los cinco mil. Eran apenas los instrumentos empleados por el Señor…

Él, el gran Artífice, no duerme. Él constantemente obra para el cumplimiento armonioso de sus designios. Nos confía talentos para que podamos colaborar con él. Siempre hemos de recordar que no somos más que instrumentos en sus manos. "El que se gloría, gloríese en el Señor" (1 Cor. 1:31)…

Todos los que han aceptado a Cristo no estarán satisfechos con disfrutar el favor divino sin darles a otros el gozo que alegra sus almas. La devoción más pura y santa es aquella que conduce al esfuerzo perseverante y desinteresado por la salvación de los que están fuera del rebaño…

Quienes imparten a los demás las riquezas de la gracia del cielo serán ellos mismos enriquecidos. Los ángeles ministradores esperan y anhelan canales por los cuales puedan comunicar los tesoros del cielo. Los hombres y las mujeres pueden alcanzar el nivel más elevado del desarrollo mental y moral solo al cooperar con Jesús en un esfuerzo desinteresado por el bien de otros. Nunca somos tan genuinamente enriquecidos como cuando intentamos enriquecer a otros. No podemos disminuir nuestro tesoro por compartirlo. Mientras más iluminemos a otros, más brillante resplandecerá nuestra luz—*Review and Herald*, 4 de abril de 1907.

de marzo

Lo primero, primero

Vosotros sois la luz del mundo. Mateo 5:14.

Las cosas eternas debieran despertar nuestro interés, y en comparación con cosas temporales, son de importancia infinita. Dios requiere que hagamos de la salud y la prosperidad del alma el asunto de primer grado. Debemos saber que disfrutamos del favor de Dios, que él nos sonríe, y que somos ciertamente sus hijos, y estamos en una posición en la que podemos comulgar con él y él con nosotros. No debemos descansar hasta que estemos en tal posición de humildad y mansedumbre que él pueda bendecirnos sin problema, y seamos traídos a una cercanía sagrada con Dios, en la que su luz pueda brillar sobre nosotros, y reflejemos esa luz a todos los que nos rodean. Pero no podemos hacer esto a menos que nosotros mismos estemos buscando fervientemente vivir en la luz. Dios requiere esto de todos sus seguidores, no solo por su propio bien, sino también por el beneficio de otros que los rodean.

No podemos dejar que nuestra luz brille hacia otros y atraiga su atención a las cosas celestiales a menos que nosotros tengamos la luz en nosotros. Debemos estar imbuidos con el Espíritu de Jesucristo, o no podremos manifestar a otros que Cristo es en nosotros la esperanza de gloria. Debemos tener un Salvador que mora en nosotros, o no podremos ejemplificar en nuestra vida su vida de devoción, su amor, su gentileza, su piedad, su compasión, su negación propia y su pureza. Esto es lo que nosotros deseamos urgentemente. Este debe ser el tema de estudio de nuestra vida: ¿Cómo habré de conformar mi carácter a la norma bíblica de santidad?...

Cristo sacrificó su majestad, su esplendor, su gloria y su honor, y por nosotros se hizo pobre, para que nosotros por su pobreza fuésemos enriquecidos. Se sometió a una vida de humillación, fue sometido al escarnio. Fue detestado y rechazado por los hombres. Soportó el insulto y la burla, y sufrió una muerte sumamente dolorosa de la manera más vergonzosa, para poder exaltar y salvar a los hijos caídos de Adán de una miseria desesperada. En vista de este sacrificio sin paralelo y este amor misterioso manifestado hacia nosotros por nuestro Redentor, ¿acaso debiéramos negarle a Dios nuestro servicio total, que en el mejor de los casos es tan pobre? ¿Usaremos egoístamente, para asuntos de negocio o placer, el tiempo que necesitamos dedicar a los ejercicios religiosos, al estudio de las Escrituras y al examen propio y la oración?...

No hemos basado nuestras esperanzas en este mundo. Nuestras acciones han testificado de nuestra fe, que es la sustancia que perdura en el cielo.— *Review and Herald*, 29 de marzo de 1870.

19
de marzo

La temperancia cristiana

Así que, hermanos, os ruego por las misericordias de Dios, que presentéis vuestros cuerpos en sacrificio vivo, santo, agradable a Dios, que es vuestro culto racional. Romanos 12:1.

Estamos viviendo en una era de intemperancia. La salud y la vida son sacrificadas por muchísimos para gratificar su apetito por indulgencias dañinas. Estos últimos días están caracterizados por una moral depreciada y por debilidad física, como consecuencia de estas indulgencias y la indisposición general a ocuparse en la labor física. Muchos están sufriendo de inacción y hábitos equivocados hoy día...

Cuando practicamos un régimen de comida y bebida que disminuye el vigor mental y físico, o somos hechos presa de hábitos que tienden hacia ese resultado, deshonramos a Dios porque le robamos el servicio que él exige de nosotros. Los que adquieren y fomentan el apetito artificial por el tabaco, lo hacen a expensas de la salud. Están destruyendo energía nerviosa, cercenando fuerza vital y sacrificando fortaleza mental.

Los que profesan ser seguidores de Cristo y tienen este terrible pecado en la puerta, no pueden tener una elevada apreciación de la expiación y una alta estima de las cosas eternas. Las mentes que están ofuscadas y parcialmente paralizadas por sustancias malsanas, son vencidas fácilmente por la tentación y no pueden gozar de la comunión con Dios.

Los que usan tabaco pueden apelar muy pobremente a los ebrios por el licor. Dos tercios de los borrachos en nuestro país crearon un apetito por el licor por el uso del tabaco. Quienes aseguran que el tabaco no les hace daño pueden convencerse de su error cuando se abstienen del vicio por unos pocos días; los nervios temblorosos, la cabeza mareada, la irritabilidad que sienten, les demostrarán que esta indulgencia pecaminosa los ha atado a la esclavitud. Ha vencido el poder de la voluntad...

De esta manera se están malgastando medios que ayudarían en la buena obra de vestir al desnudo, alimentar al hambriento y enviar la verdad a las pobres almas sin Cristo. ¡Qué registro aparecerá cuando se cierren las cuentas de la vida en el libro de Dios! ¡Entonces se mostrará que se han gastado vastas sumas de dinero en tabaco y licores! ¿Para qué? ¿Para asegurar la salud y prolongar la vida? ¡Oh, no! ¿Para contribuir a la perfección del carácter cristiano y la aptitud para vivir en la compañía de los ángeles santos? ¡Oh, no! Sino para servir a un apetito depravado y antinatural por aquello que envenena y mata no solo a sus usuarios, sino también a quienes les transmiten su legado de enfermedad e imbecilidad.— *Signs of the Times*, 6 de enero, 1876; parcialmente en *La temperancia*, p. 57.

Los innumerables tesoros de Dios

Respondió Jesús... Si conocieras el don de Dios, y quién es el que te dice: Dame de beber; tú le pedirías, y él te daría agua viva. Juan 4:10.

Los dones de Dios están en toda mano; y todos sus dones nos llegan por el mérito de Jesús, a quien él dio al mundo. El apóstol Pablo irrumpe en una exclamación de gratitud al decir: "Gracias a Dios por su don inefable" (2 Cor. 9:15). Y Dios nos ha dado todas las cosas con Cristo. El capullo que se abre, las flores que florecen en su variedad y encanto, deleitosas a los sentidos, son la obra del Artífice que expresa su amor hacia nosotros... El Señor ha dedicado gran cuidado para que todo sea agradable y placentero para nosotros, pero cuánto mayor ha sido su esfuerzo para proveernos de ese don por el cual podamos perfeccionar un carácter cristiano según el molde de Cristo.

Por medio de las flores del campo Dios desea llamar nuestra atención al encanto del carácter semejante al de Cristo... Dios es un amante de lo hermoso. Él desea que consideremos las hermosas flores del valle, y aprendamos lecciones de confianza en él. Ellas han de ser nuestros maestros... El Señor cuida las flores del campo, y las viste de encanto, y sin embargo ha hecho evidente que él considera a la humanidad de mayor valor que las flores que cuida...

Suponga que nuestro benévolo Padre se llegue a cansar de nuestra ingratitud, y que por unas pocas semanas retenga sus innumerables dádivas. Suponga que él se desanime al ver cómo se aplican sus tesoros a fines egoístas, y decida prohibirle al sol que brille, al rocío que caiga, a la tierra que rinda sus frutos. ¡Qué sensación causaría! ¡Qué consternación se apoderaría del mundo! ¡Cuál sería el clamor acerca de cómo suplir nuestras mesas con alimentos y nuestro cuerpo con ropas!...

Dios no solo nos ha concedido beneficios temporales, sino que ha provisto para nuestro bienestar eterno; "porque de tal manera amó Dios al mundo, que ha dado a su Hijo unigénito, para que todo aquel que en él cree, no se pierda, mas tenga vida eterna" (Juan 3:16)... Oh, si conociéramos el don de Dios, si apreciáramos lo que este don de Dios significa para nosotros, lo estaríamos buscando fervientemente con una perseverancia inquebrantable.— *Signs of the Times*, 19 de junio de 1893.

21
de marzo

El amor de Jesús visto en las nubes

Mi arco he puesto en las nubes, el cual será por señal del pacto entre mí y la tierra... y no habrá más diluvio de aguas para destruir toda carne.
Génesis 9:13-15.

Hace algún tiempo, fuimos favorecidos al ver uno de los arcoíris más gloriosos que alguna vez hayamos contemplado. A menudo hemos visitado galerías de arte y hemos admirado la destreza demostrada por el artista que en sus pinturas representa el gran arco de la promesa de Dios...

Cuando contemplamos el arcoíris, sello y señal de la promesa de Dios para el hombre de que la tempestad de su ira no asolará más nuestro mundo con las aguas de un diluvio, deducimos que hay otros ojos que no son los finitos que están contemplando esta gloriosa escena. Los ángeles se regocijan viendo esta preciosa señal del amor de Dios para el hombre. El Redentor del mundo contempla ese arco, pues Cristo lo hizo aparecer en los cielos como una señal o pacto de promesa para el hombre. Dios mismo observa el arco en las nubes, y recuerda su pacto eterno entre él y el hombre.

Después de la terrible demostración del poder castigador de Dios, manifestado en la destrucción del mundo antiguo mediante el diluvio, Dios sabía que en los que se habían salvado de la destrucción se despertarían temores cada vez que se acumularan nubes, retumbaran los truenos y fulguraran los relámpagos; y que el sonido de la tempestad y el caer de las aguas de los cielos provocarían terror en sus corazones, por temor de que viniera otro diluvio sobre ellos...

La familia de Noé observó con admiración y temor reverente, mezclados con gozo, esa señal de la misericordia de Dios que atravesaba los cielos. El arco representa el amor de Cristo que rodea la tierra y llega hasta los cielos más elevados, poniendo en comunicación a los hombres con Dios y vinculando la tierra con el cielo.

Al contemplar el bello espectáculo, podemos regocijarnos en Dios, seguros de que él mismo está contemplando esa señal de su pacto, y que al hacerlo recuerda a sus hijos de la tierra, para quienes fue dada. Él no desconoce las aflicciones de ellos, sus peligros y pruebas. Podemos regocijarnos esperanzados, pues el arcoíris del pacto de Dios está sobre nosotros. Nunca olvidará a los hijos a quienes cuida. Cuán difícil es que la mente finita del hombre entienda el amor peculiar y la ternura de Dios y su incomparable condescendencia cuando dijo: “Veré el arco en las nubes, y me acordaré de ti”— *Review and Herald*, 26 de febrero de 1880; parcialmente en *Comentario bíblico adventista*, tomo 1, p. 1105.

de marzo

Dios revelado en la naturaleza y en Jesús

Porque las cosas invisibles de él, su eterno poder y deidad, se hacen claramente visibles desde la creación del mundo, siendo entendidas por medio de las cosas hechas. Romanos 1:20.

Las obras creadas de Dios son una historia pictórica de ministerio. El sol hace su obra prefijada en ministrar a toda la naturaleza animada e inanimada. Causa que los árboles crezcan y rindan sus bendiciones en frutos. Causa que la vegetación florezca para el beneficio de todos. La luna también tiene su misión. Produce luz en la noche para nuestra felicidad, y las estrellas también se forman en los cielos para ministrar a favor del regocijo del mundo. Ninguno de nosotros puede entender plenamente la función de estos vigilantes nocturnos, pero todos tienen su obra de ministerio.

Las aguas profundas también tienen su lugar en el gran plan de Dios. Las montañas y las rocas son tema de la meditación, y contienen lecciones para el estudiante. Todo en la naturaleza, la flor más humilde y la hierba que alfombra la tierra con su cobertura verde, proclama la bondad y el amor de Dios hacia nosotros...

Sus pensamientos y obras están tan conectados entre sí que podemos leer en la naturaleza el gran amor de Dios por un mundo caído. El universo contiene una gran obra de arte de la sabiduría infinita en la diversidad innumerable de sus grandes obras, que en su incomparable variedad forman un todo perfecto.

Cuando se las investiga de cerca, las innumerables providencias de Dios en el mundo natural muestran estar conectadas unas con otras, y al trazar estos eslabones en la cadena de la providencia, somos llevados a familiarizarnos más con el gran Centro. Esta es una verdad digna de estudio cuidadoso. Jesucristo es la única gran Unidad; él posee los atributos que armonizan todas las diversidades. Y él, el Don sobre todo don, fue dado a nuestro mundo para dar expresión a la mente y el carácter de Dios, para que todo ser inteligente que desea pueda ver a Dios en la revelación de su Hijo.

Todas estas cosas fueron dadas por Dios a la familia humana... ¿Ha pensado usted en las obras creadas de Dios como preparadas por sus manos para ministrar a favor de la felicidad de la familia humana?...

Hay una recompensa preciosa que aguarda a los que son fieles en su ministerio. Tendrán un hogar en las mansiones que Cristo ha ido a preparar para los que lo aman y esperan su aparición.— *Youth's Instructor*, 19 de agosto de 1897.

23

de marzo

Tesoro escondido

El que oye mi palabra, y cree al que me envió, tiene vida eterna; y no vendrá a condenación, mas ha pasado de muerte a vida. Juan 5:24.

Los dichos de Cristo han de ser valorados no meramente según la medida de nuestro entendimiento; han de ser considerados teniendo en cuenta la importancia que Cristo mismo les otorgó. Él tomó las antiguas verdades, que él mismo originó, y las colocó ante sus oyentes bajo la propia luz del cielo. ¡Y cuán diferente fue su representación! ¡Qué derrame de significado y luz y espiritualidad trajo su explicación!...

Los ricos tesoros de la verdad, abiertos ante el pueblo, los atrajo y encantó. Guardaban un marcado contraste con la exposición sin espíritu y sin vida de las Escrituras del Antiguo Testamento por los rabinos. Y los milagros que Jesús obró mantenían constantemente ante sus oyentes el honor y la gloria de Dios. Él les parecía un mensajero directo del cielo, porque no hablaba únicamente a sus oídos, sino a su corazón. Al presentarse con humildad, a la vez que con dignidad y majestad, como uno nacido para mandar, un poder lo acompañaba; los corazones se derretían de ternura. Se creaba un deseo ferviente de estar en su presencia, de escuchar la voz de Aquel que hablaba verdad con tal solemne melodía...

Cada milagro obrado por Cristo convencía a algunos de su verdadero carácter. Si alguien en las ocupaciones comunes de la vida hubiera hecho las mismas obras que hizo Cristo, todos hubieran declarado que tal persona obraba por el poder de Dios. Pero había quienes no recibieron la luz del cielo, y se afianzaron con mayor determinación contra esta evidencia...

No era la ausencia del honor, las riquezas y la gloria externas lo que causó que los judíos rechazaran a Jesús. El Sol de Justicia, que brillaba entre las tinieblas espirituales con rayos tan distintivos, reveló el contraste entre el pecado y la santidad, la pureza y la contaminación, y tal luz no era bienvenida entre ellos...

Las enseñanzas de Cristo, en precepto y ejemplo, eran la siembra de la semilla que luego sería cultivada por sus discípulos. El testimonio de estos pescadores habría de ser tenido como la autoridad superior por todas las naciones del mundo.— *Review and Herald*, 12 de julio de 1898.

de marzo

Cristo conecta el cielo con la tierra

Como el Padre me mandó, así hago. Juan 14:31.

Los que han experimentado la bendición de Dios debieran ser las personas más agradecidas.

Debieran enviar hasta Dios palabras de acción de gracias porque Cristo vino en semejanza de carne de pecado, revistiendo su divinidad con humanidad para poder mostrar al mundo la perfección de Dios en su propio carácter. Vino a representar a Dios, no como un juez severo, sino como un padre amoroso…

El Señor Jesús es un ejemplo en todo. Por las obras que hizo dejó claro que él estaba en concilio con el Padre, y que en todas sus acciones él cumplía los propósitos eternos de Dios. En espíritu, en obras, en toda su historia terrenal, él reveló la mente y el designio de Dios para sus herederos entre la humanidad. En su obediencia a la ley de Dios, ejemplificó en su naturaleza humana el hecho de que la ley es una transcripción de la perfección divina. En el don de Cristo al mundo, Dios quería sorprender a los hombres y las mujeres caídos con una manifestación maravillosa de su gran amor con que nos ha amado; pero aunque deseaba que todos vinieran al arrepentimiento, la declaración no dejaba de expresar su carácter; él de ninguna manera iba a exonerar al culpable. Si él hubiera consentido en lo más mínimo al pecado, su trono se habría corrompido…

Todos los que reciben a Jesús como su Salvador personal también reciben la protección celestial y la luz celestial, porque los ángeles de Dios son enviados a ministrar a los que serán los herederos de salvación. La representación dada a Jacob de una escalera cuya base reposaba sobre la tierra y cuyo extremo alcanzaba el trono de Dios, por la cual ascendían y descendían los ángeles del cielo, es una representación del plan de salvación. Si la escalera dejaba de conectarse con la tierra por una mera pulgada, la conexión entre la tierra y el cielo se habría roto, y todo se habría perdido irremediablemente. Pero la escalera está firmemente plantada sobre la tierra, para que el cielo pueda conectarse con la tierra y la familia humana caída sea redimida y rescatada. Cristo es la escalera que Jacob vio, cuya base está sobre la tierra y cuyo peldaño de más arriba alcanza el trono de Dios… Por medio de Cristo, las inteligencias celestiales pueden comunicarse con los agentes humanos.— *Signs of the Times*, 11 de abril de 1895.

25
de marzo

Dios y Mamón

Ninguno puede servir a dos señores; porque o aborrecerá al uno y amará al otro, o estimará al uno y menospreciará al otro. No podéis servir a Dios y a las riquezas. Mateo 6:24.

Satanás presenta las mismas tentaciones hoy que las que presentó a Adán y a Jesús, el segundo Adán, quien lo venció e hizo posible que nosotros venciéramos... Nuestros esfuerzos y el poder de Cristo nos harán vencedores...

Todo el cielo está contemplando con interés para ver qué uso estamos dando a los talentos que Dios nos ha confiado. Si hacemos tesoro en el cielo, usaremos los bienes del Señor para avanzar su causa, para salvar las almas y bendecir a la humanidad, y todo lo que usamos de esta manera, el Señor lo colocará en nuestra cuenta en el banco que nunca falla. Cuando el corazón ama a Dios supremamente, las propiedades no son un obstáculo para el avance en el conflicto cristiano, porque los seguidores consagrados de Jesús discernirán cuáles son las mejores inversiones, y emplearán su riqueza para bendecir a los hijos de Dios.

El empleo constante de las facultades para acumular riquezas sobre la tierra nos ata a la tierra. Nos hacemos esclavos de Mamón. Cuando aumentan las riquezas, el corazón idólatra se olvida de Dios y se torna seguro de sí mismo y satisfecho. Se descuidan los deberes religiosos. Se manifiesta impaciencia bajo la compostura, y nos tornamos autosuficientes... El mundo se entromete entre el alma y el cielo. Nuestros ojos son cegados por el "príncipe de este mundo", de manera que no podemos discernir o apreciar el valor de las cosas eternas...

No podrían operar motivos más fuertes, ni agencias más poderosas que el disfrute del cielo, las generosas recompensas por hacer el bien, la compañía de los ángeles, la comunión y el amor de Dios y su Hijo, la elevación y extensión de todas nuestras facultades por la eternidad; "cosas que ojo no vio, ni oído oyó, ni han subido en corazón de hombre, son las que Dios ha preparado para los que le aman" (1 Cor. 2:9). ¿No son estos incentivos y estímulos extraordinarios para animarnos a rendir el servicio amante de nuestro corazón a nuestro Creador y Redentor?...

¿No tendremos en cuenta la gran misericordia de Dios? Coloquémonos en la relación adecuada con Aquel que nos ha amado con un amor maravilloso, y aprovechemos nosotros mismos el gran privilegio de convertirnos en instrumentos en sus manos, para cooperar con los ángeles ministradores y ser colaboradores con Dios y con Cristo.— *Bible Echo (Australia)*, 15 de febrero de 1889.

26
de marzo

¿Qué debo hacer para ser salvo?

No me elegisteis vosotros a mí, sino que yo os elegí a vosotros, y os he puesto para que vayáis y llevéis fruto, y vuestro fruto permanezca. Juan 15:16.

Cristo siempre reprendió a los fariseos por su justicia propia... Se exaltaban hasta lo sumo en cada oportunidad por tener las Escrituras, por conocer al Dios verdadero, pero sus corazones no estaban llenos de gratitud a Dios por su gran bondad hacia ellos. Se presentaban llenos de orgullo espiritual, y su tema era el yo: "yo mismo, mis sentimientos, mi conocimiento, mis caminos". Sus propios logros se convirtieron en la norma por la cual medían a otros...

Que todo discípulo de Cristo pregunte humildemente, ¿qué debo hacer para ser salvo? Si deseamos sinceramente entender, sabremos. No es por nuestras riquezas, nuestro conocimiento, nuestra posición superior, que Jesús nos ama y bendice, sino porque creemos en él como nuestro Salvador personal. Jesús nos amó cuando éramos aún pecadores, pero habiéndonos escogido, él dice que nos ha ordenado que salgamos y produzcamos fruto. ¿Tiene cada uno algo que hacer? Ciertamente; cada persona que está uncida al yugo con Cristo debe soportar esta carga, trabajar en los surcos de Cristo... El amor perdonador de la vida de Cristo en el alma es una fuente de agua que brota para vida eterna. Si la fuente de agua está en el corazón, entonces la vida entera revelará el hecho, y la gracia refrescante de Dios se hará manifiesta.

La religión no consiste simplemente en tener sentimientos de gozo, en ser conscientes de tener privilegios y luz, en tener emociones extáticas, mientras se emplean todas las energías en mantener un equilibrio en la vida cristiana, a la vez que no se hace nada por la salvación de las almas. La religión consiste en practicar las palabras de Cristo; permanecer como centinelas fieles, no haciendo para ganar la salvación, sino porque, sin merecerlo, usted ha recibido el don celestial. La religión consiste en obrar los planes de Dios, en cooperar con las inteligencias del cielo...

Si proseguimos en el conocimiento del Señor, nuestra perspectiva se ampliará. No será limitada por el yo. Debemos orar al Señor para que amplíe nuestra comprensión, para que no solo entendamos que Jesús es nuestro sustituto y garante, sino que pertenezcamos a él como su posesión comprada. Pablo dice: "Habéis sido comprados por precio—y deriva esta conclusión—; glorificad, pues, a Dios en vuestro cuerpo y en vuestro espíritu, los cuales son de Dios" (1 Cor. 6:20).— *Signs of the Times*, 17 de diciembre de 1894.

27
de marzo

Reunir o esparcir

El que no es conmigo, contra mí es; y el que conmigo no recoge, desparrama.
Mateo 12:30.

Los hombres y las mujeres a medio convertir, se convierten en cristianos a medias. Son árboles sin frutos. Cristo busca en vano encontrar fruto en ellos; no encuentra sino hojas...

Si se pudiera servir a Cristo y al yo a la misma vez, un gran número se uniría a las filas de aquellos que viajan rumbo al cielo. Pero Jesús no llama a estos. Su causa no necesita este tipo de adherentes.

Los verdaderos seguidores de Cristo emplean su conocimiento para hacer a otros receptores de su gracia. Con sus lámparas llenas de aceite santo, salen a dar luz a los que están en tinieblas. Tales obreros ven a muchas almas tornarse al Señor. Nuevas verdades les son reveladas constantemente, y a medida que las reciben, las imparten.

Quienes han roto las ataduras del pecado, han buscado al Señor con quebrantamiento de corazón y han obtenido respuesta a sus pedidos fervientes por justicia, nunca son fríos ni faltos de espíritu. Advierten que tienen una función que cumplir en la obra de la ganancia de almas. Velan, oran y trabajan por la salvación de las almas. Moldeados y formados por el Espíritu Santo, ganan profundidad y amplitud y estabilidad de carácter cristiano. Obtienen felicidad espiritual perdurable. Al caminar en las huellas de Cristo, se identifican con él en sus planes abnegados. Tales cristianos no son fríos ni duros. Sus corazones están llenos de amor desinteresado por los pecadores. Rechazan toda ambición mundanal, todo egoísmo. El contacto con las cosas profundas de Dios los hace más y más como su Salvador. Se alegran en sus triunfos; están llenos de su gozo. Día tras día están creciendo para alcanzar la estatura plena de hombres y mujeres en Cristo Jesús...

Por la manera en que hacemos la obra que Cristo nos ha dado para hacer en su ausencia, decidimos nuestro destino eterno... Cristo, el Dueño de casa, se ha ido a preparar mansiones para nosotros en la ciudad celestial. Estamos esperando su regreso. Honrémosle en su ausencia haciendo fielmente la obra que ha colocado en nuestras manos. Nos hemos de preparar para su regreso al esperar, velar y trabajar.— *Signs of the Times*, 9 de julio de 1902.

de marzo

Pedir para dar

Porque el Hijo del hombre no vino para ser servido, sino para servir.
Marcos 10:45.

Cristo continuamente recibía del Padre lo que habría de comunicarnos. "La palabra que habéis oído —dijo él—, no es mía, sino del Padre que me envió" (Juan 14:24)... Él vivió, pensó y oró, no para sí mismo, sino para los demás. De las horas pasadas en comunión con Dios, él volvía mañana tras mañana para llevar la luz del cielo a los hombres. Diariamente recibía un nuevo bautismo del Espíritu Santo. En las primeras horas del nuevo día, Dios lo despertaba de su sueño, y su alma y sus labios eran ungidos con gracia para que pudiese impartir a los demás. Sus palabras le eran dadas frescas de las cortes del cielo para que las hablase en sazón al cansado y oprimido...

Los discípulos de Cristo estaban muy impresionados por sus oraciones y por su hábito de comunicación con Dios. Un día, tras una corta ausencia del lado de su Señor, lo encontraron absorto en una súplica. Aparentemente no notó la presencia de estos, y siguió orando en voz alta. Los corazones de los discípulos quedaron profundamente conmovidos. Cuando terminó de orar, exclamaron: "Señor, enséñanos a orar" (Luc. 11:1). En respuesta repitió el Padrenuestro, como lo había dado en el Sermón de la Montaña...

"¿Quién de vosotros —les dijo— que tenga un amigo, va a él a medianoche, y le dice: Amigo, préstame tres panes, porque un amigo mío ha venido a mí de viaje, y no tengo qué ponerle delante?" (vers. 5, 6)...

Aquí Cristo presenta al postulante pidiendo para poder dar de nuevo... De la misma manera, los discípulos habían de buscar las bendiciones de Dios. Mediante la alimentación de la multitud y el sermón sobre el pan del cielo, Cristo les había revelado la obra que harían como representantes suyos. Habían de dar el pan de vida a la gente... Las almas que estuvieran hambrientas del pan de vida vendrían a ellos, y ellos se sentirían destituidos y sin ayuda. Debían recibir alimento espiritual, o no tendrían nada para impartir. Pero no habían de permitir que ningún alma se fuese sin ser alimentada. Cristo los dirige a la fuente de abastecimiento... Y Dios, que ha enviado a sus siervos a alimentar a los hambrientos, ¿no suplirá sus necesidades para su propia obra?— *Review and Herald,* 11 de agosto de 1910; parcialmente en *Palabras de vida del gran Maestro*, pp. 105-107.

29
de marzo

Para el campo misionero

Id, y haced discípulos a todas las naciones, bautizándolos. Mateo 28:19.

A menudo se apela a nuestras iglesias a dar regalos y ofrendas para ayudar a proyectos misioneros en el campo local y para sostener la obra misionera de ultramar... Desde cada iglesia debieran ascender oraciones por un aumento de la devoción y la generosidad. Aquellos cuyos corazones están entretejidos con el corazón de Cristo estarán felices de hacer lo que pueden para ayudar a la causa de Dios. Se alegran por la expansión y avance, lo que implica ofrendas mayores y más frecuentes...

Bien podemos sentir que es un privilegio ser colaboradores de Dios cuando damos nuestros medios para que avancen sus designios en el mundo. Todos los que poseen ese Espíritu de Cristo tendrán un corazón tierno y compasivo, y una mano abierta y generosa. Nada que tenga a Cristo como el centro que todo lo absorbe puede ser realmente egoísta...

Considere las necesidades de nuestros campos misioneros alrededor del mundo. Nuestros misioneros laboran ardua y fervientemente, pero a menudo se ven muy obstaculizados en su trabajo porque la tesorería está vacía, y no se les dan las facilidades necesarias para el mayor éxito en su labor. Que Dios ayude a aquellos a quienes se les han confiando los bienes de este mundo para que adviertan los designios divinos y su responsabilidad como individuos. Dios les dice: Los he puesto en posesión de mis bienes para que puedan invertirlos en llevar adelante las misiones cristianas que han de establecerse cerca y lejos...

No todos pueden ir como misioneros a tierras lejanas, pero todos pueden hacer la tarea que los espera en su propio barrio. Todos pueden dar de sus medios para llevar adelante la obra misionera...

Dios animará a sus fieles mayordomos que están listos a que usen bien todas sus energías y capacidades de parte de Dios. Según todos aprenden la lección de rendirle fielmente a Dios lo que le pertenece; él, por medio de su providencia, les permitirá a algunos que traigan ofrendas cuantiosas. A otros les permitirá que hagan ofrendas menores; y los dones pequeños y grandes son aceptables para él si se los da con su gloria como objetivo: "Y el que da semilla al que siembra, y pan al que come, proveerá y multiplicará vuestra sementera, y aumentará los frutos de vuestra justicia, para que estéis enriquecidos en todo para toda liberalidad, la cual produce por medio de nosotros acción de gracias a Dios" (2 Cor. 9:10, 11).— *Review and Herald*, 18 de abril de 1912.

El privilegio de dar

Cada uno según el don que ha recibido, minístrelo a los otros, como buenos administradores de la multiforme gracia de Dios. 1 Pedro 4:10.

El Señor hizo de los hombres sus agentes, y con corazones llenos del amor de Jesús, han de cooperar con él en hacer que los hombres se vuelvan del error a la verdad. Dios bendice la tierra con el sol y la lluvia. Él hace que la tierra produzca sus abundantes tesoros para la utilidad del hombre. El Señor ha hecho del hombre su intermediario para que dispense sus dones celestiales trayendo las almas a la verdad. ¿Examinarán mis hermanos en los Estados Unidos cómo la verdad salvadora los alcanzó cuando ellos estaban en las tinieblas? Hombres y mujeres traían sus diezmos y ofrendas a Dios, y a medida que los medios llenaban la tesorería, se enviaban hombres a otras partes para hacer progresar la obra. Este mismo proceso debe repetirse si las almas que están en tinieblas son alcanzadas hoy…

Las necesidades de la obra ahora demandan un mayor desembolso que nunca antes. El Señor llama a su pueblo a hacer todo esfuerzo para controlar sus gastos… Que el dinero que se ha dedicado a la gratificación del yo fluya a la tesorería del Señor para sostener a quienes están trabajando para ganar a las almas que perecen…

El Señor viene pronto. Debemos obrar mientras dure el día, porque viene la noche cuando nadie puede obrar. Muchísimas personas han perdido su espíritu de abnegación y sacrificio. Han estado enterrando su dinero en posesiones temporales. Hay hombres a quienes Dios ha bendecido y a quienes está probando para ver cómo responderán ante sus beneficios… Apresúrense, hermanos, ahora que tienen la oportunidad de ser honrados con Dios; no demoren. Por el bien de vuestra alma, ya no roben a Dios en los diezmos y ofrendas…

El plan de la redención empieza y termina con un don, y así debe ser llevado adelante. El mismo espíritu de sacrificio que compró la salvación para nosotros, morará en el corazón de todos los que lleguen a ser partícipes del don celestial. Dice el apóstol Pedro: "Cada uno según el don que ha recibido, adminístrelo a los otros, como buenos administradores de la multiforme gracia de Dios" (1 Ped. 4:10). Dijo Jesús a los discípulos al enviarlos: "De gracia recibisteis, dad de gracia" (Mat. 10:8)…

Que todos hagan todo lo que puedan para ayudar, con sus medios y sus oraciones, a llevar la carga por las almas por quienes trabajan los ministros.— *General Conference Bulletin*, 30 de mayo de 1897.

31

de marzo

Y verán su rostro

Y verán su rostro, y su nombre estará en sus frentes. Apocalipsis 22:4.

Cuando Moisés le suplicó a Dios: "Te ruego que me muestres tu gloria", este le respondió: "No podrás ver mi rostro; porque no me verá hombre, y vivirá" (Éxo. 33:18-20)... Moisés no podía contemplar la revelación de la gloria del rostro de Dios y vivir; pero se nos ha dado a nosotros una promesa: "Y verán su rostro".

Cuando Moisés bajó de la montaña donde se le había dado una visión de la gloria de Dios, su rostro estaba tan iluminado que Aarón y los hijos de Israel tuvieron temor de acercársele...

Ahora no podemos ver la gloria de Dios; pero solo al recibirlo aquí es que seremos capaces de verlo finalmente cara a cara. Dios desea que tengamos nuestra vista fija en él, para que perdamos de vista las cosas de este mundo...

Hoy por nuestras asociaciones, por nuestra vida, nuestro carácter, estamos escogiendo a quién tendremos por nuestro rey. Los seres celestiales buscan acercarnos a Cristo... Aunque somos transgresores de la ley de Dios, si nos arrepentimos con fe, Dios puede obrar por nuestro medio las obras de Cristo...

Cuando Cristo ascendió a las alturas, envió a su representante como un Consolador. Este representante está a nuestro lado dondequiera que estemos, un vigilante y testigo de todo lo que se dice y se hace, listo para protegernos de los asaltos del enemigo si solo nos colocamos bajo su protección. Pero debemos hacer nuestra parte, y entonces Dios hará la suya. Cuando seamos llevados a juicio y aflicción por su nombre, el Consolador estará a nuestro lado, trayéndonos a la memoria las palabras y enseñanzas de Cristo.

¿Está escrito su nombre en el libro de la vida? Solo al mirar a Jesús, el Cordero de Dios, y siguiendo sus pisadas, puede usted prepararse para encontrarse con Dios. Sígalo a él, y un día usted caminará por las calles de oro de la ciudad de Dios...

Los que consagran sus vidas al servicio de Dios vivirán con él por los tiempos sin fin de la eternidad...

Él los toma como sus hijos y les dice: Entren en el gozo de su Señor. La corona de la inmortalidad es colocada en las sienes de los vencedores.— *Youth's Instructor*, 20 de agosto de 1896.

de abril

La gran cena

Un hombre hizo una gran cena, y convidó a muchos. Y a la hora de la cena envió a su siervo a decir a los convidados: Venid, que ya todo está preparado. Lucas 14:16, 17 (lea Lucas 14:16-24).

Esta parábola representa correctamente la condición de muchos de los que profesan creer la verdad presente. El Señor les ha enviado una invitación a venir a la cena que él ha preparado para ellos con gran costo de su parte, pero los intereses mundanales les parecen de mayor importancia que el tesoro celestial. Están invitados a participar en cosas de valor eterno, pero sus fincas, sus ganados y los intereses de su hogar les parecen de importancia tanto mayor que la obediencia a la invitación celestial, que superan para ellos toda atracción divina, y hacen de esas cosas terrenales una excusa para desobedecer el mandato celestial: "Venid, que ya está todo preparado"...

Estos hombres usan como excusa por no poder obedecer los requerimientos de la verdad, las mismas bendiciones que Dios les dio con el fin de probarlos para ver si darán "lo que es de Dios, a Dios". Abrazan sus tesoros terrenales y dicen: "Debo cuidarlos; no debo descuidar las cosas de esta vida; son mías". De este modo el corazón de esos hombres se ha endurecido como el camino trillado...

Su corazón está tan cubierto de espinas y de los cuidados de esta vida, que las cosas celestiales no pueden hallar cabida en él. Jesús invita a los cansados y cargados, y les promete descanso si quieren acudir a él... Él quiere que ellos pongan a un lado las pesadas cargas de las congojas y las perplejidades mundanales y tomen su yugo de abnegación y sacrificio por los demás. Esta carga les resultará fácil. Los que se niegan a aceptar el alivio que Cristo les ofrece, y continúan llevando el amargo yugo del egoísmo imponiendo a sus almas tareas sumamente pesadas según los planes que hacen para acumular dinero para la complacencia egoísta, no han experimentado la paz y el descanso que se hallan en llevar el yugo de Cristo y las cargas de la abnegación y la benevolencia desinteresada que Cristo llevó en su favor...

Hay almas por las cuales Cristo murió, que podrían salvarse por sus esfuerzos personales y ejemplo piadoso... Pero la luz preciosa queda oculta bajo el almud y no alumbra a los que están en la casa.— *Review and Herald*, 25 de agosto de 1874; parcialmente en *Testimonios para la iglesia*, tomo 3, pp. 423, 424.

2

de abril

Dos hijos

Un hombre tenía dos hijos, y acercándose al primero, le dijo: Hijo, ve hoy a trabajar en mi viña. Respondiendo él, dijo: No quiero; pero después, arrepentido, fue. Y acercándose al otro, le dijo de la misma manera; y respondiendo él, dijo: Sí, señor, voy. Y no fue. ¿Cuál de los dos hizo la voluntad de su padre? Mateo 21:28-31.

En la parábola, el hijo que se negó a ir representaba el mundo gentil, y el grupo que decía "sí, señor, voy" representaba a los fariseos. Cristo acababa de limpiar el templo de los que lo contaminaban con un tráfico prohibido. La divinidad había fulgurado a través de la humanidad, y el pueblo había visto la gloria y el poder de Dios manifestado ante ellos… Al viajar hacia Jerusalén, la multitud que había extendido sus mantos en el camino y lo había adornado con ramas de palmera, también lo alabó al cantar: "Hosanna al Hijo de David". Aunque los que lo alababan no se habían atrevido a llevar sus aclamaciones hasta las puertas mismas del templo, por temor a los sacerdotes y gobernantes, los niños habían seguido el canto y alababan a Dios en el templo clamando "Hosanna al Hijo de David".

El mundo gentil aceptaría la verdad, pero quienes habían tenido un luz tan grande y tales privilegios maravillosos, a quienes se les había concedido bendiciones tanto temporales como espirituales, rechazaron el mensaje de salvación. Habían profesado ser el pueblo de Dios. Habían dicho, "vamos, señor", pero no habían hecho la voluntad de su Padre…

¿Cuando la invitación del cielo ha llegado a sus oídos, dice usted "Sí, Señor, creo la verdad", aunque las acciones en su vida muestran que en realidad no creyó? ¿La ha traído usted a su corazón? ¿Se ha apoderado de su alma su poder transformador? ¿Ha sido integrada en su carácter su gracia santificadora? ¿Qué sucede con usted?…

Es el privilegio de cada uno decir: "Cumpliré las órdenes de mi Capitán al pie de la letra, ya sea que sienta [el deseo] o no… Diré: '¿Cuáles son mis órdenes? ¿Cuál es mi deber? ¿Qué me dice el Maestro?… ¿Cuál es mi posición ante Dios?'" Tan pronto lleguemos a una relación correcta con Dios, entenderemos nuestro deber y lo haremos, y no pensaremos que las cosas buenas que hacemos nos ganan la salvación…

La pregunta no es cómo permanecerá cuando lo asalten las pruebas en el futuro, sino: ¿Cómo está ahora su relación con Dios? ¿Desea hoy empeñarse en su obra?— *Review and Herald*, 9 de abril de 1889; parcialmente en *Recibiréis poder*, p. 131.

La higuera estéril

Tendrán apariencia de piedad, pero negarán la eficacia de ella.
2 Timoteo 3:5 (lea Mateo 21:19-21).

El tratamiento de la higuera estéril de parte del Salvador del mundo muestra cómo serán tratados todos los que pretenden virtud... Este árbol representa a los judíos, quienes rehusaron responder al amor de Cristo. A pesar de todos los privilegios y oportunidades conferidos, solo produjeron zarzas y espinas, ningún fruto para la gloria de Dios. Este árbol enfermo era una parábola para la casa de Israel, una lección sumamente impresionante. También es una lección para los profesos seguidores de Cristo en todas las eras. Extendiéndose a través del tiempo, habla en un lenguaje inequívoco a todos los formalistas y proclamadores de piedad que se presentan ante el mundo con una elevada profesión, pero están totalmente desprovistos de la única piedad vital que Dios reconoce como un fruto...

Como la higuera estéril, muchos se pavonean de sus ramas cubiertas de follaje ante el Señor, proclamando que son su pueblo observador de sus mandamientos, mientras que el Dios que conoce el corazón los encuentra privados de fruto...

Aprendemos del Registro Sagrado que este árbol, del cual no colgaba siquiera un racimo de frutas que lo redimiera, estaba revestido de verde follaje. Note las palabras, "tendrán apariencia de piedad, pero negarán la eficacia de ella". La ruina de la higuera sin frutos tiene una aplicación para los cristianos profesos que manifiestan las tendencias naturales del corazón no renovado, y contradicen su fe por su vida diaria. No representan ante el mundo el carácter de Cristo, porque no tienen a Cristo en ellos.

Nuestro Salvador nunca le dio la espalda al penitente sincero, sin importar cuán grande era su culpa. Pero detesta toda hipocresía y ostentación vana...

Para los que profesan fe pero no tienen fruto, su destino es ciertamente triste; porque el pecador abierto se encuentra en una posición más favorable a la vista de Dios. La desgracia de la maldición de Dios cae sobre tal grupo que esconde la deformidad de su vida bajo una profesión de piedad. Juan, aquel reprobador atrevido e impávido del pecado, quien vino a preparar el camino para el primer advenimiento de Cristo, se dirigía a la multitud que se reunía para escucharlo con las palabras: "Todo árbol que no da buen fruto, es cortado y echado en el fuego" (Mat. 7:19).— *Review and Herald*, 11 de enero de 1881.

de abril

"Tengo muchas cosas que deciros"

Aún tengo muchas cosas que deciros, pero ahora no las podéis sobrellevar. Pero cuando venga el Espíritu de verdad, él os guiará a toda la verdad.
Juan 16:12, 13.

El Señor Jesús tenía verdades preciosas para revelarles a sus discípulos, pero no podía explicárselas hasta que ellos estuvieran en una condición de comprender el significado de lo que él deseaba enseñarles...

Aunque él reveló cosas grandes y maravillosas a las mentes de sus discípulos, dejó mucho sin decirles que ellos no habrían comprendido. En su última reunión con ellos antes de su muerte, les dijo: "Aún tengo muchas cosas que deciros, pero ahora no las podéis sobrellevar"... Las ideas mundanas, los asuntos temporales, ocupaban un lugar tan grande en su mente que no podían entender la naturaleza exaltada, el carácter santo de su reino, aunque él lo expusiera claramente ante ellos. Por causa de su interpretación anterior y errónea de las profecías, debido a las costumbres y tradiciones humanas presentadas e impulsadas por los sacerdotes, sus mentes se habían confundido y endurecido contra la verdad.

¿Qué es lo que Cristo retuvo porque no podían comprenderlo? Las verdades más espirituales y gloriosas concernientes al plan de redención. Las palabras de Cristo, que el Consolador traería nuevamente a sus mentes después de su ascensión, los condujeron a un pensamiento más concienzudo y una oración más ferviente que los ayudara a comprender sus palabras y darlas al mundo. Solo el Espíritu Santo podía habilitarlos para apreciar el significado del plan de redención. Las lecciones de Cristo, llegadas al mundo por medio del testimonio inspirado de los discípulos, tienen un significado y un valor mucho mayores que lo que les otorga el lector casual de las Escrituras. Cristo buscaba simplificar sus lecciones por medio de ilustraciones y parábolas. Habló de las verdades de la Biblia como de un tesoro oculto en un campo, que cuando un hombre lo encuentra, va y vende todo lo que tiene y compra el terreno. Él describió las gemas de la verdad, no como que se encuentran directamente en la superficie, sino sepultadas en lo profundo de la tierra; tesoros ocultos que deben buscarse. Debemos cavar en busca de las preciosas joyas de la verdad, como un hombre cavaría en una mina.

Al presentar la verdad a otros, debemos seguir el ejemplo de Jesús.— *Review and Herald*, 14 de octubre de 1890.

de abril

Oidores junto al camino

El sembrador salió a sembrar su semilla; y mientras sembraba, una parte cayó junto al camino. Lucas 8:5.

En la parábola del sembrador se nos presenta el gran conflicto entre Cristo, el príncipe de la luz y Satanás, el príncipe de las tinieblas...

El sembrador es el Hijo de Dios, o aquel a quien le delega su obra, porque al cooperar con Cristo, hemos de llegar a ser colaboradores con Dios. Quienes les abren a otros las Escrituras por medio del ministerio personal están sembrando la buena semilla, porque la buena semilla es la Palabra de Dios...

La semilla sembrada a la vera del camino representa la Palabra de Dios cuando cae en el corazón de un oyente desatento, porque los que han de producir fruto deben meditar mucho en la Palabra que se les ha presentado. Como los pájaros están listos para sacar la semilla que cae junto al camino, Satanás está listo para quitar del alma las semillas de verdad divina, a menos que encuentre posada allí y produzcan fruto para vida eterna.

Satanás y sus ángeles se encuentran en las reuniones donde se predica el evangelio. Mientras los ángeles del cielo tratan de impresionar los corazones con la Palabra de Dios, el enemigo está alerta para hacer que no surta efecto. Con un fervor solamente igualable a su malicia, trata de desbaratar la obra del Espíritu de Dios sobre el corazón del oidor, porque ve que si se acepta la verdad, ha perdido el control de su sujeto, y Cristo ha ganado la victoria...

Hay muchos cuyos corazones son tan duros como el camino pisoteado, y aparentemente es inútil el esfuerzo por presentarles la verdad; pero aunque la lógica no los mueva y los argumentos no sean capaces de convencerlos, que el obrero de Cristo se acerque a ellos con la simpatía y compasión de Cristo, y puede ser que el amor de Cristo someta y derrita el alma a favor de la ternura y contrición...

A través de los años del tiempo de prueba, Dios está probando los corazones de todos, para que se vea quiénes encontrarán lugar para Jesús. La pregunta que toda alma debe contestar es: ¿Aceptará usted el amor perdonador de Dios, que es un remedio para las enfermedades del alma, o elegirá usted la enemistad de Satanás y cosechará el terrible destino de los perdidos?— *Review and Herald,* 31 de mayo de 1892; parcialmente en *Palabras de vida del gran Maestro*, pp. 25, 26.

6
de abril

Oidores de los pedregales

Parte cayó en pedregales, donde no había mucha tierra; y brotó pronto, porque no tenía profundidad de tierra. Mateo 13:5.

La semilla sembrada en lugares pedregosos encuentra poca profundidad de tierra. La planta brota rápidamente, pero la raíz no puede penetrar en la roca para encontrar el alimento que sostenga su crecimiento, y pronto muere. Muchos que profesan ser religiosos son oidores pedregosos... Esta clase puede ser fácilmente convencida, y parecen ser conversos inteligentes, pero tienen solo una religión superficial...

Hay quienes reciben la preciosa verdad con gozo; están extremadamente celosos y expresan asombro de que no todos puedan ver las cosas que les son tan claras. Animan a otros a abrazar la doctrina que encuentran tan satisfactoria. Condenan rápidamente a los vacilantes y a los que pesan cuidadosamente las evidencias de la verdad y la consideran en todos sus ángulos... Pero en el tiempo de prueba, estas personas entusiastas muchas veces tropiezan y caen...

Según las raíces de una planta penetran el suelo, recogiendo humedad y alimento de la tierra, así los cristianos deben morar en Cristo, obteniendo savia y alimento de él, como lo hace el sarmiento de la vid, hasta que ya las pruebas no pueden separarlos de la Fuente de su fortaleza...

Los oidores de los pedregales pueden regocijarse por algún tiempo, porque creen que la religión es algo que los librará de las pruebas y de toda dificultad. No han contado el costo...

El grupo al que Jesús denomina oidores de pedregal confiaba en sus buenas obras, en sus buenos impulsos, y eran fuertes en sí mismos, en su propia justicia. No eran fuertes "en el Señor, y en el poder de su fuerza" (Efe. 6:10). No sentían que el precio de la seguridad era la vigilancia eterna. Pudieron haberse puesto la armadura entera de Dios y resistido las asechanzas del enemigo. Las promesas ricas y abundantes de Dios fueron habladas para su beneficio, y al creer en la Palabra de Dios pudieron haberse vestido de un "así dice el Señor" y ser capaces de enfrentar cada engaño del adversario; porque si el enemigo hubiera venido como una inundación, el Espíritu del Señor habría levantado una bandera contra él.— *Review and Herald*, 7 de junio de 1892; parcialmente en *Palabras de vida de gran Maestro*, p. 27.

de abril

Oidores de los espinos

Y parte cayó entre espinos; y los espinos crecieron, y la ahogaron. Mateo 13:7.

Con las espinas que ahogan la buena semilla, el gran Maestro describía los peligros que rodean a los que escuchan la Palabra de Dios, porque hay enemigos por todos lados para eliminar el efecto de la preciosa verdad de Dios. Si la semilla de la verdad ha de florecer en el alma, debe renunciarse a todo lo que atrae los afectos para apartarlos de Dios, todo lo que llena la atención de manera que Cristo no encuentra lugar en el corazón. Jesús especificó las cosas que son dañinas para el alma. Él mencionó que los cuidados de este siglo, el engaño de las riquezas, y la codicia de otras cosas ahogan la palabra, la semilla espiritual que crece, de manera que el alma deja de obtener su nutrición de Cristo, y la espiritualidad se desvanece del corazón. El amor por el mundo, el amor a sus placeres e imágenes, y el amor a otras cosas separan el alma de Dios; porque los que aman al mundo no dependen de Dios para obtener su valor, su esperanza, su gozo. No saben lo que significa tener el gozo de Cristo, porque este es el gozo de conducir a otros a la Fuente de vida, de ganar almas del pecado a la justicia…

Cuando los que tienen un conocimiento parcial de la verdad son llamados a estudiar algún punto que desafía sus opiniones preconcebidas, se confunden. Sus opiniones preconcebidas son espinas que ahogan la Palabra de Dios, y cuando se siembra la verdad, y se torna necesario arrancar las espinas para darle lugar, sienten que todo se les va de las manos y entran en problema.

Hay muchos que tienen una comprensión imperfecta del carácter de Dios. Piensan que él es duro y arbitrario, y cuando se presenta el hecho de que Dios es amor, se les hace un asunto difícil abandonar sus falsos conceptos de Dios. Pero si no permiten la entrada a la palabra de verdad, que arranque las espinas, las zarzas crecerán nuevamente y ahogarán la buena palabra de Dios; su experiencia religiosa se empequeñecerá, porque el mal de sus corazones abrumará la tierna planta de la verdad y mantendrá afuera la atmósfera espiritual…

La ley de Dios es la regla del gobierno de Dios, y a través de los siglos eternos será la norma de su reino… Si no cedemos a sus requerimientos en esta vida, si no aprendemos a amar a Dios con todo nuestro corazón y a nuestro prójimo como a nosotros mismos, no tendremos ningún cambio de carácter cuando Jesús venga.— *Review and Herald*, 21 de junio de 1892; parcialmente en *Palabras de vida de gran Maestro*, p. 31.

8

de abril

Oidores del buen terreno

Pero parte cayó en buena tierra, y dio fruto, cuál a ciento, cuál a sesenta, y cuál a treinta por uno. Mateo 13:8.

Cuán animador resulta que el sembrador no siempre enfrenta un chasco. A veces la semilla es recibida por corazones honestos. Los oidores comprenden la verdad y no resisten al Espíritu Santo ni se niegan a recibir la impresión de la verdad en su corazón... Reciben la verdad en el corazón y se cumple su obra transformadora sobre el carácter. No son capaces de cambiar sus propios corazones, pero el Espíritu Santo, por medio de su obediencia a la verdad, santifica el alma.

El buen corazón no significa un corazón sin pecado, porque el evangelio ha de predicarse a los perdidos. Jesús dice: "No he venido a llamar a justos, sino a pecadores al arrepentimiento" (Mat. 9:13). Los pecadores convencidos se ven a sí mismos como transgresores en el gran espejo moral, la santa ley de Dios. Contemplan al Salvador sobre la cruz del Calvario y preguntan por qué se hizo este gran sacrificio; y la cruz señala la santa ley de Dios, que ha sido transgredida. Aquel que era igual con Dios ofreció su vida en el Calvario para salvar al transgresor de la ruina... La ley no tiene poder para perdonar al que hace el mal; pero Jesús ha tomado los pecados del transgresor sobre sí, y según el pecador ejerce fe en él como el sacrificio, Cristo le imputa su propia justicia al culpable. No ha existido más que una forma de salvación desde los días de Adán. "No hay otro nombre bajo el cielo, dado a los hombres, en que podamos ser salvos" (Hech. 4:12). No tenemos razón de temer si estamos mirando a Jesús, creyendo que él es capaz de salvar a todos los que vienen a él.

Como resultado de una fe activa en Cristo somos traídos a una guerra moral con el mundo, la carne y el diablo. Si emprendemos esta guerra con nuestra propia sabiduría, nuestra habilidad humana, ciertamente seremos vencidos; pero si ejercemos fe viviente en Jesús y practicamos la piedad, entenderemos lo que significa ser santificados a través de la verdad, y no seremos vencidos en el conflicto, porque los ángeles celestiales acampan a nuestro alrededor. Cristo es el capitán de nuestra salvación. Él es quien fortalece a sus seguidores para el conflicto moral que se han comprometido a emprender...

Quienes abren las Escrituras y se alimentan del maná celestial llegan a ser participantes de la naturaleza divina. No tienen vida ni experiencia aparte de Cristo... Saben que en carácter deben ser como Aquel de quien Dios se siente complacido.— *Review and Herald*, 28 de junio de 1892.

de abril

La oposición puede beneficiarnos

Mas la que cayó en buena tierra, estos son los que con corazón bueno y recto retienen la palabra oída, y dan fruto con perseverancia. Lucas 8:15.

Pero si el amor al mundo, si la estima propia o cualquier pensamiento o acción contaminante, obtiene la victoria sobre nosotros, ¿perderemos la confianza en Jesús o en nosotros mismos? ¿Será que Jesús nos falló y no nos suplió su gracia? No; se debe a que no hicimos lo que el Señor nos dijo que hiciéramos: "Velad en oración"; "orad sin cesar" (1 Ped. 4:7; 1 Tes. 5:17).

¿Cómo puede su alma estar saludable si usted se aparta de la oración y no tiene una conexión con Cristo, la fuente de toda luz espiritual, vida y poder? Debemos tener una conexión constante con Cristo, porque él es nuestro sustento. Él es el pan que descendió del cielo. Entonces seamos hacedores de su palabra, y tendremos vida y poder espirituales. Debemos ponernos ante Dios como suplicantes, porque la oración trae el alma a un contacto inmediato con Dios por medio de Jesucristo. Él es el Camino, la Verdad y la Vida. Si los cristianos fracasan, es porque no obedecen las órdenes de su Capitán. Bajaron la guardia; no son semejantes a Cristo. Descuidar la oración es desastroso para el alma, porque usted será llevado a ceder descuidadamente a la tentación. Pero si usted cede, no por esto descarte su confianza en Dios; pierda confianza en sí mismo, y manténgase firmemente del lado de Cristo.

Cristo no ha de ser culpado por los resultados de la negligencia y la indecisión. El que dio su vida para salvar a los hombres y mujeres caídos aprecia el valor del alma. Él nunca dejará al errante, al tentado y probado en el conflicto. "Bástate mi gracia" (2 Cor. 12:9). "Fiel es Dios, que no os dejará ser tentados más de lo que podéis resistir". Él pesa y mide cada prueba antes de permitir que nos llegue…

La oposición que encontramos puede resultarnos beneficiosa en muchas maneras. Si se la soporta bien, desarrollará virtudes que nunca habrían aparecido si el cristiano no tuviese nada que soportar. Y la fe, la paciencia, la conciencia celestial, la confianza en la Providencia y la simpatía por el errante, son el resultado de pruebas bien llevadas…

Si se recibe la Palabra en corazones buenos y honestos, el alma caprichosa será sometida, y la fe, al aferrarse a las promesas y depender de Jesús, resultará triunfante.— *Review and Herald*, 28 de junio de 1892.

10

de abril

El hombre rico

La heredad de un hombre rico había producido mucho. Y él pensaba dentro de sí, diciendo: ¿Qué haré, porque no tengo dónde guardar mis frutos? Lucas 12:16, 17.

Este hombre lo había recibido todo de Dios. El sol había brillado sobre sus propiedades, porque sus rayos caen sobre el justo y el injusto. Las lluvias del cielo descienden sobre el malo y el bueno. El Señor había hecho que la vegetación prosperara, los campos produjeran abundantemente. El hombre rico estaba perplejo porque no sabía qué hacer con sus productos. Se consideraba favorecido sobre otros, y él mismo se tomaba el crédito por su sabiduría. Tenía grandes riquezas, y no se reprochaba a sí mismo por los pecados de los que muchos eran culpables. No había obtenido sus bienes a través del juego, ni al tomar ventaja del infortunio de otro que le tocara pasar por un bochorno en las finanzas y se viera obligado a vender sus bienes con pérdida; sino que había obtenido su riqueza a través de la providencia de Dios, quien causó que sus tierras rindieran abundantemente. Pero el hombre reveló su egoísmo y manifestó aquello que antes no sospechaba que existiera en su carácter.

No pensó en Dios, el gran Dador de todas sus bendiciones. No consideró que debía darle cuenta a Dios… Si hubiera amado y temido a Dios, habría ofrecido acción de gracias y se habría postrado ante Dios para pedirle: "Muéstrame cómo utilizar estos bienes"…

Cuántos hambrientos habrían sido alimentados, cuántos desnudos habrían sido vestidos, cuántos corazones habrían sido alegrados, cuántas oraciones por alimentos y ropas habrían sido contestadas. El Señor había oído las oraciones de los necesitados, y en su bondad había hecho provisión para el pobre por medio de las bendiciones conferidas al hombre rico. Pero el hombre que se había enriquecido súbitamente cerró su corazón al clamor del necesitado, y en vez de disponer de su sobreabundancia de bienes para suplir sus necesidades, dijo a sus siervos: "Esto haré; derribaré mis graneros, y los edificaré mayores, y allí juntaré todos mis frutos y mis bienes; y diré a mi alma: Alma, muchos bienes tienes guardados para muchos años; repósate, come, bebe, regocíjate"… Dios le contestó: "Necio, esta noche vienen a pedirte tu alma".— *Review and Herald*, 19 de junio de 1894; parcialmente en *Palabras de vida del gran Maestro*, pp. 201, 202.

Los obreros

Porque el reino de los cielos es semejante a un hombre, padre de familia, que salió por la mañana a contratar obreros para su viña. Y habiendo convenido con los obreros en un denario al día, los envió a su viña.
Mateo 20:1, 2 (lea Mateo 20:1-16).

Cristo enseñó por medio de figuras y símbolos. En una ocasión habló una parábola acerca del empleo de obreros para ilustrar la manera en que Dios trata con los que se dedican a su servicio…

Era costumbre que los hombres que buscaban empleo esperaran en el mercado, y allá iban los contratistas a buscar siervos; esta costumbre aún está en boga en Europa. Quienes necesitan ayuda van al mercado para encontrar siervos que puedan emplear. Se representa al hombre de la parábola saliendo a diferentes horas para emplear obreros. Los que son empleados en las primeras horas acuerdan en trabajar por una suma determinada; los que son contratados más tarde dejan su sueldo al juicio del dueño de casa.

"Cuando llegó la noche, el señor de la viña dijo a su mayordomo: Llama a los obreros y págales el jornal, comenzando desde los postreros hasta los primeros. Y al venir los que habían ido cerca de la hora undécima, recibieron cada uno un denario. Al venir también los primeros, pensaron que habían de recibir más; pero también ellos recibieron cada uno un denario"…

La lección de los obreros guarda relación con la cuestión por la que habían disputado los discípulos en el camino: quién debe ser el mayor en el reino de los cielos. El Redentor del mundo vio un peligro que perjudicaría a su iglesia, y buscaba despertar a su pueblo a una comprensión de su posición; porque esta parábola no era más que una continuación de la lección enseñada cuando Pedro preguntó: "He aquí, nosotros lo hemos dejado todo, y te hemos seguido; ¿qué, pues, tendremos?" (Mat. 19:27)…

Con una confianza implícita hemos de permanecer en Dios y permitir que el corazón repose en él sin preguntarnos cuál ha de ser la medida de nuestra recompensa…

Jesús no desea que los que están ocupados en su servicio estén ansiosos por recompensas, ni sientan que deben recibir compensación por todo lo que hacen… El Señor mide el espíritu y recompensa según esta medida; y el espíritu de amor, puro, sencillo, como de un niño, hace la ofrenda preciosa a sus ojos.—*Review and Herald*, 3 de julio de 1894; parcialmente en *Palabras de vida del gran Maestro*, p. 327.

12

de abril

Un maestro de justicia

Si vosotros permaneciereis en mi palabra, seréis verdaderamente mis discípulos; y conoceréis la verdad, y la verdad os hará libres. Juan 8:31, 32.

Jesús dice: "Aprended de mí, que soy manso y humilde de corazón; y hallaréis descanso para vuestras almas" (Mat. 11:29). Jesús fue el Maestro más singular que el mundo jamás conociera. Presentaba la verdad mediante declaraciones claras y convincentes, y las ilustraciones que utilizaba eran de un carácter puro y elevado...

En su Sermón del Monte, Cristo dio la interpretación verdadera de las Escrituras del Antiguo Testamento, explicando la verdad que había sido pervertida por los gobernantes, los escribas y los fariseos. ¡Qué significado tan amplio le confiere a la ley de Dios! Él mismo había proclamado la ley cuando las estrellas de la mañana cantaban juntas y todos los hijos de Dios clamaban de gozo. Cristo mismo era el fundamento de todo el sistema judío, el fin de los tipos, los símbolos y los sacrificios. Envuelto en el pilar de nubes, él mismo había dado indicaciones específicas a Moisés para la nación judía, y él era el único que podía dispersar la multitud de errores que se habían acumulado acerca de la verdad por medio de máximas y tradiciones humanas...

Él elevó la verdad, para que como una luz iluminara la oscuridad moral del mundo. Rescató cada gema de la verdad de la basura de las tradiciones y máximas humanas, y exaltó la verdad hasta el trono de Dios de donde había provenido...

La orientación de su vida se encontraba en un contraste tan marcado con la de los escribas y fariseos y los maestros religiosos de aquel día, que estos quedaron manifiestos como sepulcros blanqueados, fingidores hipócritas a la religión, que buscaban exaltarse a sí mismos por una profesión de santidad, mientras que por dentro estaban llenos de pasiones y toda inmundicia. No podían tolerar la verdadera santidad, el celo genuino por Dios, que era el rasgo distintivo del carácter de Cristo; porque la verdadera religión proyectaba un reflejo sobre su espíritu y prácticas...

En el corazón de Jesús no había odio por nada excepto el pecado. Podrían haberlo recibido como el Mesías si hubiera manifestado simplemente su poder para hacer milagros y se hubiera abstenido de denunciar el pecado, de condenar sus pasiones corruptas y de pronunciar la maldición de Dios sobre su idolatría; pero debido a que él no permitía el mal, aunque sanara a los enfermos, abriera los ojos de los ciegos y resucitara a los muertos, no tenían otra cosa sino crueles abusos, celo, envidia, maquinaciones y odio para el divino Maestro.— *Review and Herald*, 6 de agosto de 1895; parcialmente en *Exaltad a Jesús*, p. 175.

¿Tiene usted aceite en su lámpara?

Entonces el reino de los cielos será semejante a diez vírgenes que tomando sus lámparas, salieron a recibir al esposo.
Mateo 25:1 (lea Mateo 25:1-13).

Aunque a cinco de estas vírgenes se las representa como sabias y a cinco como insensatas, todas tenían lámparas. Todas habían sido convencidas de que debían prepararse para la venida del novio, y todas habían ganado un conocimiento de la verdad. No hubo una diferencia aparente entre las sabias y las insensatas hasta que se escuchó el clamor: "¡Aquí viene el esposo; salid a recibirle!" (Mat. 25:6), pero la condición verdadera de las cosas ya se había desarrollado. Las sabias habían tomado la precaución de llevar aceite consigo en sus recipientes, de manera que si sus lámparas comenzaban a arder con poca luz, pudieran ser reabastecidas con aceite; pero las insensatas no se habían preparado para esta emergencia, y ahora hicieron un pedido ferviente y desesperado a aquellas que eran sabias... Habían descuidado prepararse para encontrarse con el esposo, y ahora se dirigieron a aquellas que se habían abastecido de aceite...

Al leer esta parábola, uno no puede dejar de sentir pena por las vírgenes insensatas y hacer la pregunta: ¿Por qué es que las sabias no dividieron su provisión de aceite? Pero al hacer la aplicación espiritual de la parábola podemos ver la razón. No es posible para los que tienen fe y gracia dividir su provisión con los que no las tienen. No es posible para quienes han efectuado una preparación del corazón impartir el beneficio de esto a los que apenas han hecho una preparación superficial... Las diez vírgenes en total parecían estar listas para la venida del esposo, pero la prueba demostró el hecho de que cinco no estaban listas...

Las vírgenes necias no representan a los hipócritas. Les interesaba la verdad, abogaban por la verdad, tenían la intención de salir a encontrarse con el esposo. Están conectadas con quienes creen la verdad, van con ellos, tienen lámparas, que representan un conocimiento de la verdad...

Muchos aceptan rápidamente la verdad, pero, al no ser asimilada, sus efectos son neutralizados. Se parecen a las vírgenes necias que quedaron sin la provisión de aceite para sus lámparas. El aceite es símbolo del Espíritu Santo, que llega hasta el corazón gracias a la fe en Cristo. Quienes escudriñan las Escrituras con diligencia y mucha oración, y confían en Dios con una fe firme y obedecen sus mandamientos, están representados por las vírgenes sabias.— *Review and Herald*, 17 de septiembre de 1895; parcialmente en *Recibiréis poder*, p. 18.

El siervo infiel

Pero llegando también el que había recibido un talento, dijo: Señor, te conocía que eres hombre duro, que siegas donde no sembraste y recoges donde no esparciste; por lo cual tuve miedo, y fui y escondí tu talento en la tierra.
Mateo 25:24, 25.

La enseñanza de esta parábola es clara. Todos los dones de intelecto o propiedad que alguien pueda poseer le han sido confiados. Son los bienes del Señor y han de ser usados para su honor y su gloria. Han de ser mejorados y aumentados por el uso, para que el Señor reciba intereses sobre ellos. Pero el Señor no recibe intereses de muchos talentos, porque al igual que el siervo infiel, aquellos a quienes se les han confiado los invierten donde no reciben aumento.

Todos en cuyos corazones se acaricia el egoísmo oirán las tentaciones de Satanás y harán la parte del siervo infiel y perezoso. Esconderán el tesoro que se les confió, y descuidarán el uso de sus talentos para el Señor… Han sembrado escasamente, o nada, y segarán escasamente. Pero aunque el Señor les ha dicho esto en palabras demasiado claras para ser malinterpretadas, acarician la insatisfacción en su corazón y se quejan de que el Señor es un amo duro, que se los ha tratado dura e injustamente…

Hoy día muchos que dicen conocer a Dios hacen lo mismo. Hablan de una manera quejosa y descontenta de los requerimientos del Señor. No acusan directamente a Dios de ser injusto, pero se quejan de todo lo que toca el asunto de usar su influencia o sus medios en su servicio. Sea quienes fueren, si aquellos a los que el Señor ha confiado sus dones no aprovechan su dote, si no cooperan con los ángeles celestiales al intentar ser una bendición para otros seres humanos como ellos, recibirán la denuncia del Señor: "Siervo malo y perezoso; tuviste mis dones para usarlos, pero no los usaste… Tú, que pensabas que sabías tanto, me representaste malvadamente e hiciste que otros pensaran que yo era injustamente duro y exigente. 'Y al siervo inútil echadle en las tinieblas de afuera; allí será el lloro y el crujir de dientes' (Mat. 25:30)". En ese día, estos siervos infieles verán su error y advertirán que al colocar egoístamente sus talentos donde el Señor no recibirá intereses, no solo han perdido todo lo que tenían, sino que también perderán las riquezas eternas.— *Review and Herald,* 5 de enero de 1897.

Lo que puede ser

Porque al que tiene, le será dado, y tendrá más; y al que no tiene, aun lo que tiene le será quitado. Mateo 25:29.

Quienes aceptan a Jesús como su Salvador personal vivirán vidas de humildad, paciencia y amor. No se entregaron al Señor por la ganancia que recibirían. Han llegado a ser uno con Cristo, al igual que Cristo es uno con el Padre, y diariamente reciben su recompensa al ser partícipes de la humildad, el reproche, la abnegación y el sacrificio de Cristo. Encuentran su alegría en observar las ordenanzas del Señor. Encuentran esperanza, paz y alivio en el servicio genuino; y con fe y valor avanzan en el camino de la obediencia, siguiéndole a él que dio su vida por ellos. Por su consagración y devoción revelan al mundo la verdad de las palabras "ya no vivo yo, mas vive Cristo en mí" (Gál. 2:20).

El profeta Malaquías escribió: "Entonces los que temían a Jehová hablaron cada uno a su compañero; y Jehová escuchó y oyó, y fue escrito libro de memoria delante de él para los que temen a Jehová, y para los que piensan en su nombre" (Mal. 3:16). ¿Hablaron palabras de queja, para buscar faltas o para felicitarse? No; en contraste con los que hablan contra Dios, quienes le temen hablan palabras de valor, gratitud y alabanza. No cubren el altar de Dios con lágrimas y lamentos; vienen con rostros iluminados con los rayos del Sol de Justicia, y alaban a Dios por su bondad.

Tales palabras hacen que todo el cielo se regocije. Los que las pronuncian pueden ser pobres en posesiones mundanales, pero al darle fielmente a Dios la porción que él reclama, reconocen su deuda con él. Los capítulos de la historia de su vida no incluyen el egoísmo. Con amor y gratitud, con cantos de gozo en sus labios, traen sus ofrendas a Dios, diciendo como David: "De lo recibido de tu mano te damos" (1 Crón. 29:14). "Y serán para mí especial tesoro, ha dicho Jehová de los ejércitos, en el día en que yo actúe; y los perdonaré, como el hombre que perdona a su hijo que le sirve" (Mal. 3:17)...

Los que sirven verdaderamente a Dios lo temerán, pero no como el siervo infiel, que escondió su talento en la tierra porque tenía miedo que el Señor exigiera lo suyo. Sentirán temor de deshonrar a su Hacedor al descuidar la mejora de sus talentos.— *Review and Herald*, 5 de enero de 1897.

16
de abril

Palabras cautivantes

¡Jamás hombre alguno ha hablado como este hombre! Juan 7:46.

Las personas educadas quedaban encantadas con las enseñanzas de Jesús, y los iletrados siempre se beneficiaban, porque apelaba a su entendimiento. Sus ilustraciones eran tomadas de las cosas de la vida cotidiana, y aunque eran sencillas, contenían una maravillosa profundidad de significado: Las aves del aire, los lirios del campo, la semilla, el pastor y sus ovejas. Con estos objetos, Cristo ilustraba la verdad inmortal, y de allí en adelante, cuando sus oyentes encontraban estos objetos en la naturaleza, recordaban sus palabras. Las ilustraciones de Cristo continuamente repetían sus lecciones.

Cristo siempre utilizaba el lenguaje más sencillo, pero sus palabras eran apreciadas por los pensadores profundos y no prejuiciados, porque eran palabras que desafiaban su sabiduría. Los asuntos espirituales siempre deben presentarse en un lenguaje sencillo aunque se dirijan a personas educadas, porque las tales generalmente son ignorantes respecto de asuntos espirituales. El lenguaje sencillo es el más elocuente... Las palabras de Cristo, tan reconfortantes y animadoras para los que las escuchaban, son para nosotros hoy. Como un pastor fiel conoce y cuida a sus ovejas, así cuida Cristo de sus hijos... Cristo conoce íntimamente a sus ovejas, y los sufrientes y desvalidos son objetos de su cuidado especial...

Cristo no deseaba que sus palabras regresaran a él vacías... Él mismo no escribió nada, sino que el Espíritu Santo trajo todas sus palabras y actos a la memoria de los discípulos, para que fuesen registradas para nuestro beneficio. La instrucción de Cristo fue dada con la mayor claridad. Nadie necesitaba malentenderla. Pero los escribas y fariseos... malinterpretaban y aplicaban mal sus palabras. Las declaraciones que eran el pan de vida para las almas hambrientas eran amargura para los gobernantes judíos...

En el Sermón del Monte, Cristo habló dando por sentado que los escribas y fariseos creían en el Antiguo Testamento. Se encontraban en el grupo, y los discípulos estaban cerca de su amado Maestro. Allí Cristo declaró: "Porque os digo que si vuestra justicia no fuere mayor que la de los escribas y fariseos, no entraréis en el reino de los cielos" (Mat. 5:20). Por medio de sus palabras condenó su formalismo e hipocresía. Y aunque se aplicaban directamente a quienes se encontraban ante él, estas palabras también se aplican a los que en nuestros días no hacen la voluntad de Dios. Son abarcantes y resuenan a través de los siglos hasta hoy.— *Review and Herald*, 18 de mayo de 1897.

La vid y las ramas

Yo soy la vid verdadera, y mi Padre es el labrador. Juan 15:1.

En sus lecciones, Cristo no aspiraba a [enseñar] cosas grandilocuentes o imaginarias. Él vino a enseñar, de la manera más sencilla, verdades que eran de vital importancia, de forma que incluso aquellos a los cuales llamó recién nacidos pudieran entenderlas. Sin embargo, en sus imágenes más simples, había una profundidad y belleza que las mentes más educadas no podían agotar...

La vid había sido utilizada a menudo como un símbolo de Israel, y la lección que ahora Cristo les daba a sus discípulos provenía de allí. Podría haber empleado la elegante palmera para referirse a sí mismo. Podría haber utilizado el majestuoso cedro que se erguía hacia los cielos o el vigoroso roble que esparcía sus ramas y las elevaba hacia las alturas para representar la estabilidad e integridad de los que siguen a Cristo. Pero en su lugar, acudió a la vid, con sus zarcillos pegajosos, para representarse a sí mismo y su relación con sus seguidores verdaderos. "Yo soy la vid verdadera, y mi Padre es el labrador".

Nuestro Padre celestial plantó una Vid divina en las colinas de Palestina, y él mismo era el Labrador. No tenía una forma distinguida que a primera vista diera una impresión de su valor. Parecía haber surgido como una raíz de tierra seca, y no atrajo mucha atención. Pero cuando se llamó atención a la planta, algunos declararon que era de origen celestial. La gente de Nazaret quedó absorta al ver su belleza; pero cuando captaron la idea de que sería más vistosa y atraería más atención que ellos mismos, lucharon por arrancar la preciosa planta, y la lastimaron y hollaron bajo sus pies blasfemos. Pensaban destruirla para siempre. Pero el Labrador celestial nunca perdió de vista a su planta. Cuando la gente pensaba que la habían matado, la tomó y la replantó al otro lado del muro. La ocultó de la vista terrenal...

Cada rama que lleva fruto es un representante vivo de la vid, porque lleva el mismo fruto que la vid... Cada rama mostrará si tiene o no tiene vida; porque donde hay vida hay crecimiento. Hay una comunicación continua de las propiedades salutíferas de la vid, lo cual es demostrado por los frutos que las ramas llevan.

Como el injerto recibe vida cuando se lo une a la vid, así el pecador participa de la naturaleza divina cuando se conecta con Cristo. Los hombres y mujeres finitos se unen con el Dios infinito.— *Review and Herald*, 2 de noviembre de 1897.

18

de abril

La Perla de gran precio

También el reino de los cielos es semejante a un mercader que busca buenas perlas, que habiendo hallado una perla preciosa, fue y vendió todo lo que tenía, y la compró. Mateo 13:45, 46.

Al comparar el reino de los cielos con una perla, Cristo deseaba conducir a cada alma a apreciar tal perla sobre todo lo demás. La posesión de la perla, que representa la posesión de un Salvador personal, es el símbolo de la verdadera riqueza. Es un tesoro por encima de cualquier tesoro terrenal.

Cristo está listo para recibir a todos los que llegan a él con sinceridad… Él es nuestra única esperanza. Él es nuestro alfa y omega. Es nuestro sol y nuestro escudo, nuestra sabiduría, nuestra santificación, nuestra justicia. Solamente por su poder nuestros corazones pueden ser mantenidos todos los días en el amor de Dios…

En una ocasión, Cristo les advirtió a sus discípulos que tuviesen cuidado de cómo echaban sus perlas ante los que no tenían el discernimiento para apreciar su valor… "No deis lo santo a los perros, ni echéis vuestras perlas delante de los cerdos, no sea que las pisoteen, y se vuelvan y os despedacen" (Mat. 7:6)…

Cuando las personas se muestran duras, incapaces de apreciar la perla de gran precio, cuando tratan deshonestamente con Dios y con los demás, cuando muestran que el fruto que llevan es el fruto del árbol prohibido, tenga cuidado de que al conectarse con ellas usted pierda su conexión con Dios…

La verdad como es en Jesús nos coloca en lo correcto y nos mantiene así. La verdad es un ancla para el alma, segura y firme. Pero la verdad no es verdad para quienes no la obedecen. Cuando los hombres y las mujeres se van separando de los principios de la verdad, siempre traicionan un compromiso sagrado. Que cada alma, sea cual fuere su esfera de acción, se asegure de que la verdad es implantada en el corazón por el poder del Espíritu de Dios. A menos que esto sea cierto, los que predican la Palabra traicionarán compromisos santos. Los médicos harán un naufragio de la fe. Los abogados, jueces, senadores se corromperán y cederán al soborno, y se permitirán ser comprados y vendidos. Los que no caminan en la luz como Cristo está en la luz, son líderes ciegos de los ciegos. "Nubes sin agua, llevadas de acá para allá por los vientos; árboles otoñales, sin fruto, dos veces muertos y desarraigados" (Jud. 1:12).— *Review and Herald*, 1 de agosto de 1899.

¿Cuántas veces debo perdonar?

Jesús le dijo: No te digo hasta siete, sino aun hasta setenta veces siete.
Mateo 18:22 (lea Mateo 18:15-35).

Pedro había ido a Cristo con la pregunta: "¿Cuántas veces perdonaré a mi hermano que peque contra mí? ¿Hasta siete?"... No "hasta siete —dijo él—, sino aun hasta setenta veces siete"...

"El reino de los cielos es semejante a un rey que quiso hacer cuentas con sus siervos. Y comenzando a hacer cuentas, le fue presentado uno que le debía diez mil talentos. A este, como no pudo pagar, ordenó su señor venderle, y a su mujer e hijos, y todo lo que tenía, para que se le pagase la deuda. Entonces aquel siervo, postrado, le suplicaba, diciendo: Señor, ten paciencia conmigo, y yo te lo pagaré todo. El señor de aquel siervo, movido a misericordia, le soltó y le perdonó la deuda.

"Pero saliendo aquel siervo, halló a uno de sus consiervos, que le debía cien denarios; y asiendo de él, le ahogaba, diciendo: Págame lo que me debes. Entonces su consiervo, postrándose a sus pies, le rogaba, diciendo: Ten paciencia conmigo, y yo te lo pagaré todo. Mas él no quiso"...

Esta parábola intenta mostrar el espíritu de ternura y compasión que debiéramos manifestar hacia otros. El perdón de este rey representa un perdón que es sobrenatural: un perdón divino de todo pecado. El rey, quien, movido a la compasión, perdonó la deuda de su siervo, representa a Cristo...

En la parábola se revocó la sentencia cuando el deudor pidió una prórroga, con la promesa: "Ten paciencia conmigo, y yo te lo pagaré todo". Toda la deuda fue cancelada, y pronto se le dio una oportunidad de seguir el ejemplo del señor que le había perdonado... Pero el que había sido tratado tan misericordiosamente, trató a su consiervo en una forma completamente distinta...

La lección a aprender es que debemos tener el espíritu del perdón verdadero, al igual que Cristo perdona a los pecadores, quienes de ninguna manera pueden pagar su enorme deuda. Hemos de tener en mente que Cristo ha pagado un precio infinito por los seres humano falibles, y hemos de tratarlos como la posesión comprada por Cristo.— *Review and Herald*, 3 de enero de 1899; parcialmente en *Palabras de vida del gran Maestro*, pp. 190-192.

20

de abril

El matrimonio del hijo del rey

El reino de los cielos es semejante a un rey que hizo fiesta de bodas a su hijo; y envió a sus siervos a llamar a los convidados a las bodas; mas estos no quisieron venir. Mateo 22:2, 3 (lea Mateo 22:1-14).

El rey envió sus mensajeros primeramente a los que habían sido llamados como su pueblo especial. Pero estos, con toda intención de asegurar ganancia personal, enviaron su negativa con las palabras: "Ruego que me disculpen"...

Cuando el grupo que fue llamado primero rechazó la invitación, el rey envió a sus mensajeros a los caminos, donde encontraron a los que no estaban tan ocupados en el trabajo de comprar y vender, sembrar y edificar...

"Y entró el rey para ver a los convidados, y vio allí a un hombre que no estaba vestido de boda. Y le dijo: Amigo, ¿cómo entraste aquí, sin estar vestido de boda? Mas él enmudeció. Entonces el rey dijo a los que servían: Atadle de pies y manos, y echadle en las tinieblas de afuera; allí será el lloro y el crujir de dientes" (Mat. 22:11-13).

Hay quienes vienen para disfrutar los privilegios del banquete de la verdad, pero no han comido la carne ni bebido la sangre del Hijo de Dios. Dicen creer y enseñar la Palabra a otros, pero obran las obras de la injusticia...

La invitación rechazada por los que fueron llamados primero fue enviada a otro grupo. Fue dada al mundo gentil. Y primero hubo de ser proclamada en "los caminos" a quienes tenían una parte activa en el trabajo del mundo, a los líderes y maestros de la humanidad...

Quienes dan el último mensaje de misericordia a un mundo caído no han de pasar por alto a los ministros. Los siervos de Dios han de acercarse a ellos como personas que tienen un profundo interés en su bienestar e interceder por ellos en oración...

Para que no pensemos que debemos pensar únicamente en los grandes y los dotados, y descuidemos a las clases más pobres, los que están en circunstancias humildes, Cristo en la parábola de la gran cena instruye a sus mensajeros que también vayan a los que están en los caminos y veredas, a los pobres y humildes de esta tierra... Se han de ejercer esfuerzos por todas las clases.— *Review and Herald*, 8 de mayo de 1900.

El vestido de bodas

Y entró el rey para ver a los convidados, y vio allí a un hombre que no estaba vestido de boda. Mateo 22:11 (lea Mateo 22:1-14).

Con la ayuda del Espíritu Santo, los hombres y las mujeres pueden levantarse de la vulgaridad y vivir vidas puras y santas. Los creyentes profesos que no hacen esto mienten contra la verdad... No demuestran en palabra y comportamiento el poder transformador que acompaña a la verdad. ¿Cómo puede el Señor estar complacido de los que no hacen esfuerzo alguno por elevarse a un ideal superior? ¿Acaso no dicen haber recibido una verdad elevada y noble?...

Dios no les pide a hombres y mujeres que rindan nada que sea para la salud del alma o el cuerpo, pero sí les pide que abandonen los vicios degradantes y debilitadores que, de cultivarse, los excluirían del cielo. Les deja espacio para cada placer que puede ser disfrutado sin compunción de conciencia, y recordado sin remordimientos. Les pide, para su bien presente y eterno, que cultiven las virtudes que traen salud y fortaleza al alma. Los pensamientos puros y los hábitos correctos son necesarios para nuestra felicidad como seres humanos y como cristianos. Todo lo que es de un carácter degradante debe ser vencido, si queremos ver al Rey en su belleza.

El Señor puede y ayudará a todo aquel que busque su ayuda en el esfuerzo por ser puro y santo... ¿Se han hecho esfuerzos fervientes por vencer las inclinaciones naturales al error, por conquistar los hábitos y prácticas que eran parte de la vida antes de aceptar la verdad? ¿Quienes afirman creer la verdad son tan desaliñados y desordenados en el hogar y tan poco semejantes a Cristo en la vida cotidiana como lo fueron antes de haber profesado aceptar al Señor? Si es así, no están proclamando las bondades de Aquel que los llamó de las tinieblas. No se han vestido de la justicia de Cristo.

Esfuércense por hacer mejoras decididas. Límpiense de toda suciedad de la carne y del espíritu, perfeccionando la santidad en el temor del Señor. Sean cuidadosos y ordenados en su vestido, y bondadosos y corteses en su trato. Sean puros y refinados, porque el cielo es la misma esencia de la pureza y el refinamiento. Tal como Dios es puro y santo en su esfera, hemos de serlo nosotros en la nuestra.

Lean con cuidado y análisis la parábola del vestido de bodas, y hagan una aplicación personal de la lección que enseña... Los que hacen una profesión de fe, y sin embargo permanecen iguales en hábito y conducta, son representados... por el hombre que vino al banquete sin un vestido de bodas.— *Review and Herald*, 26 de febrero de 1901.

La viña del Señor

Hubo un hombre, padre de familia, el cual plantó una viña, la cercó de vallado. Mateo 21:33 (lea Mateo 21:33-41).

El profeta Isaías describe esta viña: "Ahora cantaré por mi amado el cantar de mi amado a su viña. Tenía mi amado una viña en una ladera fértil. La había cercado y despedregado y plantado de vides escogidas; había edificado en medio de ella una torre, y hecho también en ella un lagar" (Isa. 5:1, 2).

Esta imagen representa las ventajas y oportunidades dadas a Israel... Por medio de Moisés recibieron preceptos y mandamientos divinos... Dios les dio riquezas y prosperidad. Tenían toda ventaja temporal y espiritual. Estaban cercados por la ley de los Diez Mandamientos. Esto era lo que distinguía a Israel de toda otra nación sobre la faz de la tierra.

La iglesia es el tesoro peculiar de Dios, preciosa a su vista y amada por su corazón de amor infinito... El dueño de casa hizo toda provisión para que el viñedo recibiera la mejor atención. No faltó nada por hacer que pudiera hacerse para hacer de la viña un honor para su dueño...

Con fuego, tempestad y muerte el gran YO SOY redimió a su pueblo, para hacerlo glorioso como su representante especial. Lo sacó de la tierra de cautiverio. Lo llevó sobre alas de águila y lo trajo consigo mismo, para que pudiera morar bajo la sombra del Altísimo. Cristo era el líder invisible de los hijos de Israel en su vagar por el desierto... Presenciaron una maravillosa manifestación del poder de Dios cuando atravesaron el Mar Rojo. Y día tras día viajaron bajo la columna de nubes, el símbolo de la presencia divina...

Con tal líder, con tales manifestaciones de su grandeza y poder, los hijos de Israel debieran haber sido inspirados con fe y valor para avanzar... Solo dos de los que cruzaron el Mar Rojo vivieron hasta llegar a la Tierra Prometida...

Debemos estar atentos, para que no suframos el mismo destino que el antiguo Israel. La historia de su desobediencia y caída ha sido registrada para instruirnos a nosotros, para que evitemos hacer lo que ellos hicieron.— *Review and Herald*, 10 de julio de 1900; parcialmente en *Palabras de vida del gran Maestro*, p. 227.

Cómo Jesús enseñó la verdad

Y esta es la vida eterna: que te conozcan a ti, el único Dios verdadero, y a Jesucristo, a quien has enviado. Juan 17:3.

Si Cristo hubiera creído que era necesario, habría abierto ante sus discípulos misterios que habrían eclipsado y marginado todos los descubrimientos de la mente humana. Podría haber presentado detalles respecto de cada tema que habrían ido más allá del razonamiento humano, y sin embargo no habrían tergiversado la verdad de ninguna forma. Podría haber revelado lo desconocido, aquello que habría desafiado la imaginación y atraído los pensamientos de generaciones sucesivas hasta el cierre de la historia de la tierra. Podría haber abierto puertas a los misterios que la mente humana había tratado en vano de dilucidar. Podría haber presentado a hombres y mujeres un árbol de conocimiento del que podrían haber cosechado por las edades; pero esta obra no era esencial para la salvación de sus almas, y el conocimiento del carácter de Dios era necesario para sus intereses eternos…

Jesús, el Señor de la vida y la gloria, vino a plantar el árbol de la vida para la familia humana e invitar a los miembros de una raza caída a comer y estar satisfechos. Vino a revelarles lo que era su única esperanza, su única felicidad, tanto en este mundo como en el venidero… Él no permitiría que nada apartara su atención de la obra que vino a hacer…

Jesús vio que el pueblo necesitaba que su mente fuese atraída hacia Dios para que se familiarizaran con su carácter y obtuvieran la justicia de Cristo representada en su santa ley. Él sabía que era necesario que todos tuvieran una representación fidedigna del carácter divino, para que no fuesen engañados por las tergiversaciones de Satanás, quien había proyectado sus sombras infernales sobre el camino de ellos, y en sus mentes había revestido a Dios con sus propias características satánicas…

Por grandes y sabios que hayan sido considerados los maestros del mundo en sus días o en los nuestros, en comparación con él [Cristo] no pueden ser admirados; porque toda la verdad que enunciaron en realidad se originó en él, y todo lo que provino de cualquier otra fuente era una necedad. Incluso la verdad que pronunciaban ellos, en su boca [de Cristo] adquiría belleza y gloria, porque él la presentaba en su sencillez y dignidad.— *Signs of the Times*, 1 de mayo de 1893.

24

de abril

La oveja perdida

Si un hombre tiene cien ovejas, y se descarría una de ellas,
¿no deja las noventa y nueve y va por los montes a buscar la que se había descarriado?
Mateo 18:12 (lea Mateo 18:11-14).

En la parábola del pastor en busca de la oveja perdida se encuentra una representación de la tierna paciencia, la perseverancia y el gran amor de Dios. Al contemplar el amor desinteresado de Dios, nuestros corazones rebosan de gratitud, alabanza y acción de gracias. Alabamos a Dios por el don inapreciable de su Hijo unigénito. No hay un animal tan impotente y perplejo como la oveja que se ha apartado del rebaño. Si la errabunda no es buscada por el compasivo pastor, nunca encontrará el camino de regreso al rebaño. El pastor mismo debe tomarla en sus brazos y cargarla hasta el rebaño...

Los fariseos estaban prestos a acusar y condenar a Jesús porque él no rechazaba ni condenaba a los publicanos y pecadores como ellos lo hacían... Ellos pensaban que la ley los justificaba, y no consideraban necesario introducir en su vida práctica la compasión y misericordia que Jesús presentaba en sus lecciones... Cristo nunca invitó a los malvados a venir a él para ser salvados en sus pecados, sino de sus pecados...

Cristo no designó el plan de salvación para un pueblo o nación. Él dijo: "Pongo mi vida por las ovejas. También tengo otras ovejas que no son de este redil; aquellas también debo traer, y oirán mi voz; y habrá un rebaño, y un pastor" (Juan 10:15, 16).

Que toda alma desanimada y desconfiada tome valor, aunque tal individuo haya hecho el mal... Usted no debe pensar que quizá Dios perdone sus transgresiones y le permita acercarse a su presencia, sino que debe recordar que es Dios quien ha dado el primer paso, que él vino a buscarlo cuando usted todavía se encontraba en rebelión contra él...

Si el ardor y entusiasmo requeridos como necesarios para triunfar en la obtención de las cosas de este mundo no se aplican a la búsqueda de la salvación de los perdidos, que tiene el doble objetivo de bendecir y tornarnos en bendición, ¿qué podría aplicarse? Por medio de la conversión somos colocados personalmente en una conexión vital con Jesucristo, quien es confirmado en nosotros como sabiduría, justicia, santificación y redención.— *Signs of the Times*, 22 de enero de 1894.

El hijo pródigo

Un hombre tenía dos hijos; y el menor de ellos dijo a su padre: Padre, dame la parte de los bienes que me corresponde; y les repartió los bienes.
Lucas 15:11, 12 (lea Lucas 15:11-32).

Para responder a las acusaciones de los escribas y fariseos de que él prefería la compañía de los pecadores, Jesús predicó las parábolas de la oveja perdida, la moneda perdida y el hijo pródigo, y en estas ilustraciones demostró que su misión al mundo no era para fastidiar, condenar y destruir, sino para recuperar aquello que estaba perdido... Estos eran precisamente los que necesitaban un Salvador...

El hijo pródigo no era un hijo responsable, uno que complacía a su padre, sino uno que quería hacer su propia voluntad... La tierna simpatía y amor de su padre fueron mal interpretados, y según el padre actuaba con mayor paciencia, bondad y benevolencia, más inquieto se tornaba el joven. Pensaba que se le restringía su libertad, porque su idea de libertad era un libertinaje sin control, y al desear ser independiente de toda autoridad, se liberó de toda restricción de la casa de su padre, y pronto gastó su fortuna en una vida desordenada. Surgió una gran hambruna en el país al que viajó, y en su hambre deseó llenarse con las cáscaras que comían los cerdos...

No tenía a nadie que le dijera: "No hagas eso, porque te harás daño. Haz esto otro, porque es correcto"... El hambre lo miraba a la cara, y acudió a un ciudadano del lugar. Se lo envió a hacer el trabajo más humilde: alimentar a los cerdos. Aunque para un judío esta era la ocupación más desprestigiada, estaba dispuesto a hacer cualquier cosa, tan grande era su necesidad...

Estaba sufriendo un hambre aguda, y no podía saciarse, y en estas circunstancias recordó que su padre tenía pan de sobra, y resolvió ir a su padre... Habiendo tomado esta decisión, no tomó tiempo para mejorar su aspecto... "Y cuando aún estaba lejos, lo vio su padre, y fue movido a misericordia, y corrió, y se echó sobre su cuello, y le besó" (Luc. 15:20)...

El hogar lucía tal como cuando lo abandonó; pero cuán diferente se encontraba él... El padre no le dio la oportunidad de decir "hazme como uno de tus jornaleros". La bienvenida que recibió le aseguró que había sido restituido al lugar de hijo— *Signs of the Times*, 29 de enero de 1894.

26
de abril

El hermano mayor

Entonces se enojó, y no quería entrar. Salió por tanto su padre, y le rogaba que entrase. Lucas 15:28.

Marque los temas en la parábola. El hermano mayor que viene del campo, al oír la algarabía, pregunta qué sucede, y se le dice del regreso de su hermano y de cómo mataron el becerro gordo para la fiesta. Entonces se revela egoísmo, orgullo, envidia y malignidad en el hermano mayor. Siente que favorecer al pródigo es un insulto, y el padre discute con él, pero él no mira el asunto desde una perspectiva correcta, ni se une al padre para alegrarse porque se ha hallado al perdido. Le da a entender al padre que, de haber estado él en su lugar, no habría recibido nuevamente al hijo, y se olvida de que el pobre pródigo es su propio hermano. Habla con sorna a su padre, acusándolo de haber sido injusto con él al favorecer a uno que había desperdiciado su vida. Habla del pródigo a su padre en términos de "este, tu hijo". Pero a pesar de toda esta conducta poco filial, de sus expresiones de desprecio y arrogancia, el padre trata con él con paciencia y ternura...

¿Llegaría el hermano mayor a notar que no merecía un padre tan bondadoso y considerado? ¿Llegó a ver que aunque su hermano había actuado inicuamente, aún era su hermano, que su relación no había sido alterada? ¿Se arrepintió de sus celos y le pidió perdón a su padre por haberlo malinterpretado de manera tan descarada?

¡Cuánto se parece la acción de este hermano mayor al Israel no arrepentido e incrédulo, que se negó a reconocer que los publicanos y los pecadores eran sus hermanos, que debían ser perdonados, buscados, [individuos] por los que se debía trabajar y no dejarlos morir, sino conducirlos a que alcanzaran la vida eterna! ¡Cuán hermosa es esta parábola para ilustrar la bienvenida que cada alma arrepentida recibirá del Padre celestial! ¡Con cuánto gozo se alegrarán los seres celestiales al ver a las almas que regresan a la casa de su Padre! Los pecadores no encontrarán reproches, burlas, ni recuerdo de su indignidad. Todo lo que se requiere es penitencia. El Salmista dice: "Porque no quieres sacrificio, que yo lo daría; no quieres holocausto. Los sacrificios de Dios son el espíritu quebrantado; al corazón contrito y humillado no despreciarás tú, oh Dios" (Sal. 51:16, 17).— *Signs of the Times*, 29 de enero de 1894.

El buen samaritano – 1

Y he aquí un intérprete de la ley se levantó y dijo, para probarle: Maestro, ¿haciendo qué cosa heredaré la vida eterna?
Lucas 10:25 (lea Lucas 10:30-37).

Atentos y casi sin respirar, la gran congregación esperaba la respuesta de Jesús... Pero Cristo, el verdadero conocedor del corazón, entendía las intenciones y propósitos de sus enemigos. Redirigió el tema al abogado que había hecho la pregunta y le dijo: "¿Qué está escrito en la ley? ¿Cómo lees?" Y el abogado dijo: "Amarás al Señor tu Dios con todo tu corazón, y con toda tu alma, y con todas tus fuerzas, y con toda tu mente; y a tu prójimo como a ti mismo" (vers. 26, 27).

Para responder la pregunta "¿quién es mi prójimo?", Jesús presentó la parábola del buen samaritano. Él sabía que los judíos solo incluían a los de su propia nación bajo el título de prójimos, y miraban a los gentiles con desprecio, llamándolos perros, incircuncisos, inmundos y contaminados. Pero despreciaban a los samaritanos sobre todos los demás... Aun así Jesús dijo: "Un hombre descendía de Jerusalén a Jericó, y cayó en manos de ladrones, los cuales le despojaron; e hiriéndole, se fueron, dejándole medio muerto" (vers. 30)...

Con el sufriente en tal condición, pasa un sacerdote, pero apenas da un vistazo al hombre herido; y al no querer incurrir en el esfuerzo y los gastos de ayudarlo, pasa de largo. Luego pasa un levita. Curioso por saber qué había ocurrido, se detiene y mira al sufriente, pero no siente compasión que lo lleve a ayudar al moribundo. No le agrada el trabajo, y al pensar que no era asunto suyo, él también sigue su camino. Ambos hombres tenían oficios sagrados, y decían conocer y explicar las Escrituras. Habían sido entrenados en la escuela del prejuicio nacional, y se habían tornado egoístas, estrechos y excluyentes, y no sentían simpatía por alguien que no fuese judío. Miran al hombre herido, pero no pueden determinar si es de su país o no. Quizá sea samaritano [se dicen], y se dan vuelta— *Signs of the Times*, 16 de julio de 1894.

28
de abril

El buen samaritano – 2

Y acercándose, vendó sus heridas, echándoles aceite y vino; y poniéndole en su cabalgadura, lo llevó al mesón, y cuidó de él. Lucas 10:34.

En esta parábola, Jesús presenta a un extranjero, un prójimo, un hermano sufriente, herido y moribundo... Pero aunque los sacerdotes y escribas habían leído la ley, no la aplicaban a su vida cotidiana...

En cuanto a la manera en que el sacerdote y el levita trataron al hombre herido, el abogado no había escuchado nada fuera de armonía con sus propias ideas, nada contrario a las formas y ceremonias que eran todo lo requerido según lo que le habían enseñado. Pero Jesús presenta otra escena: "Pero un samaritano, que iba de camino, vino cerca de él, y viéndole, fue movido a misericordia; y acercándose, vendó sus heridas, echándoles aceite y vino; y poniéndole en su cabalgadura, lo llevó al mesón, y cuidó de él" (Luc. 10:33, 34)

Después de mostrar la crueldad y el egoísmo manifestados por los representantes de la nación, presenta al samaritano, que era detestado, odiado y maldito por los judíos, y lo coloca ante ellos como uno que posee atributos de carácter muy superiores a los poseídos por los que se atribuían una elevada justicia...

Todo el que pretenda ser hijo de Dios debe notar cada detalle de esta lección... El samaritano advirtió que ante él se encontraba un ser humano en necesidad y sufrimiento, y tan pronto lo ve, siente compasión por él...

El samaritano siguió el impulso de un corazón bondadoso y amante. Cristo presentó la escena de manera que la amonestación más severa recayó sobre las acciones insensibles del sacerdote y el levita. Pero esta lección no era solo para ellos, sino también para los cristianos de nuestros días, y es una advertencia solemne para nosotros, que por el bien de la humanidad, no dejemos de mostrar misericordia y piedad por los que sufren...

En la parábola del buen samaritano, Jesús presentó su propio amor y carácter. La vida de Cristo estaba llena con obras de amor hacia los perdidos y errantes. El pecador está representado en el hombre golpeado y moribundo y privado de sus posesiones. La familia humana, la raza perdida, es presentada en el sufriente, que ha quedado desnudo, sangrante y desamparado. Jesús toma su propio manto de justicia para cubrir al alma, y todo aquel que en él cree no se perderá, sino que tendrá vida eterna.— *Signs of the Times*, 23 de julio de 1894.

de abril

El juez injusto

Aunque ni temo a Dios, ni tengo respeto a hombre, sin embargo, porque esta viuda me es molesta, le haré justicia, no sea que viniendo de continuo, me agote la paciencia. Lucas 18:4, 5 (lea Lucas 18:1-8).

En esta parábola Cristo destaca un marcado contraste entre el juez injusto y Dios. El juez, aunque no teme a Dios ni al hombre, escuchó a la viuda por sus peticiones constantes. Aunque su corazón permaneció como el hielo, la persistencia de la viuda le dio resultado. Él le hizo justicia, aunque no sentía pena ni compasión por ella, aunque su miseria no le significaba nada. "Y dijo el Señor: Oíd lo que dijo el juez injusto. ¿Y acaso Dios no hará justicia a sus escogidos, que claman a él día y noche? ¿Se tardará en responderles?" (vers. 6, 7).

El juez cedió al pedido de la viuda meramente por causa de su egoísmo, para verse aliviado de su persistencia. ¡Cuán diferente es la actitud de Dios respecto de la oración! Nuestro Padre celestial puede que parezca no responder inmediatamente a las oraciones y pedidos de su pueblo, pero nunca se aparta de ellos por indiferencia. En esta parábola y la del hombre que se despierta a medianoche para suplir la necesidad de su amigo, para que el amigo pueda ministrar a un vagabundo necesitado, se nos enseña que Dios escucha nuestras oraciones. Demasiado a menudo pensamos que nuestras peticiones no son oídas, y albergamos la incredulidad y desconfiamos de Dios cuando debiéramos reclamar la promesa: "Pedid, y se os dará; buscad, y hallaréis; llamad, y se os abrirá" (Luc. 11:9)...

¿Qué es la oración? ¿Meramente la presentación del hambre del alma? No; la presentación de nuestras perplejidades y necesidades, y de nuestra necesidad de la ayuda de Dios contra nuestro adversario el diablo... La oración ha de ofrecerse para la preservación de la vida, para la preservación de cada capacidad o facultad, para que podamos rendir el servicio más elevado a nuestro Hacedor...

El Juez justo no rechaza a nadie que vaya a él con contrición. Se complace más con su iglesia, que lucha contra la tentación aquí abajo, que en el imponente ejército de ángeles que rodean su trono. No se pierde ni una oración sincera. Entre los himnos del coro celestial, Dios escucha los clamores del ser humano más débil. Usted que se siente más indigno, encomiende su caso a él, porque sus oídos están atentos a su clamor. "El que no escatimó ni a su propio Hijo, sino que lo entregó por todos nosotros, ¿cómo no nos dará también con él todas las cosas?" (Rom. 8:32).— *Signs of the Times*, 15 de septiembre de 1898.

El fariseo y el publicano

Dios, te doy gracias porque no soy como los otros hombres... ni aun como este publicano. Lucas 18:11 (lea Lucas 18:9-14).

Se representa a ambos hombres en su llegada al mismo lugar para orar. Ambos vinieron a encontrarse con Dios. Pero, ¡qué contraste hay entre ellos! Uno estaba lleno de alabanza propia. Lo mostraba en su apariencia, su caminar, sus oraciones; el otro advertía plenamente su total falta de importancia. El fariseo era considerado como justo ante Dios, por lo tanto él lo creía. El publicano, en su humildad, se veía a sí mismo como desprovisto de derecho alguno a la misericordia o aprobación de Dios...

El publicano ni siquiera levantaba sus ojos al cielo, sino que golpeaba su cuerpo y decía: "Dios, sé propicio a mí, pecador" (vers. 13). El Conocedor de corazones observaba a ambos hombres desde arriba, y discernía el valor de cada oración. Él no solo mira la apariencia externa; él no juzga como juzgan los humanos. Él no nos valora según nuestro rango, talento, educación o posición... Él vio que el fariseo estaba lleno de orgullo y justicia propia, y se registró bajo su nombre: "Pesado fuiste en balanza, y fuiste hallado falto"...

La Majestad del cielo se humilló a sí mismo al descender de la elevada autoridad, de la posición de uno igual a Dios, al lugar más humilde, al de un siervo... Su profesión fue la de un carpintero, y trabajó con sus manos para hacer su parte en el sostén de la familia... Su humildad no consistió en una apreciación pobre de su propio carácter y calificaciones, sino en humillarse a sí mismo hasta el nivel de la humanidad caída, para poder elevarla con él a una vida más sublime...

La persona más cercana a Dios, y la más honrada por él, es la que está menos pendiente de exaltar su yo y su justicia propia, la que menos depende y confía en sí misma, la que espera en el Señor con una fe humilde y confiada...

Comparados con la humildad y la sencillez, el orgullo y la exaltación personal son, básicamente, debilidad. Lo que hizo de nuestro Salvador un conquistador de corazones fue su gentileza, sus modales simples y sencillos...

Dios observa desde el cielo con placer a los que confían y creen, que dependen plenamente de él. A estos, él se deleita en darles cuando le piden. "Porque sacia al alma menesterosa, y llena de bien al alma hambrienta" (Sal. 107:9).— *Signs of the Times*, 21 de octubre de 1897.

1º

de mayo

Compare al pecador con el justo

Aunque ande en valle de sombra de muerte, no temeré mal alguno, porque tú estarás conmigo; tu vara y tu cayado me infundirán aliento. Salmo 23:4.

A menudo escuchamos que se describe la vida del cristiano como llena de pruebas, tristeza y pena, sin mucho motivo de alegría o alivio; y demasiado a menudo se da la impresión de que si rindieran su fe y sus esfuerzos por obtener la vida eterna, la escena cambiaría a una de placer y felicidad. Pero se me ha llevado a comparar la vida del pecador con la vida del justo. Los pecadores no tienen el deseo de agradar a Dios, por lo tanto no tienen el agradable sentido de su aprobación. No disfrutan su condición de pecado y placer mundanal sin problemas. Sienten profundamente los males de esta vida mortal. Por supuesto, a veces están temerosamente preocupados. Temen a Dios, pero no lo aman.

¿Están los pecadores libres del desánimo, la perplejidad, las pérdidas terrenales, la pobreza y el dolor? ¡Oh, no! En este sentido no están más seguros que los justos. A menudo sufren enfermedades persistentes, pero no tienen un brazo fuerte y poderoso sobre el cual apoyarse, ni la gracia fortalecedora de un poder superior que los sostenga. En su debilidad deben apoyarse en su propia fuerza. No pueden augurar con placer alguno la mañana de la resurrección, porque no tienen la esperanza gozosa que tendrán parte con los bendecidos. No obtienen consolación al mirar hacia el futuro. Una incertidumbre temerosa los atormenta, y así cierran los ojos en la muerte. Este es el final de la vida de vanos placeres de los pobres pecadores.

Los cristianos están sujetos a la enfermedad, el desánimo, la pobreza, el reproche y el dolor. Pero en medio de todo esto aman a Dios, y aman hacer su voluntad, y no valoran otra cosa por encima de su aprobación. En los conflictos, las pruebas y las cambiantes escenas de esta vida, saben que hay Uno que todo lo entiende; Uno que inclina su oído para escuchar el clamor de los que penan y sufren; Uno que puede simpatizar con toda pena y aliviar la angustia más aguda de cada corazón. Ha invitado a los afligidos a ir a él y encontrar reposo. En medio de todas sus aflicciones, los cristianos tienen un fuerte consuelo, y si sufren una enfermedad persistente y dolorosa antes de cerrar los ojos en la muerte, pueden con alegría soportarlo todo, porque mantienen comunión con su Redentor.— *Review and Herald*, 28 de abril de 1859.

2

de mayo

¿Qué gana el cristiano?

Mas buscad primeramente el reino de Dios y su justicia, y todas estas cosas os serán añadidas. Mateo 6:33.

Muchos dicen que la vida del cristiano nos priva del placer y el disfrute mundanal. Yo digo que no nos priva de nada que valga la pena. ¿Soporta el cristiano perplejidades, pobreza y dolor? Sí, es de esperarse esto en esta vida. Pero, ¿será que los pecadores que decimos que disfrutan del mundo se encuentran libres de estos males de la vida? ¿Acaso no los vemos a menudo con las mejillas pálidas y la tos incesante que indican una enfermedad fatal? ¿Acaso no padecen fiebre alta y enfermedades contagiosas? Cuán a menudo se los escucha quejarse de fuertes pérdidas de bienes materiales; y recuerde, este es su único tesoro. Lo pierden todo. Los problemas de los pecadores son ignorados.

Los cristianos se apresuran demasiado al pensar que ellos son los únicos con dificultades, y algunos creen que adoptar verdades impopulares y profesar ser seguidor de Cristo es rebajarse. El camino parece duro. Creen que tienen que hacer muchos sacrificios, cuando en verdad no hacen ningún sacrificio real. Si son adoptados en la familia de Dios, ¿qué sacrificios han hecho? Seguir a Cristo puede haber quebrantado amistades con familiares mundanos, pero observe qué han obtenido a cambio: sus nombres escritos en el libro de la vida del Cordero; elevados, sí, grandemente exaltados como partícipes de la salvación, herederos de Dios y coherederos con Jesucristo de una herencia imperecedera. Si el eslabón que los ata a familiares mundanos se debilita por causa de Cristo, se forma uno más fuerte, un eslabón que vincula la humanidad finita con un Dios infinito. ¿Diremos que esto es un sacrificio de nuestra parte porque hemos dejado el error por la verdad, las tinieblas por la luz, la debilidad por la fuerza, el pecado por la justicia y un nombre y herencia perecederos por honores duraderos y un tesoro inmortal?...

Si hay alguien que disfruta de felicidad incluso en esta vida, es el seguidor fiel de Jesucristo... Si los cristianos ponderan demasiado el camino escabroso, lo hacen más difícil de lo que es en realidad. Si ponderan los momentos brillantes en el camino y son agradecidos por cada rayo de luz, y entonces se concentran en la rica recompensa que los aguarda al final de la carrera, tendrán un rostro alegre en vez de sombras, penas y quejas.— *Review and Herald*, 28 de abril de 1859.

de mayo

Las bendiciones de la benevolencia

El alma generosa será prosperada; y el que saciare, él también será saciado. Proverbios 11:25.

En el plan de salvación, la sabiduría divina estableció la ley de la acción y de la reacción; de ello resulta que la obra de beneficencia, en todos sus ramos, es doblemente bendecida. El que ayuda a los menesterosos es una bendición para ellos y él mismo recibe una bendición mayor aún…

Para que el hombre no perdiese los preciosos frutos de la práctica de la beneficencia, nuestro Redentor concibió el plan de hacerle su colaborador… Por un encadenamiento de circunstancias que invitan a practicar la caridad, otorga al hombre los mejores medios para cultivar la benevolencia y observar la costumbre de dar, ya sea a los pobres o para el adelantamiento de la causa de Dios. Las apremiantes necesidades de un mundo arruinado nos obligan a emplear en su favor nuestros talentos, dinero e influencia, para hacer conocer la verdad a los hombres y mujeres que sin ella perecerían… Al dispensar a otros, los bendecimos; así es como atesoramos riquezas verdaderas…

La cruz de Cristo es un llamamiento a la generosidad de todo discípulo del Salvador. El principio que proclama es de dar, dar siempre. Su realización por medio de la benevolencia y las buenas obras es el verdadero fruto de la vida cristiana. El principio de la gente del mundo es ganar, ganar siempre; y así se imagina alcanzar la felicidad. Pero cuando este principio ha dado todos sus frutos, se ve que solo engendra la miseria y la muerte…

Cristo les asignó a los seres humanos la obra de esparcir el evangelio. Pero mientras algunos salen al campo a predicar, otros le obedecen sosteniendo su obra en la tierra por medio de sus ofrendas… Este es uno de los medios por los cuales Dios eleva al hombre. Es exactamente la obra que conviene a este, porque despierta en su corazón las simpatías más profundas y lo mueve a ejercitar las más altas facultades de la mente…

Dios ha establecido el sistema de la beneficencia para que el hombre pueda llegar a ser semejante a su Creador, de carácter generoso y desinteresado…

Los que creen en Cristo deben perpetuar su amor… Juntaos alrededor de la cruz del Calvario dominados por un espíritu de sacrificio personal y de completa abnegación… Al contemplar al Príncipe del cielo que muere en la cruz por vosotros, ¿podéis cerrar vuestro corazón, diciendo: “No, nada tengo para dar”? Dios os bendecirá si hacéis lo mejor que podéis.— *Review and Herald*, 3 de octubre de 1907; parcialmente en *Consejos sobre mayordomía cristiana*, pp. 15-18.

4
de mayo

¿Pide Dios demasiado?

No améis al mundo, ni las cosas que están en el mundo. 1 Juan 2:15.

Vemos belleza, atractivo y gloria en Jesús. Contemplamos en él encantos incomparables. Él era la Majestad del cielo. Él llenaba todo el cielo con esplendor. Los ángeles se postraban en adoración ante él y obedecían prontamente sus mandatos. Nuestro Salvador dejó todo. Depuso su gloria, su majestad y esplendor, y descendió a esta tierra y murió por una raza de rebeldes que eran transgresores de los mandamientos de su Padre. Cristo condescendió a humillarse para salvar a la raza caída; bebió la copa del sufrimiento y en su lugar nos ofrece la copa de la bendición. Sí, esa copa fue agotada por nosotros; y aunque muchos saben todo esto, igualmente escogen seguir en el pecado y la vanidad; y aun así Jesús los invita. Les dice: "El que quiera, venga y tome del agua de vida gratuitamente"...

Las verdades de la Palabra de Dios deben ser presentadas antes nosotros, y debemos aferrarnos a ellas. Si hacemos esto, tendrán una influencia santificadora sobre nuestra vida; nos equiparán para que podamos estar preparados para el reino de gloria; para que cuando concluya nuestro tiempo de gracia, podamos ver al Rey en su hermosura y morar en su presencia para siempre...

Dios requiere la fortaleza del ser entero. Requiere de usted una separación del mundo y las cosas del mundo. "No améis al mundo, ni las cosas que están en el mundo. Si alguno ama al mundo, el amor del Padre no está en él" (1 Juan 2:15). Se requiere la separación del amor al mundo, ¿y qué se le da en su lugar? "Seré para vosotros por Padre" (2 Cor. 6:18). ¿Debe separarse del afecto de sus amigos? ¿Requiere la verdad que usted permanezca solo en su posición para servir a Dios porque otros no están dispuestos a ceder a las demandas que Cristo les hace? ¿Requiere separarse de ellos sentimentalmente? Sí, y esta es la cruz que usted debe llevar, que lleva a muchos a decir "no puedo ceder a las exigencias de la verdad". Pero Cristo dice: El que ama a padre o madre, o hermano o hermana, más que a mí, no es digno de mí. El que quiera venir en pos de mí, tome su cruz y sígame (ver Mat. 10:37, 38). Aquí está la cruz de la negación y el sacrificio, la separación en los afectos de los que no cedan a las exigencias de la verdad. ¿Es este un sacrificio demasiado grande por Aquel que lo sacrificó todo por usted?— *Review and Herald*, 19 de abril de 1870.

de mayo

Los cristianos verdaderos son felices

Bendito el Señor; cada día nos colma de beneficios el Dios de nuestra salvación.
Salmo 68:19.

Los cristianos deberían ser los seres vivientes más alegres y felices. Pueden tener la conciencia de que Dios es su padre y su amigo eterno. Pero muchos cristianos profesos no representan correctamente la religión cristiana. Parecen melancólicos como si viviesen bajo una nube. Hablan frecuentemente de los grandes sacrificios que han hecho para llegar a ser cristianos. Exhortan a los que no han aceptado a Cristo, indicando, por su ejemplo y conversación, que deben renunciar a todo lo que hace agradable y gozosa la vida. Arrojan una sombra de tristeza sobre la bendita esperanza cristiana. Dan la impresión de que los requerimientos de Dios son una carga hasta para el alma dispuesta, y que debe sacrificarse todo lo que daría placer o deleitaría el gusto.

No vacilamos en decir que esta clase de cristianos profesos no conoce la religión genuina. Dios es amor. El que mora en Dios, mora en el amor. Los que ciertamente se han familiarizado por un conocimiento experimental con el amor y la tierna compasión de nuestro Padre celestial, impartirán gozo y luz dondequiera se encuentren. Su presencia y su influencia serán para sus relaciones como fragancia de flores delicadas, porque están en comunión con Dios y el cielo, y la pureza y la exaltada amabilidad del cielo se transmiten a través de ellos a todos los que están al alcance de su influencia. Esto los constituye en luz del mundo, en sal de la tierra.

¿De dónde obtiene el artista su modelo? De la naturaleza. Pero el gran Artista maestro ha pintado sobre la tela cambiante del cielo las glorias del sol poniente. Ha pintado los cielos de oro, plata y carmín como si estuviesen abiertos los portales de los altos cielos, para que veamos sus fulgores y nuestra imaginación conciba la gloria que hay en su interior…

Al ser atraídos por lo bello en la naturaleza y asociar las cosas que Dios creó para la felicidad de hombres y mujeres con su carácter, consideraremos a Dios como un Padre tierno y amante, en vez de un juez severo… Al contemplar a Dios en la naturaleza, el corazón se aviva y late con un amor nuevo y más profundo mezclado con asombro y reverencia.— *Review and Herald*, 25 de julio de 1871; parcialmente en *Mensajes para los jóvenes*, pp. 361, 364.

6

de mayo

La iglesia de Laodicea

Yo reprendo y castigo a todos los que amo; sé, pues, celoso, y arrepiéntete. Apocalipsis 3:19.

El mensaje a la iglesia de Laodicea es una denuncia sorprendente y se aplica al actual pueblo de Dios...

El Señor nos muestra aquí que el mensaje que deben dar a su pueblo los ministros que él ha llamado para que amonesten a la gente no es un mensaje de paz y seguridad... En el mensaje a los laodicenses, los hijos de Dios son representados en una posición de seguridad carnal. Están tranquilos, creyéndose en una exaltada condición de progreso espiritual...

El mensaje del Testigo Fiel encuentra al pueblo de Dios sumido en un triste engaño, aunque crea sinceramente dicho engaño. No sabe que su condición es deplorable a la vista de Dios. Aunque aquellos a quienes se dirige el mensaje del Testigo Fiel se lisonjean de que se encuentran en una exaltada condición espiritual, dicho mensaje quebranta su seguridad con la sorprendente denuncia de su verdadera condición de ceguera, pobreza y miseria espirituales...

La vida cristiana es una constante batalla y una marcha. No hay descanso de la lucha. Es mediante esfuerzos constantes e incesantes como nos mantenemos victoriosos sobre las tentaciones de Satanás... Somos plenamente sostenidos en nuestra posición por una abrumadora cantidad de claros testimonios bíblicos. Pero somos muy deficientes en humildad, paciencia, fe, amor, abnegación, vigilancia y espíritu de sacrificio según la Biblia. Necesitamos cultivar la santidad bíblica. El pecado prevalece entre el pueblo de Dios... Muchos se aferran a sus dudas y pecados predilectos, a la par que están tan engañados que hablan y sienten como si nada necesitasen...

Todos los soldados de la cruz de Cristo se obligan virtualmente a entrar en la cruzada contra el adversario de las almas, a condenar lo malo y sostener la justicia... La vida eterna es de valor infinito y nos costará todo lo que poseemos...

No es suficiente que los ministros presenten temas teóricos; deben también presentar los temas prácticos. Deben estudiar las lecciones prácticas que Cristo dio a sus discípulos, y hacer una detenida aplicación de las mismas a sus propias almas y a la gente. Porque Cristo da este testimonio de reprensión, ¿supondremos que le faltan sentimientos de tierno amor hacia su pueblo? ¡Oh, no!... "Yo reprendo y castigo a todos los que amo".— *Review and Herald*, 16 de septiembre de 1873.

de mayo

La creación

Y vio Dios todo lo que había hecho, y he aquí que era bueno en gran manera. Y fue la tarde y la mañana el día sexto. Génesis 1:31.

Adán y Eva salieron de las manos de su Creador en la perfección de cada facultad física, mental y espiritual. Dios plantó para ellos un jardín y los rodeó con todo lo hermoso y atrayente para el ojo, y con lo que requerían sus necesidades físicas. Esta pareja santa contemplaba un mundo de una hermosura y gloria sin par. Un Creador benévolo les había dado evidencias de su bondad y amor al proveerles frutas, vegetales y granos, y había hecho que de la tierra brotaran árboles de toda variedad para utilidad y belleza.

La pareja santa contemplaba la naturaleza como un cuadro de hermosura incomparable. La tierra parda estaba revestida con una alfombra de viviente verdor, diversificada con una variedad interminable de flores que se propagaban a sí mismas y se perpetuaban. Arbustos, flores y ondeantes enredaderas deleitaban a los sentidos con su belleza y fragancias. Las muchas variedades de elevados árboles estaban cargados de frutas de toda clase y delicioso sabor, adaptadas para complacer el gusto y los deseos de los felices Adán y Eva. Dios proveyó a nuestros primeros padres este hogar edénico, dándoles evidencias indiscutibles de su gran amor y solicitud por ellos.

Adán fue coronado como rey en el Edén. A él se le dio dominio sobre todo ser viviente que Dios había creado. El Señor bendijo a Adán y a Eva con inteligencia sin igual en la creación animal. Hizo a Adán el soberano legítimo sobre todas las obras de sus manos. Los seres humanos formados a la imagen divina podían contemplar y apreciar las gloriosas obras de Dios en la naturaleza...

La hermosura natural que los rodeaba como un espejo reflejaba la sabiduría, la excelencia y el amor de su Padre celestial. Y sus cantos de afecto y alabanza se elevaron dulce y reverentemente al cielo, armonizando con los cantos de los ángeles excelsos y con las felices aves que gorjeaban su música despreocupadamente. No había enfermedad, decadencia ni muerte. La vida se encontraba dondequiera se posaba la vista. La atmósfera estaba impregnada con vida. La vida estaba en cada hoja, en cada flor y en cada árbol.— *Review and Herald*, 24 de febrero de 1874.

de mayo

La opción de escoger

Mas del árbol de la ciencia del bien y del mal no comerás; porque el día que de él comieres, ciertamente morirás. Génesis 2:17.

El Señor sabía que Adán y Eva no podían ser felices sin trabajar; por lo tanto les dio la placentera ocupación de cultivar el jardín. Y al cuidar las obras de belleza y utilidad que los rodeaban, podían contemplar la bondad y la gloria de Dios en su creación. Adán y Eva tenían temas de contemplación en las obras de Dios en el Edén, que era el cielo en miniatura. Dios no los creó meramente para que contemplaran su gloriosa obra; por lo tanto, les dio las manos para el trabajo, así como mentes y corazones para la contemplación. Si la felicidad de sus criaturas hubiera consistido en no hacer nada, el Creador no les habría asignado un trabajo. En el trabajo, Adán y Eva habrían de encontrar tanto felicidad como meditación. Podrían reflexionar en el hecho de que habían sido creados a la imagen de Dios, para ser como él en justicia y santidad. Sus mentes eran aptas para un cultivo continuo, expansión, refinamiento y noble elevación, pues Dios era su Maestro y los ángeles sus compañeros.

El Señor colocó a Adán y Eva a prueba, para que pudieran formar caracteres de integridad firme para su propia felicidad y para la gloria de su Creador. Él había dotado a la santa pareja con facultades mentales superiores a las de cualquier otra criatura viviente hecha por él. Su poder mental era poco menor que el de los ángeles. Podían familiarizarse con lo sublime y glorioso de la naturaleza, y percibir el carácter de su Padre celestial en sus obras creadas. Todo lo que sus ojos veían en la inmensidad de las obras de su Padre, provisto con una mano generosa, testificaba de su amor y su poder infinito…

La primera gran lección moral dada a Adán fue la de la abnegación. Las riendas del dominio propio fueron colocadas en sus manos. Su criterio, razón y conciencia habrían de guiarlos… A Adán y a Eva se les permitió participar de cada árbol del huerto, con excepción de uno. Había una sola prohibición. El árbol prohibido era tan atrayente y hermoso como cualquiera de los árboles del huerto. Se lo llamó el árbol del conocimiento, porque al participar de ese árbol, del cual Dios había dicho "no comerás", tendrían un conocimiento del pecado y experimentarían la desobediencia.— *Review and Herald*, 24 de febrero de 1874; parcialmente en *A fin de conocerle*, p. 15, 16.

La caída

Pero del fruto del árbol que está en medio del huerto dijo Dios:
No comeréis de él, ni le tocaréis, para que no muráis. Génesis 3:3.

Eva se alejó del lado de su marido para ver las cosas hermosas de la naturaleza en la creación de Dios, deleitando sus sentidos con los colores y la fragancia de las flores y la belleza de los árboles y arbustos. Pensaba en las restricciones que Dios le había hecho respecto del árbol del conocimiento. Se complacía con las bellezas y riquezas que el Señor había provisto para la gratificación de todo deseo. Todas ellas, dijo, Dios nos ha dado para disfrutarlas…

Eva se había acercado al árbol prohibido, y su curiosidad se despertó por conocer cómo es que la muerte podría ocultarse en el fruto de este hermoso árbol. Se sorprendió al escuchar cómo sus preguntas fueron tomadas y repetidas por una voz extraña. "¿Conque Dios os ha dicho, no comáis de todo árbol del huerto?" (Gén. 3:1). Eva no advertía que ella había revelado sus pensamientos al conversar consigo misma en voz alta; por lo tanto quedó maravillada al escuchar que una serpiente repetía sus preguntas. En verdad pensó que la serpiente conocía sus pensamientos y que era muy inteligente. Le respondió: "Del fruto de los árboles del huerto podemos comer; pero del fruto del árbol que está en medio del huerto dijo Dios: No comeréis de él, ni le tocaréis, para que no muráis. Entonces la serpiente dijo a la mujer: No moriréis; sino que sabe Dios que el día que comáis de él, serán abiertos vuestros ojos, y seréis como Dios, sabiendo el bien y el mal" (vers. 2-5)…

Eva le había agregado algo a las palabras de la orden de Dios. Él les había dicho a Adán y Eva: "De todo árbol del huerto podrás comer; mas del árbol de la ciencia del bien y del mal no comerás; porque el día que de él comieres, ciertamente morirás" (Gén. 2:16, 17). En la discusión de Eva con la serpiente, Eva añadió la frase: "*Ni le tocaréis*, para que no muráis"… Esta declaración de Eva le dio una ventaja a la serpiente, y esta arrancó la fruta y la puso en la mano de ella, y empleó sus mismas palabras: "Si la tocas, morirás. Pero ves que no te ha pasado nada por tocarla, ni tampoco te perjudicará comerla"… Ella comió el fruto y no le hizo daño inmediato. Entonces tomó de la fruta para ella y su marido…

Adán y Eva debieron haber quedado perfectamente satisfechos con el conocimiento de Dios en sus obras creadas, y por la instrucción de los ángeles santos… Ignorar el pecado era para su felicidad.— *Review and Herald*, 24 de febrero de 1874.

Se promete un Redentor

Y pondré enemistad entre ti y la mujer, y entre tu simiente y la simiente suya; esta te herirá en la cabeza, y tú le herirás en el calcañar. Génesis 3:15.

Adán y Eva debieron haber quedado perfectamente satisfechos con el conocimiento de Dios en sus obras creadas, y por la instrucción de los ángeles santos... El elevado estado de conocimiento que pensaban alcanzar al comer de la fruta prohibida los hundió en la degradación del pecado y la culpa.

Los ángeles que habían sido encargados de cuidar de Adán y Eva en su hogar del Edén antes de su transgresión y expulsión del paraíso ahora fueron encargados de guardar las puertas del paraíso y el camino al árbol de la vida, no fuera que regresaran y obtuvieran acceso al árbol de la vida y el pecado fuera inmortalizado.

El pecado sacó a Adán y a Eva del paraíso. Y el pecado fue la causa de que el paraíso fuera quitado de la tierra. Como consecuencia de la transgresión de la ley de Dios, perdieron el paraíso. Obedeciendo la ley del Padre y mediante la fe en la sangre expiatoria de su Hijo, el paraíso puede ser recuperado...

Satanás les alardeó a Cristo y a los ángeles leales que había obtenido el éxito al convencer a una porción de los ángeles a que se unieran a él en su atrevida rebelión. Y ahora que había triunfado en vencer a Adán y Eva, declaró que el hogar en Edén era suyo. Con orgullo alardeó que el mundo que Dios había hecho era su dominio. Al conquistar a Adán, el monarca del mundo, había ganado la raza como sus súbditos, y ahora debía poseer el Edén y hacerlo su sede. Allí establecería su trono como monarca del mundo.

Pero se tomaron medidas inmediatamente en el cielo para vencer a Satanás. Ángeles fuertes, con rayos de luz semejantes a espadas flamígeras que se movían en toda dirección, fueron colocados como centinelas para guardar el camino del árbol de la vida de la llegada de Satanás y la pareja culpable...

Se tuvo un concilio en el cielo, que resultó en la decisión del amado Hijo de Dios de redimir a la raza humana de la maldición y la desgracia del fracaso de Adán, y vencer a Satanás. ¡Oh, qué maravillosa condescendencia! La majestad del cielo, por amor y compasión hacia la humanidad caída, propuso convertirse en su sustituto y garante.— *Review and Herald*, 24 de febrero de 1874.

de mayo

El espejo de Dios

Por medio de la ley es el conocimiento del pecado. Romanos 3:20.

La ley de Dios es el espejo que le muestra al hombre los defectos de su carácter. Pero a los que se complacen en la injusticia no les es agradable ver su deformidad moral. No aprecian a este fiel espejo porque les revela sus pecados; por lo tanto, en vez de entrar en guerra contra sus mentes carnales, combaten contra el espejo verdadero y fiel que les dio Jehová precisamente con el propósito de que no sean engañados, sino para que se les revelen sus defectos de carácter.

El descubrimiento de estos defectos, ¿debiera inducirlos a odiar el espejo o a odiarse a sí mismos? ¿Debieran rechazar el espejo que descubre sus defectos? No. Los pecados en los que se complacen, que el fiel espejo les muestra que existen en su carácter, cerrarán ante ellos los portales del cielo a menos que sean desechados y lleguen a ser perfectos ante Dios.

Escuche las palabras del fiel apóstol: "Por medio de la ley es el conocimiento del pecado" (Rom. 3:20). Estas personas que son celosas para abolir la ley harían mucho mejor si manifestaran su celo para abolir sus pecados…

El Señor hizo recta a la humanidad, pero hemos caído y nos hemos degradado porque nos negamos a rendir obediencia a las sagradas demandas que la ley de Dios requiere de nosotros. Todas nuestras pasiones, si se las controla apropiadamente y se las dirige correctamente, contribuirán a nuestra salud física y moral y nos asegurarán una gran medida de felicidad. El adúltero, el fornicador y el descuidado no disfrutan la vida. No puede haber un verdadero gozo para el transgresor de la ley de Dios. El Señor sabía esto; por lo tanto nos restringe. Él nos dirige, nos ordena y directamente nos prohíbe…

El pecado no parece tan pecaminoso a menos que se lo vea en el espejo fidedigno que Dios nos ha dado como una prueba de carácter. Cuando los hombres y las mujeres reconocen las exigencias de la ley de Dios y plantan sus pies sobre la plataforma de la verdad eterna, estarán donde el Señor les puede dar poder moral para dejar que su luz brille delante de los hombres, de manera que vean sus buenas obras y glorifiquen a nuestro Padre que está en el cielo.

Su camino estará marcado por la consistencia. No recibirán justamente la acusación de hipocresía y sensualismo. Pueden predicar a Cristo con poder, siendo imbuidos de su Espíritu. Pueden pronunciar verdades que derretirán y quemarán el camino al corazón de la gente.— *Review and Herald*, 8 de marzo de 1870; parcialmente en *Comentario bíblico adventista*, tomo 6, pp. 1076, 1077.

12

de mayo

¡Alabado sea Dios!

Y todo el pueblo respondió: ¡Amén! ¡Amén! alzando sus manos. Nehemías 8:6.

Dios dice por medio del Salmista: "El que sacrifica alabanza me honrará" (Sal. 50:23). La adoración a Dios consiste mayormente de alabanza y oración. Todo seguidor de Cristo debiera ocuparse en esta adoración. Nadie puede cantar en lugar de otro, dar testimonio en lugar de otro, u orar en lugar de otro. En general, se dan demasiados testimonios oscuros en el servicio social [reunión de oración], con más sabor a murmuración que a gratitud y alabanza.

Cuando la Palabra de Dios fue hablada a los hebreos en la antigüedad, el Señor le dijo a Moisés… "Y el pueblo diga amén" (Sal. 106:48). Esta respuesta, en el fervor de su alma, fue requerida como evidencia de que entendían la palabra hablada y les interesaba.

Cuando se trajo el arca de Dios a la ciudad de David y se cantó un salmo de gozo y triunfo, todo el pueblo dijo: Amén. Y David sintió que había sido plenamente recompensado por sus labores y ansiedad…

Hay demasiado formalismo en la iglesia… Debiéramos estar tan conectados con la Fuente de toda luz que seamos canales de luz para el mundo. El Señor desea que sus ministros que predican la Palabra sean llenos de su Santo Espíritu. Y el pueblo que escucha no debiera permanecer con una indiferencia adormecida o con mirada vacía, sin reaccionar a lo que se dice. El espíritu del mundo ha paralizado la espiritualidad de los tales, y no están despiertos ante el precioso tema de la redención. La verdad de la Palabra de Dios es hablada a oídos de plomo y corazones duros, no impresionables… Estos individuos aburridos, descuidados, muestran ambición y celo cuando se ocupan de los negocios del mundo, pero los asuntos de importancia eterna no llenan su mente ni les interesan tanto como las cosas mundanales…

Los cristianos fructíferos estarán conectados con Dios y serán inteligentes en los asuntos de Dios. Su meditación se centrará en la verdad y el amor de Dios. Se han deleitado con las palabras de vida, y cuando las escuchan habladas desde el púlpito, pueden decir, como los dos discípulos que viajaban hacia Emaús cuando Cristo les explicó las profecías en referencia a sí mismo: "¿No ardía nuestro corazón en nosotros, mientras nos hablaba en el camino, y cuando nos abría las Escrituras?" (Luc. 24:32).

Todos los que están conectados con la luz dejarán que su luz brille ante el mundo, y en sus testimonios alabarán a Dios, hacia el cual fluirán sus corazones en gratitud".— *Review and Herald*, 1 de enero de 1880.

13
de mayo

Un nuevo canto

Y cantaban un nuevo cántico, diciendo: Digno eres... porque tú fuiste inmolado, y con tu sangre nos has redimido para Dios, de todo linaje y lengua y pueblo y nación; y nos has hecho para nuestro Dios reyes y sacerdotes, y reinaremos sobre la tierra.
Apocalipsis 5:9, 10.

Dios ha puesto su confianza en nosotros al hacernos mayordomos de recursos y de su rica gracia; y ahora nos señala a los pobres y los sufrientes y los oprimidos, a las almas presas en cadenas de superstición y error y nos asegura que si les hacemos bien, él aceptará la obra como si se la hubiéramos hecho a él mismo. "En cuanto lo hicisteis a uno de estos mis hermanos más pequeños", declara él, "a mí lo hicisteis" (Mat. 25:40).

Los pobres no están excluidos del privilegio de dar. Ellos, tanto como los ricos, pueden tener una parte en esta obra. La lección que Cristo dio acerca de las dos blancas de la viuda muestra que la más pequeña ofrenda voluntaria de los pobres, si proviene de un corazón de amor, es tan aceptable como las mayores donaciones de los ricos...

Cada mayordomo sabio de los bienes confiados a él, entrará en el gozo de su Señor. ¿Qué es este gozo? "Así os digo que hay gozo delante de los ángeles de Dios por un pecador que se arrepiente" (Luc. 15:10). Habrá una bendita alabanza, una santa bendición, para los fieles ganadores de almas. Se unirán a los que se regocijan en el cielo, que dan la bienvenida a la cosecha cuando esta entra al hogar. Cuán grande será el gozo cuando los redimidos del Señor se reúnan en las mansiones preparadas para ellos. ¡Oh, qué gozo para todos los que hayan sido obreros imparciales y abnegados juntamente con Dios en la tarea de promover su obra aquí en la tierra! Qué satisfacción tendrá cada segador cuando la voz clara y musical de Jesús diga: "Venid, benditos de mi Padre, heredad el reino preparado para vosotros desde la fundación del mundo" (Mat. 25:34)...

Con corazones gozosos, los que han sido colaboradores con Dios ven el trabajo de su alma en favor de los pecadores destinados a perecer y morir... La abnegación que practicaron a fin de sostener la obra ya no es más recordada. Cuando contemplan las almas que procuraron ganar para Jesús, y las ven salvadas, salvadas eternamente como monumentos a la misericordia de Dios y al amor del Redentor, hacen resonar en las bóvedas celestes exclamaciones de alabanza y agradecimiento.— *Review and Herald*, 10 de octubre de 1907.

14
de mayo

Poco tiempo

¡Ay de los moradores de la tierra...! porque el diablo ha descendido a vosotros con gran ira, sabiendo que tiene poco tiempo. Apocalipsis 12:12.

Jesucristo es el único refugio en estos tiempos peligrosos. Satanás obra en secreto y oscuridad. Astutamente aparta a los seguidores de Cristo de la cruz y los conduce a la autoindulgencia y la maldad.

Satanás se opone a todo lo que fortalecerá la causa de Cristo y debilitará su propio poder... Él nunca descansa por un instante cuando ve que el bien está ganando ascendencia. Tiene legiones de ángeles malvados que envía a todo lugar donde la luz del cielo está brillando sobre el pueblo. Allí estaciona sus guardias para atrapar a cada hombre, mujer o niño descuidado, y pasarlos a su servicio...

Dios desea que su obra se haga inteligentemente, no de una manera descuidada. Desea que se realice con fe y exactitud cuidadosa, para que él pueda colocar su sello de aprobación sobre ella. Quienes lo aman y caminan con temor y humildad ante él, los bendecirá y guiará y conectará con el cielo. Si los obreros dependen de él, les dará sabiduría y corregirá sus flaquezas, para que sean capaces de hacer la obra del Señor con perfección.

Nuestras buenas obras por sí solas no salvarán a ninguno, pero no podemos ser salvos sin buenas obras. Y después de haber hecho todo lo que podemos hacer, en el nombre y la fuerza de Jesús hemos de decir: “Somos siervos inútiles”. No hemos de pensar que hemos hecho grandes sacrificios y debemos recibir grandes recompensas por nuestros débiles servicios.

Debemos colocarnos la armadura y estar preparados para resistir exitosamente todos los ataques de Satanás. Su malignidad y cruel poder no se estiman suficientemente. Cuando se ve frustrado en algo, adopta nuevas tácticas, e intenta de nuevo, obrando maravillas para engañar y destruir a la humanidad...

Cristo lo pide todo. Retener algo no funciona. Él nos ha comprado con un precio infinito, y requiere que le rindamos todo lo que tenemos en ofrenda gustosa. Si estamos plenamente consagrados a él en corazón y vida, la fe tomará el lugar de las dudas, y la confianza el lugar de la desconfianza y la incredulidad.— *Signs of the Times*, 20 de abril de 1876.

de mayo

Venid y apartaos

Salid de en medio de ellos, y apartaos, dice el Señor, y no toquéis lo inmundo; y yo os recibiré. 2 Corintios 6:17.

Aquí hay una promesa para nosotros condicionada por la obediencia. Si salimos del mundo y nos apartamos, y no tocamos lo inmundo, él nos recibirá. He aquí las condiciones de nuestra aceptación de parte de Dios. Nosotros tenemos algo que hacer. He aquí una labor para nosotros. Hemos de mostrar nuestra separación del mundo. La amistad con el mundo es enemistad con Dios. Para nosotros es imposible ser amigos del mundo y estar, no obstante, en unión con Cristo. Pero, ¿qué significa ser amigos del mundo? Es estrechar manos con ellos, disfrutar lo que ellos disfrutan, amar lo que ellos aman, buscar el placer, buscar la gratificación, seguir nuestras propias inclinaciones. Al seguir inclinaciones, no colocamos nuestros afectos en Dios; nos estamos amando y sirviendo a nosotros mismos. Pero hay una gran promesa: "Salid de en medio de ellos, y apartaos". ¿Apartados de qué? De las inclinaciones del mundo, sus gustos, sus hábitos; las modas, el orgullo y las costumbres del mundo... Al tomar esta decisión, al mostrar que no estamos en armonía con el mundo, la promesa de Dios es nuestra. Él no dice que quizá nos reciba, sino "os recibiré". Es una promesa positiva.

Ustedes tienen la certeza de que serán aceptados por Dios. Entonces, al separarse del mundo se conectan con Dios; se convierten en miembros de la familia real. Llegan a ser hijos e hijas del Altísimo; son hijos del Rey celestial, adoptados en su familia, y tienen un apoyo desde arriba, unidos con el Dios infinito cuyo brazo mueve el mundo.

¡Qué exaltado privilegio es ser favorecidos de esta manera, honrados así por Dios, ser llamados hijos e hijas del Señor Todopoderoso! Es incomprensible, pero aun así, con todas estas promesas y palabras de ánimo, hay muchos que dudan y vacilan. Están en una posición indecisa. Parecen pensar que si se hacen cristianos, habrá una montaña de responsabilidades en términos de deberes religiosos y obligaciones cristianas. Una montaña de responsabilidades, una vida entera de velar, de batallar contra sus propias inclinaciones, con su propia voluntad, con sus propios deseos, con sus propios placeres; y al ver esto, les parece una imposibilidad dar el paso, decidir que serán hijos de Dios, siervos del Altísimo.— *Signs of the Times*, 31 de enero de 1878.

16

de mayo

Un día a la vez

Para que andéis como es digno del Señor, agradándole en todo, llevando fruto en toda buena obra, y creciendo en el conocimiento de Dios. Colosenses 1:10.

Recuerdo un incidente que leí una vez acerca de un anciano que había quedado maltratado por el trabajo duro, pero estaba buscando algún empleo para obtener medios. Un noble que necesitaba que le cortaran cien fardos de leña se enteró del deseo del anciano. Le dijo que si le cortaba la leña, le daría cien dólares por el trabajo. Pero el anciano respondió que no podría. Era un anciano, y no era capaz de emprender tal trabajo. "Pues bien —dijo el noble hacendado— hagamos un trato diferente. ¿Puede cortar un fardo de leña hoy? Si lo hace, le daré un dólar". Se hizo el trato, y el anciano cortó el fardo de leña ese día. "Entonces —dijo el noble—, puede cortar otro fardo mañana", y así fue sucesivamente, hasta que todo el trabajo fue completado. En cien días se completó el trabajo, y el obrero tenía tan buena salud como cuando comenzó el trabajo. Pudo hacer un fardo a la vez, pero cuando se le presentó todo el trabajo, su cumplimiento le pareció imposible.

Esto representa bien los casos de muchos que están indecisos. Tienen el deseo de ser cristianos, pero las responsabilidades de una vida cristiana parecen tan grandes que temen que serán un fracaso, [y] están casi seguros que nunca alcanzarán el objetivo si lo intentan. Pero cuando se considera que a ellos no les compete asegurar el final del camino del cristiano, no se requiere de ellos que lo comprendan y lo cumplan todo a la vez; solo se nos presenta un día a la vez con sus cargas y responsabilidades.

Sí, queridos amigos, queridos jóvenes, el mañana no es suyo. Han de cumplir los deberes de hoy. Si ustedes deciden estar de parte del Señor, y salen del mundo y se apartan, y escogen ser hijos e hijas del Altísimo; si deciden dejar las filas del enemigo, el servicio del pecado y Satanás, resuelvan hacer siempre lo correcto. Aférrense a los deberes de hoy, advirtiendo que el Señor tiene derechos sobre ustedes, que son responsables ante su Creador; estos deberes deben atenderse únicamente un día a la vez. Con el poder de Dios, aférrense, creyendo que pueden vencer por ese día.— *Signs of the Times*, 31 de enero de 1878.

Salid de entre ellos

Y seré para vosotros por Padre, y vosotros me seréis hijos e hijas, dice el Señor Todopoderoso. 2 Corintios 6:18.

Hay solo dos caminos; uno conduce al cielo, el otro a la muerte y el infierno. Cada uno tiene una obra por hacer. Cada uno de nosotros que tiene facultades de razonamiento reconoce que hay un Dios… Deseamos un brazo sobre el cual apoyarnos, que nos sostenga en las horas de aflicción. Deseamos tal brazo en el que podamos confiar cuando la tierra se estremezca de allá para acá y sea removida como una casita de campo. En ese momento queremos saber que Dios es nuestro Padre, que nuestra vida está oculta con Cristo en Dios. Cada uno de nosotros necesita esta certeza. Los estudiantes de nuestra escuela necesitan esta certeza. Algunos pronto regresarán a sus casas. ¿Cuántos de ellos han llegado a esta escuela sin una esperanza en Cristo? ¿Cuántos le han dado su corazón a él desde que asisten a nuestro colegio? ¿Cuántos todavía están indecisos, a veces inclinados a estar totalmente del lado del Señor, y luego se retiran nuevamente por las mismas razones que he mencionado, las responsabilidades y deberes que pesan sobre el cristiano? Estos parecen tan grandes que ellos vacilan y se mantienen indecisos…

¿Cuál es la duración de su vida? ¿Quiénes de ustedes tienen la seguridad de que vivirán hasta el próximo año escolar? ¿Cuántos tienen alguna certeza respecto de su vida? Aun si tuvieran una vida por delante, si supieran que vivirán setenta años, ¿qué representa ese corto tiempo de vida?… ¿Requiere tiempo Dios de ustedes algo que les convenga retener por interés o por felicidad? Oh, no…

¿Siente alguno que está haciendo un sacrificio para ser adoptado en la familia del Rey de reyes, el Señor que reina en los cielos? ¿Acaso no sabe que la más elevada exaltación es convertirse en hijos de Dios, “hijos e hijas del Señor Todopoderoso”?

Desde que tenía once años de edad he estado al servicio de este Rey celestial. Puedo hablar por experiencia. Él no me ha pedido que le dé algo que me conviniera retener. Precioso Jesús; precioso Salvador; lo amo y amo servirle.— *Signs of the Times*, 31 de enero de 1878.

[Después de este discurso, numerosas personas se adelantaron para orar. El interés persistió hasta el campestre, donde se bautizaron más de 130 personas, muchas de las cuales eran estudiantes del Colegio de Battle Creek.]

18

de mayo

Los dos caminos

Entrad por la puerta estrecha; porque ancha es la puerta, y espacioso el camino que lleva a la perdición, y muchos son los que entran por ella; porque estrecha es la puerta, y angosto el camino que lleva a la vida, y pocos son los que la hallan. Mateo 7:13, 14.

Estos caminos son distintos, están separados y van en direcciones opuestas. Uno conduce a la vida eterna y el otro a la muerte. Vi la distinción entre ambos caminos y también la distinción entre quienes andaban por ellos. Los caminos eran totalmente opuestos. Uno era ancho y llano; el otro áspero y estrecho. Así, quienes por ellos iban eran opuestos en carácter, conducta, porte y conversación.

Los que van por el camino estrecho hablan de la alegría y la felicidad que les aguardan al fin de la jornada. Su aspecto es a menudo triste, pero a veces brilla con sagrado y santo gozo... Un "varón de dolores, experimentado en quebranto", les abrió el camino y por él anduvo. Sus seguidores ven sus huellas y al verlas se consuelan y animan. Él llegó a salvo al destino, y también ellos podrán llegar a salvo si siguen sus huellas.

En el camino ancho, todos piensan en sí mismos, en su ropa y en los placeres del camino. Se entregan libremente a la hilaridad y algazara, sin pensar en el término de la jornada, donde les aguarda segura destrucción. Cada día se acercan más a su nefasta suerte; sin embargo, se apresuran locamente, cada vez con más rapidez.

¿Por qué es tan difícil vivir una vida abnegada, humilde? Porque los cristianos profesos no están muertos al mundo. Es más fácil vivir para Cristo después de estar muertos al mundo. Desean ser tan parecidos al mundo como les sea posible, a la vez que se los considera cristianos. Los tales buscan subir de otro modo... La tierra los atrae. Sus tesoros les parecen valiosos. Encuentran lo suficiente para ocupar la mente, y no tienen tiempo para prepararse para el cielo...

Tanto los jóvenes como los viejos descuidan el estudio de la Biblia y no lo convierten en su regla de vida. Ese libro importante por el cual han de ser juzgados casi no se lo estudia del todo. Se leen atentamente historias vanas, en tanto que la Biblia es pasada por alto, descuidada. Vendrá un día cuando todos querrán estar cuidadosamente equipados por las sencillas verdades de la Palabra de Dios...

Cuando las verdades de la Biblia afectan el corazón, causan un deseo de separarse del mundo, de ser como el Maestro. Los que se familiarizan con el manso y humilde Jesús, caminarán de una manera digna de él.— *Signs of the Times*, 1 de abril de 1880.

La luz del mundo

Porque en otro tiempo erais tinieblas, mas ahora sois luz en el Señor; andad como hijos de luz. Efesios 5:8.

Cristo dijo a sus discípulos: "Vosotros sois la luz del mundo" (Mat. 5:14). Así como el sol sale en el cielo para llenar el mundo de luz, los seguidores de Jesús derraman la luz de la verdad sobre los que están tanteando en las tinieblas del error y la superstición. Pero los seguidores de Cristo no tienen luz por sí mismos. Es la luz del cielo que cae sobre ellos la que ha de ser reflejada por ellos hacia el mundo...

La luz de la vida es ofrecida gratuitamente a todos. Cada uno que lo desea, puede ser guiado por los brillantes rayos del Sol de Justicia. Cristo es el gran remedio para el pecado. Nadie puede alegar sus circunstancias, su educación o su temperamento como una excusa para vivir en rebelión contra Dios. Los pecadores lo son por su propia elección deliberada. Nuestro Salvador dijo: "Y esta es la condenación: que la luz vino al mundo, y los hombres amaron más las tinieblas que la luz, porque sus obras eran malas. Porque todo aquel que hace lo malo, aborrece la luz y no viene a la luz, para que sus obras no sean reprendidas" (Juan 3:19, 20)...

Cuando se presentan las demandas de Dios, los que aman el pecado demuestran su verdadero carácter por la satisfacción con la que señalan las faltas y los errores de cristianos profesos. Son movidos por el mismo espíritu que su maestro, Satanás, quien la Biblia declara que es "el acusador de los hermanos" (Apoc. 12:10). ¡Permítase que comience un informe malvado, y se verá cuán rápidamente se lo exagera y se lo pasa de boca en boca! ¡Cuántos se sacian con él, como buitres sobre un montón de basura!....

El verdadero cristiano, el que practica la verdad, viene a la luz, "para que sea manifiesto que sus obras son hechas en Dios" (Juan 3:21). Su vida pía y su conversación santa son un testimonio diario contra el pecado y los pecadores. Él es un representante vivo de la verdad que profesa. Acerca de estos seguidores de corazón genuino, Jesús declara que él no se avergüenza de llamarlos hermanos. Todo aquel que herede finalmente la vida eterna manifestará aquí celo y devoción en el servicio de Dios... Conocer su deber es cumplirlo animosamente y sin temor. Siguen la luz según esta alumbra en su camino, sin importar las consecuencias. El Dios de verdad está de su parte y nunca los abandonará.— *Signs of the Times*, 9 de mayo de 1882.

La verdadera temperancia es vivir una vida equilibrada

¿No sabéis que sois templo de Dios, y que el Espíritu de Dios mora en vosotros?
1 Corintios 3:16.

Aquí se nos da únicamente una oportunidad de vida; y la pregunta de todos debiera ser: "¿Cómo puedo invertir mi vida de manera que produzca la mayor ganancia?" La vida es valiosa solo cuando la mejoramos para el beneficio de nuestros congéneres y para la gloria de Dios. El cultivo cuidadoso de las habilidades con las que el Señor nos ha dotado, nos calificará para una utilidad más elevada aquí y una vida superior en el mundo venidero.

El tiempo que se dedica al cultivo y la preservación de una buena salud física y mental es [tiempo] bien invertido. No podemos darnos el lujo de atrofiar o invalidar una sola función de la mente o el cuerpo por el exceso de trabajo o el abuso de parte alguna de la maquinaria viviente. Tan ciertamente como hagamos tal cosa, sufriremos las consecuencias. Nuestro primer deber para con Dios y nuestros seres semejantes es el del desarrollo propio. Cada facultad con las que nos ha dotado el Creador debe ser cultivada hasta el nivel más elevado de perfección, de modo que podamos hacer la mayor cantidad de bien del que somos capaces. Para purificar y refinar nuestro carácter, necesitamos la gracia que nos ha sido dada por Cristo, que nos permitirá ver y corregir nuestras deficiencias y mejorar aquello que es excelente. Esta obra, lograda por nosotros mismos en el poder y el nombre de Jesús, será de mayor beneficio para nuestros congéneres que cualquier sermón que podamos predicarles. El ejemplo de una vida bien equilibrada y ordenada es de valor inestimable.

La intemperancia se encuentra en la base de la mayor porción de los males de la vida… No hablamos de intemperancia limitada únicamente al uso de licores embriagantes; tiene un significado más amplio, incluyendo la indulgencia dañina de cualquier apetito o pasión… Si los apetitos y pasiones estuvieran bajo el control de la razón santificada, la sociedad presentaría un aspecto ampliamente diferente. Muchas cosas que generalmente son convertidas en artículos comestibles no son aptas como alimento; el gusto por ellas no es natural, lo hemos adquirido. El alimento estimulante crea un deseo por estimulantes aún más fuertes.

Los alimentos indigeribles trastornan todo el sistema, y resultan en deseos no naturales y un apetito no común… La verdadera temperancia nos enseña a abstenernos completamente de aquello que es perjudicial y a usar juiciosamente solo aquellos artículos de la alimentación que son saludables y nutritivos.— *Signs of the Times*, 20 de abril de 1882.

de mayo

El trabajo es una bendición

He aquí que esta fue la maldad de Sodoma tu hermana: soberbia, saciedad de pan, y abundancia de ociosidad. Ezequiel 16:49.

Dios le dio el trabajo al hombre como bendición, para ocupar su mente, fortalecer su cuerpo y desarrollar sus facultades. Adán trabajaba en el jardín del Edén y encontró el placer más elevado de su santa existencia en la actividad física y mental. Cuando fue echado de su hermoso hogar como resultado de su desobediencia y fue obligado a luchar con un suelo rebelde para ganar su pan cotidiano, ese mismo trabajo fue un consuelo para su alma entristecida, una salvaguardia contra la tentación.

El trabajo razonable es indispensable tanto para la felicidad como para la prosperidad de nuestra raza. Fortalece al débil, vuelve valiente al tímido, rico al pobre y feliz al desdichado. Nuestras diversas tareas están en proporción directa con nuestras diferentes capacidades, y Dios espera los réditos correspondientes de los talentos que les ha concedido a sus siervos. No es la grandeza de los talentos que se poseen lo que determina la recompensa, sino el modo como se los usa; el grado de lealtad que se aplica en el desempeño de los deberes de la vida, sean grandes o pequeños.

La ociosidad es una de las más grandes maldiciones que pueden recaer sobre el hombre, porque el vicio y el crimen siguen en su estela. Satanás está al acecho, listo para sorprender y destruir a los que no están en guardia, cuya ociosidad le da la oportunidad de insinuárselas bajo algún disfraz atractivo. Nunca tiene más éxito que cuando se acerca al hombre en sus momentos de ocio...

Los ricos a menudo se consideran merecedores de la preeminencia entre sus congéneres y en el favor de Dios. Muchos se sienten exentos del trabajo manual honesto y miran con desprecio a sus vecinos más pobres. A los hijos de los ricos se les enseña que para ser caballeros y damas deben vestirse a la moda, evitar todo trabajo útil y evitar asociarse con las clases obreras...

Tales ideas están completamente en desacuerdo con el propósito divino en la creación de la humanidad...

El Hijo de Dios honró el trabajo. Aunque era la Majestad del cielo, escogió su hogar terrenal entre los pobres y los humildes, y trabajó por su pan de cada día en el humilde taller de carpintería de José... El camino del trabajador cristiano puede ser duro y estrecho, pero es honrado por las huellas del Redentor, y los que siguen en tal camino sagrado están seguros.— *Signs of the Times*, 4 de mayo de 1882; parcialmente en *Cada día con Dios*, p. 133.

Los ojos del Señor están sobre ti

Los ojos de Jehová están sobre los justos, y atentos sus oídos al clamor de ellos.
Salmo 34:15.

Muchos abrigan la impresión de que la devoción a Dios va en detrimento de la salud. Aunque esta conclusión es radicalmente falsa, no carece de un fundamento aparente. Muchos profesos cristianos caminan bajo una nube. Parecería que piensan que es una virtud quejarse de la depresión de espíritu, de grandes pruebas y de severos conflictos.

Pero estas personas no representan correctamente la religión de la Biblia. En vez de ser un perjuicio para la salud y la felicidad, el temor del Señor se encuentra en la base de toda prosperidad real…

Ser conscientes de hacer el bien es la mejor medicina para los cuerpos y mentes enfermos. Quienes están en paz con Dios han asegurado el requisito más importante para la salud. La bendición del Señor es vida para el receptor. La seguridad de que los ojos del Señor están sobre nosotros, y que su oído está dispuesto a escuchar nuestra oración, es una fuente infalible de satisfacción. Saber que tenemos un Amigo que todo lo sabe, a quien podemos confiar todos los secretos del alma, es un privilegio que las palabras nunca podrían expresar.

El pesimismo y el desánimo causados supuestamente por la obediencia a la ley moral de Dios a menudo se los atribuye al descuido de sus leyes físicas. Aquellos cuyas facultades morales están ensombrecidas por la enfermedad no son los que deberían representar apropiadamente la vida cristiana, mostrar el gozo de la salvación o la belleza de la santidad. Demasiado a menudo se encuentran en el fuego del fanatismo o el agua de la indiferencia fría o el desánimo tenaz…

El deber de todo cristiano es seguir de cerca el ejemplo de Cristo: cultivar la paz y la esperanza y el gozo, que se manifestarán en una alegría no fingida y una serenidad habitual. Así pueden esparcir luz a todo su alrededor, en vez de proyectar la oscura sombra del desánimo y la tristeza.

Muchos constantemente ansían la emoción y la diversión. Se encuentran inquietos e insatisfechos cuando no están ocupados en risas, frivolidad y la búsqueda del placer. Estas personas pueden hacer profesión de fe, pero están engañando sus propias almas. No poseen el artículo genuino. Su vida no está oculta con Cristo en Dios. No encuentran gozo y paz en Jesús.— *Signs of the Times*, 15 de junio de 1882; parcialmente en *Reflejemos a Jesús*, p. 152.

de mayo

La ciencia y la evolución

Dice el necio en su corazón: No hay Dios. Salmo 14:1.

Hay personas que creen haber realizado descubrimientos admirables en el campo de la ciencia. Citan las opiniones de eruditos como si los consideraran infalibles y enseñan las deducciones de la ciencia como si fueran verdades incontrovertibles; y la Palabra de Dios, que fue dada para servir de lámpara a los pies del viajero cansado, es considerada como una falsedad al ser juzgada por esas normas. Las investigaciones científicas que estos hombres han realizado han demostrado ser una trampa para ellos. Han nublado sus mentes y los han transformado en escépticos. Tienen una noción de poder, y en lugar de mirar hacia la Fuente de toda sabiduría, se felicitan por el conocimiento superficial que pueden haber obtenido. Han exaltado su propia sabiduría humana en oposición a la sabiduría del Dios grande y poderoso, y se han atrevido a entrar en controversia con él. La Palabra inspirada los llama "necios".

Dios ha permitido que una abundante luz fuera derramada sobre el mundo en forma de descubrimientos en los campos de la ciencia y del arte; pero cuando los que profesan ser hombres de ciencia hablan y escriben acerca de estos temas desde un punto de vista meramente humano, con toda seguridad llegarán a conclusiones equivocadas. Si las mentes más destacadas no se dejan guiar por la Palabra de Dios en sus investigaciones, quedarán perplejas en sus esfuerzos por averiguar la relación que existe entre la ciencia y la revelación. El Creador y sus obras están más allá de su comprensión, y puesto que no lo pueden explicar a la luz de las leyes naturales, consideran que el relato bíblico no es digno de confianza. Los que dudan acerca de la veracidad de los registros del Antiguo Testamento y del Nuevo, serán inducidos a dar un paso más y dudar de la existencia de Dios; entonces, habiéndose soltado de su ancla, quedan a la deriva para estrellarse contra las rocas de la infidelidad. Moisés escribió bajo al dirección del Espíritu de Dios, y una teoría geológica correcta nunca hablará de descubrimientos que no puedan ser reconciliados con sus declaraciones. Una idea que sirve de tropiezo a muchos, es la que sostiene que Dios no creó la materia cuando llamó al mundo a la existencia; esta pretensión limita el poder del Santo de Israel.

Muchos, al darse cuenta de su incapacidad para medir al Creador y su obra mediante su propio conocimiento imperfecto de la ciencia, dudan de la existencia de Dios y le atribuyen a la naturaleza un poder infinito... La Biblia no debería probarse según las ideas humanas de la ciencia, sino que la ciencia debería ponerse a prueba mediante esta norma inequívoca.— *Signs of the Times*, 13 de marzo de 1884; parcialmente en *Exaltad a Jesús*, p. 54.

24

de mayo

Un servicio gozoso

Pero deseamos que cada uno de vosotros muestre
la misma solicitud hasta el fin. Hebreos 6:11.

El Señor mira con aprobación las obras de sus siervos fieles... El deber del pueblo escogido de Dios siempre ha sido laborar desinteresadamente; pero algunos descuidan la obra que deben hacer, y otros se sobrecargan para compensar sus deficiencias. Si todos hicieran su parte con alegría, serían sostenidos; pero los que se quejan y murmuran a cada paso no recibirán ni ayuda ni recompensa.

Dios estaba descontento con los hijos de Israel porque murmuraban contra él y contra Moisés, a quien había enviado como su libertador. Los sacó de su cautiverio en la tierra de Egipto de una manera maravillosa, para elevarlos y ennoblecerlos y convertirlos en una alabanza en la tierra. Pero había dificultades que enfrentar, y cansancio y privaciones que soportar. Para ellos era necesario soportar estas pruebas. Dios los estaba sacando de un estado de degradación y equipándolos para ocupar un lugar honroso entre las naciones, y para recibir legados importantes y sagrados...

Olvidaron su servicio amargo en Egipto. Olvidaron la bondad y el poder de Dios manifestado por ellos en su liberación del cautiverio. Olvidaron cómo sus hijos fueron salvados cuando el ángel destructor pasó sobre Egipto. Olvidaron la gran exhibición del poder divino en el Mar Rojo, cuando Jehová proclamó: "Y ahí parará el orgullo de tus olas" (Job 38:11), y las aguas se juntaron y formaron una pared sólida. Olvidaron que, entretanto ellos habían cruzado sin percances el camino que les fue abierto, el ejército de sus enemigos, cuando intentó seguirlos, fue destruido por las aguas del mar...

Dios no ata sobre nadie cargas tan pesadas a cada paso que tenga que quejarse por su peso. Lo que gasta la maquinaria es la fricción y no el movimiento constante. Es la preocupación continua, y no la obra que hacen, lo que mata a estas personas...

Hay paz y contentamiento en el servicio de Cristo. Cuando estaba a punto de dejar a sus discípulos, les hizo esta promesa de despedida: "La paz os dejo, mi paz os doy; yo no os la doy como el mundo la da" (Juan 14:27).— *Signs of the Times*, 12 de junio de 1884.

de mayo

Coloque a Dios en primer lugar

A los ricos de este siglo manda que no sean altivos, ni pongan la esperanza en las riquezas, las cuales son inciertas, sino en el Dios vivo, que nos da todas las cosas en abundancia para que las disfrutemos. 1 Timoteo 6:17.

Es peligroso dedicar tiempo, pensamiento y fuerza a la búsqueda de ganancias mundanales, incluso si el esfuerzo perseverante es coronado por el éxito, porque al hacer tal cosa corremos el peligro de colocar a Dios y su justicia en un plano secundario. Es mucho mejor estar en la pobreza, soportar frustraciones y que nuestras esperanzas terrenales resulten deshechas que poner en peligro nuestros intereses eternos. Puede ser que se nos presenten tentaciones aduladoras, y quizá pensemos en obtener riqueza y honor, y así fijemos nuestro corazón y alma en empresas mundanales...

El dinero se ha convertido en la medida de la virilidad en nuestro mundo, y los hombres no son estimados por su integridad sino por la medida de riqueza que poseen. Así fue en los días antes del diluvio...

No determinemos ser ricos. Si notamos que la pobreza ha de ser el precio de permanecer en la verdad sencilla, vivamos por la verdad y heredemos la vida [eterna]. Jesús dijo que "no solo de pan vivirá el hombre, sino de toda palabra que sale de la boca de Dios". Los devotos de este mundo pueden reírse de esta declaración, pero no obstante es el consejo de la sabiduría divina... Los cristianos cuyos negocios los acercan al mundo, si siguen a Cristo, llevarán su cruz y enfrentarán sus pruebas con el Espíritu de Cristo. No harán un dios del mundo, ni usarán su cerebro o músculos para servir a Mamón. Advertirán que el cielo los observa, y cualquiera sea el éxito que obtengan, le darán la gloria a Dios. Advertirán que Dios sabe, a diferencia de nosotros, que pasarán unos pocos años más, y ya no existirán los tesoros de la tierra...

La visión del mundo venidero es lo que trae equilibrio a la mente de forma que las cosas que se ven no obtengan control sobre los afectos, que fueron comprados a un precio infinito por el Redentor del mundo. Por medio de la agencia del Espíritu Santo, las cosas invisibles y eternas son traídas ante el alma, y las ventajas del tesoro eterno e imperecedero aparecen ante los ojos de la mente en su belleza atractiva. De esta manera aprendemos a ver lo invisible y lo eterno, y a estimar las amonestaciones de Cristo de mayor valor que los tesoros del mundo.— *Signs of the Times*, 26 de junio de 1893.

de mayo

Una iglesia viviente

Os rogamos y exhortamos en el Señor Jesús, que de la manera que aprendisteis de nosotros cómo os conviene conduciros y agradar a Dios.
1 Tesalonicenses 4:1.

Anhelamos ver que se manifieste en la iglesia el verdadero carácter cristiano; anhelamos ver a sus miembros libres de un espíritu liviano e irreverente; y deseamos con fervor que puedan advertir su elevada vocación en Cristo Jesús. Algunos que profesan a Cristo se esfuerzan hasta lo sumo para vivir y actuar de manera que su fe religiosa se encomiende a sí misma ante personas de valor moral, para que estas sean inducidas a aceptar la verdad. Pero hay muchos que ni siquiera sienten responsabilidad por mantener sus propias almas en el amor de Dios, y quienes, en vez de bendecir a otros por su influencia, son una carga para los que desean obrar, velar y orar…

El tiempo presente requiere hombres y mujeres que tengan firmeza moral de propósito, hombres y mujeres que no sean moldeados o sometidos por ninguna influencia no santificada. Tales personas tendrán éxito en la obra de perfeccionar el carácter cristiano a través de la gracia de Cristo que ha sido dada tan libremente…

Nadie puede triunfar en el servicio de Dios cuya alma no esté enfocada en la obra, y cuente todo por pérdida por la excelencia del conocimiento de Cristo. Quienes retienen reserva alguna, que se niegan a dar todo lo que tienen, no pueden ser discípulos de Cristo, mucho menos sus colaboradores. La consagración debe ser completa. El padre, la madre y los hijos, las casas y tierras, todo lo que el siervo de Cristo posee, debe estar sujeto al llamamiento de Dios y atado sobre el altar sagrado…

Los que buscan por el estudio intenso de la Palabra de Dios y la oración ferviente la conducción de su Espíritu, serán guiados por él. El pilar de nubes los guiará de día y el pilar de fuego de noche; y con un sentido constante de la presencia de Dios, no será posible descuidar su santa ley…

Como el pueblo peculiar de Dios, elevemos la norma del carácter cristiano, para que no perdamos la recompensa que se dará a los buenos y fieles… Debemos obrar nuestra propia salvación con temor y temblor. Quienes se aferran firmemente a la fuente de su confianza hasta el fin, recibirán la corona de gloria inmortal… La sencillez, la pureza, la paciencia, la benevolencia y el amor deben caracterizar nuestra experiencia cristiana.— *Review and Herald*, 3 de junio de 1880.

de mayo

Descanse en Cristo

A vosotros que sois atribulados, daros reposo con nosotros. 2 Tesalonicenses 1:7.

No olvidemos que Cristo es el camino, la verdad y la vida. El Salvador compasivo invita a todos a venir a él. Creamos las palabras de nuestro Señor, y no hagamos tan difícil el camino hacia él. No recorramos la preciosa ruta, forjada para que la caminen los comprados por el Señor, con murmuración, con dudas, con premoniciones nubladas, quejándonos, como si se nos obligara a hacer una tarea desagradable, exigente. Los caminos de Cristo son caminos placenteros, y todos sus senderos son de paz. Si hemos hecho senderos pedregosos para nuestros pies y hemos tomado cargas pesadas de preocupaciones para conseguir tesoros sobre la tierra, cambiemos ahora y sigamos el sendero que Jesús nos ha preparado.

No siempre estamos dispuestos a entregar nuestras cargas a Jesús. A veces derramamos nuestros problemas en oídos humanos y contamos nuestras aflicciones a los que no pueden ayudarnos, y descuidamos confiarle todo a Jesús, para que él pueda cambiar los senderos penosos en senderos de gozo y paz…

La brevedad del tiempo es presentada como un incentivo para que busquemos la justicia y hagamos de Cristo nuestro amigo. Este no es el gran motivo. Tiene sabor a egoísmo. ¿Será necesario que se nos presenten los terrores del día del Señor para impulsarnos por medio del temor a la acción correcta? No debiera ser así. Jesús es atractivo. Él está lleno de amor, misericordia y compasión. Él propone ser nuestro amigo, recorrer con nosotros los duros senderos de la vida…

La invitación de Cristo para todos nosotros es un llamado a una vida de paz y reposo, una vida de libertad y amor, y a una rica herencia en la vida inmortal futura… No necesitamos alarmarnos si este sendero de libertad es formado por medio de conflictos y sufrimientos. La libertad que disfrutaremos será más valiosa porque nos hemos sacrificado para obtenerla. La paz que sobrepasa el entendimiento nos costará batallas con los poderes de las tinieblas, luchas severas contra el egoísmo y los pecados interiores… Al enfrentar la tentación, debemos enseñarnos a nosotros mismos a [manifestar] una resistencia firme, que no provocará un pensamiento de murmuración, aunque estemos cansados de luchar y de pelear la buena batalla de la fe…

No podemos apreciar a nuestro Redentor en el sentido más elevado hasta que lo veamos por los ojos de la fe extendiéndose a las profundidades mismas de la miseria humana, tomando sobre sí la naturaleza de la humanidad, la capacidad de sufrir, y al sufrir, empleando su poder divino para salvar y levantar a los pecadores al compañerismo consigo.— *Review and Herald*, 2 de agosto de 1881.

28

de mayo

Ordenados para producir frutos

Yo soy la vid, vosotros los pámpanos; el que permanece en mí, y yo en él, este lleva mucho fruto; porque separados de mí nada podéis hacer. Juan 15:5.

En el plan de restaurar la imagen divina en el hombre, se hizo provisión para que el Espíritu Santo actuara sobre las mentes humanas y que, como presencia de Cristo, fuera el instrumento modelador del carácter del hombre. Al recibir la verdad los hombres reciben también la gracia de Cristo y dedican sus capacidades humanas santificadas a la obra a la que él se entregó; así los hombres se convierten en colaboradores de Dios. La divina verdad se pone al alcance de la comprensión de los hombres a fin de que lleguen a ser instrumentos de Dios...

A través de la mediación de la verdad, el carácter es transformado y moldeado según la similitud divina. Pedro representa a los cristianos como los que han purificado sus almas por la obediencia a la verdad a través de la operación del Espíritu Santo...

El propósito del cristiano es brillar. Los seguidores profesos de Cristo no están cumpliendo los requisitos del evangelio a menos que ministren a otros. Nunca han de olvidar que deben dejar brillar su luz ante otros de manera que, al ver sus buenas obras, glorifiquen a su Padre que está en el cielo. Sus palabras siempre han de contener gracia y estar en armonía con su profesión de fe. Su obra es la de revelar a Cristo al mundo. Jesucristo y este crucificado es su tema inextinguible, del cual han de hablar libremente, extrayendo las cosas preciosas del evangelio del buen tesoro de sus corazones. El corazón que está lleno de la bienaventurada esperanza, que está henchido de inmortalidad y lleno de gloria, no puede ser tonto. Quienes advierten la presencia sagrada de Cristo no pueden hablar palabras livianas y vanas, porque han de hablar palabras sobrias, un sabor de vida para vida. No hemos de ser niños llevados de aquí para allá, sino que hemos de estar anclados en Jesucristo y tener algo de valor sólido de lo cual hablar... Los cristianos han de publicar las buenas nuevas de salvación, y nunca han de cansarse de proclamar la bondad de Dios...

Debe hablárseles a los pecadores, porque no se sabe si Dios se está moviendo en sus corazones. Nunca olvide que cada palabra que usted pronuncia en su presencia está dotada de gran responsabilidad. Hágase esta pregunta: ¿A cuántos les he hablado con mi corazón lleno del amor de Cristo acerca de la misericordia de Dios y la justicia de Cristo ?— *Review and Herald*, 12 de febrero de 1895; parcialmente en *Cada día con Dios*, p. 51.

de mayo

Sepárense del mundo

Cada día muero. 1 Corintios 15:31.

Los que profesan el nombre de Cristo han de representar a Cristo como su modelo y ejemplo. Han de revelar ante otros la verdad en su pureza y hacerles saber los privilegios y responsabilidades de la vida cristiana; los profesos seguidores de Cristo pueden hacer esto únicamente si conforman su carácter a los principios sagrados de la verdad. Nadie que profese ser hijo de Dios debe traicionar los legados sagrados. No debe borrarse la línea de demarcación entre los cristianos y el mundo. No debe traerse la verdad a un nivel bajo, común, porque esto deshonrará a Dios, quien ha hecho un sacrificio infinito en el don de su Hijo por los pecados del mundo…

Muchos que aseguran ser los hijos de Dios no parecen entender que el corazón debe ser regenerado, porque sus prácticas ignoran las palabras y obras de Cristo. Por sus acciones dicen claramente: "Es mi privilegio actuar como siento que debo actuar. Si no lo hiciera, sería totalmente miserable". Este es el tipo de religión que abunda en el mundo, pero no lleva el endoso del cielo…

Ni la susodicha ciencia, el razonamiento humano o la poesía pueden ser presentados con la misma autoridad que la revelación; pero el propósito estudiado de Satanás es exaltar las máximas humanas, las tradiciones y las invenciones hasta el mismo plano de autoridad de la Palabra de Dios, y habiendo logrado esto, exaltar las palabras humanas hasta la supremacía…

No hay seguridad para ninguno de nosotros a menos que recibamos diariamente una nueva experiencia al contemplar a Jesús, el Autor y Consumador de nuestra fe. Día tras día hemos de contemplarlo y ser cambiados a su imagen. Hemos de representar los atributos divinos y seguir las huellas de Jesús cueste lo que nos cueste. Hemos de colocarnos bajo la conducción divina, consultando la Palabra de Dios e inquiriendo diariamente: ¿Es este el camino del Señor?… No se inmortalizará ninguna deficiencia de carácter que desfigure el cielo con su imperfección…

Una profesión de fe no tiene valor a menos que el alma se aferre a los principios y se apropie y absorba el rico alimento de la verdad, y así se convierta en partícipe de la naturaleza divina.— *Review and Herald*, 20 de noviembre de 1894.

30 *de mayo*

La sangre en el dintel

Y tomad un manojo de hisopo, y mojadlo en la sangre que estará en un lebrillo, y untad el dintel y los dos postes con la sangre. Éxodo 12:22.

Las instrucciones que Moisés dio acerca de la Pascua rebosan de significado, y se aplican a los padres y a los hijos en esta época del mundo...

El padre debe dedicar cada miembro de la familia a Dios y hacer una obra representada por la cena pascual. Es peligroso dejar este solemne deber en manos ajenas. Este peligro es ilustrado bien por un incidente concerniente a una familia hebrea en la noche de la Pascua.

Dice la leyenda que la hija mayor estaba enferma, pero sabía que se habría de escoger un cordero para cada familia, y que su sangre debía rociarse sobre el dintel y los postes laterales de la puerta para que el Señor viera la marca de sangre y no permitiera que el destructor entrara para herir al primogénito. Con ansiedad vio la llegada de la noche cuando el ángel destructor había de pasar. Se puso muy inquieta. Llamó a su padre y le preguntó: "¿Marcaste el dintel con sangre?" Él le respondió: "Sí. Ya le pedí a alguien que se encargara del asunto. No te preocupes, porque el ángel destructor no entrará aquí".

Llegó la noche y vez tras vez la niña llamó a su padre para volverle a preguntar: "¿Estás seguro de que los postes están marcados con sangre?" Vez tras vez el padre le aseguró que no tenía nada que temer, que sus fieles siervos no descuidarían una orden que conllevara tales consecuencias. Al acercarse la medianoche, su voz de ruego se escuchó: "Padre, no estoy segura. Llévame en tus brazos y déjame ver la marca por mí misma, para estar tranquila".

El padre accedió a los deseos de su hija; la tomó en sus brazos y la cargó hasta la puerta; pero no había marcas de sangre sobre el dintel ni los postes. Tembló horrorizado al advertir que su casa podía convertirse en una casa de luto. Con sus propias manos tomó el hisopo y roció el dintel con sangre. Entonces le mostró a la niña enferma que la puerta había sido marcada.— *Review and Herald*, 21 de mayo de 1895; parcialmente en *El hogar cristiano*, p. 293.

de mayo

Hay trabajo para todos

Cada uno de nosotros dará a Dios cuenta de sí. Romanos 14:12.

Dios le ha dado a cada uno su obra. No ha dejado los intereses espirituales de la iglesia enteramente en las manos del ministro. No es para el bien del ministro, ni para el bien de los miembros individuales de la iglesia, que el ministro se encargue exclusivamente de la herencia del Señor. Cada miembro de la iglesia tiene una parte que ejercer para que el cuerpo sea preservado en una condición saludable. Todos somos miembros del mismo cuerpo, y cada miembro debe desempeñar su parte para el beneficio de todos los demás. No todos los miembros tienen el mismo deber. Al igual que los miembros de nuestro cuerpo natural son dirigidos por la cabeza, como miembros del cuerpo espiritual hemos de someternos a la dirección de Cristo, la cabeza viviente de la iglesia...

El ministro y los miembros de iglesia han de unirse como una persona en su labor por la edificación y la prosperidad de la iglesia. Todo aquel que es un soldado verdadero en el ejército del Señor será un obrero ferviente, sincero y eficiente, esforzándose para avanzar los intereses del reino de Cristo...

Muchos miembros de la iglesia han sido privados de la experiencia que debieron haber tenido, porque predominaba la idea de que el ministro debe hacer todo el trabajo y llevar toda la carga. O se apilaron cargas sobre el ministro, o este asumió deberes que debieron haber sido cumplidos por los miembros de la iglesia. Los ministros deben relacionarse en confianza con los funcionarios y miembros de la iglesia, y enseñarles cómo trabajar para el Maestro. Así el ministro no tendrá que hacer todo el trabajo, y a la vez la iglesia recibirá mayor beneficio que si él se esforzara por hacerlo todo y librara a los miembros de la iglesia de cumplir la parte que el Señor designó que cumplieran...

La carga del trabajo de la iglesia debiera distribuirse entre sus miembros individuales, de manera que cada uno pueda convertirse en un obrero inteligente para Dios. Generalmente, hay demasiada fuerza inactiva en nuestras iglesias... Muchos tienen manos y corazones dispuestos, pero se los desanima respecto de colocar sus energías en el trabajo... La sabiduría para adaptarnos a situaciones peculiares, la fuerza para actuar en tiempo de emergencia, se adquieren al emplear los talentos que el Señor nos ha dado, y al obtener experiencia por medio de la obra personal.— *Review and Herald*, 9 de julio de 1895.

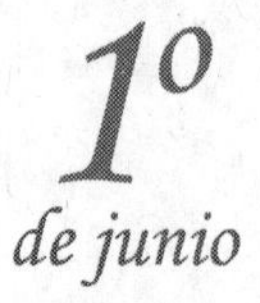

de junio

Jesús es Dios

Y aquel Verbo fue hecho carne, y habitó entre nosotros (y vimos su gloria, gloria como del unigénito del Padre), lleno de gracia y de verdad. Juan 1:14.

Cristo vino al mundo para revelar el carácter del Padre y para redimir a la raza caída. El Redentor del mundo era igual con Dios. Su autoridad era como la autoridad de Dios. Declaró que no había existido separado del Padre. La autoridad con la cual él hablaba y hacía milagros era expresamente suya, y sin embargo nos asegura que él y el Padre son uno…

Jesús ejerció como legislador la autoridad de Dios; sus órdenes y decisiones estaban respaldadas por la Soberanía del trono eterno. La gloria del Padre se revelaba en el Hijo; Cristo manifestó el carácter del Padre. Estaba tan perfectamente relacionado con Dios… que el que había visto al Hijo había visto al Padre. Su voz era como la voz de Dios…

Cristo fue juzgado erróneamente por los judíos porque no se concentraba constantemente en la ley escrita en las tablas de piedra. Invitaba a hombres y mujeres a aprender de él, porque él era una representación viva de la ley de Dios… Él sabía que nadie podía señalar un defecto en su carácter o conducta. ¡Cuánto poder le otorgó a sus instrucciones su pureza intachable, cuánta fuerza a sus reproches, cuánta autoridad a sus mandatos! La verdad nunca languideció en sus labios, nunca perdió su carácter sagrado, porque era ilustrada en el carácter divino de su Defensor…

Cuando Jesús hablaba, no era con incertidumbre vacilante, con repetición de palabras y figuras comunes. La verdad salía de sus labios revestida en representaciones nuevas e interesantes que le daban la frescura de una nueva revelación. Su voz nunca fue entonada en una clave antinatural, y sus palabras eran expresadas con un fervor y una seguridad apropiados a su importancia y las consecuencias tremendas de recibirlas o rechazarlas. Cuando alguien se oponía a sus doctrinas, las defendía con un celo y una certidumbre tan grandes que sus oyentes recibían la impresión de que él habría muerto, si hubiera sido necesario, para sostener la autoridad de sus enseñanzas.

Jesús era la luz del mundo. Vino de Dios con un mensaje de esperanza y salvación a los descendientes caídos de Adán. Si los hombres y mujeres solo lo recibían como su Salvador personal, él prometía restaurar en ellos la imagen de Dios y redimir a todos los que se habían perdido por el pecado. Les presentaba la verdad sin entretejerle una fibra de error.— *Review and Herald*, 7 de enero de 1890; parcialmente en *Comentario bíblico adventista*, tomo 7ª, p. 260.

de junio

Enemistad con la serpiente, don de Dios

Y pondré enemistad entre ti y la mujer, y entre tu simiente y la simiente suya; esta te herirá en la cabeza, y tú le herirás en el calcañar. Génesis 3:15.

En esta primera profecía de las Escrituras, se encuentra una alusión a la redención. Aunque era parte de la frase dirigida a la serpiente, fue proclamada a oídos de nuestros primeros padres, por lo tanto debe considerarse una promesa. Aunque anuncia una guerra entre Satanás y la humanidad, declara que el poder del gran adversario un día será quebrantado.

Adán y Eva estuvieron como criminales delante de su Dios, esperando la sentencia que les había acarreado la transgresión. Pero antes de que oyeran de los espinos y los cardos, el dolor y la angustia que sufrirían y el polvo al cual debían volver, escucharon palabras que debían inspirarles esperanza. Aunque debían sufrir por el poder de su adversario, podían mirar hacia adelante a la victoria final.

Dios declara: "Pondré enemistad". Esa enemistad es puesta sobrenaturalmente y no se mantiene naturalmente. Cuando el hombre pecó, su naturaleza se tornó mala, y estaba en armonía, no en oposición, con Satanás. El encumbrado usurpador, habiendo tenido éxito en seducir a nuestros primeros padres como sedujo a los ángeles, contó con asegurarse su alianza y cooperación en todas sus empresas contra el gobierno del cielo. No había enemistad entre él y los ángeles caídos. Aunque existiera alguna discordia entre ellos, todos estaban unidos como por cintas de acero en su oposición y odio hacia Dios. Pero cuando Satanás oyó que la simiente de la mujer heriría la cabeza de la serpiente, supo que aunque había tenido éxito en depravar la naturaleza humana y asimilarla a su propia naturaleza, sin embargo, por algún proceso misterioso, Dios restauraría al hombre su poder perdido y lo capacitaría para resistir y vencer a su vencedor.

La gracia que Cristo implanta en el alma es la que crea la enemistad contra Satanás. Sin esa gracia, el hombre continuaría como cautivo de Satanás, como siervo siempre dispuesto a sus órdenes. El nuevo principio en el alma crea conflicto donde antes había paz. El poder que imparte Cristo capacita al hombre para resistir al tirano y usurpador. Siempre que se vea a un hombre que aborrece el pecado en vez de amarlo, cuando resiste y vence esas pasiones que lo habían regido interiormente, allí se ve la operación de un principio enteramente de lo alto.— *Review and Herald*, 18 de julio de 1882; parcialmente en *A fin de conocerle*, p. 18.

3

de junio

La experiencia del perdón

¿Qué Dios como tú, que perdona la maldad, y olvida el pecado del remanente de su heredad? Miqueas 7:18.

Necesitamos más fe en Jesucristo. Necesitamos traerlo a nuestra vida diaria. Entonces tendremos paz y gozo, y sabremos por experiencia el significado de sus palabras: "Si guardareis mis mandamientos, permaneceréis en mi amor; así como yo he guardado los mandamientos de mi Padre, y permanezco en su amor" (Juan 15:10). Nuestra fe debe reclamar la promesa que dice que permanecemos en el amor de Jesús…

Se nos dan oportunidades y privilegios preciosos para ser una luz y bendición para otros, fortaleciendo su fe y animándolos por medio del brillo de sol celestial en nuestras propias almas. Podemos reunir para nuestro propio beneficio rayos preciosos de alegre esperanza, paz y plenitud de gozo, y al hacerlo ayudar a todos con quienes nos asociamos. En lugar de fortalecer la incredulidad y la duda, inspiraremos esperanza.

Todos los que cumplen las condiciones para tener una fe experiencial, tienen el privilegio de conocer por sí mismos que se extiende libremente el perdón para cada pecado. Dios ha comprometido su palabra de que cuando confesamos nuestros pecados, él los perdonará y nos limpiará de toda injusticia. Descarte la incredulidad. Descarte la sospecha de que estas promesas no son para usted. Son para cada transgresor arrepentido, y Dios queda deshonrado por su incredulidad. Quienes se han llenado de dudas solo tienen que creer plenamente las palabras de Jesús, y de allí en adelante se alegrarán en la bendición de la luz…

Mantenemos al Salvador muy alejado de nuestra vida cotidiana. [Más bien, debemos] desear que permanezca con nosotros como un amigo honrado y confiable. Debemos consultarlo en todas las materias. Debemos contarle cada prueba, y así ganar fuerza para enfrentar la tentación…

¿Qué más podemos pedir de Dios de lo que ya nos concedió? ¡Oh, qué amor, qué infinito amor de nuestro bendito Señor, de ser nuestro sacrificio! ¡Cuánto gozo debiera llenar el corazón de los cristianos, y cuántas expresiones de gratitud debieran escucharse en sus labios [al saber] que por la sangre de Jesús es posible ganar el amor de Dios, ser uno con él!… Al creer en el Hijo, hemos de ser obedientes a todos los mandamientos del Padre y tener vida a través de Jesucristo…

Cristo es nuestra esperanza y nuestro refugio. Su justicia es imputada únicamente al obediente. Aceptémoslo por fe, para que el Padre no encuentre pecado en nosotros.— *Review and Herald*, 21 de septiembre de 1886.

de junio

Fuerte en Cristo

Para que os dé, conforme a las riquezas de su gloria, el ser fortalecidos con poder en el hombre interior por su Espíritu. Efesios 3:16.

Nuestro Salvador representa sus requisitos como un yugo y que la vida cristiana equivale a llevar cargas. Pero al contrastarlos con el poder cruel de Satanás y la carga que el pecado impone, él declara: "Mi yugo es fácil, y ligera mi carga" (Mat. 11:30).

Cuando intentamos vivir la vida de un cristiano, llevar sus responsabilidades y cumplir sus deberes sin Cristo como ayudador, el yugo es abrumador y la carga intolerablemente pesada. Pero Jesús no desea que hagamos esto. Él invita al cansado y cargado: "Venid a mí... y yo os haré descansar... Aprended de mí, que soy manso y humilde de corazón; y hallaréis descanso para vuestras almas" (Mat. 11:28-29). Aquí se revela el secreto del descanso que Cristo promete darnos. Debemos poseer su sencillez de espíritu, y hallaremos paz en él.

Muchos profesan venir a Cristo a la vez que se aferran a sus propios caminos, que son un yugo doloroso. El egoísmo, el amor al mundo u otro pecado acariciado destruyen su paz y gozo. Mi compañero cristiano... recuerde que usted se encuentra al servicio de Cristo. Sea cual fuere su carga o cruz, levántela en el nombre de Jesús; llévela con su poder. Él declara que su yugo es fácil y ligera su carga, y yo le creo. Yo he comprobado que sus palabras son verdad.

Quienes son inquietos, impacientes;.[quienes están] insatisfechos bajo el peso de la preocupación y la responsabilidad, intentan llevar su carga sin la ayuda de Jesús. Si él estuviese a su lado, la luz del sol de su presencia esfumaría toda nube, la ayuda de su brazo fuerte haría liviana toda carga...

Nos cargamos a nosotros mismos con preocupaciones innecesarias y ansiedades y nos abrumamos con pesadas cargas porque no aprendemos de Jesús... Los verdaderos seguidores de Jesús no son como el mundo en palabras, obras y conducta. Oh, ¿por qué no lo siguen plenamente todos sus profesos hijos? ¿Por qué han de llevar cargas que él no les ha impuesto?...

En cada acción de la vida, los cristianos deben intentar representar a Cristo, hacer que su servicio parezca atractivo... Dejad que las gracias del Espíritu sean manifestadas en bondad, mansedumbre, paciencia, alegría y amor...

El amor a Jesús será visto, será sentido. No puede ocultarse. Ejerce un poder maravilloso. Hace que el tímido sea atrevido, el perezoso diligente, el ignorante sabio... El amor a Cristo no se desanimará por la tribulación ni se apartará del deber por los reproches.— *Review and Herald*, 29 de noviembre de 1887.

5 de junio

Pensamientos dulces

A Jehová cantaré en mi vida; a mi Dios cantaré salmos mientras viva. Dulce será mi meditación en él; yo me regocijaré en Jehová. Salmo 104:33, 34.

Si la mente es moldeada por los objetos con los cuales más se relaciona, entonces pensar en Jesús, hablar de él, lo capacitará para ser como él en espíritu y carácter. Reflejará su imagen en lo que es grande y puro y espiritual. Tendrá la mente de Cristo y él lo enviará al mundo como su representante espiritual...

El sol que brilla en el cielo envía sus brillantes rayos a todos los caminos y senderos de la vida. Tiene suficiente luz para miles de mundos como el nuestro. Y así sucede con el Sol de justicia; sus brillantes rayos de salud y alegría son más que suficientes para salvar a nuestro pequeño mundo que él creó...

Lo que santifica el alma es el crecimiento en el conocimiento del carácter de Cristo. Discernir y apreciar la maravillosa obra de la expiación transforma al que considera el plan de salvación. Al contemplar a Cristo, la persona se transforma a la misma imagen, de gloria en gloria, como por el Espíritu de Dios. La contemplación de Jesús llega a ser un proceso refinador y ennoblecedor para el cristiano mismo...

¿Qué clase de fe vence al mundo? Es la fe que hace de Cristo su Salvador personal, esa fe que, reconociendo su impotencia, su total incapacidad para salvarse a sí mismo, se aferra del Auxiliador que es poderoso para salvar como su única esperanza. Es una fe que no se desanima, que escucha la voz de Cristo que le dice: "Ten ánimo, yo he vencido al mundo, y mi divina fuerza es tuya". Es la fe que le oye decir: "He aquí yo estoy con vosotros todos los días, hasta el fin del mundo" (Mat. 28:20).

Cada alma debe darse cuenta de que Cristo es su Salvador personal; y en su vida cristiana se manifestarán el amor, el celo y la perseverancia.

Cristo nunca debiera estar alejado de nuestra mente... Es el disipador de todas nuestras dudas, la prenda de todas nuestras esperanzas. Cuán precioso es el pensamiento de que realmente podemos llegar a ser participantes de la naturaleza divina, con la que podemos vencer así como Jesús venció... Es la melodía de nuestros himnos, la sombra de una gran roca en el desierto. Es el agua viva para el alma sedienta. Es nuestro refugio en la tempestad. Es nuestra justicia, nuestra santificación, nuestra redención.— *Review and Herald*, 26 de agosto de 1890; parcialmente en *Reflejemos a Jesús*, pp. 13, 57, 296.

de junio

La tarea de hoy

Padre, aquellos que me has dado, quiero que donde yo estoy, también ellos estén conmigo, para que vean mi gloria que me has dado. Juan 17:24.

Cristo era infinito en sabiduría, y sin embargo resolvió aceptar a Judas, aunque conocía cuáles eran sus imperfecciones de carácter. Juan no era perfecto. Pedro negó a su Señor, y sin embargo con hombres así se organizó la iglesia cristiana primitiva. Jesús los aceptó para que pudieran aprender de él lo que constituye un carácter cristiano perfecto. La ocupación de cada cristiano es estudiar el carácter de Cristo. Las lecciones que Jesús les impartió a los discípulos no siempre armonizaban con su razonamiento... El Redentor del mundo siempre buscaba llevar la mente de lo terrenal a lo celestial. Cristo constantemente les enseñaba a sus discípulos, y sus lecciones sagradas tuvieron una influencia moldeadora sobre su carácter. Solo Judas no respondió a la instrucción divina. Según toda apariencia era justo, y a la vez cultivaba su tendencia a acusar y condenar a los demás...

Judas era egoísta, envidioso y ladrón, pero aun así se contaba entre los discípulos. Era defectuoso de carácter, y no practicaba las palabras de Cristo. Afirmó su alma para resistir a la influencia de la verdad; y al paso que criticaba y condenaba a otros, descuidaba su propia alma, y fomentaba y fortalecía sus malos rasgos naturales de carácter, hasta que se endurecieron de tal modo que vendió a su Señor por treinta piezas de plata.

¡Oh, animemos a nuestras almas a mirar a Jesús! Digámosle a todo el mundo cuán peligroso es descuidar la salud eterna del alma al contemplar las almas enfermas de otros, al hablar de la fealdad del carácter que se encuentra en los que profesan el nombre de Cristo. El alma no se torna más y más como Cristo al contemplar el mal, sino similar al mal que contempla...

Recordemos que nuestro gran Sumo Sacerdote está abogando ante el trono de misericordia a favor de su pueblo redimido. Él vive siempre para interceder por nosotros... La sangre de Jesús aboga con poder y eficacia por quienes han apostatado, por los que son rebeldes, por quienes pecan a pesar de haber recibido gran luz y amor... Él no olvidará a su iglesia en el mundo de tentación.— *Review and Herald*, 15 de agosto de 1893; parcialmente en *A fin de conocerle*, p. 184.

7

de junio

Lentos para aprender

En él estaba la vida, y la vida era la luz de los hombres. La luz en las tinieblas resplandece, y las tinieblas no prevalecieron contra ella. Juan 1:4, 5.

Cristo era el fundamento del sistema entero de la adoración judía, y en él se presentaba una sombra de la realidad viva: la manifestación de Dios en Cristo. Por medio del sistema de sacrificios, todos podían ver la personalidad de Cristo y anticipar a su divino Salvador. Pero cuando él estuvo ante ellos representando el Dios invisible, —porque en él "habitaba corporalmente toda la plenitud de la Deidad" (Col. 2:9)— ellos no pudieron discernir su carácter divino debido a su propia carencia espiritual. Sus propios profetas lo habían profetizado como un Libertador... Pero aunque su carácter y misión habían sido delineados tan claramente, aunque a lo suyo vino, los suyos no lo recibieron. Ocasionalmente, la divinidad fulguró a través de la humanidad; la gloria se escapaba a través del disfraz de la carne y causaba una expresión de homenaje de parte de sus discípulos. Pero no fue sino hasta que Cristo ascendió a su Padre, hasta el descenso del Espíritu Santo, que los discípulos apreciaron enteramente el carácter y la misión de Cristo. Después del bautismo del Espíritu Santo, comenzaron a advertir que habían estado en la presencia misma del Señor de la vida y la gloria. En tanto que el Espíritu Santo traía a sus recuerdos los dichos de Cristo, su entendimiento fue ampliado para comprender las profecías, para captar los poderosos milagros que él había obrado... A su propia estimación, estos parecieron de mucha menor importancia después de despertar al hecho de que Cristo había estado entre ellos que antes de que advirtieran tal cosa. Nunca se cansaban de repasar cada detalle notado en conexión con sus palabras y obras. A menudo se llenaban de remordimiento por su insensatez y torpeza al recordar las lecciones entendidas a medias cuando él las pronunciara en su presencia, y que ahora les llegaban como una revelación fresca. Las Escrituras se tornaron en un libro nuevo para ellos...

Los discípulos recordaron que Cristo les había dicho: "Santifícalos en tu verdad: tu palabra es verdad" (Juan 17:17). La Palabra habría de ser su guía y director. En tanto que los discípulos buscaban en Moisés y los profetas lo que testificaba de Cristo, fueron traídos a la comunión con la Deidad, y aprendieron nuevamente de su gran Maestro, quien había ascendido al cielo para completar la obra que había comenzado en la tierra.— *Review and Herald*, 23 de abril de 1895.

de junio

La gran Fuente de verdad

Aprended de mí, que soy manso y humilde de corazón; y hallaréis descanso para vuestras almas. Mateo 11:29.

Cristo es el Autor de toda verdad. Toda concepción brillante, todo pensamiento de sabiduría, toda capacidad y talento, son dones de Cristo. Él no tomó ideas nuevas de la humanidad, porque es el originador de todo. Pero cuando vino al mundo, encontró las brillantes gemas de verdad que había confiado al hombre sepultadas en la superstición y la tradición. Las verdades de la importancia más vital estaban colocadas en el marco del error para servir al propósito del archiengañador. Las opiniones humanas, los sentimientos más populares de la gente, fueron lustrados exteriormente con la apariencia de la verdad, y fueron presentados como las gemas genuinas del cielo, dignas de atención y reverencia. Pero Cristo barrió las teorías erróneas. Nadie, salvo el Redentor del mundo, tenía poder para presentar la verdad en su pureza primitiva, desprovista del error que Satanás había amontonado para ocultar su belleza celestial.

Algunas de las verdades que Cristo habló eran conocidas por el pueblo. Las habían escuchado de labios de sacerdotes y gobernantes y de personas pensantes; pero a pesar de todo esto, eran distintivamente los pensamientos de Cristo. Las había encomendado en confianza a la gente, para ser comunicadas al mundo. En cada ocasión proclamó la verdad particular que creía apropiada para las necesidades de sus oyentes, ya que hubieran sido expresadas antes o no.

La obra de Cristo consistió en tomar la verdad que la gente necesitaba y separarla del error para presentarla libre de las supersticiones del mundo, a fin de que la gente la aceptara por su propio mérito intrínseco y eterno. Dispersó la niebla de la duda para que la verdad pudiera ser revelada y arrojara rayos luminosos en las tinieblas de los corazones de los hombres. ¡Pero cuán pocos aprecian el valor de la obra que Cristo hacía! ¡Cuán pocos en nuestro día tienen un concepto justo de la preciosidad de las lecciones que él dio a sus discípulos!

Él demostró ser el camino, la verdad y la vida. Buscaba atraer las mentes de los placeres efímeros de esta vida a las realidades invisibles y eternas. Las vislumbres de las cosas celestiales no incapacitan a los hombres y mujeres para los deberes de esta vida, sino que los hacen más eficientes y fieles.— *Review and Herald*, 7 de enero de 1890; parcialmente en *A fin de conocerle*, p. 209.

9

de junio

La limpieza del templo

Mi casa es casa de oración; mas vosotros la habéis hecho cueva de ladrones.
Lucas 19:46.

Por qué se despertó la indignación de Cristo cuando entró a los atrios del templo? Su mirada recorrió la escena, y vio en ella la deshonra de Dios y la opresión del pueblo. Escuchó los mugidos de los bueyes, el balido de las ovejas y las discusiones entre los que vendían y compraban. En los atrios de Dios hasta los sacerdotes y dirigentes estaban involucrados en los negocios... Cuando la atención de estos fue dirigida hacia él, no podían quitar su vista de su rostro, porque había algo en su semblante que los asombraba y los llenaba de terror. ¿Quién era él? Un humilde galileo, el hijo de un carpintero que había trabajado con su padre en su oficio; pero al contemplarlo, sentían como si hubiesen sido llamados ante el tribunal...

Cristo vio a los pobres, los sufrientes y afligidos en problemas y desasosiego por no tener lo suficiente para comprar siquiera una paloma para una ofrenda. Los ciegos, los lisiados, los sordos, los afligidos sufrían y penaban porque anhelaban presentar una ofrenda por sus pecados, pero los precios eran tan exorbitantes que no podían pagarlos. Parecía que no había oportunidad de que sus pecados fueran perdonados...

Cuando Cristo había expulsado a los vendedores de palomas, les dijo: "Quitad de aquí esto" (Juan 2:16). No echó las palomas como había echado a los bueyes y las ovejas, ¿por qué? Porque estas eran las únicas ofrendas de los pobres. Conocía sus necesidades, y en tanto que los vendedores fueron expulsados del templo, los sufrientes y los afligidos permanecieron en los atrios...

Pero los sacerdotes y dirigentes, al recobrarse de su asombro, dijeron: "Regresaremos y lo desafiaremos, y le preguntaremos con qué autoridad ha pretendido expulsarnos del templo".

Pero cuando entraron nuevamente al atrio del templo, una tremenda escena apareció ante sus ojos. Cristo atendía a los pobres, los sufrientes y los afligidos... Les daba a los sufrientes alivio tierno. Tomaba a los pequeños en sus brazos y demandaba liberación de la enfermedad y el sufrimiento. Les dio vista a los ciegos, oído a los sordos, salud a los enfermos y alivio a los afligidos...

Hacía precisamente la obra que había sido profetizada que haría el Mesías.—*Review and Herald*, 27 de agosto de 1895.

10

de junio

Jesús nos ama

Mas Dios muestra su amor para con nosotros, en que siendo aún pecadores, Cristo murió por nosotros. Romanos 5:8.

Me encanta hablar de Jesús y de su amor incomparable. No tengo duda del amor de Dios. Sé que él es capaz de salvar hasta lo sumo a todos los que vienen a él. Su precioso amor es una realidad para mí, y no tienen efecto en mí las dudas expresadas por quienes no conocen al Señor Jesucristo... Acepte a Jesús como su Salvador personal. Vaya a él tal como está, entréguese a él, aférrese a su promesa por la fe viva, y él será para usted todo lo que usted desea...

Los que le dan a Cristo su corazón, encontrarán reposo en su amor. Tenemos una muestra de la magnitud de su amor en sus sufrimientos y su muerte... Jesús soportó tal agonía... porque se convirtió en el sustituto y garante del pecador. Él mismo llevó el castigo de la ley que los pecadores merecían, de manera que ellos tuvieran... otra oportunidad para demostrar su lealtad a Dios...

Hay solo dos grupos en todo el universo: quienes creen en Cristo y cuya fe los lleva a guardar los mandamientos de Dios, y los que no creen en él y son desobedientes...

Usted tiene toda razón para creer que él puede salvarlo y que lo hará. ¿Por qué? ¿Porque usted no tiene culpa? No; porque usted es un pecador, y Jesús dice: "No he venido para llamar a justos, sino a los pecadores, al arrepentimiento" (Mat. 9:13). El llamado es para usted, y cuando Satanás le dice que no hay esperanza, dígale que sí hay. "Porque de tal manera amó Dios al mundo, que ha dado a su Hijo unigénito, para que todo aquel que en él cree, no se pierda, mas tenga vida eterna" (Juan 3:16)...

La mano que fue clavada en la cruz por usted se extiende para salvarlo. Crea que Jesús oirá su confesión, recibirá sus pedidos, perdonará sus pecados y lo hará miembro de la familia real. Usted necesita la esperanza que Jesús le dará para alegrarlo en toda circunstancia...

Los que aceptan la verdad encontrarán que su amor por las cosas terrenales será desplazado. Ven la gloria superior de las cosas celestiales y aprecian la excelencia de aquello que se relaciona con la vida eterna. Son encantados por lo invisible y eterno. No se aferran a las cosas terrenales; fijan sus ojos con admiración en las glorias invisibles del mundo celestial. Advierten que sus pruebas consiguen para ellos un "cada vez más excelente y eterno peso de gloria" (2 Cor. 4:17), y en contraste con las riquezas que pueden disfrutar, las cuentan como aflicciones ligeras y momentáneas.— *Review and Herald*, 23 de junio de 1896.

11
de junio

Jesús, el cumplimiento de la profecía

Porque si creyeseis a Moisés, me creeríais a mí, porque de mí escribió él.
Juan 5:46.

Jesús habló con seguridad y reveló una profundidad de pensamiento que superaba por mucho el de los escribas y rabinos más entendidos. Era evidente que tenía un conocimiento esmerado de las Escrituras del Antiguo Testamento y que presentaba la verdad sin mezclarla con dichos y máximas humanos. Las viejas verdades caían en sus oídos como una nueva revelación...

Jesús presentaba sus lecciones a la gente, pero no tenía el hábito de afirmar su elevado derecho a la autoridad. Él había venido a salvar al mundo perdido, y sus palabras y obras, toda su vida humana, habría de hablar a favor de su divinidad. Permitió que su dignidad, su vida, su proceder, testificaran ante la gente que él hacía las obras de Dios. Dejó que ellos extrajeran su propia conclusión respecto de sus aseveraciones en tanto les explicaba las profecías concernientes a su persona. Los dirigía a buscar en las Escrituras, porque era esencial que interpretaran correctamente la misión y la obra del Hijo de Dios. Les señaló el hecho de que él estaba cumpliendo las profecías que hasta ese momento habían sido anunciadas por hombres santos movidos por el Espíritu Santo. Declaró abiertamente que estos habían escrito de él, e iluminó sus palabras y obras con los claros rayos de la luz de la profecía... Se destacó en su ministerio como alguien que se distinguía de todos los otros maestros. Él mismo había inspirado a los profetas a escribir de él. La obra de su vida había sido planificada en los concilios eternos del cielo antes de la fundación del mundo... Su vida era la luz de los hombres, y él presentaba su vida ante el pueblo, para que su fe echara mano de ella, y llegasen a ser uno con él.

Aunque presentaba una verdad infinita, dejó sin decir muchas cosas de las que pudo haber dicho, porque incluso sus discípulos no eran capaces de comprenderlas. Dijo: "Aún tengo muchas cosas que deciros, pero ahora no las podéis sobrellevar" (Juan 16:12). El meollo de su enseñanza era la obediencia a los mandamientos de Dios, que obrarían la transformación del carácter e inculcarían la excelencia moral, moldeando el alma a la semejanza divina. Cristo había sido enviado a la tierra para representar a Dios en su carácter. Jesús era el Dador de la vida, el Maestro enviado por Dios para proveer salvación para un mundo perdido, y para salvarnos a pesar de todas las tentaciones y engaños de Satanás. Él mismo era el evangelio. Él presentaba claramente en sus enseñanzas el gran plan diseñado para la salvación de la raza.— *Review and Herald*, 7 de julio de 1896.

de junio

El Salvador levantado

Y como Moisés levantó la serpiente en el desierto, así es necesario que el Hijo del hombre sea levantado, para que todo aquel que en él cree, no se pierda, mas tenga vida eterna. Juan 3:14, 15.

Cristo comenzó su poderosa obra en humildad para elevar a la raza humana. Pasando de largo las ciudades y las renombradas sedes del aprendizaje, estableció su hogar en la aldea humilde y poco conocida de Nazaret. En este lugar, desde el cual se suponía que no podía salir nada bueno, el Redentor del mundo pasó la mayor parte de su vida trabajando en su profesión de carpintero. Su hogar estaba entre los pobres; su familia no era distinguida por sus conocimientos, sus riquezas o su posición. Mientras estuvo en la tierra, recorrió el camino que los pobres, los despreciados, los sufrientes debían andar, tomando sobre sí todas las penas que llevaban los afligidos.

Los judíos hacían alarde arrogante de que el Mesías habría de venir como un rey, a conquistar sus enemigos y pisotear a los paganos en su ira. Pero la misión de Cristo no era exaltar a los hombres y mujeres al apelar a su orgullo. Él, el humilde Nazareno, podría haber despreciado el orgullo del mundo, porque él era el comandante de las cortes celestiales; pero vino en humildad, para mostrar que no son las riquezas, ni la posición ni la autoridad lo que respeta el Dios del cielo, sino que él honra al corazón humilde, contrito, que ha sido ennoblecido por el poder de la gracia de Cristo.

Cristo concluyó su vida de luchas y negaciones a favor nuestro por medio de un sacrificio supremo por nosotros… Cristo es un Salvador viviente. Hoy se sienta a la diestra de Dios como nuestro Abogado y hace intercesión por nosotros, y nos invita a contemplarlo y ser salvos. Pero el propósito firme del tentador siempre ha sido eclipsar a Jesús en la escena, para que seamos llevados a apoyarnos en el brazo de la humanidad en busca de ayuda y fortaleza. Él ha cumplido tan bien su propósito que nosotros dejamos de mirar a Jesús, en quien se centra toda esperanza de vida eterna, y miramos hacia nuestros congéneres para recibir ayuda y conducción…

Como la serpiente fue levantada en el desierto por Moisés, para que todos los que habían sido mordidos por las serpientes ardientes pudieran contemplarla y vivir, así sus siervos deberían levantar al Hijo de Dios ante el mundo. Cristo y este crucificado es el mensaje que Dios desearía que sus siervos proclamaran a lo largo y a lo ancho del mundo.— *Review and Herald*, 29 de septiembre de 1896.

Las ordenanzas

Porque ejemplo os he dado, para que como yo os he hecho, vosotros también hagáis. Juan 13:15.

Los símbolos de la casa del Señor son sencillos y fácilmente comprensibles, y las verdades representadas por ellos son del más profundo significado para nosotros. Al establecer el servicio sacramental para que tomara el lugar de la Pascua, Cristo dejó para su iglesia un monumento conmemorativo de su gran sacrificio por el hombre. "Haced esto —dijo él— en memoria de mí". Este era el punto de transición entre dos dispensaciones y sus dos grandes fiestas. La una había de concluir para siempre; la otra, que él acababa de establecer, había de tomar su lugar, y continuar durante todo el tiempo como el monumento conmemorativo de su muerte…

Con el resto de los discípulos, Judas participó del pan y del vino que simbolizaban el cuerpo y la sangre de Cristo. Esta era la última vez que Judas estaría presente con los doce; pero para que se cumpliera la Escritura, dejó la mesa de los sacramentos, el último don de Cristo a sus discípulos, para completar su obra de traición…

Los hijos de Dios han de mantener en mente que Dios se acerca sagradamente en cada ocasión como la del servicio del lavamiento de los pies…

El objeto de este servicio es traer a la mente la humildad de nuestro Señor y las lecciones que dio al lavar los pies de sus discípulos. En nosotros hay una disposición a estimarnos por encima de nuestros hermanos y hermanas, de obrar a favor propio, de servirnos a nosotros mismos, de buscar los lugares más elevados; y a menudo surgen cavilaciones malvadas y amargura de espíritu por causas puramente triviales. Esta ordenanza previa a la Cena del Señor debe aclarar estos malentendidos, sacarnos de nuestro egoísmo, bajarnos de nuestros zancos de exaltación propia a la humildad de espíritu que nos llevará a lavarnos los pies unos a otros…

La ordenanza del lavamiento de los pies ha sido encomendada especialmente por Cristo, y en estas ocasiones el Espíritu Santo está presente para testificar y colocar un sello sobre su ordenanza. Él está allí para convertir y ablandar el corazón. Une a los creyentes y los hace de un solo corazón. Los hace sentir que Cristo ciertamente está presente para echar fuera la basura que se ha acumulado y separa de Dios los corazones de sus hijos.— *Review and Herald*, 22 de junio de 1897; parcialmente en *El evangelismo*, p. 202.

de junio

Los principios en los negocios

Porque ¿qué aprovechará al hombre si ganare todo el mundo, y perdiere su alma? ¿O qué recompensa dará el hombre por su alma? Marcos 8:36, 37.

El lugar de los seguidores de Cristo consiste en reconocer su dependencia de Dios en todo y en aplicar los principios de su fe en todas las relaciones de la vida, incluyendo las transacciones comerciales. De otra manera no pueden representar correctamente la religión de Cristo. Y debieran ser tan honestos con Dios como con otros. ¿Puede alguien ser deshonesto con Dios? Lea la respuesta del profeta: "¿Robará el hombre a Dios? Pues vosotros me habéis robado" (Mal. 3:8).

Los diezmos y las ofrendas pertenecen a Dios. Los medios en nuestra posesión debieran ser considerados un legado sagrado, para ser utilizados para la gloria del Dador. La negación propia es la condición de la salvación. La caridad que no busca lo suyo es el fruto del amor desinteresado que caracterizó la vida de nuestro Redentor. Quienes por amor a Cristo se niegan a sí mismos, encontrarán la felicidad que los egoístas buscan en vano, pero los que hacen de sus propios placeres e intereses egoístas el objeto supremo de la vida, perderán la felicidad que creen que disfrutan.

El apóstol Pablo tiene algo que aportar al tema de dar sistemáticamente: "En cuanto a la ofrenda para los santos, haced vosotros también de la manera que ordené en las iglesias de Galacia. Cada primer día de la semana cada uno de vosotros ponga aparte algo, según haya prosperado" (1 Cor. 16:1, 2).

La regla de Dios para la dadivosidad, según la expresa la Palabra de Dios, no excluye a nadie, y no ejerce una presión pesada sobre nadie. Afecta ligeramente a los pobres, y los ricos en realidad no la sienten...

Al igual que en las balanzas del santuario se estiman las ofrendas según el espíritu de amor y sacrificio que las motivan, las promesas se cumplirán tan ciertamente para el hombre o mujer pobre que tiene poco que ofrecer pero lo ofrece liberalmente, como para los ricos que dan mayormente de su abundancia...

El reino de Cristo debe superar todo otro interés... [Dios] alimenta al gorrión y viste al lirio; ¿se ocupará menos de las necesidades de sus hijos?— *Bible Echo* (Australia), 9 de diciembre de 1895.

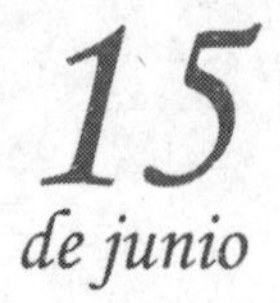

15
de junio

Un Maestro enviado de Dios

Pero si yo por el Espíritu de Dios echo fuera los demonios, ciertamente ha llegado a vosotros el reino de Dios. Mateo 12:28.

En las poderosas obras de Cristo había suficiente evidencia para convencer a cualquiera. Pero los dirigentes judíos no querían la verdad. No podían dejar de reconocer la realidad de las obras de Cristo, pero las condenaron todas. Se vieron obligados a reconocer que un poder sobrenatural estaba presente en su obra, pero dijeron que su poder provenía de Satanás. ¿Será que en efecto creían esto? No, pero estaban tan resueltos a impedir que la verdad los condujera a la conversión, que le adjudicaron la obra del Espíritu de Dios al diablo...

¡Redentor todo compasivo! ¡Cuál amor, cuál amor incomparable es el tuyo! Acusado por los grandes hombres de Israel de hacer sus obras de misericordia por el poder del príncipe de los demonios, fue como uno que no ve ni oye. La obra que él vino a hacer desde el cielo no debe quedar incompleta. La verdad debe ser revelada a la humanidad. La Luz del mundo debe hacer fulgurar sus rayos en la oscuridad del pecado y la superstición. La verdad no encontró lugar en los corazones de los que debieron haber sido los primeros en recibirla, porque estaban atrincherados en el prejuicio y la incredulidad malvada. Entre los que no tenían privilegios tan exaltados, Cristo preparó los corazones para que recibieran su mensaje. Hizo odres nuevos para el vino nuevo.

El Dios del cielo dota cada verdad con una influencia proporcional a su carácter e importancia. El plan de redención, de valor supremo para un mundo perdido y arruinado, había de ser proclamado, y el Espíritu de Dios en Cristo Jesús entró en contacto vital con el corazón del mundo...

La verdad fue proclamada por Cristo. Los corazones de los que profesaban ser los hijos de Dios se atrincheraron contra ella, pero quienes no habían sido tan privilegiados, los que no estaban vestidos con los mantos de la justicia propia, fueron atraídos hacia Cristo...

Hoy Satanás lucha por ocultar del mundo el gran sacrificio expiatorio que revela el amor de Dios y las demandas vigentes de su ley. Él guerrea contra la obra de Cristo... Pero mientras lleva a cabo su obra, las inteligencias celestiales se están combinando con los instrumentos humanos de Dios en la obra de la restauración.— *Review and Herald*, 30 de abril de 1901.

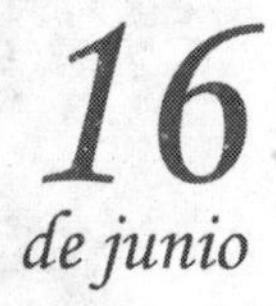

de junio

Al contemplar a Cristo

De modo que si alguno está en Cristo, nueva criatura es; las cosas viejas pasaron; he aquí todas son hechas nuevas. 2 Corintios 5:17.

Mediante el poder de Cristo podemos ser "más que vencedores" (Rom. 8:37). Pero nosotros no podemos crear este poder. Podemos recibirlo solamente mediante el Espíritu de Dios. Necesitamos discernir profundamente la naturaleza de Cristo y los misterios de su amor "que excede a todo conocimiento". Debemos vivir en los cálidos y cordiales rayos del Sol de Justicia. Solo la amante compasión de Cristo, su divina gracia, su poder omnipotente pueden capacitarnos para desbaratar al implacable enemigo y someter nuestros propios corazones rebeldes. ¿Cuál es nuestra fuerza? El gozo del Señor. Que el amor de Cristo llene nuestros corazones y estaremos preparados para recibir el poder que él tiene para nosotros.

Agradezcamos a Dios cada día por las bendiciones que nos da. Si el agente humano se humillara delante de Dios... reconociendo su extremada incompetencia en hacer el trabajo que es necesario hacer para que su alma sea purificada; si echara lejos su propia justicia, Cristo moraría en su corazón. Pondría su mano en la obra de crearlo de nuevo, y seguiría la obra hasta que el hombre sea completo en él.

Cristo nunca descuidará la tarea que se le ha encomendado. Infundirá en el esforzado discípulo un sentido de la perversidad, de la pecaminosidad, de la depravación del corazón sobre el cual está obrando. El verdadero penitente se da cuenta de la nulidad de la importancia propia. Mirando a Jesús, comparando su propio carácter defectuoso con el carácter perfecto del Salvador, dice: "No poseo nada de valor; solamente me aferro a tu cruz".

Con Isaías declaran: "Jehová, tú nos darás paz, porque también hiciste en nosotros todas nuestras obras. Jehová Dios nuestro, otros señores fuera de ti se han enseñoreado de nosotros; pero en ti solamente nos acordaremos de tu nombre" (Isa. 26:12, 13).— *Review and Herald*, 31 de marzo de 1904; parcialmente en *En lugares celestiales*, p. 64.

La única fuente de verdad

Yo soy el pan de vida; el que a mí viene, nunca tendrá hambre; y el que en mí cree, no tendrá sed jamás. Juan 6:35.

En esta época del mundo hay muchas personas que actúan como si tuvieran la libertad de cuestionar las palabras del Infinito, de analizar sus decisiones y estatutos, de aprobarlos, revisarlos, reestructurarlos y anularlos a su antojo. Mientras nos dejemos guiar por opiniones humanas, nunca estaremos seguros; pero tendremos seguridad cuando nos dejemos conducir por un "Así dice Jehová". No podemos confiar la salvación de nuestras almas a ninguna norma inferior a las decisiones de un Juez infalible. Los que aceptan que Dios sea su guía y que su Palabra sea su consejero, contemplan la lámpara de la vida. Los oráculos vivientes de Dios conducen sus pies por sendas rectas. Los que son dirigidos así no se atreven a juzgar la Palabra de Dios, sino que sostienen constantemente que su Palabra los juzga a ellos. Obtienen su fe y su religión de la Palabra del Dios viviente. Ella es la guía y el consejero que marca su camino. Verdaderamente la Palabra es una luz para sus pies y una lámpara en su camino. Caminan bajo la dirección del Padre de las luces, en quien "no hay mudanza, ni sombra de variación" (Sant. 1:17). Aquel cuyas tiernas misericordias reposan sobre todas sus obras transforma el camino de los justos en una luz resplandeciente, que brilla cada vez más hasta que el día es perfecto.

El mundo perece por falta de la verdad pura, no adulterada. Cristo es la verdad. Sus palabras son la verdad, y poseen un valor mayor y un significado más profundo de lo que parecen en la superficie. Todos los dichos de Jesús tienen un valor que trasciende su apariencia sin pretensiones. Las mentes avivadas por el Espíritu Santo discernirán el valor de estas declaraciones. Discernirán las preciosas gemas de la verdad, aunque sean un tesoro escondido...

El corazón es la ciudadela del ser, y entretanto no se encuentre totalmente de parte del Señor, el enemigo ganará victorias constantes sobre nosotros por medio de sus tentaciones sutiles.

Si la vida se entrega a su control, el poder de la verdad es ilimitado. Los pensamientos son llevados cautivos a Jesucristo. Del tesoro del corazón brotan palabras apropiadas y justas. Al escribirle a Timoteo, Pablo dice: "Retén la forma de las sanas palabras que de mí oíste, en la fe y amor que es en Cristo Jesús" (2 Tim. 1:13).— *Review and Herald*, 29 de marzo de 1906; parcialmente en *Exaltad a Jesús*, p. 100.

de junio

Seguros en las manos de Jesús

Mis ovejas oyen mi voz, y yo las conozco, y me siguen, y yo les doy vida eterna; y no perecerán jamás, ni nadie las arrebatará de mi mano. Juan 10:27, 28.

Cuando Satanás escuchó las palabras "pondré enemistad entre ti y la mujer, y entre tu simiente y la simiente suya", sabía que se le daría poder a hombres y mujeres para resistir sus tentaciones. Advirtió que su aspiración a ser príncipe del mundo recién creado habría de ser desafiada, que vendría Uno cuya obra sería fatal para sus propósitos malignos, que él y sus ángeles serían vencidos para siempre. Su certeza de poseer cierto poder, su sentido de seguridad, se esfumó. Adán y Eva habían cedido a sus tentaciones, y su posteridad sentiría la fuerza de sus asaltos. Pero ellos no quedarían sin un ayudador. El Hijo de Dios vendría al mundo, para ser tentado en lugar nuestro y vencer en lugar nuestro.

Hay enemistad entre los seres humanos caídos y Satanás únicamente si se colocan a sí mismos de parte de Dios y rinden obediencia a la ley de Jehová. Esto les trae poder para resistir los ataques de Satanás. Es por medio del sacrificio de Cristo que son habilitados para obedecer... El Hijo de Dios, al llevar la naturaleza humana y ser tentado en todo como nosotros, enfrentó y resistió los asaltos del enemigo. Y en *su* fuerza, los seres humanos pueden ganar la victoria, enfrentar al tentador y no ser vencidos por sus artificios y sus presentaciones presuntuosas. Al aceptar a Cristo como un Salvador personal, los hombres y las mujeres pueden mantenerse firmes contra las tentaciones del enemigo. Los seres humanos pueden tener vida eterna si aceptan los principios del cielo y permiten que Cristo someta el corazón y la mente a la obediencia a la ley de Jehová.

Cristo vio el significado de los artificios de Satanás, y hasta el fin de su lucha y prueba se mantuvo firme en su resistencia, negándose a apartarse de su lealtad a Dios...

De la manera en que Satanás tentó a Cristo, él tienta hoy a toda alma. Busca controlar a toda persona con su razonamiento. El Salvador nos advierte contra entrar en controversia con él o sus agencias. No hemos de enfrentarlos, excepto en el terreno bíblico de un "escrito está". Mientras menos tengamos que ver con los argumentos de los que se oponen a Dios, más firme será nuestro fundamento. Hemos de repetir lo menos posible los argumentos inventados por Satanás. Que cada alma tentada siga contemplando los principios que son enteramente de arriba, recordando la promesa: "Pondré enemistad entre ti y la mujer" (Gén. 3:15).— *Review and Herald*, 3 de mayo de 1906.

19 *de junio*

El poder convincente de Jesús

Y se admiraban de su doctrina, porque su palabra era con autoridad. Lucas 4:32.

La misión de Jesús fue puesta de manifiesto por milagros convincentes. Su doctrina asombró a la gente… Era un sistema de verdad que satisfacía la necesidad del corazón. Su enseñanza era clara, sencilla y abarcante. Las verdades prácticas que enunció tenían poder de convicción y llamaban la atención de la gente. Las multitudes permanecían junto a él, maravillándose por su sabiduría. Sus modales estaban en armonía con las grandes verdades que proclamaba. No pedía disculpas, no vacilaba, ni había la menor sombra de duda o incertidumbre de que fueran diferentes de lo que declaraba. Hablaba de lo terrenal y de lo celestial, de lo humano y lo divino, con autoridad absoluta; y la gente se admiraba "de su doctrina, porque su palabra era con autoridad".

Él había afirmado ser el Mesías, pero el pueblo no lo recibía, aunque veían sus obras maravillosas y se asombraban ante su sabiduría. Él no cumplía sus expectativas del Mesías. Se les había instruido para que esperaran pompa y gloria humanas en el advenimiento de su Libertador, y soñaban que con el poder del "León de la tribu de Judá" la nación judía sería exaltada a la preeminencia entre las naciones del mundo. Con estas ideas, no estaban preparados para recibir al humilde Maestro de Galilea, aunque él vino tal como los profetas habían predicho que vendría. No fue reconocido como "la verdad", "la luz del mundo", aunque hablaba como nadie había hablado jamás, porque su apariencia era humilde y modesta. Vino sin pompa ni gloria terrenales. Había, no obstante, una majestad en su misma presencia que hablaba de su carácter divino. Sus modales, aunque eran gentiles y atrayentes, poseían una autoridad que inspiraba respeto y admiración. Él mandaba y la enfermedad abandonaba al sufriente. Los muertos escuchaban su voz y vivían, los tristes se alegraban, y los cansados y abatidos encontraban reposo en su amor compasivo…

Los cojos, los ciegos, los paralíticos, los leprosos, y los afligidos con todo tipo de enfermedad, acudían a él, y él los sanaba a todos… El cielo apoyó sus aseveraciones con manifestaciones poderosas.— *Review and Herald*, 6 de julio de 1911; parcialmente en *Reflejemos a Jesús*, p. 93.

de junio

Como raíz de tierra seca

Subirá... como raíz de tierra seca; no hay parecer en él, ni hermosura; le veremos, mas sin atractivo para que le deseemos. Isaías 53:2.

La gente de los días de Jesús no podía ver la gloria del Hijo de Dios bajo el disfraz de la humildad. Fue "despreciado y desechado entre los hombres, varón de dolores, experimentado en quebranto" (Isa. 53:3). Para ellos él era como una raíz arrancada de tierra seca, sin forma ni atractivo para que lo desearan...

Cristo alcanzaba a las personas donde estaban. Presentaba la verdad sencilla a su mente con el lenguaje más vigoroso y simple. Los pobres humildes, los menos educados, podían comprender por la fe en él las verdades más elevadas de Dios. Nadie tenía que consultar a los eruditos doctores para entender su significado. No dejaba perplejos a los ignorantes con referencias misteriosas ni empleaba palabras poco comunes e intelectuales que no conocían. El mayor Maestro que el mundo ha conocido era el más definido, sencillo y práctico en sus instrucciones...

En tanto que los sacerdotes y rabinos se ufanaban de su capacidad para enseñarle al pueblo y para enfrentar al Hijo de Dios en su exposición de la doctrina, este los acusaba de ignorar las Escrituras y el poder de Dios. No es la educación de las personas más destacadas del mundo lo que abre los misterios del plan de redención. Los sacerdotes y rabinos habían estudiado las profecías, pero no habían podido descubrir las preciosas pruebas del advenimiento del Mesías, de la forma de su venida, de su misión y carácter. Los que pretendían ser dignos de confianza por causa de su sabiduría, no percibían que Cristo era el Príncipe de la vida.

Los rabinos contemplaban con sospecha y desprecio todo lo que no llevaba la apariencia de la sabiduría humana, la exaltación nacional y la exclusión religiosa; pero la misión de Jesús era oponerse a estos mismos males, corregir estas opiniones erróneas y obrar una reforma en la fe y la moral. Atrajo la atención hacia la pureza de la vida, la humildad de espíritu y a la devoción a Dios y a su causa sin la esperanza de honor mundanal o su recompensa...

Se regocijaba en espíritu al contemplar a los pobres de este mundo que aceptaban ansiosamente el precioso mensaje que él traía. Alzaba la vista al cielo y decía: "Te alabo, Padre, Señor del cielo y de la tierra, porque escondiste estas cosas de los sabios y de los entendidos, y las revelaste a los niños" (Mat. 11:25).— *Review and Herald*, 3 de agosto de 1911.

21

de junio

Las verdaderas riquezas

Las zorras tienen guaridas, y las aves del cielo nidos; mas el Hijo del hombre no tiene dónde recostar su cabeza. Mateo 8:20.

Cristo vino a este mundo para vivir una vida de perfecta obediencia a las leyes del reino de Dios. Él vino a elevar y ennoblecer a los seres humanos, para obrar en favor de ellos una justicia duradera. Vino como un medio a través del cual la verdad fuera impartida. En él se encuentran todas las excelencias necesarias para una perfección absoluta de carácter…

Cristo rindió su elevada autoridad en las cortes celestiales, y deponiendo su manto real y su corona de rey, vistió su divinidad con humanidad. Por nosotros se hizo pobre en riquezas y ventajas terrenales, para que los seres humanos pudieran ser ricos en el eterno peso de gloria. Tomó su lugar a la cabeza de la familia humana y consintió en soportar en lugar nuestro las pruebas y tentaciones que ha traído el pecado. Pudo haber venido en poder y gran gloria, escoltado por una multitud de ángeles celestiales. Pero no, él vino en humildad, de parentesco insignificante. Fue criado en una aldea desconocida y detestada. Vivió una vida de pobreza y a menudo sufrió privación y hambre. Hizo esto para demostrar que las riquezas terrenales y un rango elevado no aumentan el valor de las almas en la presencia de Dios. Él no nos ha dado indicio alguno de que las riquezas hagan que alguien sea merecedor de la vida eterna. Aquellos miembros de iglesia que tratan al hermano que se ha empobrecido como si fuese indigno de su atención no aprendieron tal cosa de Cristo…

Someterse al pecado es lo que trae gran infelicidad al alma. No es la pobreza sino la desobediencia la que disminuye nuestra esperanza de ganar la vida eterna, la que el Salvador vino a traernos. Las verdaderas riquezas, la verdadera paz, el verdadero contentamiento, la felicidad duradera, se encuentran únicamente en un sometimiento entero a Dios, en perfecta reconciliación con su voluntad.

Cristo vino a este mundo para vivir una vida de pureza inmaculada, para así mostrarles a los pecadores que, con su fuerza, ellos también pueden obedecer los santos preceptos de Dios, las leyes de su reino. Él vino a magnificar la ley y hacerla honrosa por medio de su conformidad perfecta a sus principios. Unió a la humanidad y a la divinidad, de manera que los seres humanos caídos puedan ser partícipes de la naturaleza divina y así escapar a la corrupción que existe en el mundo por la concupiscencia.

Fue del Padre que Cristo constantemente obtuvo el poder que le permitió mantener su vida libre de la mancha o suciedad del pecado.— *Review and Herald*, 4 de julio de 1912.

de junio

¿Robará el hombre a Dios?

Y dijisteis: ¿En qué te hemos robado? En vuestros diezmos y ofrendas. Malaquías 3:8.

¿Lo harían ustedes? La Biblia habla de esto como si fuera una imposibilidad que alguien se atreva a hacer tal cosa. "Vosotros me habéis robado"...

El Señor vio cómo sería cuando el mundo estuviese lleno de habitantes, y por lo tanto hizo un pacto con su pueblo para que le diesen sus diezmos y ofrendas, según el arreglo que él hizo. Esto es suyo. No pertenece a ninguno de ustedes. Dios ha hecho este trato con ustedes, para que puedan mostrar que ustedes advierten su dependencia y responsabilidad ante Dios al devolverle su porción. Si hacen esto, su bendición vendrá sobre ustedes. Todo lo que tenemos es del Señor, confiado a nosotros como sus mayordomos. Aquello que le devolvemos, él tiene que dárnoslo primero...

Respiramos porque Dios se hace cargo de la máquina humana. Día tras día la mantiene en funcionamiento, y él desea que pensemos en el sacrificio infinito que ha hecho por nosotros al sufrir con Uno igual a él: su Hijo unigénito. Él consintió en dejar que este viniera a un mundo marchitado y estropeado por la maldición del pecado, para erigirse como la cabeza de la humanidad, como un Salvador que llevó el pecado y lo perdonó...

Cristo declaró que le había sido dado todo poder en el cielo y en la tierra... Toma su posición como la cabeza de la humanidad, cubre la humanidad con la divinidad...

Ojalá que ninguno de nosotros falle en obtener el precioso beneficio de la vida eterna. No roben a Dios. Caminen honestamente ante él. Todo es suyo. Él ha confiado bienes a sus agentes para el avance de su obra en el mundo. Han de traer a su tesorería un diezmo fiel, y además han de traer dones y ofrendas según la causa las demande... Dios desea que nosotros advirtamos que el cielo ha sido acercado a la tierra. Decenas de decenas de miles, y miles y miles de ángeles ministran a los que serán herederos de la salvación...

Dios nos considera con seriedad. Espera que ayudemos a plantar su bandera en lugares que nunca han escuchado la verdad... Vienen pedidos de ayuda de alrededor del mundo. No gasten dinero innecesariamente. Niéguense a sí mismos, tomen su cruz y sigan al Maestro. Nunca podrán darle más de lo que él les ha dado a ustedes. Él dio su vida por ustedes. ¿Qué le han dado a él?— *General Conference Bulletin*, 8 de abril de 1901. (Tomado de un discurso de Elena G. de White, el 6 de abril de 1901.)

23

de junio

El remedio para la pobreza del alma

Bienaventurados los pobres en espíritu, porque de ellos es el reino de los cielos. Mateo 5:3.

Estas palabras de alivio de Cristo son dirigidas, no al orgulloso, ni al jactancioso o engreído, sino a los que advierten su propia debilidad y pecaminosidad. Quienes sufren, los mansos que se sienten indignos del favor de Dios, y los que tienen hambre y sed de justicia son los incluidos con "los pobres en espíritu"...

Los pobres en espíritu sienten su pobreza, su necesidad de la gracia de Cristo. Advierten que saben poco de Dios y su gran amor, y que necesitan luz para poder conocer y observar la senda del Señor. No se atreven a enfrentar la tentación con su propia fuerza, porque saben que no tienen la fuerza moral para resistir el mal. No sienten placer en repasar su vida pasada, y tienen poca confianza al mirar hacia el futuro, porque están enfermos de corazón. Pero a los tales Cristo les dice: "Bienaventurados los pobres en espíritu". Cristo vio que los que sienten su pobreza pueden ser enriquecidos...

¡Cuán grandes privilegios están al alcance de los que sienten la pobreza de sus almas y se someten a la voluntad de Dios! El remedio para la pobreza del alma se encuentra únicamente en Cristo. Cuando el corazón es santificado por la gracia, cuando los cristianos tienen la mente de Cristo, tienen el amor de Cristo, son riquezas espirituales más preciosas que el oro de Ofir. Pero antes de que pueda existir un deseo intenso por la riqueza contenida en Cristo, que está disponible para todos quienes sienten su pobreza, debe haber un sentido de necesidad. Cuando el corazón está lleno de autosuficiencia y preocupado por las cosas superficiales de la tierra, el Señor Jesús nos amonesta y castiga para que los hombres y las mujeres despierten y se percaten de su verdadera condición...

Usted puede venir a Jesús con fe y sin demora. Su provisión es rica y libre, su amor es abundante, y él le dará gracia para llevar su yugo y levantar su carga con alegría. Puede reclamar su derecho a esta bendición con base en su promesa. Puede entrar en su reino, que es su gracia, su amor, su justicia, su paz y gozo en el Espíritu Santo. Si se encuentra en una necesidad profunda, puede recibir toda su plenitud, porque Cristo dice: "Porque no he venido a llamar a justos, sino a pecadores, al arrepentimiento" (Mat. 9:13). Jesús lo invita a venir. "Bienaventurados los pobres en espíritu, porque de ellos es el reino de los cielos".—*Signs of the Times*, 1° de agosto de 1895.

El ministerio de la consolación

Bienaventurados los que lloran, porque ellos recibirán consolación. Mateo 5:4.

El Señor obra por medio de instrumentos humanos y ha comisionado a sus seguidores el deber de ministrar a quienes se encuentran desanimados y afligidos. Hay corazones a nuestro alrededor que necesitan ser elevados, que necesitan los brillantes rayos del Sol de justicia. El Señor espera que aquellos a quienes él ha consolado y bendecido animen a los que se encuentran en tinieblas, y que consuelen a quienes están tristes. Los que han recibido luz y paz no han de pasar por alto a los que sufren, sino que han de acercarse a ellos compasivamente y ayudarlos a ver un Salvador que perdona el pecado, un Dios misericordioso.

Dios ha llevado nuestras penas y cargado nuestras tristezas, y él dará gozo y alegría a los que sufren. Mi hermano y mi hermana, ustedes que han sufrido los pesares de este mundo, ¿servirán a Cristo al ayudar especialmente a las personas que necesitan su ayuda?...

Quienes aman a Jesús tendrán la mente de Cristo y consolarán a todos los que sufren; ayudarán a los pobres, tentados y desanimados a caminar a la luz de la cruz y no en la sombra ni en la oscuridad...

El Señor Jesús le ha dado a su pueblo la obra especial de consolar a todos los que sufren. Cristo trabaja para este grupo, e invita a los seres humanos a convertirse en sus instrumentos para llevar luz y esperanza a los que sufren en medio de providencias aparentemente oscuras...

El fuego del horno puede prenderse sobre los siervos de Dios, pero es con el propósito de purificarlos de toda paja, y no para destruirlos o consumirlos...

Honramos a Dios al confiar en él cuando todo parece oscuro e inhóspito. Que los que se encuentran afligidos lo contemplen a él, y hablen de su poder y canten de su misericordia...

Se pronuncia una bendición sobre todos los que lloran. De no haber habido sufrientes en nuestro mundo, Cristo no habría revelado el carácter paternal de Dios. Aquellos oprimidos por la convicción del pecado han de conocer la bendición del perdón y de sus pecados borrados. De no haber nadie que llore, la suficiencia de la expiación del pecado por Cristo no habría sido entendida.— *Signs of the Times*, 8 de agosto de 1895.

25
de junio

La mansedumbre, un fruto del Espíritu

Bienaventurados los mansos, porque ellos recibirán la tierra por heredad. Mateo 5:5.

A los que han buscado humildemente a Dios por alivio y paz en medio de las pruebas, se les ha impartido la gentileza de Cristo. Quienes han aprendido de él que es manso y humilde de corazón, manifiestan compasión y mansedumbre hacia los que tienen necesidad de consolación, porque pueden consolar a otros con la consolación con la que fueron consolados por Dios...

La mansedumbre es un fruto del Espíritu y una evidencia de que somos ramas del Dios viviente. La presencia interna de la mansedumbre es una evidencia indiscutible de que somos ramas de la Vid verdadera y que llevamos mucho fruto. Es una evidencia de que por la fe estamos contemplando al Rey en su hermosura y estamos siendo transformados a su semejanza. Donde existe la mansedumbre, las tendencias naturales están bajo el control del Espíritu Santo. La mansedumbre no es un tipo de cobardía. Es el espíritu que Cristo manifestó cuando sufría perjuicio, cuando soportaba insultos y abusos. Ser manso no significa renunciar a nuestros derechos, sino preservar el dominio propio cuando somos provocados a dar paso a la ira o al espíritu de venganza. La mansedumbre no permite que la pasión tome las riendas.

Cuando Cristo fue acusado por los sacerdotes y fariseos, conservó su autocontrol, pero tomó una posición decidida en cuanto a que sus acusaciones eran falsas. Les dijo: "¿Quién de vosotros me redarguye de pecado?" (Juan 8:46)... Él sabía que estaba en lo correcto. Cuando Pablo y Silas fueron golpeados y echados en prisión sin un juicio o sentencia, no renunciaron a su derecho a ser tratados como ciudadanos honestos...

En todo tiempo y en todo lugar los cristianos debieran ser lo que el Señor desea que sean: libres en Cristo Jesús. El deber cumplido en el Espíritu de Cristo será hecho con una prudencia santificada. Cuando tenemos una conexión vital con Dios, somos guiados como con una luz del cielo... Quienes se han arrepentido de sus pecados, que han echado sus almas cansadas y cargadas a los pies de Cristo, que se han sometido a su yugo y se han convertido en sus colaboradores, serán partícipes con Cristo en sus sufrimientos y partícipes también de su naturaleza divina...

Jesús es nuestro modelo, y de él es que recibimos fuerza y gracia para andar en humildad y contrición ante Dios.— *Signs of the Times*, 22 de agosto de 1895.

de junio

Hambre de justicia

Bienaventurados los que tienen hambre y sed de justicia, porque ellos serán saciados. Mateo 5:6.

El verdadero pan de vida se encuentra únicamente en Cristo. Los que no reconocen que los tesoros de rica gracia, el banquete celestial, han sido preparados a un costo infinito para satisfacer a los que tienen hambre y sed de justicia, no serán satisfechos...

"Jesús les dijo: Yo soy el pan de vida; el que a mí viene, nunca tendrá hambre" (Juan 6:35)...

Quienes tienen hambre y sed de justicia están llenos de un deseo anhelante de llegar a ser como Cristo en carácter, de ser asimilados a su imagen, de mantener la senda del Señor y de hacer justicia y juicio. Siempre debiéramos cultivar un deseo ferviente de la justicia de Cristo. Ningún deseo temporal debiera atraer y separar la mente hasta el grado de que no experimentemos esta hambre del alma por poseer los atributos de Cristo... Cuando se encuentra en problemas y aflicciones, el alma anhela el amor y el poder de Dios. Hay un deseo intenso de seguridad, de esperanza, de fe, de confianza. Debemos buscar el perdón, la paz, la justicia de Cristo... Toda alma que busca al Señor de todo corazón tiene hambre y sed de justicia...

El hambre del alma será satisfecha cuando nuestros corazones se vacíen del orgullo, la vanidad y el egoísmo, porque entonces la fe se apropiará de las promesas de Dios y Cristo suplirá el vacío y morará en el corazón. Habrá un nuevo canto en la boca, porque la Palabra se cumplirá: "Os daré corazón nuevo" (Eze. 36:26). El testimonio del creyente será: "Porque de su plenitud tomamos todos, y gracia sobre gracia" (Juan 1:16).

Sin Cristo, el hambre y la sed del alma quedarían insatisfechas. La sensación de carencia, el ansia de algo no temporal, no manchado de lo terrenal ni lo común, nunca podría aplacarse. La mente debe aferrarse a algo más elevado y puro que cualquier cosa que pueda hallarse en este mundo...

Cristo fue crucificado por el pecado del mundo, y después de su resurrección y ascensión se invitó a todo el mundo a mirarlo a él y vivir. Se nos exige que miremos las cosas invisibles, a mantener ante el ojo de la mente las imágenes más vívidas de las realidades eternas, para que al contemplarlas, seamos cambiados a la imagen de Cristo.— *Signs of the Times*, 3 de octubre de 1895.

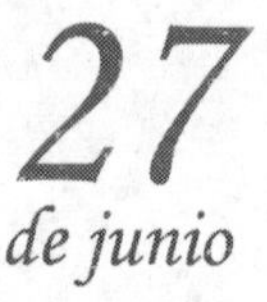

Los frutos de la misericordia

Bienaventurados los misericordiosos, porque ellos alcanzarán misericordia. Mateo 5:7.

El deber de los hijos de Dios es ser luz plena en el Señor y esparcir bendiciones sobre la senda de los demás. No han de decir: "Caliéntense, y aliméntense", y no hacer algo para aliviar las necesidades de los que están en necesidad...

Somos la posesión comprada del Señor, y como sus agentes humanos es nuestro deber positivo administrar las cosas temporales y espirituales del almacén que Dios nos ha dado. Debe ejercitarse constantemente el amor para inspirar fe en Dios, para suscitar la alabanza a Dios en los corazones humanos, y para que la cadena dorada del amor pueda unir los corazones de la humanidad. Quienes son receptores de la misericordia, simpatía y compasión de Dios debieran transmitirlas a los demás...

El Hijo del Dios infinito es nuestro Modelo. El cielo está lleno de misericordia, y esta fluye constantemente, no solo a favor de unos pocos predilectos, sino para bendición de todos los que más la necesitan, para el beneficio de aquellos cuyas vidas son las menos placenteras y felices...

A aquellos a quienes Dios ha convertido en mayordomos de habilidades y medios, él les ordena, por su propio interés, que coloquen sus tesoros en el cielo, y al igual que él les ha dado libremente de su abundante misericordia, ellos la compartan libremente con otros. En vez de vivir para sí mismos, Cristo ha de vivir en ellos, y su Santo Espíritu ha de guiarlos para que dispensen sabiamente sus bienes, mostrando misericordia a otros como él es misericordioso con todos. Ningún hombre o mujer puede ser un seguidor de Cristo y vivir para sí...

Según se les confían bienes, ellos deben dispensarlo a otros. Los hombres y mujeres más humildes han de invertir los talentos del Señor, al advertir que lo que se les ha confiado a ellos, deben devolverlo con intereses a Dios. Aunque tengamos un solo talento, si lo consagramos fielmente a Dios y lo empleamos en actos de misericordia en asuntos temporales o espirituales, y de esa manera ministramos a favor de las carencias de los necesitados, nuestro talento aumentará en valor y será anotado en el registro del cielo como algo que supera nuestra capacidad para computar. Toda acción misericordiosa, cada sacrificio, cada negación propia, traerá una respuesta segura, cien veces tanto ahora, y vida eterna en el mundo venidero.— *Signs of the Times*, 12 de septiembre de 1895.

Un Amigo para el puro de corazón

Bienaventurados los de limpio corazón, porque ellos verán a Dios. Mateo 5:8.

Los de limpio corazón verán a Dios. Aunque todos consideren a Cristo como juez, los puros de corazón lo verán como un amigo, porque Cristo dijo: "Ya no os llamaré siervos, porque el siervo no sabe lo que hace su señor; pero os he llamado amigos, porque todas las cosas que oí de mi Padre, os las he dado a conocer" (Juan 15:15). Los limpios de corazón verán a Cristo como un amigo y hermano mayor. Quienes buscan constantemente a Cristo para obtener su consejo, que oran sinceramente por su Espíritu Santo, se apenarán si una nube los oculta de su vista...

El mundo cristiano en este tiempo se inclina a aceptar las sofisterías de Satanás en lugar de la Palabra de Dios. Muchos se han separado de Dios por causa de palabras malsanas, y no les interesa contemplar a Dios ni incluirlo en sus pensamientos. Su deseo de ver a Dios no es mayor que el de Adán cuando se escondió de su Padre celestial que se acercaba...

Hemos de mirar a Jesús como nuestra única esperanza para ser librados de nuestros pecados, porque en él no hay pecado. Él se hizo pecado por nosotros para poder llevar nuestra culpa, presentándose ante el Padre como culpable en lugar nuestro, en tanto que nosotros que creemos en él como un Salvador personal, podamos ser contados por limpios de la influencia contaminante del pecado. Por medio de la justicia imputada de Cristo se nos considera sin culpa. Cristo le ha dado a cada ser humano la evidencia de que él es el único que puede llevar el sufrimiento, la pena y el pecado humanos. Los que declaran que Cristo es su sustituto y garante, si aferran sus almas impotentes a Cristo, podrán sostenerse como viendo al Invisible. La bendición, "bienaventurados los de limpio corazón, porque ellos verán a Dios", les pertenece.

Cuando usted sea engañado y caiga en pecado, no se desanime. No se tarde ni sufra en la incredulidad desesperada, sino que presente su caso inmediatamente a Jesús...

Cristo recorrió la senda donde Adán fracasó, y redimió su penosa derrota. Fue perfeccionado por el sufrimiento y es capaz de socorrer a todos los que sean tentados, y de abrir una vía de escape para que sean capaces de soportar la tentación... Sabe cómo simpatizar con cada ser humano, porque ha unido su interés con los intereses de aquellos a quienes vino a salvar. ¡Qué sumo sacerdote maravilloso es Jesús! Podemos colocar la carga de nuestra alma sobre él.— *Signs of the Times*, 3 de octubre de 1895.

29

de junio

Armonía

Bienaventurados los pacificadores, porque ellos serán llamados hijos de Dios.
Mateo 5:9.

Quienes han captado vislumbres de la perfección del carácter de Cristo se llenarán de un anhelo de ser como él. Desearan ser pacificadores y recibir la bendición que él ha prometido para los pacificadores…

El enemigo de toda justicia estará listo para conducirlo a un tipo de proceder que será totalmente opuesto al que debiera seguir un pacificador. Aquel que ama la discordia y el conflicto lo tentará para que usted desempeñe un papel en conexión consigo mismo para provocar conflictos. Lo llevará a pensar que ve en algún hermano o hermana algo que está mal, y Satanás lo urgirá a ir y contarlo a otros; pero Cristo le ha enseñado a ir a su hermano: "Ve y repréndele estando tú y él solos" (Mat. 18:15). ¿A cuál líder obedecerá? Tratar al otro con franqueza y fidelidad no está de acuerdo con el corazón natural. Parece más fácil decirle la falta de un hermano a otra persona, que decírsela a él a solas, pero su oído es el único que debe escuchar la acusación… Los bienaventurados son los que obran en armonía con Dios, que laboran juntamente con Cristo. La gracia que imparte el Espíritu de Dios es una fuente de vida para el alma y refrescará a todos los que entran en contacto con el pacificador…

Es importante que consideremos que el espíritu que ahora albergamos y las obras que ahora hacemos, testificarán de nuestra idoneidad o falta de ella para la vida futura. Ahora estamos a prueba, y habrá de verse si cumplimos el Padrenuestro y cumplimos la voluntad de Dios en la tierra como se cumple en el cielo. Los que llevan a cabo los planes de Satanás y hacen daño y lastiman a las almas, por su conducta demuestran que no son hijos de Cristo…

Es mejor que cada uno de nosotros haga lo correcto porque es correcto; así crearemos una atmósfera de paz a nuestro alrededor. Entonces no se nos encontrará acercándonos al bando de los agentes humanos de Satanás para captar su espíritu, y para repetir sus palabras de acusación y reproche contra los que buscan ser obedientes a los mandamientos del Señor. No nos conectaremos con el adversario de las almas para ayudarlo a despertar sospechas y luchas, ni para causar que las almas que aman a Dios sean tentadas a hacer el mal.— *Signs of the Times*, 10 de octubre de 1895.

Buscad la paz

Bienaventurado el hombre que tiene en ti sus fuerzas. Salmo 84:5.

Bienaventurados los pacificadores" (Mat. 5:9)... ¿Cuántos hay que realmente desean ser bienaventurados, que no solo escuchan sino que hacen las palabras de Cristo? Los que no confían en sí mismos, sino que ponen su confianza en un poder externo y superior al propio, serán habilitados para ser hacedores de las palabras de Cristo...

"Bienaventurados los que padecen persecución por causa de la justicia" (no por su espíritu áspero, rudo, que los lleva a suscitar conflicto y disensión, sino "por causa de la justicia") . Los justos son los que desean paz y tendrán paz aunque les cueste todo, excepto el sacrificio de sus principios. No pueden sacrificar la verdad, aunque la adherencia a ella les cueste dolor, reproches, sufrimiento e incluso la muerte. "Porque de los tales es el reino de los cielos". Los que son perseguidos por causa de la justicia colocan los mandamientos de Dios primero en sus vidas, y no permiten que ninguna regla humana, promesa de recompensa, ni oferta de honor, se introduzca entre ellos y su Dios. No pueden ser inducidos a negar a Cristo y traicionar su causa. Las ricas promesas de Dios ocupan un lugar en su memoria, y cuando el enemigo llega como una inundación, el Espíritu del Señor se levanta como un estandarte contra él. El Espíritu Santo revela la preciosura de las Escrituras al entendimiento...

La iglesia misma necesita convertirse de manera tal que sus miembros puedan convertirse en canales de luz que sean bendecidos y convertidos en bendición. Una dependencia vaga de la misericordia de Dios no nos conseguirá acceso al trono de la gracia ni extraerá la bendición de Dios el Padre provista para los que hacen su voluntad. La fe debe centrarse en la Palabra de Dios, que es espíritu y vida. Cada página de la Sagrada Palabra es iluminada con los rayos del Sol de Justicia.

La Palabra de Dios ha de ser el apoyo del afligido, el alivio del perseguido. Dios mismo habla al alma crédula y confiada, porque el Espíritu de Dios está en su Palabra, y los que aceptan las palabras de Dios cuando son aclaradas en su mente por el Espíritu Santo, recibirán una bendición especial. Así es como el creyente come de Cristo, el Pan de vida. Se ve la verdad bajo otro aspecto, y el alma se regocija como en la presencia visible de Cristo.— *Signs of the Times*, 10 de octubre de 1895.

1º de julio

La salvación prometida

Mirad a mí, y sed salvos, todos los términos de la tierra, porque yo soy Dios, y no hay más. Isaías 45:22.

Cuando fueron creados, Adán y Eva tenían un conocimiento de la ley original de Dios... Cuando transgredieron la ley de Dios y cayeron de su estado de feliz inocencia, y se convirtieron en pecadores, el futuro de la raza caída no quedó aliviado por un solo rayo de esperanza. Por causa de la transgresión de la ley divina, la familia humana perdió el paraíso, se pronunció la maldición sobre la tierra, y comenzó el reino de la muerte.

Cuando se pronunció la maldición sobre la tierra y sobre el hombre, hubo una promesa en relación con la maldición: que mediante Cristo había esperanza y perdón por la transgresión de la ley de Dios. Aunque la lobreguez y la oscuridad pendían como una mortaja sobre el futuro, sin embargo —en la promesa del Redentor—, la Estrella de la esperanza alumbraba el lóbrego futuro. La primera predicación del evangelio fue hecha por Cristo a Adán. Adán y Eva experimentaron sincero dolor y arrepentimiento por su culpa. Creyeron la preciosa promesa de Dios y fueron salvados de una ruina total...

Durante trescientos años [Enoc] caminó con Dios, dándole al mundo un ejemplo de una vida pura e intachable, una vida que guardaba un contraste marcado con la de sus contemporáneos en aquella generación voluntariosa y perversa, que ignoró abiertamente la ley de Dios y se ufanó de ser libre de sus restricciones. Pero su testimonio y su ejemplo fueron igualmente ignorados, porque los hombres y mujeres amaron el pecado antes que la santidad. Enoc sirvió a Dios con un corazón íntegro; y el Señor le comunicó su voluntad y le reveló por medio de visiones los grandes acontecimientos conectados con la segunda venida de Cristo. Entonces este siervo favorecido del Señor fue llevado al cielo por los ángeles sin ver la muerte.

Con el tiempo la maldad se tornó tan grande que Dios ya no pudo soportarla; y le dio a conocer a Noé que debido a la transgresión continua de su ley, él destruiría a quienes había creado mediante un diluvio que traería sobre la tierra. Noé y su familia fueron obedientes a la ley divina, y por su lealtad al Dios del cielo fueron salvados de la destrucción que acabó con el mundo impío que los rodeaba. Así el Señor se preservó para sí a un pueblo en cuyo corazón habitaba su ley.— *Signs of the Times*, 22 de abril de 1886; parcialmente en *Comentario bíblico adventista*, tomo 1, p. 1098.

Este es el mes para la renovación de sus suscripciones de 2014. Hágalo cuanto antes (ver página 377).

de julio

La prueba de Caín y Abel

Y aconteció andando el tiempo, que Caín trajo del fruto de la tierra una ofrenda a Jehová. Y Abel trajo también de los primogénitos de sus ovejas, de lo más gordo de ellas. Y miró Jehová con agrado a Abel y a su ofrenda; pero no miró con agrado a Caín y a la ofrenda suya. Y se ensañó Caín en gran manera, y decayó su semblante. Génesis 4:3-5.

Caín y Abel, los hijos de Adán, eran muy distintos en carácter... Estos hermanos fueron probados, como lo había sido Adán antes que ellos, para comprobar si habrían de creer y obedecer la Palabra de Dios. Conocían el medio provisto para salvar al hombre y entendían el sistema de ofrendas que Dios había ordenado. Sabían que mediante esas ofrendas podían expresar su fe en el Salvador a quien estas representaban, y al mismo tiempo reconocer su completa dependencia de él para obtener perdón; y sabían que sometiéndose así al plan divino para su redención, demostraban su obediencia a la voluntad de Dios y demostraban fe y dependencia del Salvador tipificado por estas ofrendas.

Los dos hermanos levantaron altares semejantes, y cada uno de ellos trajo una ofrenda. Pero Caín, desobedeciendo el directo y expreso mandamiento del Señor, presentó solo una ofrenda de frutos. No hubo señal del cielo de que este sacrificio fuera aceptado. Abel rogó a su hermano que se acercase a Dios en la forma que él había ordenado, pero sus súplicas crearon en Caín mayor obstinación para seguir su propia voluntad. Como era el mayor, no le parecía propio que lo amonestase su hermano, y desdeñó su consejo.

Abel trajo de las primicias de su rebaño, lo mejor, conforme a las instrucciones del Señor. En el cordero inmolado, vio por la fe al Hijo de Dios, señalado para morir por causa de la transgresión de la ley de su Padre. Dios respetó la ofrenda de Abel. Descendió fuego del cielo y consumió la víctima. Caín ahora tenía una oportunidad de ver y reconocer su error... Y Aquel que no hace acepción de personas respetará la ofrenda de fe y obediencia...

La ofrenda de Abel había sido aceptada, pero esto fue así porque Abel había cumplido cada detalle conforme Dios se lo requirió.— *Signs of the Times*, 16 de diciembre de 1886.

Este es el mes para la renovación de sus suscripciones de 2014. Hágalo cuanto antes (ver página 377).

3

de julio

La ira de Caín

Entonces Jehová dijo a Caín: ¿Por qué te has ensañado, y por qué ha decaído tu semblante? Si bien hicieres, ¿no serás enaltecido? Génesis 4:6, 7.

El Señor no ignoraba los resentimientos acariciados por Caín, pero deseaba que Caín reflexionara sobre su conducta, y al convencerse de su pecado se arrepintiera y colocara sus pies en el camino de la obediencia. No había motivo para sus sentimientos de enojo hacia su hermano ni hacia su Dios. Su propio descuido de la voluntad claramente expresada de Dios había llevado al rechazo de su ofrenda... La ofrenda de Abel había sido aceptada, pero esto era porque Abel había hecho en cada detalle lo que Dios había requerido que hiciera. Esto no le robaba su primogenitura a Caín... Por eso el asunto fue presentado claramente ante Caín; pero su combatividad fue despertada porque su decisión fue puesta en tela de juicio y no se le permitió seguir sus ideas independientes. Estaba enojado con Dios y enojado con su hermano. Estaba enojado con Dios por haber puesto los requerimientos divinos por encima de los planes de un pecador, y estaba enojado con su hermano por estar en desacuerdo con él...

Caín invitó a Abel a caminar con él por el campo, y allí dio expresión a su incredulidad y su murmuración contra Dios. Aseguró que hacía el bien al presentar su ofrenda; y cuanto más hablaba contra Dios y ponía en duda su justicia y misericordia por haber rechazado su ofrenda y aceptado la de su hermano Abel, más amargos se tornaron sus sentimientos de ira y resentimiento.

Abel defendió la bondad e imparcialidad de Dios y le señaló a Caín la sencilla razón por la cual Dios no aceptó su ofrenda.

El hecho de que Abel se atreviera a estar en desacuerdo con él y fuera tan lejos como para señalarle sus errores sorprendió a Caín... El sentido común le decía a Caín que Abel tenía razón cuando habló de la necesidad de presentar la sangre de una víctima herida si deseaba que su sacrificio fuese aceptado, pero Satanás le presentó el asunto bajo otra luz. Incitó a Caín a un arrebato de ira, hasta que mató a su hermano, y el pecado de homicidio fue colocado sobre su alma.— *Signs of the Times*, 16 de diciembre de 1886.

Este es el mes para la renovación de sus suscripciones de 2014. Hágalo cuanto antes (ver página 377).

de julio

Un sacrificio más excelente

Por la fe Abel ofreció a Dios más excelente sacrificio que Caín, por lo cual alcanzó testimonio de que era justo. Hebreos 11:4.

Estos dos hermanos, Caín y Abel, representan toda la familia humana. Ambos fueron probados en el asunto de la obediencia, y todos serán probados como ellos lo fueron. Abel soportó la prueba de Dios. Reveló el brillo de un carácter justo, los principios de la verdadera piedad. Pero la religión de Caín no tuvo un buen fundamento; reposaba sobre el mérito humano. Él trajo a Dios algo por lo que tenía un interés personal: los frutos de la tierra, que habían sido cultivados por su esfuerzo; y presentó esta ofrenda como un favor hecho a Dios mediante el cual esperaba conseguir la aprobación divina. Obedeció cuando edificó un altar, obedeció cuando trajo un sacrificio, pero solo era una obediencia parcial. La parte esencial, el reconocimiento de la necesidad de un Redentor, quedó fuera…

Ambos eran pecadores, y ambos reconocían los derechos de Dios como objeto de adoración. Según las apariencias, su religión era la misma, hasta cierto punto; pero la historia de la Biblia nos muestra que hubo un momento cuando la diferencia entre ambos se hizo muy notable. Esta diferencia radicaba en la obediencia de uno y la desobediencia del otro.

El apóstol dice que Abel ofreció a Dios un sacrificio más excelente que Caín. Abel captó los grandes principios de la redención. Se vio a sí mismo como un pecador, y vio el pecado y su castigo, la muerte, como un obstáculo entre su alma y la comunión con Dios. Trajo la víctima herida, la vida sacrificada, reconociendo así las demandas de la ley que había sido transgredida. A través de la sangre derramada, contemplaba el sacrificio futuro, a Cristo muriendo en la cruz del Calvario; y al confiar en la expiación que habría de hacerse, tuvo prueba de que era justo y que su ofrenda fue aceptada.

¿Cómo conocía Abel tan bien el plan de salvación? Adán se lo enseñó a sus hijos y nietos… Luego que Adán pecó, lo asaltó una sensación de terror. Un temor constante lo abrumaba; la vergüenza y el remordimiento torturaban su alma. En este estado de ánimo deseaba estar tan lejos como fuera posible de la presencia de Dios, aunque antes le había encantado encontrarse con él en su hogar edénico. Pero el Señor siguió a este hombre atormentado por la conciencia, y aunque condenaba el pecado del que Adán era culpable, le dio una promesa llena de gracia.— *Signs of the Times*, 23 de diciembre de 1886.

Este es el mes para la renovación de sus suscripciones de 2014. Hágalo cuanto antes (ver página 377).

5 de julio

La primera promesa del evangelio

Porque así como en Adán todos mueren, también en Cristo todos serán vivificados. 1 Corintios 15:22.

Y pondré enemistad entre ti y la mujer, y entre tu simiente y la simiente suya; esta te herirá en la cabeza, y tú le herirás en el calcañar" (Gén. 3:15). Este fue el primer sermón evangélico predicado a los pecadores; esta promesa era la estrella de esperanza que iluminaba el oscuro y nefasto futuro de la raza. Adán recibió gustosamente la deseada certeza de la liberación y diligentemente instruyó a sus hijos en el camino del Señor. Esta promesa fue presentada en conexión íntima con el altar de las ofrendas del sacrificio. El altar y la promesa permanecen uno al lado de la otra, y el uno arroja claros rayos de luz sobre la otra, mostrando que la justicia de un Dios ofendido solo puede ser mitigada por la muerte de su amado Hijo...

Abel escuchó estas preciosas lecciones y fueron para él como semilla sembrada en buen terreno. Caín también las escuchó. Tuvo los mismos privilegios que su hermano, pero él no los tomó en cuenta. Se atrevió a ir contra los mandamientos de Dios, y el resultado se nos presenta claramente. Caín no fue la víctima de un propósito arbitrario; no se eligió a uno para ser el escogido de Dios y al otro para ser rechazado. Todo el asunto radica en hacer o no hacer lo que Dios ha dicho.

Caín y Abel representan dos clases de personas que existirán en el mundo hasta el fin del tiempo; y este simbolismo merece ser estudiado cuidadosamente. Hay una diferencia marcada en el carácter de estos dos hermanos, y puede verse la misma diferencia en la familia humana de hoy. Caín representa a los que ejercen los principios y las obras de Satanás al adorar a Dios a su manera. Como el líder que siguen, están dispuestos a rendir una obediencia parcial, pero no a someterse enteramente a Dios...

La clase de adoradores que sigue el ejemplo de Caín abarca la mayor parte del mundo, pues casi todas las religiones falsas se basan en el mismo principio, a saber, que el hombre puede depender de sus propios esfuerzos para salvarse...

La religión de Cristo es para que los hombres y las mujeres la acepten con todas sus inconveniencias. Pueden inventarse un camino más fácil, pero no los conducirá a la ciudad de Dios, la morada segura de los santos. Solo los que "guardan sus mandamientos" tendrán acceso al "árbol de la vida", y entrarán por las puertas de la ciudad".— *Signs of the Times,* 23 de diciembre de 1886; parcialmente en *Patriarcas y profetas,* p. 60.

de julio

Enoc

Y caminó Enoc con Dios, después que engendró a Matusalén, trescientos años.
Génesis 5:22.

De labios de Adán [Enoc] había aprendido la triste historia de la caída y la preciosa historia de la gracia magnánima de Dios en el don de su Hijo como el Redentor del mundo. Creía y confiaba en la promesa dada. Enoc era un hombre santo. Servía a Dios con un corazón indiviso. Advertía la corrupción de la familia humana y se separó de los descendientes de Caín y los amonestaba por su gran maldad. Había algunos sobre la tierra que reconocían a Dios, que lo temían y lo adoraban. Pero el justo Enoc estaba tan afligido por la maldad creciente de los impíos que no se asociaba diariamente con ellos, temiendo que la infidelidad de esos hombres pudiese afectarlo y que nunca más fuese a considerar a Dios con la reverencia santa que merecía su exaltado carácter. Su alma se afligía al contemplar que pisoteaban diariamente la autoridad de Dios. Decidió separarse de ellos y pasar mucho tiempo en la soledad, dedicándose a la meditación y a la oración. Así esperaba ante el Señor, buscando un conocimiento más claro de su voluntad a fin de cumplirla. Dios se comunicaba con Enoc por medio de sus ángeles y le dio instrucciones divinas. Le hizo saber que nunca más contendería con los seres humanos rebeldes, que era su propósito destruir a la raza pecaminosa trayendo un diluvio sobre la tierra.

El hermoso jardín del Edén, del cual habían sido expulsados nuestros primeros padres, permaneció hasta que Dios determinó destruir la tierra mediante un diluvio. El Señor había plantado ese jardín y le había otorgado una bendición especial, y en su maravillosa providencia lo retiró de la tierra y lo volverá a traer, adornado con una gloria mayor [que la que tuvo] antes de que fuera quitado. Dios tenía el propósito de preservar un [modelo] ejemplar de su obra perfecta de la creación, libre de la maldición que el pecado había desatado sobre la tierra...

Enoc continuó creciendo en su amor por el cielo al tener comunión con Dios. Su rostro irradiaba una santa luz... El Señor amaba a Enoc, porque este lo seguía constantemente... Anhelaba unirse cada vez más con Dios, a quien temía, reverenciaba y adoraba. El Señor no permitiría que Enoc muriera como los otros, por eso envió a sus ángeles para que lo llevasen al cielo sin ver la muerte. En presencia de los justos y los impíos, Enoc fue arrebatado [al cielo].— *Signs of the Times*, 20 de febrero de 1879.

7

de julio

Enoc y el Espíritu de profecía

De estos también profetizó Enoc, séptimo desde Adán, diciendo: He aquí, vino el Señor con sus santas decenas de millares. Judas 1:14.

Dios reveló a Enoc... el plan de la redención. Mediante el Espíritu de profecía lo llevó a través de las generaciones que vivirían después del diluvio, y le mostró los grandes acontecimientos relacionados con la segunda venida de Cristo y el fin del mundo.

Enoc había estado inquieto con respecto a los muertos. Le había parecido que los justos y los impíos se convertirían igualmente en polvo, y que ese sería su fin. No podía concebir que los justos vivieran más allá de la tumba. En visión profética se le instruyó concerniente a la muerte de Cristo y se le mostró su venida en gloria, acompañado de todos los santos ángeles, para rescatar a su pueblo de la tumba. También vio la corrupción que habría en el mundo cuando Cristo viniera por segunda vez, y habría una generación presumida, jactanciosa y empecinada, que negaría al único Dios y al Señor Jesucristo, pisoteando la ley y despreciando la redención. Vio a los justos coronados de gloria y honor, y a los impíos desechados de la presencia del Señor, y destruidos por el fuego...

A través de las bendiciones y honores otorgados a Enoc, el Señor enseña una lección de gran importancia: Todos los que por la fe confían en el Sacrificio prometido y obedecen fielmente los mandamientos de Dios, serán recompensados. Nuevamente aquí se representan dos grupos que han de existir hasta la segunda venida de Cristo: los justos y los impíos, los leales y los rebeldes. Dios recordará a los justos, quienes le temen. Por cuenta de su amado Hijo, los respetará y honrará, y les dará vida eterna. Pero a los impíos que pisotean su autoridad los raerá de la tierra, y serán como si nunca hubieran existido.

Después de la caída de Adán, de un estado de felicidad perfecta a una condición de pecado y miseria, hubo peligro de que los hombres y las mujeres se desanimaran... Pero las instrucciones que Dios dio a Adán, repetidas por Set y practicadas por Enoc, despejaron las tinieblas y la tristeza e infundieron al hombre la esperanza de que, como por Adán vino la muerte, por el Redentor prometido vendría la vida y la inmortalidad.— *Signs of the Times*, 20 de febrero de 1879; parcialmente en *Patriarcas y profetas*, pp. 73-76.

de julio

“Enocs” modernos

Caminó, pues, Enoc con Dios, y desapareció, porque le llevó Dios.
Génesis 5:24.

Después de la caída de Adán desde un estado de felicidad perfecta a una condición de pecado y miseria, hubo peligro de que los hombres y las mujeres se desanimaran... Pero las instrucciones que Dios dio a Adán, repetidas por Set y practicadas por Enoc, despejaron las tinieblas y la tristeza e infundieron al hombre la esperanza de que, como por Adán vino la muerte, por el Redentor prometido vendría la vida y la inmortalidad.

En el caso de Enoc, se les enseñó a los fieles afligidos que mientras vivieran entre gente corrupta y pecaminosa que estaba en rebelión abierta y atrevida contra su Creador, si obedecían y tenían fe en el Redentor prometido, obrarían justicia como el fiel Enoc, serían aceptados por Dios y finalmente elevados a [la presencia] de su trono celestial.

Por su separación del mundo y la dedicación de gran parte de su tiempo a la oración y la comunión con Dios, Enoc representa al pueblo leal de Dios en los últimos días que vivirá separado del mundo. La maldad prevalecerá en una terrible proporción sobre la tierra. Las personas se entregarán a toda maquinación de sus corazones corruptos, y vivirán según sus filosofías engañosas, rebelándose contra la autoridad del altísimo cielo.

Los hijos de Dios se separarán de las prácticas pecaminosas de los que los rodean y buscarán la pureza del pensamiento y la conformidad santa a la voluntad divina hasta que su imagen se vea reflejada en ellos. Como Enoc, se estarán preparando para ser trasladados al cielo. Entretanto se esfuerzan por instruir y advertir al mundo, no se conformarán al espíritu y las costumbres de los incrédulos, sino que los condenarán por medio de su conversación santa y su ejemplo de piedad. La traslación de Enoc al cielo justo antes de la destrucción del mundo por un diluvio, representa la traslación de todos los justos vivos de la tierra previa a la destrucción de esta mediante el fuego. Los santos serán glorificados en la presencia de quienes los han odiado por su obediencia leal a los mandamientos justos de Dios.

Enoc instruyó a su familia acerca del diluvio. Matusalén, el hijo de Enoc, escuchó la predicación de su nieto Noé, quien les advirtió fielmente a los habitantes del mundo antiguo que una gran inundación vendría sobre la tierra. Matusalén y sus hijos y nietos vivían cuando se construía el arca. Ellos y otros recibieron instrucción de Noé y lo ayudaron en su trabajo.— *Signs of the Times*, 20 de febrero de 1879; parcialmente en *Patriarcas y profetas*, p. 76.

9

de julio

La promesa a Israel

En Jehová será justificada y se gloriará toda la descendencia de Israel.
Isaías 45:25.

Abraham fue llamado a salir de una familia idólatra y fue escogido por Dios para preservar su verdad en medio de la corrupción extendida y creciente de aquella época idólatra. El Señor le apareció a Abraham y le dijo: "Yo soy el Dios Todopoderoso; anda delante de mí y sé perfecto. Y pondré mi pacto entre mí y ti, y te multiplicaré en gran manera" (Gén.17:1, 2).

El Señor le comunicó su voluntad a Abraham y le dio un conocimiento específico de los requisitos de la ley moral y de la salvación que sería lograda por Dios mismo. Abraham fue llamado a un elevado honor: el de ser el padre del pueblo que durante siglos fue el guardián y preservador de la verdad de Dios para el mundo, del pueblo aquel a través del cual todas las naciones de la tierra serían bendecidas en el advenimiento del Mesías prometido…

Dios le confirió a su siervo fiel un honor y una bendición especiales. Por medio de visiones y a través de los ángeles que caminaban y hablaban con él como entre amigos, se familiarizó con los propósitos y la voluntad de Dios…

Pero los descendientes de Abraham se apartaron de la adoración del Dios verdadero y transgredieron su ley. Se mezclaron con las naciones que no tenían conocimiento o temor de Dios en su mente, y gradualmente imitaron sus costumbres y maneras hasta que la ira de Dios se encendió contra ellos, y les permitió tener sus propios caminos y seguir los designios de sus propios corazones corruptos…

Pero cuando se humillaron ante Dios y reconocieron sus obras y clamaron fervientemente a él por la liberación del opresivo yugo de los egipcios, sus clamores y sus promesas de obediencia llegaron al cielo. Sus oraciones fueron contestadas de una manera maravillosa, e Israel fue sacado de Egipto, y el pacto hecho con sus padres fue renovado con ellos.

Así fue preservado el conocimiento de la ley de Dios a través de generaciones sucesivas desde Adán hasta Noé, desde Noé hasta Abraham, y desde Abraham hasta Moisés.— *Signs of the Times*, 22 de abril de 1886.

Este es el mes para la renovación de sus suscripciones de 2014. Hágalo cuanto antes (ver página 377).

de julio

La fe de Abraham - 1

Toma ahora tu hijo, tu único, Isaac, a quien amas, y vete a tierra de Moriah, y ofrécelo allí en holocausto sobre uno de los montes que yo te diré. Génesis 22:2.

Abraham tenía 120 años de edad cuando le llegó esta orden terrible y sorprendente en una visión de la noche. Habría de viajar durante tres días y tendría bastante tiempo para reflexionar. Cincuenta años antes, ante el mandato divino, había dejado a su padre y su madre, parientes y amigos, y se había convertido en un peregrino y extranjero en una tierra extraña. Había obedecido el mandato de Dios de enviar a su hijo Ismael a vagar por el desierto. Su alma estaba doblegada por el dolor de esta separación, y su fe fue probada duramente, pero se sometió porque Dios lo requirió...

Abraham fue tentado a creer que en definitiva se trataba de un engaño. Herido por el dolor, se inclinó ante Dios y oró como nunca antes por una confirmación de esta extraña orden; si habría de cumplir este deber, necesitaba mayor luz. Recordó a los ángeles enviados para decirle del plan de Dios de destruir a Sodoma, y a los que le trajeron la promesa de que iba a tener este hijo, Isaac...

Finalmente despertó a Isaac suavemente, y le informó que Dios le había ordenado que ofreciera un sacrificio sobre una montaña distante, y que él debía acompañarlo. Llamó a sus siervos e hizo todos los preparativos para el largo viaje. Si hubiese podido compartir sus preocupaciones con Sara y juntos soportar el sufrimiento y la responsabilidad, le habría brindado algo de alivio; pero decidió que esto no era buena idea, porque el corazón de Sara estaba atado al de su hijo, y le habría creado un obstáculo. Salió en su viaje, y Satanás iba a su lado para sugerirle incredulidad e imposibilidad...

Comienza la jornada del tercer día. Abraham levanta su vista hacia las montañas, y sobre una de ellas ve la señal prometida. Mira detenidamente, y he aquí una nube brillante que sobrevolaba la cima del Monte Moriah...

Todavía se encuentra a gran distancia de la montaña, pero quita la carga de los hombros de sus sirvientes y les pide que queden atrás mientras coloca la madera sobre los hombros de su hijo, y él mismo lleva el cuchillo y el fuego.— *Signs of the Times*, 1° de abril de 1875.

Este es el mes para la renovación de sus suscripciones de 2014. Hágalo cuanto antes (ver página 377).

La fe de Abraham – 2

Dios se proveerá de cordero para el holocausto, hijo mío. E iban juntos.
Génesis 22:8.

Al acercarse a la montaña, "habló Isaac a Abraham su padre, y dijo: Padre mío. Y él respondió: Heme aquí, mi hijo. Y él dijo: He aquí el fuego y la leña; mas ¿dónde está el cordero para el holocausto?"(Gén. 22:7). Estas palabras de cariño, "padre mío", se clavaron en su corazón lleno de amor, y nuevamente pensó: Oh, si pudiera morir yo, que ya soy viejo, en lugar de Isaac…

Isaac ayudó a su padre a construir el altar. Juntos colocaron la leña y completaron la tarea preparatoria para el sacrificio. Con labios temblorosos y voz vacilante, Abraham le reveló a su hijo el mensaje que Dios le había enviado… Isaac era la víctima, el cordero que sería herido. Si Isaac hubiera querido resistirse a la orden de su padre, podría haberlo hecho, porque ya era un hombre; pero se le había instruido tan bien en el conocimiento de Dios que tenía una fe perfecta en sus promesas y requisitos…

Consoló a su padre asegurándole que Dios le confería un honor al aceptarlo como sacrificio, que en este pedido no veía la ira ni el descontento de Dios, sino indicios especiales de que Dios lo amaba al requerirle que se consagrara a él en sacrificio.

Guió las manos febriles de su padre a atar los nudos que lo confinaban al altar. Se hablaron las últimas palabras de tierno amor entre padre e hijo, se derramaron las últimas lágrimas de hijo y padre, se dieron el último abrazo, y el padre apretó contra su anciano pecho a su amado hijo por última vez. Su mano se levantó, aferrando firmemente el instrumento de muerte que habría de quitar la vida a Isaac, cuando de pronto su brazo fue detenido… "Alzó Abraham sus ojos y miró, y he aquí a sus espaldas un carnero trabado en un zarzal por sus cuernos" (vers. 13)…

Nuestro Padre celestial sometió a su amado Hijo a las agonías de la crucifixión. Legiones de ángeles presenciaron la humillación y angustia de alma del Hijo de Dios, pero no se les permitió interponerse como en el caso de Isaac. No se escuchó voz alguna que detuviera el sacrificio. El amado Hijo de Dios, el Redentor del mundo, fue insultado, burlado, humillado y torturado hasta que inclinó su rostro en la muerte. ¿Qué prueba mayor puede darnos el Infinito de su amor y misericordia?— *Signs of the Times*, 1° de abril de 1875.

Este es el mes para la renovación de sus suscripciones de 2014. Hágalo cuanto antes (ver página 377).

de julio

La escalera al cielo

No es otra cosa que casa de Dios, y puerta del cielo. Génesis 28:17.

Jacob no tenía un carácter perfecto. Pecó contra su padre, su hermano, su propia alma y contra Dios. La inspiración registra fielmente las faltas de los hombres buenos que fueron distinguidos por el favor de Dios; en realidad, sus defectos resaltaban más que sus virtudes... Fueron asaltados por tentaciones y a menudo fueron vencidos por estas, pero estuvieron dispuestos a aprender en la escuela de Cristo. Si se nos hubieran presentado estos personajes como seres perfectos, podríamos desanimarnos en nuestra lucha por alcanzar la justificación...

Muestra que Dios de ninguna manera admitirá al culpable. Él ve el pecado en sus más favorecidos, y los castiga incluso con mayor ahínco que a los que tienen menos luz y responsabilidad. Pero en contraste con los pecados y errores de la humanidad, se presenta un carácter perfecto, el del Hijo de Dios, quien revistió su divinidad de humanidad, y caminó como hombre entre los hijos de los hombres...

Jacob obtuvo por fraude la bendición destinada a su hermano. Dios le había prometido a él la primogenitura, y la promesa se habría cumplido a su tiempo si él hubiera estado dispuesto a esperar. Pero como a muchos que ahora profesan ser hijos de Dios, le faltaba fe y pensaba que debía hacer algo él mismo en lugar de dejar las cosas sumisamente en las manos del Señor...

Al seguir su camino solitario, se sentía sumamente decaído y desanimado... Pero Dios no abandonó a Jacob. Su misericordia alcanzaba todavía a su errante y desconfiado siervo, aunque permitiera que le llegasen aflicciones hasta que aprendiera la lección de una sumisión paciente. Compasivamente el Señor reveló a Jacob precisamente lo que necesitaba: un Salvador...

Cansado de su viaje, el peregrino se acostó en el suelo, con una piedra por cabecera. Mientras dormía, vio una escalera clara y reluciente "que estaba apoyada en tierra, y su extremo tocaba en el cielo" (Gén. 28:12). Por esta escalera subían y bajaban ángeles. En lo alto de ella estaba el Señor de la gloria, quien se dirigió a Jacob con maravillosas palabras de ánimo. Le aseguró a Jacob que había sido guardado divinamente en su ausencia del hogar, y que a él y a su posteridad les sería dada la tierra que habitaba como exiliado y fugitivo.— *Signs of the Times*, 31 de julio de 1884; parcialmente en *Patriarcas y profetas*, pp. 182, 183.

13
de julio

El Señor está en este lugar

Ciertamente Jehová está en este lugar, y yo no lo sabía. Génesis 28:16.

Jacob se despertó con un sentido solemne de la presencia de Dios... El plan de salvación le fue revelado a través del Espíritu de Dios, no enteramente, sino las partes esenciales para su conocimiento. El tiempo del primer advenimiento de Jesús todavía estaba en un futuro distante, pero Dios no permitiría que su siervo permaneciera sin saber que se habría provisto un Abogado a los hombres y mujeres pecadores para con el Padre.

Hasta el tiempo de la rebelión del hombre contra el gobierno divino, había existido libre comunión entre Dios y el hombre. Pero el pecado de Adán y Eva separó la tierra del cielo, de manera que el hombre no podía ya comunicarse con su Hacedor, por mucho que lo deseara. No podía escalar los bastiones del cielo y entrar en la ciudad de Dios, porque allí no puede entrar nada que contamine. La escalera representa a Jesús, el medio señalado para comunicarnos con el cielo. Si los méritos de Jesús no hubieran zanjado el abismo producido por el pecado, los ángeles ministradores que ascienden y descienden tal escalera no habrían podido tratar con los pecadores.

Todo esto se le reveló a Jacob en su sueño. Aunque su mente comprendió en seguida una parte de la revelación, sus grandes y misteriosas verdades fueron el estudio de toda su vida, y las fue comprendiendo cada vez mejor. La escalera mística que se le mostró en su sueño, fue la misma a la cual se refirió Cristo en su conversación con Natanael. Dijo el Señor: "De aquí adelante veréis el cielo abierto, y a los ángeles de Dios que suben y descienden sobre el Hijo del hombre" (Juan 1:51).

La obra de nuestra vida consiste en comenzar en el peldaño más bajo de la escalera y ascender hacia el cielo paso a paso... Ascendemos por medio de pasos sucesivos. Cuando soltamos un peldaño, es para aferrarnos de uno más arriba. Así la mano constantemente se extiende hacia arriba en niveles sucesivos de gracia, y los pies se plantan en un peldaño tras otro, hasta que finalmente se nos brinde una entrada espléndida en el reino de nuestro Señor y Salvador, Jesucristo.— *Signs of the Times*, 31 de julio de 1884.

Este es el mes para la renovación de sus suscripciones de 2014. Hágalo cuanto antes (ver página 377).

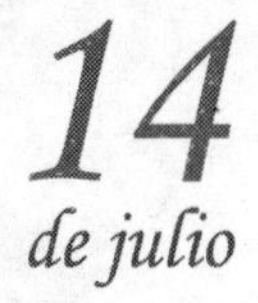

de julio

Un ejemplo de perdón

Yo os sustentaré a vosotros y a vuestros hijos. Así los consoló, y les habló al corazón. Génesis 50:21.

Los hijos de Jacob volvieron a su padre con la grata noticia: "José vive aún, y él es señor en toda la tierra de Egipto" (Gén. 45:26). Al principio el anciano se sintió abrumado. No podía creer lo que oía; pero al ver la larga caravana de carros y animales cargados, y a Benjamín otra vez con él, se convenció, y en la plenitud de su regocijo, exclamó: "Basta; José mi hijo vive todavía: iré, y le veré antes que yo muera" (vers. 28). Quedaba otro acto de humillación para los diez hermanos. Confesaron a su padre el engaño y la crueldad que durante tantos años habían amargado la vida de él y la de ellos. Jacob no los había creído capaces de tan vil pecado, pero vio que todo había sido dirigido para bien, y perdonó y bendijo a sus descarriados hijos...

En una visión nocturna recibió la divina Palabra: "No temas de descender a Egipto, porque allí yo haré de ti una gran nación. Yo descenderé contigo a Egipto, y yo también te haré volver; y la mano de José cerrará tus ojos" (Gén. 46:3, 4).

El encuentro entre José y su padre fue muy afectuoso. José saltó de su carro y corrió a dar la bienvenida a su padre; lo abrazó y lloraron el uno sobre el otro. "Entonces Israel dijo a José: Muera yo ahora, ya que he visto tu rostro, y sé que aún vives" (Gén. 46:30)...

Los últimos años de Jacob fueron más pacíficos. Sus hijos se habían arrepentido de sus malos caminos, José le había sido devuelto, y estaba rodeado de todas las comodidades que el primer ministro de Egipto podía dispensar, y feliz en la compañía de su hijo por tanto tiempo perdido descendió quieta y apaciblemente al sepulcro.

Poco tiempo antes de su muerte, sus hijos se reunieron alrededor de su lecho de muerte. Ahora, mientras sus hijos esperaban su última bendición, el Espíritu de la inspiración se posó sobre él; y declaró ante ellos sus vidas pasadas y también pronunció profecías de largo alcance en el futuro...

Jacob había sido un padre afectuoso. No albergaba resentimientos hacia sus hijos tristes. Los había perdonado. Los amó hasta el fin. Pero Dios, por el Espíritu de profecía, elevó la mente de Jacob por encima de sus sensaciones. En sus últimas horas, los ángeles lo rodeaban, y el poder de Dios reposaba sobre él.—*Signs of the Times*, 5 de febrero de 1880.

Este es el mes para la renovación de sus suscripciones de 2014. Hágalo cuanto antes (ver página 377).

15

de julio

José, un tipo de Cristo

Vosotros pensasteis mal contra mí, mas Dios lo encaminó a bien, para hacer lo que vemos hoy, para mantener en vida a mucho pueblo. Génesis 50:20.

Para la mayoría de sus hijos Jacob predijo un futuro risueño. En el caso de José, expresó palabras de elocuencia y prosperidad. "Rama fructífera es José, rama fructífera junto a una fuente, cuyos vástagos se extienden sobre el muro. Le causaron amargura, le asaetearon, y le aborrecieron los arqueros; mas su arco se mantuvo poderoso, y los brazos de sus manos se fortalecieron por las manos del Fuerte de Jacob" (Gén. 49:22-24)...

La vida de José ilustra la vida de Cristo. Los hermanos de José se propusieron matarlo, pero finalmente se contentaron con venderlo como esclavo para impedir que llegase a ser superior a ellos. Pensaron que lo habían colocado donde ya no los molestaría más con sus sueños y que habían eliminado toda posibilidad de que estos se cumplieran. Pero su proceder fue contrarrestado por Dios y él lo hizo servir para cumplir el mismo acontecimiento que trataban de impedir: que él ejerciera dominio sobre ellos.

José caminó con Dios. Y cuando fue a prisión y sufrió por causa de su inocencia, lo soportó mansamente y sin murmuración. Su dominio propio, su paciencia en la adversidad, y su fidelidad invariable, han sido registrados para el beneficio de todos los que habían de vivir de ahí en adelante sobre la tierra...

La vida de Jesús, el Salvador del mundo, es un modelo de benevolencia, bondad y santidad. Sin embargo, él fue odiado e insultado, burlado y menospreciado, sin razón alguna salvo por el hecho de que su vida justa era un reproche constante contra el pecado. Sus enemigos no iban a sentirse satisfechos hasta que fuera entregado en sus manos para someterlo a una muerte vergonzosa. Él murió por la raza culpable, y entretanto sufría la tortura más cruel, perdonó mansamente a sus asesinos. Resucitó de los muertos, ascendió a su Padre y recibió todo poder y autoridad, y regresó a la tierra nuevamente para impartirla a sus discípulos. Les dio "dones a los hombres" (Efe. 4:8). Y él ha recibido en su favor y perdonado ampliamente a todos los que han venido a él arrepentidos, confesando sus pecados. Y si permanecen fieles a él, los exaltará ante su trono y los hará sus herederos de la herencia que él ha comprado con su propia sangre.— *Signs of the Times*, 5 de febrero de 1880.

Este es el mes para la renovación de sus suscripciones de 2014. Hágalo cuanto antes (ver página 377).

de julio

Cuarenta años de aprendizaje

Y los hijos de Israel gemían a causa de la servidumbre, y clamaron; y subió a Dios el clamor de ellos con motivo de su servidumbre. Éxodo 2:23.

En todo sentido, Moisés se había convertido en un gran hombre. Como escritor, líder militar y filósofo, no había otro superior. El amor a la verdad y la justicia se había convertido en el fundamento de su carácter, y había producido una constancia de propósito que no podía ser influenciada por ninguna variación de la moda, opinión o empresa. Su vida se caracterizaba por la cortesía, la diligencia y una firme confianza en Dios. Era joven y vigoroso, lleno de energía y fortaleza viril. Se había identificado profundamente con sus hermanos en sus aflicciones, y en su corazón se había encendido el deseo de liberarlos. Según la sabiduría humana, parecía a todas luces que era idóneo para su obra.

Pero Dios ve lo que el hombre no ve; sus caminos no son nuestros caminos. Moisés todavía no está preparado para cumplir esta gran obra; ni el pueblo está preparado para la liberación. Él ha sido educado en la escuela de Egipto, pero todavía le toca pasar por la escuela severa de la disciplina antes de encontrarse calificado para su sagrada misión. Antes de poder gobernar con éxito las multitudes de Israel, debe aprender a obedecer, debe aprender el dominio propio. Es enviado a la soledad del desierto durante cuarenta largos años, para que en su vida de anonimato, en el humilde trabajo de cuidar las ovejas y corderos del rebaño, pueda ganar la victoria sobre sus propias pasiones. Debe aprender una sumisión plena a la voluntad de Dios antes de poder transmitir tal voluntad a un gran pueblo.

Seres humanos de poca visión habrían prescindido de esos cuarenta años de capacitación entre las montañas de Madián y estimado que era una gran pérdida de tiempo. Pero la Sabiduría infinita colocó durante este periodo a aquel que habría de ser un poderoso estadista, el libertador de su pueblo de la esclavitud, en circunstancias que desarrollarían su honestidad, su previsión, su fidelidad y solicitud, y su habilidad para identificarse con los distintos aspectos de su peculiar tarea. Aquellos a quienes Dios confía responsabilidades importantes no han sido criados en la comodidad o el lujo; los nobles profetas, los líderes y jueces escogidos por Dios han sido personas cuyo carácter fue formado por las realidades severas de la vida.

Dios no elige para su obra a personas de un solo molde y temperamento, sino a personas de temperamentos variados.— *Signs of the Times*, 19 de febrero de 1880.

Este es el mes para la renovación de sus suscripciones de 2014. Hágalo cuanto antes (ver página 377).

17

de julio

La experiencia de desaprender

Y Moisés convino en morar con aquel varón. Éxodo 2:21.

En todos los que han sido escogidos para cumplir una obra para Dios se nota el elemento humano... Conectados con Dios, la fuente de toda sabiduría, los individuos pueden obtener el nivel más elevado de excelencia moral...

Moisés había aprendido muchas cosas que debía olvidar. Las influencias que lo habían rodeado en Egipto, el amor a su madre adoptiva, su propia posición elevada como nieto del rey, la solemne grandeza del arte, el libertinaje que reinaba por doquier, el imponente escenario del culto idólatra, y la repetición constante por los sacerdotes de incontables fábulas sobre el poder de sus dioses, todo esto había dejado una profunda impresión en su mente entonces en desarrollo, y hasta cierto punto había amoldado sus hábitos y su carácter. El tiempo, el cambio de ambiente y la comunión con Dios podían hacer desaparecer estas impresiones. Desechar las semillas del error e implantar en su lugar la verdad, exigiría de parte de Moisés mismo un esfuerzo intenso y perseverante, una lucha de vida o muerte. En todo momento, Satanás estaría dispuesto a fortalecer el error y desplazar la verdad, pero aunque Dios designó que Moisés aprendiera por sí mismo a través de la disciplina severa, él mismo sería su Ayudador constante contra Satanás cuando el conflicto fuese demasiado severo para la fuerza humana...

La luz de la naturaleza y la revelación proceden de la misma fuente, enseñan grandes verdades y siempre concuerdan una con la otra. Cuando Moisés vio que todas las obras creadas de Dios actúan en sublime armonía con sus leyes, advirtió cuán irrazonable es que los seres humanos se coloquen en oposición a la ley de Dios. [Para Moisés] traer el corazón y la mente a una conformidad total con la verdad y el cielo resultó en el conflicto más difícil y el esfuerzo más prolongado; pero finalmente fue victorioso...

Según pasaban años tras años y el siervo de Dios permanecía en esta humilde posición, a una persona de menor fe le habría parecido que Dios la había olvidado, que su habilidad y experiencia no serían aprovechadas por el mundo. Pero al vagar con sus rebaños silenciosos por lugares solitarios, pensaba constantemente en la condición abyecta de su pueblo. Recordaba la manera en que Dios había tratado con sus fieles en el pasado y sus promesas de un bien futuro, y su alma se volvía hacia Dios para interceder por sus hermanos cautivos. Sus fervientes oraciones hacían eco en medio de las cavernas montañosas día y noche. Nunca se cansaba de presentar ante Dios las promesas hechas por él a su pueblo, y de rogarle por su liberación.— *Signs of the Times*, 19 de febrero de 1880.

Este es el mes para la renovación de sus suscripciones de 2014. Hágalo cuanto antes (ver página 377).

18
de julio

El llamamiento de Moisés

Ven, por tanto, ahora, y te enviaré a Faraón, para que saques de Egipto a mi pueblo, los hijos de Israel. Éxodo 3:10.

Para los hebreos oprimidos y sufrientes, el día de su liberación parecía haber sido largamente postergado, pero en su momento señalado, Dios decidió obrar con extraordinario poder a su favor. Moisés no habría de estar, como al principio anticipó, al frente de ejércitos con banderas ondeantes y brillantes armaduras. El pueblo, que había sufrido abuso y opresión durante tanto tiempo, no habría de ganar la victoria para sí rebelándose y reclamando sus derechos. El propósito de Dios iba a cumplirse de una manera que despreciaba el orgullo y la gloria humanos. El libertador habría de presentarse como un humilde pastor con solo una vara en su mano; pero Dios daría poder a esa vara para librar a su pueblo de la opresión y preservarlo cuando fuera perseguido por sus enemigos.

Antes de salir, Moisés recibió su elevada comisión a su magna tarea de una manera que lo llenó de asombro y le dio un profundo sentido de su propia debilidad e indignidad. Mientras atendía sus deberes, vio arder una zarza; sus ramas, su follaje, su tallo, todo ardía, y sin embargo no parecía consumirse. Se aproximó para ver esa maravillosa escena, cuando una voz procedente de las llamas lo llamó por su nombre. Era la voz de Dios. Era el que, como Ángel del pacto, se había revelado a los padres en épocas pasadas. El cuerpo de Moisés se estremeció, lleno de terror, en tanto el Señor lo llamó por su nombre. Con labios trémulos contestó: "Heme aquí". Se le amonestó a no acercarse irreverentemente: "Quita tu calzado de tus pies, porque el lugar en que tú estás, tierra santa es" (Éxo. 3:5)...

Las criaturas finitas pueden aprender una lección que nunca se debiera olvidar: Han de acercarse a Dios con reverencia. Podemos venir confiadamente a su presencia en el nombre de Jesús, nuestra justicia y sustituto, pero nunca con el atrevimiento de la presunción, como si estuviera al mismo nivel que nosotros. Hemos escuchado que algunos se dirigen al Dios grande y todopoderoso como no se dirigirían a un igual o siquiera a un inferior... A Dios se le debe reverenciar grandemente; todo el que verdaderamente reconozca su presencia se inclinará humildemente ante él.— *Signs of the Times*, 26 de febrero de 1880.

Este es el mes para la renovación de sus suscripciones de 2014. Hágalo cuanto antes (ver página 377).

19 *de julio*

Doble carga

Dijo también Faraón: He aquí el pueblo de la tierra es ahora mucho, y vosotros les hacéis cesar de sus tareas. Éxodo 5:5.

Habiendo recibido instrucciones de los ángeles, Aarón salió a recibir a su hermano, de quien había estado tanto tiempo separado. Se encontraron en las soledades del desierto cerca de Horeb... Juntos hicieron el viaje a Egipto; y habiendo llegado a la tierra de Gosén, procedieron a reunir a los ancianos de Israel. Aarón les explicó cómo Dios se había comunicado con Moisés, y este reveló al pueblo las señales que Dios le había dado. "Y el pueblo creyó; y oyendo que Jehová había visitado a los hijos de Israel, y que había visto su aflicción, se inclinaron y adoraron" (Éxo. 4:31).

La próxima tarea de los dos hermanos fue la de comunicarse con el mismo rey. Entraron al gran palacio de Faraón como comisionados de Jehová; sentían que Dios estaba allí con ellos, y hablaron con autoridad: "Jehová el Dios de Israel dice así: Deja ir a mi pueblo a celebrarme fiesta en el desierto" (Éxo. 5:1)...

Ya el rey había oído hablar de ellos y del interés que estaban despertando entre el pueblo. Se encendió su ira...

El mismo día emitió órdenes a todos los funcionarios que supervisaban el trabajo de los israelitas, para hacer aún más cruel y opresivo su trabajo. En aquel país el material de construcción más común eran los ladrillos secados al sol, con paja entremezclada con el barro para darle consistencia. Incluso los mejores edificios se construían de este material, y luego se recubrían de piedra. El rey ordenó ahora que no se suministrara más paja, pero exigía que se produjera la misma cantidad de ladrillos...

Cuando la exigencia del rey se concretó, el pueblo se diseminó por todo el país para recoger rastrojo en vez de paja, pero les fue imposible realizar la cantidad de trabajo acostumbrada. A causa del fracaso, tanto los capataces hebreos como los obreros, fueron azotados cruelmente...

Los hebreos habían esperado obtener su libertad sin ninguna prueba especial de su fe, sin penurias ni sufrimientos de su parte. Pero aún no estaban preparados para la liberación. Tenían poca fe en Dios y no querían soportar con paciencia sus aflicciones hasta que él los liberara gloriosamente.— *Signs of the Times*, 4 de marzo de 1880.

Este es el mes para la renovación de sus suscripciones de 2014. Hágalo cuanto antes (ver página 377).

de julio

Dios ciertamente los visitará

Y José dijo a sus hermanos: Yo voy a morir; mas Dios ciertamente os visitará, y os hará subir de esta tierra a la tierra que juró a Abraham, a Isaac y a Jacob. Génesis 50:24.

Apenas unas pocas familias habían descendido a Egipto, pero se habían convertido en una gran multitud. Rodeados por la idolatría, muchos habían perdido el conocimiento del Dios verdadero y habían olvidado su ley. Pero todavía había entre los israelitas algunos que adoraban… al Hacedor de los cielos y la tierra. Estos se preocupaban profundamente cuando veían a sus hijos presenciar diariamente las abominaciones del pueblo idólatra que los rodeaba… En su dolor clamaban al Señor pidiéndole liberación del yugo egipcio…

No ocultaban su fe, sino que declaraban a los egipcios que ellos adoraban al único Dios verdadero y viviente. Y repasaban las evidencias de su existencia y poder, desde la creación. Así los egipcios tuvieron oportunidad de conocer la religión de los hebreos y a su Dios…

Los ancianos de Israel trataron de sostener la desfalleciente fe de sus hermanos, repitiéndoles las promesas hechas a sus padres y las palabras proféticas con que, antes de su muerte, José predijo la liberación de su pueblo de Egipto. Algunos escucharon y creyeron. Otros, mirando las circunstancias que los rodeaban, se negaron a tener esperanza. Los egipcios, al saber lo que pasaba entre sus siervos, se mofaron de sus esperanzas y desdeñosamente negaron el poder de su Dios…

Los siervos fieles de Dios comprendieron que por haberse apartado Israel como pueblo de Dios, y por su disposición a casarse con idólatras y dejarse llevar a la idolatría, el Señor había permitido que llegaran a ser esclavos en Egipto…

Muchos se conformaban con permanecer en la servidumbre, antes que enfrentar las dificultades que acompañarían el traslado a una tierra extraña; y los hábitos de algunos se habían hecho tan parecidos a los de los egipcios que preferían vivir en Egipto. Por lo tanto, el Señor no los liberó mediante la primera manifestación de su poder ante Faraón. Controló los acontecimientos para que se desarrollara más plenamente el espíritu tiránico del rey egipcio, y para darles a los israelitas mediante las manifestaciones del vasto poder [de Dios] percepciones más elevadas del carácter divino, a fin de que estuvieran ansiosos por abandonar Egipto y eligieran el servicio al Dios verdadero y misericordioso.— *Signs of the Times*, 4 de marzo de 1880.

Este es el mes para la renovación de sus suscripciones de 2014. Hágalo cuanto antes (ver página 377).

21 *de julio*

El poder superior de Dios

Tú dirás todas las cosas que yo te mande, y Aarón tu hermano hablará a Faraón, para que deje ir de su tierra a los hijos de Israel. Éxodo 7:2.

El Señor le indicó a Moisés que volviera ante el pueblo y le repitiera la promesa de la liberación, con nuevas garantías del favor divino. Hizo lo que se le mandó, pero el pueblo no estuvo dispuesto a recibirlo; sus corazones estaban llenos de amargura, todavía restallaba el látigo en sus oídos, el clamor de angustia y dolor ahogaba todo otro sonido y no querían oír. Moisés bajó su cabeza en humillación y frustración, y nuevamente escuchó la voz de Dios: "Entra y habla a Faraón rey de Egipto, que deje ir de su tierra a los hijos de Israel" (Éxo. 6:11).

Se le dijo que el monarca no cedería hasta que Dios visitara con sus juicios a Egipto y sacara a Israel mediante una señalada manifestación de su poder... Les mostraría por medio de su siervo Moisés que el Hacedor del cielo y la tierra es el Dios viviente y todopoderoso, sobre todo otro dios, que su fuerza es superior a la del más fuerte, que su omnipotencia podía sacar a su pueblo con mano fuerte y brazo extendido...

Obedientes al mandato de Dios, Moisés y Aarón entraron nuevamente en los señoriales salones del rey de Egipto. Allí, ante el monarca del reino más poderoso de aquel entonces, rodeados de altas columnas ricamente esculpidas y la belleza de ricas tapicerías y adornos de plata, oro y piedras preciosas, estaban de pie los dos representantes de la raza despreciada, uno con una vara en la mano, para presentar una vez más su pedido de que dejara ir a su pueblo.

El rey exigió un milagro. Moisés y Aarón habían sido instruidos acerca de cómo proceder en caso de que se hiciese tal demanda, de manera que Aarón tomó la vara y la arrojó al suelo ante Faraón. Esta se convirtió en serpiente. El monarca hizo llamar a sus "sabios y hechiceros", y "echó cada uno su vara, las cuales se volvieron culebras: mas la vara de Aarón devoró las varas de ellos" (Éxo. 7:11, 12)... Los magos no convirtieron sus varas en verdaderas serpientes; ayudados por el gran engañador produjeron esa apariencia mediante la magia, para copiar la obra de Dios...

Así la obra de Dios se manifestó superior a la de Satanás.— *Signs of the Times*, 11 de marzo de 1880.

Este es el mes para la renovación de sus suscripciones de 2014. Hágalo cuanto antes (ver página 377).

Que comiencen las plagas

Ve por la mañana a Faraón... y tú ponte a la ribera delante de él, y toma en tu mano la vara que se volvió culebra. Éxodo 7:15.

A Moisés y Aarón se les indicó que a la mañana siguiente se dirigieran al río, para encontrarse con el rey en su visita al lugar, y de pie sobre la ribera habrían de repetirle su mensaje, y como prueba de que Dios en verdad los había enviado, habrían de extender la vara sobre el agua en todas las direcciones, y cambiarla en sangre. Así hicieron, y el río corrió con sangre, y toda el agua en sus casas se tornó en sangre, los peces murieron y el agua se tornó hedionda. Pero "los hechiceros de Egipto hicieron lo mismo con sus encantamientos" y cambiaron el agua de los pozos de manera similar. Pero el rey endureció su corazón y se negó a ceder. La plaga duró siete días, y los habitantes tuvieron que cavar pozos para conseguir agua.

Entonces se hizo otro esfuerzo para convencer al rey. Nuevamente se alzó la vara sobre las aguas, y del río salieron ranas que se esparcieron por toda la tierra. Invadieron las casas, donde tomaron posesión de las alcobas, y aun de los hornos y las artesas. Los magos aparentaron producir animales similares por sus encantamientos. Pronto la molestia general se tornó tan intolerable que el rey deseaba intensamente eliminarla. Aunque los magos habían podido producir ranas, no pudieron quitarlas. Al verlo, Faraón fue humillado hasta cierto punto y deseaba que Moisés y Aarón le pidieran a Dios que detuviera la plaga. Le recordaron al arrogante rey de su jactancia anterior y le preguntaron qué había ocurrido con el supuesto poder de sus magos, entonces le pidieron que designara el tiempo en que debieran orar, y a la hora señalada murieron las ranas, aunque el efecto permaneció porque sus cadáveres corrompieron la atmósfera.

La obra de los magos había convencido a Faraón de que estos milagros habían ocurrido gracias a la magia, pero tuvo evidencia abundante de que este no era el caso cuando la plaga de las ranas fue quitada. El Señor pudo haber convertido las ranas en polvo en un momento, pero no lo hizo, no fuese que una vez eliminadas, el rey y su pueblo dijeran que había sido el resultado de hechicerías como las que hacían los magos... Con esto, el rey y todo Egipto tuvieron una evidencia que su vana filosofía no podía contradecir; vieron que esto no era obra de magia, sino un castigo enviado por el Dios del cielo.— *Signs of the Times*, 11 de marzo de 1880; ver un texto similar en *Patriarcas y profetas*, pp. 269, 270.

23

de julio

Los piojos y las moscas

Entonces Jehová dijo a Moisés: Di a Aarón: Extiende tu vara y golpea el polvo de la tierra, para que se vuelva piojos por todo el país de Egipto. Éxodo 8:16.

Las ranas murieron, y las juntaron en montones. Con esto, el rey y todo Egipto tuvieron una evidencia que su vana filosofía no podía contradecir: vieron que esto no era obra de magia sino un castigo enviado por el Dios del cielo.

Cuando el rey quedó aliviado de su problema inmediato, nuevamente se negó testarudamente a librar a Israel. Aarón, siguiendo la orden de Dios, extendió la mano y el polvo de la tierra se convirtió en piojos en todo Egipto. Faraón llamó a sus magos para que hiciesen lo mismo, pero no pudieron... Los magos mismos reconocieron que su poder de imitación había alcanzado su límite, y dijeron: "Dedo de Dios es este" (Éxo. 8:19). Pero el rey aún permaneció inconmovible.

Después de otra apelación a dejar salir al pueblo, se impuso otro castigo. Las moscas llenaron las casas y lo invadieron todo, "y la tierra fue corrompida a causa de ellas" (vers. 24). Estas moscas no eran como las que nos molestan inofensivamente en algunas estaciones del año, sino que eran grandes y venenosas. Sus picaduras eran muy dolorosas para hombres y animales. Como se había pronosticado, esta plaga no se extendió a la tierra de Gosén.

Faraón entonces pidió que le trajeran a los dos hermanos y les dijo que permitiría que los israelitas hiciesen sacrificios en Egipto; pero ellos se negaron a aceptar tal oferta. Los egipcios consideraban que ciertos animales eran objeto de adoración, y era tal la reverencia con que se tenía a estas criaturas, que matar una de ellas, aun por accidente, era un crimen castigado con la muerte. Moisés le aseguró al rey que era imposible para ellos hacer un sacrificio en honor a Dios en la tierra de Egipto, porque podían elegir para su ofrenda alguno de los animales que los egipcios consideraban sagrados.

Moisés volvió a pedir al monarca que se les permitiese internarse tres días de camino en el desierto. El rey consintió, y rogó a los siervos de Dios que implorasen que la plaga fuese quitada. Ellos prometieron hacerlo, pero le advirtieron que no los tratara engañosamente. Cuando oraron, se detuvo la plaga pero el corazón del rey se había endurecido por la rebelión pertinaz, y todavía se negó a ceder.— *Signs of the Times*, 11 de marzo de 1880; ver un texto similar en *Patriarcas y profetas,* pp. 270, 271.

Este es el mes para la renovación de sus suscripciones de 2014. Hágalo cuanto antes (ver página 377).

Pestilencia, tumores y granizo

He aquí la mano de Jehová estará sobre tus ganados que están en el campo... con plaga gravísima. Éxodo 9:3.

Faraón ahora fue advertido de un castigo aún más terrible: una peste que caería sobre todo el ganado egipcio que estaba en los campos. Se había dicho claramente que los hebreos serían exonerados; y Faraón, al enviar mensajeros a las casas de los israelitas, comprobó que estos habían escapado totalmente al castigo. Pero el rey se mantuvo obstinado, hostigado en su persistencia por los sacerdotes y magos.

Pero también estos habrían de experimentar los juicios de Dios. Se les ordenó a Moisés y Aarón que tomasen cenizas del horno y las esparcieran hacia el cielo delante de Faraón. Cuando se hizo esto, las diminutas partículas se diseminaron por toda la tierra de Egipto, y doquiera caían producían "sarpullido que produjo úlceras tanto en los hombres como en las bestias". Los magos, con todos sus encantamientos, no pudieron protegerse contra la penosa plaga. Ahora no podían presentarse ante Moisés y Aarón debido a la enfermedad. De esta manera los egipcios pudieron ver cuán inútil para ellos era confiar en el poder del que habían alardeado los magos, ya que ni siquiera podían protegerse a sí mismos.

Pero no hubo ninguna concesión de parte del monarca... Entonces se amenazó a Faraón con una plaga de granizo que destruiría el ganado y a todo hombre y mujer que se encontrara en el campo. Esta era una oportunidad para probar el orgullo de los egipcios y para mostrar cuántos habían sido verdaderamente impactados por el maravilloso trato de Dios para con su pueblo. Todos los que atendieron la palabra del Señor reunieron su ganado en los establos y casas, mientras los que menospreciaron la advertencia lo dejaron en el campo. Al proveer así una vía de escape para todos los que decidían tener en cuenta la advertencia, Dios mostró su misericordia en medio del castigo.

La tormenta llegó en la mañana según lo predicho: truenos, granizo y fuego mezclados, y destruyó toda hierba, desgajó árboles y hirió a hombres y bestias. Hasta aquí ningún egipcio había perdido la vida, pero ahora la muerte y la desolación marcaron la senda del ángel destructor. Solo se salvó la región de Gosén. El Señor les demostró a los egipcios que toda la tierra está bajo el dominio del Dios de los hebreos, que incluso los elementos obedecen su voz.— *Signs of the Times*, 18 de marzo de 1880; ver un texto similar en *Patriarcas y profetas*, pp. 271-275.

Este es el mes para la renovación de sus suscripciones de 2014. Hágalo cuanto antes (ver página 377).

Una confesión falsa y una promesa

He pecado esta vez; Jehová es justo, y yo y mi pueblo impíos. Éxodo 9:27.

Mi pueblo habitará en morada de paz, en habitaciones seguras, y en recreos de reposo" (Isa. 32:18).

La única seguridad genuina para las naciones y los individuos radica en ser obedientes a la voz de Dios y en estar siempre del lado de la verdad y la justicia. Faraón ahora se humilló y dijo: "He pecado esta vez; Jehová es justo, y yo y mi pueblo impíos" (Éxo. 9:27). Les rogó a los siervos de Dios que intercedieran con él, para que cesaran los terribles truenos y relámpagos.

Moisés sabía que no había terminado la lucha, porque conocía el funcionamiento del corazón humano que se endurece en rebeldía arrogante contra Dios. Las confesiones y promesas de Faraón no fueron hechas porque hubiera cambio alguno en su mente o corazón; sino que en ese momento el terror y la angustia lo impulsaron a ceder en su controversia con Dios. A pesar de esto, Moisés prometió concederle su pedido como si su confesión hubiera sido genuina y su arrepentimiento sincero, porque no le daría otra oportunidad para una exhibición futura de terquedad...

Al salir de la ciudad, "extendió sus manos a Jehová, y cesaron los truenos y el granizo, y la lluvia no cayó más sobre la tierra" (Éxo. 9:33). Pero tan pronto como cesaron las exhibiciones portentosas del poder divino, el corazón del rey regresó a su testarudez y rebelión.

El Señor estaba manifestando su poder para afirmar la fe de Israel en él como único Dios verdadero y viviente. Daría inequívocas pruebas de la diferencia que hacía entre ellos y los egipcios. Haría que todas las naciones supiesen que aunque los hebreos habían sido cargados con arduas labores y habían sido despreciados, él los había escogido como su pueblo peculiar y obraría para liberarlos de una manera maravillosa.

Por causa de su larga asociación con los egipcios y por contemplar continuamente el imponente culto a los ídolos, la idea hebrea de un Dios genuino y viviente se había degradado... Vieron a los egipcios idólatras que disfrutaban una prosperidad abundante en tanto que ellos continuamente eran acusados de que su Dios los había abandonado. Pero ahora —por medio de obras poderosas— el Señor le enseñaría a su pueblo acerca de su carácter y autoridad divinos y les mostraría la total impotencia de los dioses falsos.— *Signs of the Times*, 18 de marzo de 1880; ver un texto similar en *Patriarcas y profetas*, pp. 275, 276.

Este es el mes para la renovación de sus suscripciones de 2014. Hágalo cuanto antes (ver página 377).

Las langostas

Entonces Jehová dijo a Moisés: Extiende tu mano sobre la tierra de Egipto para traer la langosta, a fin de que suba sobre el país de Egipto, y consuma todo lo que el granizo dejó. Éxodo 10:12.

Moisés advirtió al monarca que… se enviaría una plaga de langostas, que cubriría la faz de la tierra, y comería todo lo verde…

Los consejeros de Faraón quedaron horrorizados. La nación había sufrido una gran pérdida con la muerte de su ganado. Mucha gente había muerto por el granizo…

Se llamó nuevamente a Moisés y a Aarón, y el monarca les dijo: "Andad, servid a Jehová vuestro Dios. ¿Quiénes son los que han de ir?"

La respuesta fue: "Hemos de ir con nuestros niños y con nuestros viejos, con nuestros hijos y con nuestras hijas; con nuestras ovejas y con nuestras vacas hemos de ir; porque es nuestra fiesta solemne para Jehová" (ver Éxo. 10:8, 9).

El rey se llenó de ira…

¿Cree su Dios que los dejaré ir, con sus esposas e hijos, en una expedición tan peligrosa? No haré tal cosa; solo ustedes los hombres irán a servir al Señor. Este rey opresivo y de corazón duro, que había intentado destruir a los israelitas mediante trabajos forzados, ahora aparentaba tener profundo interés en su bienestar y tierno cuidado por sus pequeñuelos. Su verdadero objeto era retener a las mujeres y los niños como garantía del regreso de los hombres…

Se le ordenó a Moisés que extendiera su mano sobre la tierra, y vino un viento del este que trajo langostas "en tan gran cantidad como no la hubo antes ni la habrá después". Llenaron el cielo hasta que la tierra se oscureció, y devoraron toda cosa verde que quedaba en la tierra y entre los árboles.

Faraón hizo venir inmediatamente a los profetas y les dijo: "He pecado contra Jehová vuestro Dios, y contra vosotros. Mas os ruego ahora que perdonéis mi pecado solamente esta vez, y que oréis a Jehová vuestro Dios que quite de mí al menos esta plaga mortal" (vers. 16, 17).

Así lo hicieron, y un fuerte viento del occidente se llevó las langostas hacia el Mar Rojo de manera que no quedó ni una. Pero a pesar de la humildad que manifestó bajo amenaza de muerte, tan pronto como la plaga fue quitada, el rey endureció su corazón y nuevamente se negó a dejar salir a Israel.— *Signs of the Times*, 18 de marzo de 1880; ver un texto similar en *Patriarcas y profetas*, pp. 276, 277.

27 *de julio*

Tinieblas sobre la tierra

Jehová dijo a Moisés: Extiende tu mano hacia el cielo, para que haya tinieblas sobre la tierra de Egipto, tanto que cualquiera las palpe. Éxodo 10:21.

El pueblo egipcio estaba a punto de desesperarse. Las plagas que ya habían sufrido parecían casi insoportables, y estaban llenos de pánico por temor al futuro. La nación había adorado a Faraón como representante de su dios, pero ahora muchos estaban convencidos de que él se estaba oponiendo a Uno que mantenía a todas las naciones bajo su control. De repente una oscuridad se asentó sobre la tierra, tan densa y negra que parecía que se podía palpar. No solo quedó la gente privada de luz, sino que también la atmósfera se puso muy pesada, de tal manera que era difícil respirar… mas todos los hijos de Israel tenían luz en sus habitaciones…

Los esclavos judíos continuamente eran los favorecidos por Dios y se estaban tornando confiados en que serían liberados. Los capataces no se atrevían a ejercer la crueldad que habían manifestado antes, temiendo que la vasta multitud hebrea se rebelara y se vengara del abuso ya sufrido.

Esta terrible oscuridad duró tres días, y durante este tiempo no se pudieron continuar los ajetreos cotidianos. Este era el plan de Dios. Les daría tiempo para reflexionar y arrepentirse antes de enviarles la última y más terrible de las plagas: la muerte de los primogénitos. Quitaría todo lo que desviara su atención y les daría tiempo para meditar, dándoles así nueva evidencia de su compasión y su reticencia a destruir.

Al fin del tercer día de tinieblas, Faraón llamó a Moisés y le dijo: "Id, servid a Jehová; solamente queden vuestras ovejas y vuestras vacas; vayan también vuestros niños con vosotros". La respuesta fue: "Tú también nos darás sacrificios y holocaustos que sacrifiquemos para Jehová nuestro Dios. Nuestros ganados irán también con nosotros; no quedará ni una pezuña; porque de ellos hemos de tomar para servir a Jehová nuestro Dios, y no sabemos con qué hemos de servir a Jehová hasta que lleguemos allá" (Éxo. 10:24-26).

El rey se mostró severo y firme. "Retírate de mí —clamó—; guárdate que no veas más mi rostro, porque en cualquier día que vieres mi rostro, morirás". La respuesta de Moisés fue: "Bien has dicho; no veré más tu rostro" (vers. 28, 29).—*Signs of the Times*, 18 de marzo de 1880; ver un texto similar en *Patriarcas y profetas*, pp. 277, 278.

Este es el mes para la renovación de sus suscripciones de 2014. Hágalo cuanto antes (ver página 377).

Muerte de los primogénitos

Y morirá todo primogénito en tierra de Egipto, desde el primogénito de Faraón que se sienta en su trono, hasta el primogénito de la sierva que está tras el molino, y todo primogénito de las bestias. Éxodo 11:5.

A medida que Moisés presenciaba las maravillosas obras de Dios, su fe se fortalecía y se afianzaba su confianza. Dios lo había estado calificando, por medio de manifestaciones de su poder, para colocarse a la cabeza de los ejércitos de Israel, como un pastor de su pueblo, para sacarlos de Egipto. Su firme confianza en Dios lo elevó por encima del temor. Este valor en la presencia del rey contrariaba el orgullo altanero de este, y lo llevó a amenazar de muerte al siervo de Dios. En su ceguera, no advirtió que no contendía únicamente con Moisés y Aarón, sino contra el poderoso Jehová, el Hacedor del cielo y la tierra. Si Faraón no hubiera estado enceguecido por su rebelión, habría sabido que Aquel que podía producir milagros tan extraordinarios como aquellos, podía preservar la vida de sus siervos escogidos, aunque tuviera que matar al rey de Egipto. Moisés había obtenido el favor del pueblo. Lo consideraban un personaje maravilloso, por lo tanto el rey no se atrevía a hacerle daño.

Pero Moisés todavía tenía otro mensaje para entregar el monarca rebelde, y antes de abandonar su presencia declaró temerariamente la Palabra del Señor: "A la medianoche yo saldré por en medio de Egipto, y morirá todo primogénito en tierra de Egipto, desde el primogénito de Faraón que se sienta en su trono, hasta el primogénito de la sierva que está tras el molino, y todo primogénito de las bestias. Y habrá gran clamor por toda la tierra de Egipto, cual nunca hubo, ni jamás habrá. Pero contra todos los hijos de Israel, desde el hombre hasta la bestia, ni un perro moverá su lengua, para que sepáis que Jehová hace diferencia entre los egipcios y los israelitas" (Éxo. 11:4-7)...

Según Moisés fielmente describía la naturaleza y los efectos de la última plaga terrible, el rey se tornó extremadamente iracundo. Se enfureció porque no podía intimidar a Moisés y hacerlo temblar ante la autoridad real. Pero el siervo de Dios se apoyaba para su sustento en un brazo más poderoso que el de cualquier monarca terrenal.— *Signs of the Times*, 18 de marzo de 1880.

29

de julio

La Pascua

Y tomarán de la sangre, y la pondrán en los dos postes y en el dintel de las casas. Éxodo 12:7.

El Señor le dio a Moisés instrucciones especiales para los hijos de Israel acerca de lo que debían hacer para preservarse ellos y sus familias de la temible plaga que estaba a punto de enviar sobre los egipcios. Moisés también habría de darle a su pueblo instrucciones sobre su salida de Egipto. Esa noche, tan terrible para los egipcios y tan gloriosa para el pueblo de Dios, se instituyó la solemne ordenanza de la Pascua. Por orden divina, cada familia, ya sea sola o en conexión con otras, habría de matar un cordero o cabro, "sin defecto", y con un hisopo rociar su sangre sobre "los dos postes y en el dintel" de sus casas como una señal, de manera que el ángel destructor que pasaría a medianoche, no entrase a aquella morada. Habían de comer la carne asada, con hierbas amargas y pan sin levadura, de noche, y como Moisés dijo: "Ceñidos vuestros lomos, vuestro calzado en vuestros pies, y vuestro bordón en vuestra mano; y lo comeréis apresuradamente; es la Pascua de Jehová" (Éxo. 12:11). Este nombre fue dado en memoria del paso del ángel por su morada [sin herirlos]; y el pueblo de Israel había de celebrar una fiesta anual a través de las generaciones futuras.

La levadura obra secretamente, y es un emblema adecuado de la hipocresía y el engaño. En esta ocasión, los hijos de Israel habían de abstenerse de pan con levadura; esto grababa en sus mentes el hecho de que Dios requiere verdad y sinceridad en su adoración. Las hierbas amargas representaban su larga y amarga esclavitud en Egipto, al igual que la esclavitud del pecado. No era suficiente matar el cordero y esparcir su sangre sobre los dinteles, habían de comerlo, lo que representaba la íntima unión que debe existir entre Cristo y sus seguidores.

Se requería una obra de los hijos de Israel para probarlos y mostrar su fe en la gran liberación que Dios estaba efectuando a su favor. Para escapar al terrible castigo que estaba a punto de caer sobre Egipto, debía verse una señal de sangre sobre sus casas. Y se requirió que ellos y sus hijos se separaran de los egipcios y se reunieran en sus propias casas; porque si se encontraba a algún israelita en las moradas de los egipcios, este caería víctima del ángel destructor. También fueron dirigidos a establecer la fiesta de la Pascua como una ordenanza, para que cuando sus hijos preguntaran por el significado de tal servicio, se lo relacionara con la manera maravillosa como fueron protegidos en Egipto.— *Signs of the Times*, 25 de marzo de 1880.

Este es el mes para la renovación de sus suscripciones de 2014. Hágalo cuanto antes (ver página 377).

Cristo, el Cordero pascual

Guardaréis esto por estatuto para vosotros y para vuestros hijos para siempre.
Éxodo 12:24.

Muchos de los egipcios habían sido inducidos a reconocer, por medio de las manifestaciones de señales y maravillas reveladas en Egipto, que los dioses a quienes ellos habían adorado no tenían el conocimiento ni el poder para salvar o destruir, y que el Dios de los hebreos era el único Dios verdadero. Suplicaron que se les permitiese ampararse en los hogares de Israel cuando el ángel exterminador hiriera a los primogénitos de los egipcios. Los hebreos recibieron a estos egipcios crédulos en sus hogares, y estos se comprometieron a servir de allí en adelante al Dios de Israel como su Dios y a salir de Egipto e ir con los israelitas a adorar al Señor.

La Pascua señalaba el pasado y la liberación de los hijos de Israel; también era simbólica, al señalar el futuro y a Cristo, al Cordero de Dios, herido por la redención de la humanidad caída. La sangre rociada sobre los dinteles prefiguraba la sangre expiatoria de Cristo al igual que la dependencia continua de los pecadores en los méritos de esa sangre para estar a salvo del poder de Satanás y para la redención final. Cristo comió la cena pascual con sus discípulos poco antes de su crucifixión, y esa misma noche instituyó la ordenanza de la Cena del Señor, a ser observada en conmemoración de su muerte... Después de participar de la Pascua con sus discípulos, Cristo se levantó de la mesa y les dijo: "¡Cuánto he deseado comer con vosotros esta pascua antes que padezca!" (Luc. 22:15). Entonces él cumplió la humillante función de lavar los pies de sus discípulos. Cristo les dio a sus seguidores la ordenanza de lavarse los pies para que la practicaran, lo que les enseñaría lecciones de humildad...

El ejemplo de lavar los pies de sus discípulos fue dado para el beneficio de todos los que creyeran en él...

La salvación de hombres y mujeres depende de una aplicación continua de la sangre purificadora de Cristo al corazón. Por lo tanto, la Cena del Señor habría de observarse con mayor frecuencia que la Pascua anual. Esta ordenanza solemne conmemora un evento mucho mayor que la liberación de los hijos de Israel del cautiverio en Egipto. Aquella liberación era un tipo de la gran expiación lograda por el sacrificio de Cristo al dar su propia vida por la redención final de su pueblo.— *Signs of the Times*, 25 de marzo de 1880.

El reparador de portillos

Y serás llamado reparador de portillos, restaurador de calzadas para habitar.
Isaías 58:12.

Podemos alegrarnos en que el mundo no ha sido abandonado a la impotencia. Jesús dejó el trono real y su alto mando del cielo y se hizo pobre, para que por su pobreza fuésemos enriquecidos. Tomó sobre sí nuestra naturaleza, para enseñarnos cómo vivir. En los pasos que el pecador debe dar en la conversión —el arrepentimiento, la fe y el bautismo—él nos dio el ejemplo. No se arrepintió por sus pecados, porque no los tenía, pero lo hizo en nombre de los pecadores.

Jesús se convirtió en el "reparador de portillos, restaurador de calzadas para habitar". Se convirtió en un exiliado en la tierra para traer de vuelta a la oveja perdida y errabunda, el único mundo arruinado por el pecado. En él se combinaron lo terrenal y lo celestial; lo humano y lo divino; de otra manera, él no podría ser un Mediador a quien los pecadores pueden acercarse, y por medio del cual puedan ser reconciliados con su Hacedor. Pero ahora él rodea a la humanidad con brazos de simpatía y amor mientras se aferra al trono del Infinito, uniéndonos de ese modo en nuestra debilidad e impotencia con la Fuente de fortaleza y poder...

Estamos endeudados con Jesús por todas las bendiciones que disfrutamos. Debemos estar profundamente agradecidos por ser los objetos de su intercesión. Pero Satanás engaña a hombres y mujeres cuando presenta ante ellos el servicio de Cristo bajo una luz falsa y al hacerlos pensar que para ellos sería una humillación aceptar a Jesús como su Redentor. Si percibiéramos el privilegio cristiano bajo la luz apropiada, consideraríamos ser contados como hijos de Dios, herederos del cielo, como la más elevada exaltación...

¿Dejará usted las oscuras moradas del pecado y el dolor, y buscará las mansiones que Jesús fue a preparar para sus seguidores? En su nombre lo instamos a plantar sus pies firmemente en la escalera y subir. Abandone sus pecados, venza sus defectos de carácter y aférrese con todas sus fuerzas a Jesús, el camino, la verdad y la vida. Todos podemos triunfar. Nadie que persevere perderá la vida eterna. Los que creen en Cristo no perecerán; ni nadie los arrebatará de su mano.— *Signs of the Times*, 31 de julio de 1884.

Este es el mes para la renovación de sus suscripciones de 2014. Hágalo cuanto antes (ver página 377).

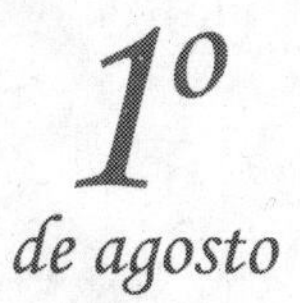

de agosto

Dios cumplió sus promesas

Pero cuando vino el cumplimiento del tiempo, Dios envió a su Hijo.
Gálatas 4:4.

Cristo vino a este mundo para revelar al Padre, para darle a la humanidad un conocimiento verdadero de Dios. Vino a manifestar el amor de Dios. Sin un conocimiento de Dios, la humanidad estaría eternamente perdida... Aquel que hizo el mundo debe impartir vida y poder.

La promesa hecha en el Edén de que la simiente de la mujer herirá la cabeza de la serpiente, era la promesa del Hijo de Dios, cuyo poder era el único medio para cumplir el designio de Dios e impartir su conocimiento.

Dios le hizo la promesa a Abraham: "Serán benditas en ti todas las familias de la tierra" (Gén. 12:3). A Abraham se le reveló el propósito de Dios para la redención de la raza... Cristo declaró: "Abraham vuestro padre se gozó de que había de ver mi día; y lo vio, y se gozó" (Juan 8:56).

Jacob declaró: "No será quitado el cetro de Judá, ni el legislador de entre sus pies, hasta que venga Siloh; y a él se congregarán los pueblos" (Gén. 49:10).

Dios le habló a Moisés cara a cara, como se habla con un amigo. La luz acerca del Salvador brilló sobre él. Le dijo al pueblo: "Profeta de en medio de ti, de tus hermanos, como yo, te levantará Jehová tu Dios; a él oiréis" (Deut. 18:15).

Los sacrificios y ofrendas contaron la historia del Salvador venidero, quien habría de ofrecerse por los pecados del mundo. Señalaban hacia un servicio mejor que el suyo, cuando Dios sería adorado en espíritu y en verdad, y en la belleza de la santidad.

En el servicio judío se representaba la expiación demandada por la ley quebrantada. La víctima, un cordero sin mancha o defecto, representaba al Redentor del mundo, quien es tan santo y eficiente que puede quitar el pecado del mundo.

A David se le dio la promesa de que Cristo reinaría para siempre, y que su reino no tendría fin.

Los hebreos vivían con expectación, anticipando el Mesías prometido. Muchos murieron en la fe, sin haber recibido las promesas; pero habiéndolas visto de lejos, creyeron y confesaron que eran extraños y peregrinos sobre la tierra.— *Youth's Instructor*, 13 de septiembre de 1900.

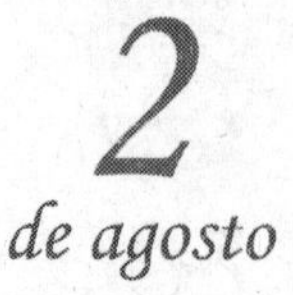

2

de agosto

Uno igual a Dios

El cual, siendo en forma de Dios, no estimó el ser igual a Dios como cosa a que aferrarse. Filipenses 2:6.

El divino Hijo de Dios era el único sacrificio de valor suficiente como para satisfacer ampliamente las demandas de la perfecta ley de Dios. Los ángeles eran puros, pero de menor valor que la ley de Dios. Eran compatibles con la ley... Eran seres creados y puestos a prueba. Sobre Cristo no se impuso ningún requisito. Él tenía poder para deponer su vida y para volverla a tomar. No se ejerció sobre él ningún grado de coerción para que aceptara la tarea de redimir a los seres humanos. Su sacrificio fue enteramente voluntario. Su vida era suficientemente valiosa como para rescatar a los seres humanos de su condición caída...

Las ofrendas de los sacrificios y el sacerdocio del sistema judaico estaban constituidos para representar la muerte y la obra mediadora de Cristo. Todas estas ceremonias estaban desprovistas de significado. No tenían virtud alguna excepto en lo que se refería a Cristo, en quien no solo se cimentaba todo el sistema, sino que también era la persona que lo había traído a la existencia. El Señor había dado a conocer a Adán, Abel, Set, Enoc, Noé, Abraham y a las demás personas ilustres de la antigüedad, especialmente a Moisés, que el sistema ceremonial de los sacrificios y del sacerdocio, por sí mismos, no eran suficientes para obtener la salvación de una sola alma.

El sistema de ofrendas sacrificiales señalaba a Cristo. Por medio de estas, los fieles de la antigüedad vieron a Cristo y creyeron en él. Estas fueron designadas desde el cielo para mantener ante la gente la separación terrible que el pecado había hecho entre Dios y la familia humana, lo que requería un ministerio mediador. A través de Cristo fue abierta la comunicación entre Dios y el pecador en ruinas, interrumpida por causa de la transgresión de Adán...

El sistema judío era simbólico, y habría de continuar hasta que la Ofrenda perfecta tomara el lugar de la figurada... El pueblo de Dios, desde los días de Adán hasta el momento cuando la nación judía llegó a ser un pueblo separado y distinto respecto del mundo, había sido instruido acerca del Redentor venidero, al cual representaban sus ofrendas sacrificiales. Este Salvador habría de ser un mediador, para que estuviese entre el Altísimo y su pueblo. Por medio de esta provisión se abrió un camino por el cual el pecador culpable pudiera encontrar acceso a Dios a través de la mediación de otro... Solo Cristo podía abrir el camino al hacer una ofrenda conmensurable con las demandas de la ley divina. Era perfecto y no profanado por el pecado. No tenía mancha ni arruga.— *Review and Herald*, 17 de diciembre de 1872; parcialmente en *Exaltad a Jesús*, p. 18.

Un pueblo sin preparación

Y dará a luz un hijo, y llamarás su nombre Jesús, porque él salvará a su pueblo de sus pecados. Mateo 1:21.

La nación judía había corrompido su religión con ceremonias y costumbres inútiles... También se encontraba bajo el yugo de los romanos y se les requería que pagaran tributos a estos. Los judíos no aceptaban su yugo y anticipaban el triunfo de su nación por medio del Mesías, el poderoso libertador predicho en la profecía... Pensaban que el que vendría asumiría honores reales y por la fuerza de las armas sometería a los opresores y tomaría el trono de David. Si hubieran estudiado las profecías con mentes humildes y discernimiento espiritual, no habrían cometido el tremendo error de ignorar las profecías que señalaban que su primer advenimiento sería con humildad, y aplicar mal las que hablaban de su segunda venida con poder y gran gloria... No podían distinguir entre aquellas profecías que se referían al primer advenimiento de Cristo y aquellas que describían su segunda aparición gloriosa. Buscaron en su primer advenimiento el poder y la gloria descritos por los profetas respecto de su segundo advenimiento...

Cuando se cumplió el tiempo, Cristo nació en un establo y fue acunado en un pesebre, rodeado por las bestias del establo... Su divina gloria y majestad fueron veladas por la humanidad, y los ángeles anunciaron su advenimiento. Las noticias de su nacimiento fueron llevadas con gozo a las cortes celestiales, mientras que los grandes de la tierra las desconocían... Buscaban un príncipe poderoso que había de reinar sobre el trono de David y cuyo reino duraría para siempre. Sus orgullosas y elevadas ideas sobre la venida del Mesías no estaban de acuerdo con las profecías que ellos profesaban ser capaces de exponer ante el pueblo...

En el cielo se entendía que había llegado el tiempo para el advenimiento de Cristo al mundo, y los ángeles dejaron la gloria para presenciar la recepción que le darían aquellos a quienes él vino a bendecir y a salvar. Habían presenciado su gloria en el cielo, y anticipaban que sería recibido con honor de acuerdo a su carácter y la dignidad de su misión... Los ángeles del cielo contemplaron con asombro la indiferencia del pueblo y su ignorancia respecto del advenimiento del Príncipe de la vida.— *Review and Herald*, 17 de diciembre de 1872.

4

de agosto

Las nuevas de gran gozo

Había pastores en la misma región, que velaban y guardaban las vigilias de la noche sobre su rebaño. Y he aquí, se les presentó un ángel del Señor… Pero el ángel les dijo: No temáis; porque he aquí os doy nuevas de gran gozo, que será para todo el pueblo. Lucas 2:8-10.

Los ángeles contemplaban a José y María, los cansados viajeros que iban camino a la ciudad de David para pagar sus impuestos, según el decreto de Augusto César. En la providencia de Dios, José y María fueron llevados allí porque era el lugar donde la profecía había predicho que Cristo nacería. Buscan un lugar de reposo en la posada, pero son rechazados porque no hay lugar. Los ricos y honorables han sido recibidos y encuentran descanso y posada, entretanto que estos cansados viajeros son obligados a buscar refugio en un rudo edificio que ampara a las pobres bestias.

Aquí nace el Salvador del mundo. La Majestad de gloria, que llenaba todo el cielo de admiración y esplendor, se humilla para acostarse en un pesebre. En el cielo estaba rodeado de los santos ángeles, pero ahora sus compañeros son las bestias del establo. ¡Tamaña humillación!

A causa de que no hay nadie entre los hijos de la humanidad que anuncie el advenimiento del Mesías, ahora los ángeles deben hacer esa tarea que era el honroso privilegio de los seres humanos…

Los humildes pastores, que cuidan sus rebaños de noche, son los que reciben gozosamente su testimonio… Al principio no disciernen las miríadas de ángeles congregadas en el cielo. El brillo y la gloria de la hueste celestial iluminan y glorifican toda la pradera…

Los pastores se llenan de gozo, y según desaparece la brillante gloria y los ángeles regresan al cielo, todos refulgen con las buenas nuevas y se apresuran para buscar al Salvador. Encuentran al infante Redentor, según habían testificado los mensajeros celestiales, envuelto en pañales y acostado en la estrechez de un pesebre.

Los sucesos que acababan de ocurrir han dejado impresiones indelebles en sus mentes y corazones, y están llenos de asombro, amor y gratitud por la gran condescendencia de Dios hacia la familia humana por enviar a su Hijo al mundo.— *Review and Herald*, 17 de diciembre de 1872.

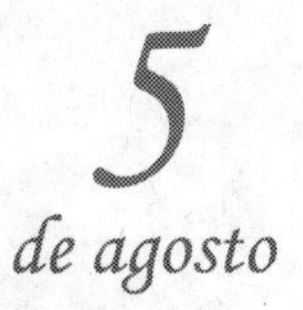

de agosto

Su voz se hizo escuchar

No gritará, ni alzará su voz, ni la hará oír en las calles... por medio de la verdad traerá justicia. Isaías 42:2, 3.

Desde su niñez, Jesús conformó estrictamente su vida a las leyes judías. Él manifestó gran sabiduría en su juventud. La gracia y el poder de Dios estaban sobre él. Por boca del profeta Isaías, la Palabra de Dios describe la función y la obra de Cristo y muestra el cuidado y amparo de Dios para con su Hijo en su misión a la tierra, de manera que no se le permitiera al odio despiadado de hombres y mujeres, inspirado por Satanás, impedir que frustrara el propósito del gran plan de salvación...

La voz de Cristo no se escuchó en la calle en una ruidosa contienda con los que se oponían a su doctrina. Tampoco se oyó su voz en la calle en oración a su Padre... Su voz no se escuchó en gozosa algarabía. Su voz no subió de volumen para exaltarse a sí mismo y ganar el aplauso y la adulación de los pecadores. Cuando se ocupaba de la enseñanza, apartaba a sus discípulos del ruido y la confusión de la ajetreada ciudad y los llevaba a un lugar retirado, más en armonía con las lecciones de humildad, piedad y virtud que deseaba dejar en sus mentes. Huía de la alabanza humana y prefería la soledad y un lugar de retiro pacífico al ruido y la confusión de la vida mortal. A menudo se escuchaba su voz en intercesiones intensas y perseverantes a su Padre, pero para estas prácticas elegía los montes solitarios y frecuentemente pasaba noches enteras en oración, suplicando por las fuerzas que lo sostuvieran ante las tentaciones que debía enfrentar y para cumplir la obra importante que vino a realizar para la salvación de la humanidad. Sus peticiones eran intensas y estaban mezcladas con fuerte clamor y lágrimas. Y pese a su intensa devoción durante la noche, no cesaban sus labores durante el día...

A los jefes de los sacerdotes y escribas y los ancianos les encantaba orar en los lugares más públicos, no solo en las atiborradas sinagogas, sino además en las esquinas de las calles, para ser vistos por todos y alabados por su devoción y piedad. Sus actos de caridad eran hechos de la manera más pública y con el propósito de llamar la atención de la gente hacia ellos mismos. Sus voces ciertamente se oían en las calles, no solo para exaltarse a sí mismos, sino para discutir con los que diferían de ellos en doctrina... El Señor, por medio de su profeta fiel, muestra la vida de Cristo en contraste marcado con los hipócritas jefes de sacerdotes, los escribas y los fariseos.— *Review and Herald*, 31 de diciembre de 1872.

6

de agosto

Cristo como niño

En el mundo estaba, y el mundo por él fue hecho; pero el mundo no le conoció.
Juan 1:10.

Los libros apócrifos del Nuevo Testamento intentan suplir el silencio de las Escrituras respecto de la vida temprana de Cristo al dar un bosquejo imaginativo de sus años de infancia. Estos escritores relatan incidentes y milagros maravillosos que caracterizaron su niñez y lo distinguieron de otros niños. Relatan cuentos ficticios y milagros frívolos que aseguran que él realizó; atribuyen a Cristo demostraciones necias e innecesarias de su poder divino, así como actos de venganza y travesuras crueles y ridículas.

La historia de Cristo registrada en los Evangelios —con su sencillez natural— ofrece un marcado contraste con estas historias y cuentos alocados y ficticios que no armonizan en lo absoluto con su carácter. Se parecen más a las novelas que se escriben, que no tienen fundamento en la verdad, pero cuyos personajes son de una creación fantasiosa.

La vida de Cristo se distinguía de la de los niños comunes. Su fuerza de carácter moral y su firmeza siempre lo llevaban a ser fiel a su sentido del deber, y a adherirse a los principios del bien, de los cuales no lo movía ningún motivo, por poderoso que fuera. Ni el dinero ni el placer, ni el aplauso ni la censura, podían comprarlo o adularlo de modo que consintiera a una acción errada. Era fuerte ante la tentación, sabio para descubrir el mal, y firme para mantenerse fiel a sus convicciones...

Su sabiduría era enorme, pero era la de un niño, y aumentó según los años. Su infancia poseyó una gentileza peculiar y un encanto notable. Su carácter estaba lleno de belleza y perfección inmaculada...

El camino de la obediencia ha sido exaltado porque la Majestad del cielo vino a la tierra, y por su disposición a convertirse en un niño pequeño y vivir de manera sencilla y natural como viven los niños, a someterse a las reglas y la privación y darles a los jóvenes un ejemplo de fiel aplicación, al mostrarles por su propia vida que el cuerpo y el alma están en armonía con las leyes naturales...

Aunque los niños viven en un mundo caído, no tienen que ser corrompidos por el vicio. Pueden ser felices y obtener finalmente el cielo a través de los méritos de Cristo.— *Youth's Instructor*, 1º de abril de 1872.

de agosto

Los negocios de mi Padre

¿Por qué me buscabais? ¿No sabíais que en los negocios de mi Padre me es necesario estar? Lucas 2:49.

Los padres de Jesús visitaban Jerusalén todos los años en cumplimiento de la ley judía. Su hijo Jesús, de doce años de edad, los acompañaba. Al regresar a su casa, después de un día de camino, se llenaron de ansiedad al notar que Jesús no estaba... Regresaron apresurados a Jerusalén, con sus corazones cargados de pesar...

Mientras que los padres de Cristo lo buscaban, vieron que muchas personas se congregaban en el templo; al entrar, la voz conocida de su Hijo les llamó la atención. No podían verlo por causa de la multitud, pero sabían que no se equivocaban, porque no había otra voz como la suya, caracterizada por una solemne melodía. Los padres contemplaron asombrados la escena. En medio de los cultos doctores y escribas, con sus caras largas, su Hijo daba evidencia de un conocimiento superior por sus preguntas discretas y sus respuestas. Sus padres se sintieron complacidos de verlo honrado de tal manera. Pero la madre no podía olvidar la pena y ansiedad que había sufrido por causa de su tardanza en Jerusalén, y en tono de reprensión le preguntó por qué se había comportado así con ellos, y compartió los temores y dolor que él les había causado.

Jesús le dijo: "¿Por qué me buscabais?" Esta pregunta perspicaz sugería que si ellos hubieran estado al tanto de su deber, no se habrían marchado de Jerusalén sin él. Entonces añadió: "¿No sabíais que en los negocios de mi Padre me es necesario estar?" Entretanto que ellos habían descuidado la responsabilidad encomendada a ellos, Jesús estaba ocupado en la obra de su Padre. María sabía que no se refería a su padre terrenal, José, sino a Jehová...

Jesús decidió regresar de Jerusalén solo con sus padres, porque al viajar solos, su padre y su madre tendrían más tiempo para meditar en las profecías que se referían a sus sufrimientos y muerte futuros... Después de la celebración de la Pascua lo buscaron entristecidos durante tres días. Cuando le tocara ser herido por los pecados del mundo, sería separado de ellos [sus seguidores], perdido para ellos, durante tres días. Pero después se les revelaría, ellos lo encontrarían, y su fe dependería de él como el Redentor de la raza caída, su abogado para con el Padre.— *Review and Herald*, 31 de diciembre de 1872.

8

de agosto

Un ejemplo de amor

Mi madre y mis hermanos son los que oyen la palabra de Dios, y la hacen.
Lucas 8:21.

Jesús amaba a los niños y siempre ejercía su influencia sobre ellos para bien. Se ocupaba de los pobres y necesitados incluso en su niñez. Buscaba agradar a aquellos con quienes entraba en contacto en cada acto gentil, tierno y sumiso; pero aunque era gentil y sumiso, nadie podía llevarlo a hacer nada que contrariara la Palabra de Dios. Algunos admiraban su perfección de carácter y a menudo buscaban estar con él, pero otros que apreciaban las máximas humanas por encima de la Palabra de Dios se apartaban de él y evitaban su compañía...

Cuando Jesús contemplaba las ofrendas que se traían como sacrificio al templo, el Espíritu Santo le enseñaba que su vida sería sacrificada por la vida del mundo... Desde sus años más tempranos fue guardado por los ángeles celestiales, pero su vida fue una larga lucha contra los poderes de las tinieblas. Satanás buscaba tentarlo y probarlo de toda manera. Impedía que la gente entendiera sus palabras para que no recibieran la salvación que él vino a traerles...

Él era fiel en su obediencia a los mandatos de Dios, y esto lo hacía diferente de quienes a su alrededor ignoraban la Palabra de Dios. Su vida inmaculada era un reproche, y muchos evitaban su presencia, pero había algunos que buscaban estar con él porque sentían paz donde él estaba...

Él no fallaba ni se desanimaba. Vivía por encima de las dificultades de su vida, como iluminado por la luz del rostro de Dios. Soportaba insultos pacientemente y en su naturaleza humana se convirtió en un ejemplo para todos los niños y jóvenes.

Cristo mostró el mayor respeto y amor por su madre. Aunque ella a menudo hablaba con él y buscaba que hiciera lo que querían sus hermanos, él nunca le mostró la menor falta de devoción...

María se sintió muy angustiada cuando los sacerdotes y dirigentes vinieron a ella para quejarse de Jesús, pero su atribulado corazón se llenó de paz y confianza cuando su Hijo le mostró lo que las Escrituras decían sobre sus acciones. A veces vacilaba entre Jesús y sus hermanos, quienes no creían que él había sido enviado por Dios; pero ella vio lo suficiente para convencerse de que el suyo era un carácter divino.— *Youth's Instructor,* 12 de diciembre de 1895.

de agosto

El joven Jesús

Y Jesús crecía en sabiduría y en estatura, y en gracia para con Dios y los hombres. Lucas 2:52.

Antes de venir a esta tierra, Jesús era un gran rey en el cielo. Era tan grande como Dios, no obstante amaba a los pobres de esta tierra tanto que estuvo dispuesto a deponer su corona real, su hermoso manto y venir a esta tierra como uno de la familia humana… Podría haber venido a la tierra con una belleza tal que habría sido distinto a los hijos de la humanidad… Podría haber venido a la tierra de una forma que encantara a quienes lo vieran, pero esta no fue la manera en que Dios pensó llegar hasta nosotros. Él habría de ser semejante a los que pertenecían a la familia humana y a la raza judía. Sus rasgos habrían de ser como los de otros seres humanos, y no habría de tener tal belleza personal que hiciera que la gente lo señalara como diferente a los demás… Había venido para tomar nuestro lugar, a ofrecerse a sí mismo en nuestro lugar, a pagar la deuda que los pecadores debían. Habría de vivir una vida pura sobre la tierra y mostrar que Satanás había mentido cuando afirmó que la familia humana le pertenecía a él para siempre, y que Dios no podía arrebatarla de sus manos.

La raza humana contempló a Cristo como bebé, como un niño. Sus padres eran muy pobres, y no tuvo nada sobre la tierra excepto lo que tienen los pobres. Pasó por todas las pruebas que enfrentan los pobres y los humildes desde que son bebés y niños, desde su juventud hasta su adultez…

En su juventud, trabajó con su padre en el oficio de carpintero y así mostró que el trabajo no es algo de lo cual avergonzarse. Aunque era el rey del cielo, trabajó en un oficio humilde, y así reprendió toda ociosidad en los seres humanos… Quienes están ociosos no siguen el ejemplo que Cristo ha dado, porque desde su niñez fue un modelo de obediencia y diligencia. Era un placentero rayo de sol en el círculo del hogar. Hacía su parte fiel y alegremente, cumpliendo los humildes deberes que se le pidieron en su vida de pobre. Cristo se hizo uno con nosotros para poder hacernos bien… El Redentor del mundo no vivió una vida de desahogo y placer egoístas. No escogió ser el hijo de un hombre rico o estar en una posición en que la gente lo alabara y adulara. Pasó las vicisitudes de los que trabajan para ganarse la vida, y podía aliviar a todos los que tienen que trabajar en un oficio humilde. Se escribió de su vida de trabajo para que nosotros podamos recibir alivio.— *Youth's Instructor*, 21 de noviembre de 1895.

10

de agosto

Un modelo para los jóvenes

Y el niño crecía y se fortalecía, y se llenaba de sabiduría. Lucas 2:40.

El pueblo judío acariciaba ideas equivocadas acerca del Mesías y su obra... Buscaban la gloria que acompañará a la segunda venida de Cristo, a la vez que pasaban por alto la humillación que debía caracterizar su primer advenimiento. Pero con sus preguntas acerca de las profecías de Isaías que apuntaban hacia su primera venida, Jesús arrojaba luz sobre las mentes de las personas que se mostraban dispuestas a recibir la verdad. Antes de venir a la tierra, él mismo les había dado estas profecías a sus siervos, quienes las habían escrito, y ahora, a medida que estudiaba la Biblia, el Espíritu Santo traía estas cosas a su mente, y lo impresionaba acerca de la gran obra que debía realizar en la tierra. Aunque crecía en conocimiento y la gracia de Dios estaba con él, no se enorgulleció ni sintió que estaba por encima del cumplimiento del deber más humilde. Llevó su parte de la carga, junto con su padre, su madre y sus hermanos. A pesar de que su sabiduría había asombrado a los doctores, se sometió humildemente a la tutela de sus guardianes humanos. Soportó lo que le correspondía de las cargas familiares y trabajó con sus propias manos como lo habría hecho cualquier obrero. De Jesús se dijo que a medida que avanzaba en años "crecía en sabiduría, en estatura, y en gracia para con Dios y los hombres" (Luc. 2:52).

El conocimiento que adquiría diariamente acerca de su misión maravillosa no lo descalificaba para la realización de los deberes más humildes. Realizaba alegremente el trabajo que les corresponde a los jóvenes que viven en hogares humildes presionados por la pobreza. Comprendía las tentaciones de los niños porque tuvo que soportar sus tristezas y pruebas. Su propósito de hacer el bien fue firme y constante. Aunque fue inducido hacia el mal, rehusó apartarse una sola vez de la verdad y la rectitud más estrictas. Mantuvo una obediencia filial perfecta, pero su vida inmaculada suscitó la envidia y los celos de sus hermanos. Su niñez y su juventud fueron cualquier cosa menos fáciles y alegres. Sus hermanos no creían en él y se irritaban porque no actuaba como ellos en todas las cosas ni se transformaba en uno de ellos en la práctica del mal. En su vida hogareña fue alegre, pero nunca ruidoso. Siempre mantuvo la actitud de quien estaba dispuesto a aprender. Se deleitaba en el estudio de la naturaleza, y Dios fue su maestro.— *Youth's Instructor*, 28 de noviembre de 1895; parcialmente en *Exaltad a Jesús*, p. 71.

de agosto

Vivir en la verdad

Y la gracia de Dios era sobre él. Lucas 2:40.

Incluso en su niñez, Jesús vio que la gente no vivía de la manera señalada por la Biblia. Estudiaba la Biblia y seguía los hábitos y prácticas sencillas que la Palabra de Dios estipula; y cuando la gente lo criticaba por ser tan humilde y sencillo, los remitía a la Palabra de Dios. Sus hermanos le dijeron que se creía mejor que ellos, y lo regañaban por situarse más arriba de los sacerdotes y los gobernantes del pueblo. Jesús sabía que si él obedecía la Palabra de Dios, no encontraría solaz ni paz en el ámbito del hogar.

A medida que crecía en conocimiento, se daba cuenta de que graves errores iban aumentando entre su pueblo y que, a causa de que seguían mandatos humanos en lugar de obedecer los de Dios, se estaban perdiendo la sencillez, la verdad y la verdadera piedad en la tierra. Vio que la gente participaba en formalismos y ceremonias en su adoración de Dios mientras descuidaba las verdades sagradas que daban valor a su servicio. Él sabía que sus servicios desleales no podían producirles bien alguno, ni les traería paz ni reposo. No podían saber lo que significa tener libertad de espíritu por no servir a Dios en verdad.

Jesús no siempre observó en silencio estos servicios inútiles, sino que a veces les advertía que iban por un camino errado. Por ser tan pronto para distinguir entre lo falso y lo verdadero, sus hermanos se sentían muy molestos con él, porque según ellos lo que el sacerdote enseñaba debía considerarse tan sagrado como un mandato de Dios. Pero Jesús enseñó tanto por sus palabras como por su ejemplo que hombres y mujeres debieran adorar a Dios según él ha estipulado que lo adoren, y no seguir las ceremonias prescritas por los maestros humanos...

Los sacerdotes y fariseos también se molestaban porque este niño no aceptaba las invenciones de su imaginación, sus máximas y tradiciones humanas. Pensaban que mostraba falta de respeto hacia su religión y hacia los rabinos que habían ordenado estos servicios. Les dijo que obedecería toda palabra que viniera de la boca de Dios, y que debían mostrarle por la Biblia en qué erraba él. Les señaló el hecho de que ellos colocaban la palabra de seres humanos por encima de la Palabra de Dios y eran la causa de que la gente le faltara el respeto a Dios al obedecer estos mandamientos humanos.— *Youth's Instructor*, 5 de diciembre de 1895.

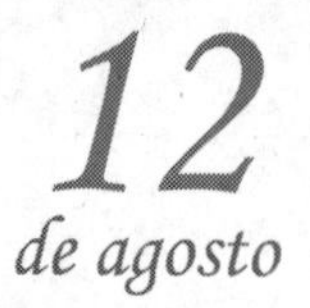

12

de agosto

La Escritura fue la guía de Jesús

Y todos los que le oían, se maravillaban de su inteligencia y de sus respuestas.
Lucas 2:47.

Ellos [los rabinos] sabían que él los superaba mucho en discernimiento espiritual, y que vivía una vida intachable, pero estaban enojados con él porque no violaba su conciencia para obedecer sus dictados. Al no poder convencerlo de que debía considerar como sagradas las tradiciones humanas, vinieron a José y María y se quejaron de que Jesús estaba adoptando una actitud incorrecta con respecto a sus costumbres y tradiciones. Jesús sabía lo que era tener una familia dividida contra él por causa de su fe religiosa. Él amaba la paz; anhelaba el amor y la confianza de los miembros de su familia, pero sabía lo que significaba que le retiraran sus afectos. Sufrió reproche y censura por hacer lo correcto y no cometía maldad porque otros lo hicieran, sino que era fiel a los mandamientos de Jehová. Sus hermanos lo reprendieron porque se mantenía apartado de las ceremonias enseñadas por los rabinos, porque consideraban la palabra de seres humanos superior a la Palabra de Dios, porque amaban la alabanza de los hombres más que la alabanza de Dios.

Jesús hizo de las Escrituras su estudio constante; y cuando los escribas y fariseos intentaron hacerle aceptar sus doctrinas, advirtieron que él se encontraba listo para enfrentarlos con la Palabra de Dios, y no podían hacer nada para convencerlo de que tenían razón. Parecía conocer las Escrituras de principio a fin, y las repetía de tal modo que su significado verdadero brillaba... Estaban enojados porque este niño se atrevía a dudar de sus palabras, cuando ellos habían sido llamados a estudiar y explicar las Escrituras...

Sus hermanos lo amenazaron e intentaron lograr que se desviara, pero él los ignoró e hizo de las Escrituras su guía. Desde la ocasión en que sus padres lo encontraron en el templo haciendo y respondiendo preguntas entre los doctores, no podían entender su conducta. Callado y gentil, parecía uno que había sido colocado aparte. Cada vez que podía, salía solo a los campos y colinas para tener comunión con el Dios de la naturaleza. Cuando terminaba su trabajo, caminaba cerca del lago, entre los árboles del bosque y en los verdes valles donde podía pensar en Dios y elevar su alma al cielo en oración. Después de pasar tiempo de esta manera, regresaba a su hogar para retomar los simples deberes de su vida y brindar a todos un ejemplo de labor paciente.— *Youth's Instructor*, 5 de diciembre de 1895.

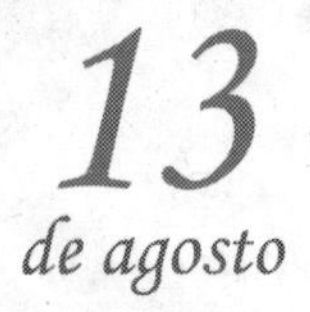

de agosto

Jesús era de Nazaret

¿De Nazaret puede salir algo de bueno? Juan 1:46.

Los primeros treinta años de la vida de Cristo transcurrieron en la oscura aldea de Nazaret. La maldad de los habitantes de esta aldea era proverbial; he aquí la pregunta de Natanael: "¿De Nazaret puede salir algo de bueno?" Poco dicen los evangelistas en cuanto a la vida temprana de Cristo. Exceptuando un breve relato de su ida a Jerusalén en compañía de sus padres, tenemos solo la sencilla declaración: "Y el niño crecía y se fortalecía, y se llenaba de sabiduría; y la gracia de Dios era sobre él" (Luc. 2:40)...

A menudo, los niños y los jóvenes se encuentran en un ambiente que no es favorable para la vida cristiana, y ceden fácilmente a las tentaciones, alegando como excusa por su conducta pecaminosa que el ambiente es desfavorable para ellos...

Cristo recorrió el camino más accidentado que hayan de transitar alguna vez los niños y los jóvenes. No le tocó en suerte una vida de abundancia e indolencia. Sus padres eran pobres y dependían de su trabajo diario para ganar el sustento; la vida de Cristo fue, por lo tanto, una vida de pobreza, abnegación y privaciones. Compartió con sus padres su vida de laboriosidad diligente.

Nadie será jamás llamado a perfeccionar un carácter cristiano bajo circunstancias más desfavorables que las que rodearon a nuestro Salvador. El hecho de que Cristo viviera treinta años en Nazaret, lugar del cual muchos consideraban un milagro que saliese algo bueno, es un reproche para los jóvenes que piensan que su carácter religioso debe conformarse a las circunstancias. Si el ambiente de los jóvenes es desagradable y claramente malo, muchos hacen de esto una excusa para no perfeccionar un carácter cristiano. El ejemplo de Cristo constituye un reproche para la idea de que sus seguidores han de depender del lugar, la fortuna o la prosperidad para vivir sin culpa. Cristo les enseña que su fidelidad honra cualquier puesto, por humilde que sea, al cual los haya llamado la providencia de Dios...

Cristo soportó sin murmurar las pruebas y privaciones de los que se quejan muchos jóvenes. Y esta disciplina es la experiencia que necesitan los jóvenes, la que dará firmeza a sus caracteres y los hará como Cristo, fuertes en espíritu para resistir la tentación... Orando diariamente a Dios, recibirán de él sabiduría y gracia para soportar el conflicto y las severas realidades de la vida y salir victoriosos.— *Youth's Instructor*, 1º de marzo de 1872; parcialmente en *Mensajes para los jóvenes*, pp. 76-78.

14

de agosto

Por palabras y por ejemplo

Y gran multitud del pueblo le oía de buena gana. Marcos 12:37.

Cristo no pasaba por alto a ningún ser humano como indigno o irremediable, sino que buscaba aplicar el remedio salvífico a cada alma que necesitaba ayuda. Doquiera se encontraba, tenía una lección apropiada para el momento y la circunstancia. Deseaba infundir esperanza a los más rudos y menos prometedores, y colocaba ante ellos la idea de que podían llegar a ser puros e inofensivos, y adquirir un carácter que fuera semejante al de Cristo. Podían ser los hijos de Dios y brillar como luces en el mundo aunque habían vivido entre gente mala. Por esta razón muchos lo escuchaban de buena gana. Desde su misma niñez obraba a favor de otros, y dejaba brillar su luz entre las tinieblas morales del mundo. Al llevar cargas en su vida hogareña y al laborar en terrenos más públicos, les mostraba a todos lo que es el carácter de Dios. Él apoyaba todo lo que tuviera influencia sobre los intereses reales de la vida, pero no animaba a los jóvenes a soñar en lo que el futuro podría ser. Les enseñaba por sus palabras y ejemplo que el futuro se decidiría por la manera en que usaran el presente. Nuestro destino se determina por nuestro propio proceder. Quienes aprecian lo que es correcto, quienes cumplen el plan de Dios aunque sea en una estrecha esfera de acción, y quienes hacen lo correcto porque es correcto, encontrarán campos más amplios de utilidad...

Es nuestro privilegio desempeñar nuestra parte en la obra y la misión de Cristo. Podemos ser colaboradores suyos. En cualquier trabajo que se nos pida realizar, podemos trabajar con Cristo. Él está haciendo todo lo que puede hacer para liberarnos, para lograr que nuestras vidas —que parecen tan ajetreadas y estrechas— se extiendan para bendecir y ayudar a otros. Él quiere que entendamos que somos responsables de hacer el bien, y que advirtamos que si descuidamos nuestra obra, estamos acarreándonos pérdida...

Jesús llevaba la carga de la salvación de la familia humana sobre su corazón. Sabía que a menos que los hombres y mujeres lo recibieran y fueran cambiados en propósito y vida, se verían eternamente perdidos. Esta era la carga de su alma, y él estaba solo al llevarla. Nadie sabía cuán agobiante era el peso que anidaba en su corazón; pero desde su juventud estaba lleno de un profundo anhelo de ser una lámpara en el mundo, y él determinó que su vida fuera "la luz del mundo". Él era esto, y esa luz todavía brilla para todos los que están en la oscuridad. Caminemos en la luz que nos ha dado.— *Youth's Instructor*, 2 de enero de 1896.

de agosto

Venciendo como Cristo venció

Porque no tenemos un sumo sacerdote que no pueda compadecerse de nuestras debilidades, sino uno que fue tentado en todo según nuestra semejanza, pero sin pecado. Hebreos 4:15.

Cuando el ministerio de Cristo estaba por comenzar, recibió el bautismo de manos de Juan. Al salir del agua, se inclinó en la ribera del Jordán y ofreció al Padre una oración que el cielo nunca había escuchado antes... Los cielos se abrieron, y una paloma, con la apariencia de oro bruñido, se posó sobre Jesús; y de los labios del Dios infinito se escucharon las palabras: "Este es mi Hijo amado, en quien tengo complacencia" (Mat. 3:17).

Esta respuesta visible a la oración del Hijo de Dios tiene un profundo significado para nosotros...

Todos pueden encontrar reposo, paz y seguridad al enviar sus oraciones a Dios en el nombre de su amado Hijo. Según los cielos se abrieron a la oración de Cristo, también se abrirán a nuestras oraciones...

Jesús fue llevado desde el Jordán hasta el desierto de la tentación. "Y después de haber ayunado cuarenta días y cuarenta noches, tuvo hambre. Y vino a él el tentador, y le dijo: Si eres Hijo de Dios, di que estas piedras se conviertan en pan" (Mat. 4:2, 3)...

Adán fracasó en el asunto del apetito, y Cristo debía triunfar en esto. El poder que descansó sobre él venía directamente del Padre, y no debía ejercerlo en su propio beneficio... Hizo frente y resistió al enemigo con la fuerza de un "así dice el Señor". "No solo de pan vivirá el hombre —dijo— sino de toda palabra que sale de la boca de Dios" (vers. 4)...

La experiencia de Cristo es para nuestro beneficio. Su ejemplo al vencer el apetito señaló el camino, para que los que lo siguieran pudieran vencer.

Cristo estaba sufriendo como sufren los miembros de la familia humana bajo la tentación. Pero no era la voluntad de Dios que él ejerciera su poder divino en su propio beneficio. Si no hubiera sido nuestro representante, la inocencia de Cristo lo habría librado de toda esta angustia; pero fue a causa de su inocencia que sintió tan intensamente los asaltos de Satanás. Todo sufrimiento, que es resultado del pecado, se volcó en el seno del inmaculado Hijo de Dios. Satanás estaba hiriendo el talón de Cristo; pero toda angustia soportada por Jesús, toda tristeza, toda inquietud, estaba cumpliendo con el gran plan de la redención del hombre. Todo golpe infligido por el enemigo estaba repercutiendo sobre él mismo. Cristo estaba hiriendo la cabeza de la serpiente.— *Youth's Instructor*, 21 de diciembre de 1899; parcialmente en *Mensajes selectos*, tomo 3, pp. 144, 145.

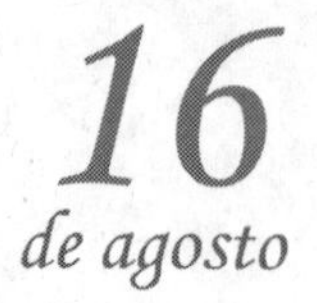

16

de agosto

Cristo, el Camino a la victoria

Vete, Satanás, porque escrito está. Mateo 4:10.

Satanás había sido vencido en la primera tentación. Después llevó a Cristo al pináculo del templo en Jerusalén y le pidió que demostrara su calidad de Hijo de Dios lanzándose de la impresionante altura. "Si eres Hijo de Dios —le dijo—, échate abajo; porque escrito está: A sus ángeles mandará acerca de ti, y, en sus manos te sostendrán, para que no tropieces con tu pie en piedra" (Mat. 4:6). Pero hacer tal cosa habría sido presunción de parte de Cristo, y él no cedería. "Escrito está también: No tentarás al Señor tu Dios" (vers. 7). Nuevamente el tentador quedó confundido. Cristo permaneció victorioso.

La presunción es una tentación común; y cuando Satanás nos asalta con ella, casi siempre logra la victoria. A menudo, quienes aseguran haberse unido a la guerra contra el mal, sin pensar, se hunden bajo el peso de una tentación que requiere [nada menos que] un milagro para vencerla sin mancharse. Las preciosas promesas de Dios no son dadas para alimentar nuestra presunción o para que confiemos cuando nos abalanzamos innecesariamente al peligro. El Señor requiere de nosotros que nos movamos con una dependencia humilde bajo su conducción. "El hombre no es señor de su camino, ni del hombre que camina es el ordenar sus pasos" (Jer. 10:23). En Dios se encuentra nuestra prosperidad y nuestra vida... "Encomienda a Jehová tu camino, y confía en él; y él hará" (Sal. 37:5). Como hijos de Dios, hemos de mantener un carácter cristiano íntegro.

Cuando usted ore... para no caer en tentación, recuerde que su obra no concluye con la oración. Tanto como sea posible debe contestar sus propias oraciones al resistir la tentación. Pídale a Jesús que haga por usted lo que no puede hacer por su propia cuenta. Con la Palabra de Dios como nuestro guía y Jesús como nuestro maestro, no tenemos que ignorar los requerimientos de Dios ni las trampas de Satanás.

"Otra vez le llevó el diablo a un monte muy alto, y le mostró todos los reinos del mundo y la gloria de ellos, y le dijo: Todo esto te daré, si postrado me adorares" (Mat. 4:8, 9). Entonces la divinidad refulgió a través de la humanidad. "Vete, Satanás —dijo Jesús—, porque escrito está: Al Señor tu Dios adorarás, y a él solo servirás" (vers. 10). Satanás no presentó otra tentación más. Abandonó la presencia de Cristo como un enemigo conquistado.— *Youth's Instructor*, 21 de diciembre, de 1899.

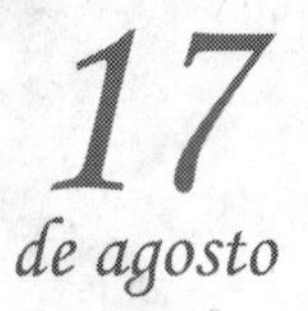

de agosto

Rechazado

A lo suyo vino, y los suyos no le recibieron. Juan 1:11.

En ocasión del primer advenimiento de Cristo, que aparentemente pasó por inadvertido, los ángeles del cielo a duras penas pudieron contener su deseo de prorrumpir en júbilo para celebrar el nacimiento del Hijo de Dios. Las gloriosas manifestaciones del cielo no fueron enteramente restringidas. El maravilloso evento no careció de algunas evidencias de carácter divino. Ese nacimiento, para el cual no se hizo preparación en la tierra, fue celebrado en los atrios celestiales con alabanza y acciones de gracia en favor de los pecadores...

Aquel que vino en carne humana y se sometió a una vida de humillación era la Majestad del cielo, el Príncipe de la vida, pero los hombres sabios de la tierra, los príncipes y gobernantes, e incluso su propia nación, no lo conocieron. No lo reconocieron como el tan anticipado Mesías. A pesar de los poderosos milagros que él realizó ante ellos, a pesar de que abrió los ojos de los ciegos y resucitó a los muertos, Cristo sufrió el odio y el abuso del pueblo que vino a bendecir. Lo tomaron por pecador y lo acusaron de echar fuera los demonios por medio del príncipe de los demonios. Las misteriosas circunstancias de su nacimiento fueron objeto de rumores por parte de los gobernantes. Lo acusaron de haber nacido en pecado. El Príncipe del cielo fue insultado por las mentes corruptas y la incredulidad pecaminosa y blasfema de su pueblo. ¡Qué maligna cosa es la incredulidad! Se originó con el primer gran apóstata, y en el rechazo del Mesías por parte de los judíos se aprecia cuán terriblemente lejos conduce a todos los que caminan en ella...

Los dirigentes de Israel profesaban comprender las profecías, pero habían albergado ideas falsas con relación a la forma en que Cristo vendría...

El mismo que murió por los pecadores habrá de juzgarlos en el último día; porque el Padre "todo el juicio dio al Hijo", y le "dio autoridad de hacer juicio, por cuanto es el Hijo del hombre" (ver Juan 5).

¡Qué día será cuando los que rechazaron a Cristo contemplen a Aquel que fue traspasado por sus pecados! Entonces sabrán que él les ofreció todo el cielo con la única condición de colocarse de su parte como hijos obedientes; que él pagó un precio infinito por su redención, pero que ellos no aceptaron la libertad de la mortificante esclavitud del pecado. Ellos eligieron colocarse bajo el negro estandarte de la rebelión hasta el cierre de la hora de misericordia.— *Review and Herald*, 5 de septiembre de 1899.

18
de agosto

Revelando al Padre

El que me ha visto a mí, ha visto al Padre. Juan 14:9.

El hecho de que la gente estaba más interesada en la enseñanza de Cristo que en los secos y tediosos argumentos de los maestros judíos irritaba a los escribas y fariseos. Estos maestros hablaban con incertidumbre, e interpretaban las Escrituras de una manera y de otra. Esto dejaba a la gente muy confundida. Pero cuando escuchaban a Jesús, sus corazones eran entibiados y aliviados. Él presentaba a Dios como un Padre amoroso, no como un Juez vengador. Atraía a todos, los encumbrados y los humildes, los ricos y los pobres, para que vieran a Dios en su carácter verdadero, y los llevaba a dirigirse a él con un título cariñoso: "Nuestro Padre".

Mediante palabras amables y obras de misericordia, Cristo encaraba las antiguas tradiciones y los mandamientos de hombres, y presentaba el amor del Padre en su inagotable abundancia. Su voz calmada, fervorosa y musical, caía como un bálsamo en los espíritus heridos. Él revelaba la imagen de Dios reflejada en sí mismo. Les presentaba a sus oidores las verdades de las profecías, alejándolos de las enredadas interpretaciones que los escribas y fariseos hacían de ellas. Esparcía los granos celestiales de la verdad doquiera iba.

Determinados a escuchar lo que Cristo les decía a sus discípulos, los escribas y fariseos tenían espías que lo seguían. Estos espías anotaban sus palabras y las reportaban a los jefes de los judíos, quienes, al escucharlas, quedaban casi fuera de sus cabales con ira poco disimulada, y esto lo interpretaban en términos del celo por Dios.

Al reunirse los miembros del Sanedrín para consultarse entre sí, no faltaron hombres armados de fuertes y categóricos prejuicios que aconsejaron que se eliminara a este hombre que pretendía tanto…

Vieron que la influencia de Cristo sobre la gente rápidamente se estaba tornando mayor que la suya. Anhelaban aplastarlo por atreverse a restarle importancia a sus tradiciones, pero temían moverse abiertamente por causa de la gente. Pensaban que si obraban en secreto, observando sus palabras y acciones, pronto encontrarían acusaciones tales contra él que ameritaran condenarlo a muerte…

Cristo les estaba dando a los gobernantes de Israel luz que eliminaba sus excusas. No dejó de hacerse nada que se pudiera hacer para convencerlos de su error.— *Review and Herald,* 5 de marzo de 1901.

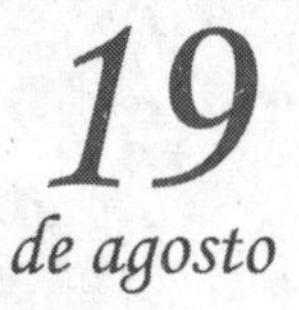

de agosto

Cegados por el prejuicio

Ni tenéis su palabra morando en vosotros; porque a quien él envió, vosotros no creéis.
Juan 5:38.

Los líderes judíos quedaron profundamente impresionados por las varias ocasiones en que la divinidad fulguró a través de la humanidad durante la obra de Cristo. Pero al hablar entre ellos, su incredulidad se fortaleció, y la evidencia que debió haberlos convencido fue rechazada. La evidencia más fuerte no valía para ellos, en tanto que los argumentos más débiles y superficiales, si se oponían a la verdad presentada por el Salvador, eran sólidos a su juicio. Habían emprendido un camino que llevaba a la ruina eterna...

Cristo vio que los maestros judíos interpretaban mal la Palabra de Dios, y los animó a un estudio más diligente de sus preceptos. En él se estaban cumpliendo los tipos y sombras del sistema judío. Si hubieran buscado en las Escrituras como debían, habrían encontrado que él no pretendía algo que no le perteneciera legítimamente.

Si los judíos hubieran buscado en la Palabra de Dios como debían haber hecho, habrían visto que Jesús de Nazaret era el Mesías. Pero buscaban guiados por una ambición orgullosa y egoísta, y encontraron a un Mesías según su propia imaginación. Por ello, cuando vino el Salvador, un hombre humilde que por medio de su enseñanza derrumbaba las teorías y las tradiciones establecidas desde hacía tiempo, y presentaba una verdad enteramente opuesta a sus prácticas, dijeron: ¿Quién es este invasor que se atreve a ignorar nuestra autoridad? Cristo no vino como esperaban; por esto se negaron a recibirlo, y lo llamaron engañador e impostor. En vez de escucharlo para aprender la verdad, escucharon con malas intenciones, para encontrar algo ante lo cual poner reparos. Y una vez que colocaron sus pies en el camino del gran líder de la rebelión, fue cosa fácil para Satanás fortalecerlos en su oposición. Este logró que las obras maravillosas de Cristo, que Dios quería que fueran evidencia enviada del cielo para ellos, fueran interpretadas contra él. Mientras más les hablaba Dios por sus obras de misericordia y amor, más confirmados quedaban en su resistencia. Cegados por el prejuicio, se negaron a reconocer que Jesús es divino...

Él era Dios en carne humana, y no podía hacer otra cosa sino hacer las obras de Dios.— *Review and Herald*, 26 de marzo de 1901.

20
de agosto

Obremos cuando la oportunidad se presenta

¿Quieres ser sano? Juan 5:6.

La sanación del enfermo de Betesda contiene una lección de un valor incalculable para todo cristiano, una lección de importancia solemne y temible para el incrédulo y el escéptico. Mientras el paralítico yacía junto al estanque, impotente y en efecto sin esperanza, Jesús se acercó y le preguntó con tonos de lástima: "¿Quieres ser sano?" Este había sido el meollo de su deseo y oraciones durante muchos años de espera y desánimo. Con fervor tembloroso le contó la historia de sus esfuerzos y frustraciones. No tenía amigo a mano que lo llevara con brazo firme hasta el estanque sanador. Sus pedidos agonizantes de ayuda quedaban sin respuesta; todos los que se encontraban a su alrededor buscaban el ambicionado bien para sus propios seres queridos. Cuando se esforzaba dolorosamente para llegar al estanque mientras se agitaban las aguas, otro se apresuraba para llegar antes que él.

Jesús miró al sufriente y dijo: "Levántate, toma tu lecho, y anda" (Juan 5:8). No había certeza de ayuda divina, ninguna manifestación de poder milagroso. No es de extrañarse que el hombre contestara: "¡Es imposible! ¿Cómo puede esperarse que yo use miembros que no me han obedecido durante 38 años?" Desde un punto de vista enteramente humano, tal razonamiento parecía razonable. El sufriente podría haber albergado la duda y haber dejado pasar así la oportunidad brindada por Dios. Pero no; sin pregunta alguna se aferró a su única opción. Cuando intentó hacer lo que Cristo le había ordenado, le llegaron la fuerza y el vigor; y fue restaurado.

¿Recibirá usted, lector que duda, la bendición del Señor? Deje de dudar de su Palabra y desconfiar de sus promesas. Obedezca las órdenes del Salvador y recibirá fuerza. Si vacila y entra en una discusión con Satanás o empieza a considerar las dificultades e improbabilidades, su oportunidad pasará, quizá para nunca más volver.

El milagro de Betesda debió haber convencido a todos los presentes de que Jesús es el Hijo de Dios...

A la orden de Cristo, el paralítico había cargado la simple estera en la que había yacido; y ahora Satanás, siempre listo para lanzar sus insinuaciones, sugirió que esto era una violación del sábado... Esperaba que una controversia sobre este tema destruyera la fe inspirada en varios corazones por el acto de sanidad del Salvador.— *Signs of the Times*, 8 de junio de 1882.

de agosto

Evidencia abundante de fe

El hombre… dio aviso a los judíos, que Jesús era el que le había sanado.
Juan 5:15.

Cuando el hombre restaurado se fue por su camino con paso rápido y elástico, su pulso saltando con el vigor de la salud restaurada, su rostro brillante de esperanza y gozo, fue interceptado por los fariseos, quienes le dijeron con aires de gran santidad que no era lícito llevar su lecho en sábado. No hubo regocijo por la liberación de uno cautivo por tanto tiempo, ni alabanza agradecida por Uno entre ellos que podía sanar todo tipo de enfermedad. Sus tradiciones habían sido ignoradas, y este hecho cerró sus ojos a toda evidencia del poder divino.

Intolerantes y santurrones, no admitían que podían haber captado mal la intención genuina del sábado. En vez de criticarse a sí mismos, eligieron condenar a Cristo. Hoy encontramos personas con el mismo espíritu, cegadas por el error pero que aún se felicitan a sí mismas de que están en lo correcto, y que todos los que difieren de ellas están errados.

El hombre en quien se obró el milagro no entró en discusión con sus acusadores. Simplemente contestó: "El que me sanó, él mismo me dijo: Toma tu lecho y anda" (Juan 5:11)…

Cuando se informó a los judíos que Jesús de Nazaret era quien había efectuado el milagro de sanidad, abiertamente buscaron matarlo "porque hacía estas cosas en el día de reposo" (vers. 16). ¡Estos presuntuosos formalistas estaban tan llenos de celo por sus propias tradiciones que para sostenerlas estaban dispuestos a violar la ley de Dios!

A sus seguidores, Jesús les contestó calmadamente: "Mi Padre hasta ahora trabaja, y yo trabajo" (vers. 17). Esta respuesta les daba otro pretexto para condenarlo. En sus corazones anidaba el homicidio, y solo esperaban una excusa válida para acabar con su vida. Pero Jesús invariablemente siguió afirmando su verdadera posición: "No puede el Hijo hacer nada por sí mismo, sino lo que ve hacer al Padre; porque todo lo que el Padre hace, también lo hace el Hijo igualmente" (vers. 19)…

Dios obra a través de quien él quiere por maneras y medios de su propia elección, pero siempre hay algunos que desempeñan el papel de los criticones fariseos…

Dios desea que todos crean, no porque no exista la posibilidad de la duda, sino porque hay abundante evidencia para la fe.— *Signs of the Times*, 8 de junio de 1882.

22

de agosto

El ciego sanado

No es que pecó este, ni sus padres, sino para que las obras de Dios se manifiesten en él.
Juan 9:3.

Al pasar Jesús, vio a un hombre ciego de nacimiento. Y le preguntaron sus discípulos, diciendo: Rabí, ¿quién pecó, este o sus padres, para que haya nacido ciego?" (Juan 9:1, 2)...

En la pregunta que los discípulos le hicieron a Jesús, mostraron que pensaban que toda enfermedad y sufrimiento eran el resultado del pecado. Esto ciertamente es verdad, pero Jesús demostró que era un error suponer que todo aquel que sufre mucho es un gran pecador. Al corregir sus errores, escupió en el suelo y ungió los ojos del hombre ciego con la arcilla y le dijo: "Ve a lavarte en el estanque de Siloé (que traducido es, Enviado). Fue entonces, y se lavó, y regresó viendo" (vers. 7). Jesús respondió a la pregunta que los discípulos le hicieron de una manera práctica y en la manera usual que respondía a las preguntas nacidas de la curiosidad. Los discípulos no habían sido llamados a discutir el asunto de quién había o no había pecado, sino a entender el poder de Dios, su misericordia y su compasión, al darle vista al ciego. Era para que todos se convencieran de que no había virtud curativa en el barro o en el estanque donde [el ciego] fue enviado para lavarse, sino que la virtud se hallaba en Cristo...

Los amigos y vecinos del joven que había sido sanado lo contemplaron con duda, porque cuando sus ojos fueron abiertos, su rostro se mostró cambiado y radiante, y lo hacía aparecer como otro hombre. Unos a otros se preguntaban "¿Será él?", y otros decían "Se parece a él", pero el que había recibido la gran bendición resolvió la controversia al decirles: "Yo soy" (vers. 9). Entonces les habló de Jesús y de qué manera lo había sanado, y preguntaron: "¿Dónde está él? El dijo: No sé. Llevaron ante los fariseos al que había sido ciego. Y era día de reposo cuando Jesús había hecho el lodo, y le había abierto los ojos... Entonces algunos de los fariseos decían: Ese hombre no procede de Dios, porque no guarda el día de reposo. Otros decían: ¿Cómo puede un hombre pecador hacer estas señales? Y había disensión entre ellos" (vers. 12-16)...

No sabían que el que había sanado al hombre era Aquel que había hecho el día de reposo, el que conocía todos sus requisitos.— *Signs of the Times*, 23 de octubre de 1893.

de agosto

El Agua de vida

Vino una mujer de Samaria a sacar agua; y Jesús le dijo: Dame de beber.
Juan 4:7.

Al tomar sobre sí nuestra naturaleza humana, el Redentor del mundo, el Hijo de Dios… hambriento y sediento, se quedó para descansar en el pozo de Jacob, cerca de la ciudad de Sicar, mientras sus discípulos iban a comprar alimentos en la ciudad…

Sentarse junto al pozo, con el agua fría y refrescante tan cerca y a la vez tan inaccesible para él, solo sirvió para aumentar su sed. No tenía soga ni balde para sacar agua, y esperó que alguien llegara al pozo. Él podría haber hecho un milagro y sacado agua del pozo, si hubiera querido, pero este no era el plan de Dios…

"Vino una mujer de Samaria a sacar agua; y Jesús le dijo: Dame de beber". La mujer respondió: "¿Cómo tú, siendo judío, me pides a mí de beber, que soy mujer samaritana? Porque judíos y samaritanos no se tratan entre sí" (Juan 4:7, 9). Cristo se había acercado a la mujer de Samaria y ella no lo conoció. Ella estaba sedienta de la verdad, pero no supo que él, la Verdad, se encontraba junto a ella y listo para iluminarla. Y hoy hay almas sedientas sentadas cerca de la fuente viva. Pero miran lejos de la fuente que contiene el agua refrescante, y aunque se les dice que el agua está cerca, no lo creen.

Jesús le respondió a la mujer: "Si conocieras el don de Dios, y quién es el que te dice: Dame de beber; tú le pedirías, y él te daría agua viva. La mujer le dijo: Señor, no tienes con qué sacarla, y el pozo es hondo. ¿De dónde, pues, tienes el agua viva? ¿Acaso eres tú mayor que nuestro padre Jacob, que nos dio este pozo, del cual bebieron él, sus hijos y sus ganados?" (vers. 10-12). Sí, Jesús pudo haberle contestado "Aquel que habla contigo es el Hijo unigénito de Dios; soy mayor que tu padre Jacob, porque antes que Abraham fuese, yo soy". Pero su respuesta fue: "Cualquiera que bebiere de esta agua, volverá a tener sed; mas el que bebiere del agua que yo le daré, no tendrá sed jamás; sino que el agua que yo le daré será en él una fuente de agua que salte para vida eterna" (vers. 13, 14).

Cristo era tan ciertamente el agua de vida para Abel, Set, Enoc, Noé y para todos los que recibieron sus instrucciones en aquel entonces, como lo es en el presente para los que le piden un sorbo refrescante.— *Signs of the Times*, 22 de abril de 1897.

24
de agosto

Saciando la sed del alma

Señor, dame esa agua, para que no tenga yo sed, ni venga aquí a sacarla.
Juan 4:15.

La mujer estaba tan atónita por sus palabras que colocó su cántaro sobre el pozo, y olvidando la sed del extraño y su pedido de bebida, olvidando por qué había venido al pozo, quedó absorta en su ferviente deseo de escuchar cada palabra…

Entonces Jesús cambió bruscamente el tema de la conversación y le ordenó a la mujer que llamara a su esposo. Ella respondió francamente: "No tengo marido. Jesús le dijo: Bien has dicho: No tengo marido; porque cinco maridos has tenido, y el que ahora tienes no es tu marido; esto has dicho con verdad" (Juan 4:17, 18).

Según se revelaba su pasado ante ella, la mujer temblaba. Se despertó la convicción por el pecado. Dijo: "Señor, me parece que tú eres profeta" (vers. 19). Y entonces, para cambiar la conversación a otro tema, intentó conducir a Cristo a una discusión sobre sus diferencias religiosas…

La convicción del Espíritu de Dios había llegado al corazón de la mujer samaritana… Ninguna enseñanza escuchada hasta ese momento había estimulado su naturaleza moral y despertado en ella la sensación de una necesidad superior.

Cristo leyó debajo de la superficie, y le reveló a la mujer de Samaria su sed de alma, algo que el agua del pozo de Sicar jamás podría satisfacer…

La sed natural de la mujer de Samaria la había llevado a una sed del alma por el agua de vida…

Habiendo olvidado qué propósito la había traído al pozo, la mujer dejó su cántaro de agua y se fue a la ciudad, a decirles a todos los que encontraba: "Venid, ved a un hombre que me ha dicho todo cuanto he hecho. ¿No será este el Cristo?" (vers. 29).

Las cisternas de la tierra a menudo están vacías, sus estanques se secan, pero en Cristo hay una fuente viva de la que siempre podemos sacar… No hay peligro de agotar su contenido; porque Cristo es la fuente inagotable de la verdad. Él ha sido la fuente de agua viva desde la caída de Adán. Él afirma: "Si alguno tiene sed, venga a mí y beba" (Juan 7:37). Y añadió: "El que bebiere del agua que yo le daré, no tendrá sed jamás; sino que el agua que yo le daré será en él una fuente de agua que salte para vida eterna" (Juan 4:14).— *Signs of the Times*, 22 de abril de 1897.

de agosto

La alimentación de los cinco mil

Dadles vosotros de comer. Mateo 14:16.

Los discípulos pensaban haberse retirado a donde no serían molestados; pero tan pronto como la multitud echó de menos al divino Maestro, preguntó: "¿Dónde está?" Había entre ella algunos que habían notado la dirección que tomaran Cristo y sus discípulos. Su número fue en aumento, hasta que se reunieron como cinco mil hombres, sin contar las mujeres y los niños.

Desde la ladera de la colina, él miraba a la muchedumbre en movimiento, y su corazón se conmovía de compasión. Aunque interrumpido y privado de su descanso, no manifestaba impaciencia... Abandonando su retiro, halló un lugar conveniente donde pudiera atender su pobreza espiritual...

La gente escuchaba las palabras misericordiosas que brotaban tan libremente de los labios del Hijo de Dios. Oían las palabras de gracia, tan sencillas y claras que les parecían bálsamo de Galaad para sus almas. El poder sanador de su mano divina impartía alegría y vida a los moribundos, comodidad y salud a los que sufrían enfermedades. El día les parecía como el cielo en la tierra, y no se daban la menor cuenta de cuánto tiempo hacía que no habían comido.

"Cuando ya era muy avanzada la hora, sus discípulos se acercaron a él, diciendo: El lugar es desierto, y la hora ya muy avanzada. Despídelos para que vayan a los campos y aldeas de alrededor, y compren pan, pues no tienen qué comer. Respondiendo él, les dijo: Dadles vosotros de comer". Sorprendidos y atónitos, le dijeron: "¿Que vayamos y compremos pan por doscientos denarios, y les demos de comer? Él les dijo: ¿Cuántos panes tenéis? Id y vedlo. Y al saberlo, dijeron: Cinco, y dos peces. Y les mandó que hiciesen recostar a todos por grupos sobre la hierba verde... Entonces tomó los cinco panes y los dos peces, y levantando los ojos al cielo, bendijo, y partió los panes, y dio a sus discípulos para que los pusiesen delante; y repartió los dos peces entre todos. Y comieron todos, y se saciaron. Y recogieron de los pedazos doce cestas llenas, y de lo que sobró de los peces" (Mar. 6:30-44).

El que enseñaba a la gente la manera de obtener paz y felicidad se preocupaba tanto de sus necesidades temporales como de las espirituales.— *Signs of the Times*, 12 de agosto de 1897; ver un texto similar en *El Deseado de todas las gentes*, pp. 332, 333.

26

de agosto

Reciban para dar

Yo planté, Apolos regó; pero el crecimiento lo ha dado Dios. Así que ni el que planta es algo, ni el que riega, sino Dios, que da el crecimiento. 1 Corintios 3:6, 7.

La obra de edificar el reino de Cristo progresará, aunque parezca moverse lentamente; los medios son tan limitados que las imposibilidades parecen testificar contra su avance... A los discípulos se les pidió que alimentaran a la multitud hambrienta antes de que ellos comieran. Después de que las necesidades de todos habían sido suplidas, se dio la orden: "Recoged los pedazos que sobraron, para que no se pierda nada" (Juan 6:12). Se recogieron doce cestos llenos, y entonces Cristo y los discípulos comieron del precioso alimento proporcionado por el cielo...

En vez de pasar su responsabilidad a otra persona que considera más capacitada que usted, obre según su habilidad, aunque tenga un solo talento.

Cristo recibía del Padre; les impartía a los discípulos, y ellos impartían a la multitud. Todos los que están unidos a Cristo, recibirán de él el pan de vida... y lo impartirán a otros...

Nuestro Salvador colocó en las manos de sus discípulos el alimento para la gente, y al vaciarse sus manos, nuevamente se llenaban de alimentos, que se multiplicaban en las manos de Jesús tan rápido como se los requería... Esto debe ser de gran estímulo para sus discípulos de hoy. Cristo es el gran centro, la fuente de toda fuerza...

Un Pablo puede plantar y un Apolos regar, pero solo Dios da el crecimiento. Esto es para que nadie se enorgullezca. Los más inteligentes, los mejor dispuestos espiritualmente, pueden otorgar solamente de lo que reciben. De sí mismos, no pueden aportar nada a las necesidades del alma. Podemos impartir únicamente lo que recibimos de Cristo; y podemos recibir únicamente a medida que impartimos a otros. A medida que continuamos impartiendo, continuamos recibiendo; y cuanto más impartamos, tanto más recibiremos. Así podemos constantemente creer, confiar, recibir e impartir...

En las manos de Cristo, la pequeña provisión de alimento permaneció sin disminución hasta que la hambrienta multitud quedó satisfecha. Si vamos a la Fuente de todo poder, con las manos de nuestra fe extendidas para recibir, seremos sostenidos en nuestra obra, aun en las circunstancias más desfavorables, y podremos dar a otros el pan de vida.— *Signs of the Times* de 19 de agosto de 1897; ver un texto similar en *El Deseado de todas las gentes*, pp. 335-339.

El gozo de la comunión con Cristo en el cielo

Me está guardada la corona de justicia, la cual me dará el Señor, juez justo, en aquel día; y no solo a mí, sino también a todos los que aman su venida. 2 Timoteo 4:8.

Mientras estaban sentados alrededor de la mesa de la comunión, Cristo habló palabras de intenso interés para sus discípulos. Pronto habrían de atravesar escenas que serían la prueba más severa para ellos. No solo vio claramente su propia humillación y sufrimiento, sino que también vio el efecto que esto tendría sobre los discípulos. No los dejaría en tinieblas acerca de su obra futura... Sabía que en su dolor serían asaltados por el enemigo, porque la astucia de Satanás tiene mayor éxito cuando se la emplea contra los que están deprimidos por las dificultades...

Durante estas últimas horas de dolor, Cristo les dijo a sus discípulos que en la noche de su juicio todos serían escandalizados por causa de él, y que lo abandonarían. Les dijo que por algunos momentos después de su muerte estarían tristes, pero que su pena se tornaría en gozo. Les dijo que llegaría el momento cuando serían echados de las sinagogas, y que los que los mataran pensarían que estaban sirviendo a Dios. Declaró con sencillez por qué les había dicho estas cosas mientras todavía estaba con ellos, para que cuando se cumplieran sus palabras, recordaran que él les había hablado de ellas antes de que pasaran, y así fueran fortalecidos para creer en él como su Redentor...

Las declaraciones de Cristo entristecieron y sorprendieron a los discípulos. Pero fueron seguidas por la aseveración consoladora: "No se turbe vuestro corazón; creéis en Dios, creed también en mí. En la casa de mi Padre muchas moradas hay; si así no fuera, yo os lo hubiera dicho; voy, pues, a preparar lugar para vosotros. Y si me fuere y os preparare lugar, vendré otra vez, y os tomaré a mí mismo, para que donde yo estoy, vosotros también estéis" (Juan 14:1-3)...

Estas palabras de consuelo no solo fueron dichas a los discípulos, también a nosotros. En las últimas escenas de la historia de esta tierra, estallará la guerra. Habrá pestilencias, plagas y hambre. Las aguas de las profundidades rebosarán sus límites. El fuego y las inundaciones destruirán las propiedades y las vidas. Debemos estar alistándonos para las mansiones que Cristo ha ido a preparar para los que lo aman. Hay reposo para el conflicto de la tierra. ¿Dónde se encuentra? "Para que donde yo estoy, vosotros también estéis". El cielo es donde se encuentra Cristo. El cielo no sería cielo para los que aman a Cristo si él no estuviera allí.— *Review and Herald*, 19 de octubre de 1897.

28

de agosto

Colaboradores con Cristo

De cierto, de cierto os digo: El que en mí cree, las obras que yo hago, él las hará también; y aun mayores hará, porque yo voy al Padre. Juan 14:12.

La obra de Cristo estaba mayormente limitada a Judea. Pero aunque su ministerio personal no se extendió a otras tierras, personas de todas las naciones escucharon su enseñanza y llevaron el mensaje a todas partes del mundo. Muchos escucharon de Jesús por recuentos de los maravillosos milagros que ejecutó. Y el conocimiento de su sufrimiento y muerte, que fueron presenciados por las grandes multitudes que habían acudido a la Pascua, sería esparcido desde Jerusalén a todas partes del mundo.

Utilizados como representantes de Cristo, los apóstoles dejarían una marcada impresión en todas las mentes. El hecho de que eran hombres humildes no disminuía su influencia sino que la aumentaba. La mente de sus oidores sería conducida de ellos a la Majestad del cielo... Sus palabras de confianza les aseguraban a todos que no obraban con su propio poder, sino que solo estaban continuando la misma obra impulsada por el Señor Jesús cuando estuvo con ellos. Humillándose, declaraban que Aquel que los judíos habían crucificado era el Príncipe de vida, el Hijo del Dios viviente, y que en su nombre hacían las obras que él había hecho...

El universo entero está bajo el control del Príncipe de la vida... Él pagó el precio del rescate por todo el mundo. Todos pueden ser salvos por él. Él nos llama a obedecer, creer, recibir y vivir. Si todos abandonaran el negro estandarte de la rebelión y se colocaran bajo su estandarte, reuniría una iglesia integrada por toda la familia humana. Quienes creen en él, los presentará ante Dios como sus súbditos leales. Él es nuestro Mediador al igual que nuestro Redentor. Defenderá a sus seguidores escogidos contra el poder de Satanás y someterá a todos los enemigos de ellos...

Cristo deseaba que sus discípulos entendieran que él no los dejaría huérfanos... Estaba a punto de morir, pero deseaba que ellos advirtieran que él volvería a vivir. Y aunque estaría ausente después de su ascensión, por la fe podrían verlo y conocerlo, y él tendría el mismo interés y amor que les manifestó cuando estuvo con ellos.

Cristo les aseguró a sus discípulos que después de su resurrección él se les mostraría vivo... Entonces entenderían lo que no habían entendido en el pasado: que hay una unión completa entre Cristo y su Padre, una unión que siempre existirá.— *Review and Herald*, 26 de octubre de 1897.

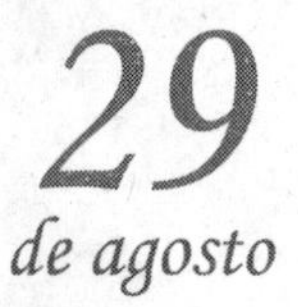

de agosto

Getsemaní

Vinieron, pues, a un lugar que se llama Getsemaní, y dijo a sus discípulos: Sentaos aquí, entre tanto que yo oro. Marcos 14:32.

Al dejar a los discípulos, y pedirles que oraran por ellos mismos y por él, seleccionó a tres, Pedro, Santiago y Juan, y se adentró más en la soledad del huerto. Estos tres discípulos habían estado con él en su transfiguración; habían visto a los visitantes celestiales, Moisés y Elías, que conversaban con Jesús y este deseaba que estuvieran con él también en esta ocasión…

Cristo expresó su deseo de cercanía humana y entonces se retiró de ellos a un tiro de piedra. Cayó sobre su rostro y oró: "Padre mío, si es posible, pase de mí esta copa —pero entonces añade—; pero no sea como yo quiero, sino como tú" (Mat. 26:38).

Al concluir la hora, Jesús, sintiendo la necesidad de apoyo humano, se levantó del suelo y fue tambaleándose hasta el lugar donde había dejado a sus tres discípulos… Anhelaba escuchar de ellos palabras que le trajeran algún alivio en su sufrimiento. Pero quedó chasqueado. No le brindaron la ayuda que ansiaba. En vez de esto, "los halló durmiendo" (vers. 40).

Justo antes de dirigir sus pasos al huerto, Jesús había dicho a sus discípulos: "Todos vosotros os escandalizaréis de mí esta noche"; y estos le habían asegurado con certeza que nunca abandonarían a su Señor, que irían a la cárcel con él, y si era necesario sufrirían y morirían con él. Y el pobre Pedro, en su autosuficiencia, había añadido: "Aunque todos se escandalicen de ti, yo nunca me escandalizaré" (vers. 31, 33). Pero los discípulos confiaban en sus propias fuerzas; no miraban al poderoso Ayudador, como Cristo les había aconsejado que hicieran… Incluso el ferviente Pedro, que pocas horas antes había declarado que moriría con su Señor, estaba durmiendo…

Nuevamente el Hijo de Dios quedó presa de una agonía sobrehumana, y exhausto y casi desmayándose, fue tambaleándose de vuelta al lugar de su primera lucha… Apenas momentos antes, Cristo había derramado su alma en cantos de alabanza en firmes acentos, consciente de su calidad de Hijo de Dios… Ahora su voz les llegó en el tranquilo aire nocturno, no en tonos de triunfo, sino llena de angustia humana. Poco antes había estado sereno en su majestad; había sido como un poderoso cedro. Ahora era una caña rota…

Aunque el pecado era la cosa terrible que había abierto las compuertas del dolor sobre el mundo, él se convertiría en la propiciación de una raza que había decidido pecar.— *Signs of the Times,* 2 de diciembre de 1897; ver un texto similar en *El Deseado de todas las gentes,* pp. 637-641.

30

de agosto

El Calvario

Pero al fin vinieron dos testigos falsos, que dijeron: Este dijo: Puedo derribar el templo de Dios, y en tres días reedificarlo. Mateo 26:60, 61.

Esta era la única acusación que podía presentarse contra Cristo. Pero estas palabras habían sido mal declaradas y mal aplicadas. Cristo había dicho: "Destruid este templo, y en tres días lo levantaré… Mas él hablaba del templo de su cuerpo" (Juan 2:19-21).

Los sacerdotes y gobernantes, con muchos otros, lo desafiaban con esta falsa declaración. Cuando colgaba de la cruz, fue repetida en son de burla por los escribas y fariseos y apoyada por la multitud. "Tú que derribas el templo, y en tres días lo reedificas, sálvate a ti mismo" (Mat. 27:40). Pero aunque se las citaba mal, las palabras de Cristo se estaban cumpliendo. Se les daba publicidad, y se hacían más impresionantes por las declaraciones de sus enemigos…

Los que con mofa dijeron: "Confió en Dios; líbrele ahora si le quiere; porque ha dicho: Soy Hijo de Dios" (vers. 43), no pensaron que su testimonio repercutiría a través de los siglos. Pero aunque fueron dichas en son de burla, nunca hubo palabras tan ciertas. Llevaron a los hombres a buscar en las Escrituras por sí mismos. Hombres sabios oyeron, investigaron, reflexionaron y oraron. Hubo quienes no descansaron hasta que, por la comparación de un pasaje de la Escritura con otro, vieron el significado de la misión de Cristo. Vieron que Aquel cuya tierna misericordia abarca todo el mundo proveía perdón gratuito…

Nunca antes hubo un conocimiento tan amplio de Jesús como cuando fue colgado de la cruz. Fue levantado de la tierra para atraer a todos hacia sí. En el corazón de muchos de los que presenciaron la crucifixión y oyeron las palabras de Cristo resplandeció la luz de la verdad. Con Juan proclamarían: "He aquí el Cordero de Dios, que quita el pecado del mundo" (Juan 1:29)…

Esta escena ocurrió a la vista del cielo y la tierra. Los ángeles contemplaron la burla inmisericorde y el odio manifestados contra Jesús por quienes debían haberlo reconocido como el Mesías…

Nuevamente se escuchó el clamor, como de uno en agonía mortal: "Consumado es" (Juan 19:30). "Padre, en tus manos encomiendo mi espíritu. Y habiendo dicho esto, expiró" (Luc. 23:46). Cristo, la Majestad del cielo, el Rey de gloria, estaba muerto.— *Review and Herald*, 28 de diciembre de 1897; ver un texto similar en *El Deseado de todas las gentes*, pp. 653, 696, 697.

Una obra bien terminada

Yo te he glorificado en la tierra; he acabado la obra que me diste que hiciese. Juan 17:4.

Cuando Cristo expiró en la cruz y clamó en gran voz "consumado es", su obra había terminado. El camino había sido abierto, el velo había sido rasgado. La humanidad podía acercarse a Dios sin una ofrenda de sacrificio, sin el servicio de sacerdotes terrenales. Cristo mismo era un sacerdote según el orden de Melquisedec. El cielo era su hogar. Vino a este mundo a revelar al Padre. Con respecto a su humillación y conflicto, su obra ya estaba hecha. Ascendió al cielo y se sentó para siempre a la diestra de Dios.

La vida de Cristo en esta tierra había sido de fatiga, una vida ocupada e intensa. Resucitó de los muertos y durante cuarenta días permaneció con sus discípulos, instruyéndolos en preparación para su partida de entre ellos. Estaba listo para irse. Había demostrado el hecho de que era un Salvador vivo; sus discípulos no necesitaban asociarlo más con la tumba de José. Podían pensar en él en términos de su glorificación entre los ejércitos celestiales…

Todo el cielo esperaba con ansiosa vehemencia el fin de la demora del Hijo de Dios en un mundo consumido y marcado con la maldición. La exaltación de Cristo habría de ser en proporción a su humillación y sufrimiento. Llegó a ser el Salvador, el Redentor, únicamente porque primero llegó a ser el Sacrificio…

Cristo vino a la tierra como Dios en carne humana. Ascendió al cielo como el Rey de los santos. Su ascensión fue digna de su carácter exaltado. Ascendió desde el Monte de los Olivos en una nube de ángeles, quienes lo escoltaron triunfalmente a la ciudad de Dios. Él no ascendió por su propio interés, sino como el Creador del pacto y Redentor de sus hijos e hijas que han llegado a creer por la fe en su nombre. Vino como uno poderoso en batalla, un conquistador, que llevó cautiva a la cautividad, entre aclamaciones de alabanza y cánticos celestiales…

¡Qué contraste entre la recepción de Cristo cuando regresó al cielo y su recepción en esta tierra! En el cielo solo había lealtad. No había penas ni sufrimiento con los cuales toparse constantemente…

Había llegado el momento para que el cielo aceptara a su Rey.— *Signs of the Times*, 16 de agosto de 1899.

1º

de septiembre

Hombres y mujeres representativos

Como Cristo resucitó de los muertos por la gloria del Padre, así también nosotros andemos en vida nueva. Romanos 6:4.

Él invita a quienes desean ser sus discípulos a tomar su yugo sobre ellos y aprender de él que es manso y humilde de corazón; y les promete a los que hacen esto que encontrarán descanso para sus almas. La mansedumbre y la humildad que caracterizaron la vida de Cristo se manifestarán en la vida y el carácter de los que "andan como él anduvo".

Bendita es el alma que puede decir: "Soy culpable ante Dios, pero Jesús es mi Abogado. He transgredido su ley. No puedo salvarme a mí misma, pero baso mi ruego en la sangre preciosa derramada en el Calvario"...

Cristo vino para magnificar y honrar la ley; vino a ensalzar el antiguo mandamiento que tenido desde el principio. Por eso necesitamos la ley y los profetas. Necesitamos el Antiguo Testamento para conducirnos hasta el Nuevo Testamento, el cual no toma el lugar del Antiguo, sino que nos revela más claramente el plan de salvación, dándole significado a todo el sistema de sacrificios y ofrendas y a la Palabra que teníamos desde el principio. La obediencia perfecta es prescrita para cada alma, y la obediencia a la voluntad expresada de Dios, lo hará uno con Cristo. Será habilitado para vivir noblemente, porque la vida de Cristo como siervo de Dios era noble... La confianza propia y la independencia no santificada separan a muchos de los dones más ricos en Cristo...

El mismo Jesús que ordenó que el amor fuera el principio regidor en la antigua dispensación, fue el que ordenó que el amor fuera el principio regidor en los corazones de sus seguidores en el Nuevo Testamento. El cumplimiento del principio del amor es la santificación verdadera. Quienes caminan en la luz serán hijos de la luz, y esparcirán la luz a los que los rodean en bondad, en afecto, en amor innegable...

La doctrina pura se mezclará con obras de justicia; los preceptos divinos se unirán a las prácticas santas. El corazón lleno con la gracia de Cristo se dará a conocer por su paz y gozo; y donde mora Cristo, el carácter llegará a ser purificado, elevado, ennoblecido y glorificado.— *Youth's Instructor*, 8 de noviembre de 1894.

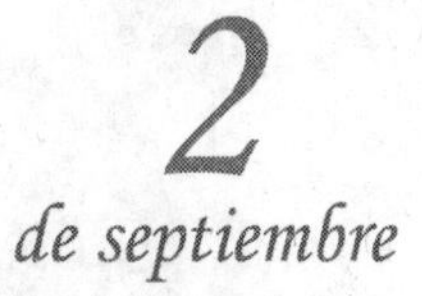

Los sabios

Cuando Jesús nació en Belén de Judea en días del rey Herodes, vinieron del oriente a Jerusalén unos magos, diciendo: ¿Dónde está el rey de los judíos, que ha nacido? Porque su estrella hemos visto en el oriente, y venimos a adorarle. Mateo 2:1, 2.

Mientras los magos estudiaban el firmamento, apareció una estrella luminosa, enteramente nueva para ellos. Al contemplarla, se convencieron de que era el heraldo de un gran acontecimiento. Decidieron investigar el asunto, con la esperanza de que serían recompensados con algún dato sobre el Mesías prometido. El Señor los animó a seguir adelante; y al igual que una columna de nubes se movió ante los hijos de Israel en el cruce del desierto, la estrella guió a los sabios en su camino hacia Jerusalén... Al entrar a Jerusalén, los magos inquirieron ansiosamente: "¿Dónde está el rey de los judíos, que ha nacido? Porque su estrella hemos visto en el oriente, y venimos a adorarle"...

Los gobernantes judíos ignoraban la llegada del Justo, porque no se habían preparado para él... No habían escuchado el mensaje del ángel: "He aquí os doy nuevas de gran gozo" (Luc. 2:10)...

Los pastores habían dado testimonio sobre la visita de los ángeles; ahora unos hombres del Lejano Oriente traían las nuevas: "Su estrella hemos visto en el oriente, y venimos a adorarle". Hombres de otra nación y otra fe fueron los primeros en anunciar la venida del Mesías...

Herodes se sorprendió de que los rabinos judíos —hombres que se consideraban favorecidos sobre todos los demás— estuvieran aparentemente inadvertidos, en tanto que los que consideraban paganos habían recibido una señal del cielo de que el Rey había nacido...

Herodes llamó a los sabios y "indagó de ellos diligentemente el tiempo de la aparición de la estrella... Ellos, habiendo oído al rey, se fueron; y he aquí la estrella que habían visto en el oriente iba delante de ellos, hasta que llegando, se detuvo sobre donde estaba el niño... Y al entrar en la casa, vieron al niño con su madre María, y postrándose, lo adoraron; y abriendo sus tesoros, le ofrecieron presentes: oro, incienso y mirra. Pero siendo avisados por revelación en sueños que no volviesen a Herodes, regresaron a su tierra por otro camino" (Mat. 2:7-12).— *Youth's Instructor*, 19 de octubre de 1899.

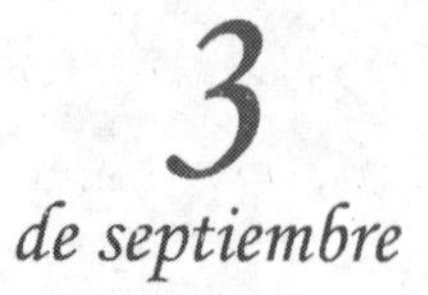

3

de septiembre

Nicodemo

El que no naciere de nuevo, no puede ver el reino de Dios. Juan 3:3.

Nicodemo ocupaba un puesto elevado y de confianza en la nación judía. Era un hombre muy educado, y poseía talentos extraordinarios. Como otros, había sido conmovido por las enseñanzas de Jesús. Aunque rico, sabio y honrado, se había sentido extrañamente atraído por el humilde Nazareno. Las lecciones que habían caído de los labios del Salvador le habían impresionado grandemente, y quería aprender más de estas maravillosas verdades.

Pero él no visitó a Jesús de día. Habría sido demasiado humillante para un príncipe de los judíos declararse simpatizante de un maestro tan poco conocido. Haciendo una investigación especial, llegó a saber dónde tenía el Salvador un lugar de retiro, aguardó hasta que la ciudad quedase envuelta por el sueño, y entonces salió en busca de Jesús.

"Rabí —dijo—, sabemos que has venido de Dios como maestro; porque nadie puede hacer estas señales que tú haces, si no está Dios con él". Al hablar de los raros dones de Cristo como maestro, y también de su maravilloso poder de realizar milagros, esperaba preparar el terreno para su entrevista. Pero en su infinita sabiduría, Jesús vio delante de sí a uno que buscaba la verdad. Sabía el objeto de esta visita, y con el deseo de profundizar la convicción que ya había penetrado en la mente del que lo escuchaba, fue directamente al tema que le preocupaba, diciendo solemne aunque bondadosamente: "De cierto, de cierto te digo, que el que no naciere de nuevo, no puede ver el reino de Dios" (Juan 3:3)…

Esta declaración resultó muy humillante para Nicodemo, y sintiéndose irritado respondió a Cristo: "¿Cómo puede un hombre nacer siendo viejo?" Pero el Salvador no contestó a su argumento con otro. Levantando la mano con solemne y tranquila dignidad, hizo penetrar la verdad con mayor seguridad: "De cierto, de cierto te digo, que el que no naciere de agua y del Espíritu, no puede entrar en el reino de Dios" (vers. 4, 5)…

En esta entrevista memorable, Cristo estipuló principios de gran importancia para todos. Definió las condiciones de la salvación en términos claros y destacó la necesidad de una vida nueva… Tan ciertamente como se aplicaban al gobernante judío, estas palabras están dirigidas a todo el que invoca el nombre de Cristo y ha decidido seguir al manso y humilde Jesús.— *Youth's Instructor*, 2 de septiembre de 1897; parcialmente en *El Deseado de todas las gentes*, pp. 140-143.

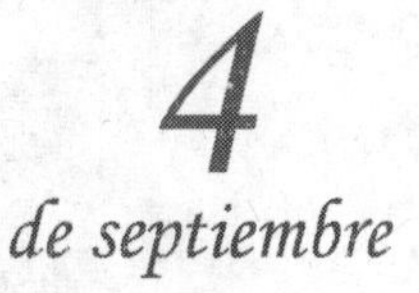

4

de septiembre

Entrega total

No te maravilles de que te dije: Os es necesario nacer de nuevo. Juan 3:7.

Como una posesión comprada por Dios, estamos bajo el compromiso de obrar como Cristo obró en su servicio divino; no según nuestras inclinaciones naturales, sino en armonía con el Espíritu de Dios. Pero cuando el evangelio encuentra a la persona, su vida está llena de pecado. Al ceder a la tentación, debilita su poder para obedecer. Su corazón es "engañoso... más que todas las cosas, y perverso" (Jer. 17:9). Están muertos en transgresiones y pecados, y en su propia fuerza no pueden hacer el bien.

Para servir a Dios aceptablemente, debemos "nacer de nuevo". Nuestras disposiciones naturales, que se oponen al Espíritu de Dios, deben ser eliminadas. Debemos ser hechos hombres y mujeres nuevos en Cristo Jesús. Nuestra vida vieja de siempre debe dar lugar a una vida nueva: una vida llena de amor, confianza, obediencia voluntaria... A menos que ocurra el cambio, no podemos servir bien a Dios. Nuestro trabajo será defectuoso. Se introducirán planes terrenales; se ofrecerá fuego extraño que deshonra a Dios. Nuestra vida será impía e infeliz, llena de inquietud y problemas...

Cristo vino a nuestro mundo porque vio que habíamos perdido la imagen y la naturaleza de Dios. Vio que nos habíamos apartado lejos del camino de la paz y la pureza, y que si éramos dejados solos no encontraríamos jamás nuestro camino de regreso. Vino con una salvación plena y completa, a cambiar nuestros corazones de piedra por corazones de carne, a cambiar nuestra naturaleza pecaminosa a su semejanza, para que al ser partícipes de la naturaleza pecaminosa, pudiéramos ser hechos idóneos para los atrios celestiales...

A todos los que, ansiosos por la salvación de sus almas, vienen a Cristo por ayuda, les dice como le dijo a Nicodemo: "El que no naciere de nuevo, no puede ver el reino de Dios". Está tocando a la puerta de su corazón, y pide entrar. Anhela renovar su corazón, llenándolo de amor por todo lo puro y verdadero. Él anhela crucificar su yo, y elevarlo a usted a la novedad de vida en él. Nicodemo se convirtió como resultado de su entrevista con Cristo... No tema rendirse totalmente a Cristo. Colóquese sin reservas bajo su control. Aprenda lo que significa cesar de pecar, lo que significa tener un nuevo corazón, llevar la semejanza divina. Al contemplar a Cristo, el yo se hundirá en la insignificancia, y usted será cambiado, "de gloria en gloria en la misma imagen, como por el Espíritu del Señor" (2 Cor. 3:18).— *Youth's Instructor*, 9 de septiembre de 1897.

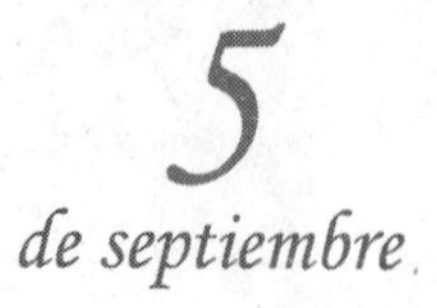

5

de septiembre

El llamado de Eliseo

Y pasando Elías por delante de él, echó sobre él su manto. 1 Reyes 19:19.

Haríamos bien en considerar el caso de Eliseo cuando fue elegido para su trabajo. El profeta Elías estaba por poner fin a sus labores terrenales. Otro había de ser llamado para impulsar la obra que había de hacerse en ese tiempo. En su viaje, Elías fue guiado hacia el norte. Ahora se notaba un marcado cambio de escena respecto de la situación del país poco tiempo antes. En ese entonces los distritos agrícolas habían quedado sin cultivar; la tierra había estado seca, porque no había caído lluvia ni rocío durante tres años. Ahora todo parecía brotar como para redimir el tiempo de hambre y carencia. Las lluvias abundantes habían beneficiado más a la tierra que a los corazones humanos; los campos estaban mejor preparados para el cultivo que los corazones del Israel apóstata.

Por donde mirara Elías, la tierra que veía pertenecía a un hombre; un hombre que no había doblado su rodilla ante Baal, cuyo corazón había permanecido indiviso al servicio de Dios. Aun durante el cautiverio hubo almas que no habían apostatado, y esta familia se incluía entre los siete mil que no habían doblado su rodilla ante Baal. El dueño de esa tierra era Safat. Entre los trabajadores se notaba bastante actividad. Mientras los rebaños disfrutaban los verdes pastos, las manos ocupadas de sus siervos sembraban la semilla para la cosecha.

La atención de Elías se dirigió a Eliseo, el hijo de Safat, quien con sus siervos araba la tierra con doce yuntas de bueyes... Eliseo había recibido su educación lejos de la ciudad y de la disipación de la corte. Había sido preparado para que adquiriera hábitos de sencillez y obediencia a sus padres y a Dios...

Eliseo esperó contento, mientras hacía su trabajo con fidelidad. Día tras día, por medio de la obediencia práctica y la gracia divina en la que confiaba, obtuvo rectitud y fuerza de propósito. Al hacer todo lo que podía, cooperando con su padre en el negocio de la familia, estaba sirviendo a Dios.

Cuando el profeta vio a Eliseo y sus siervos arando con doce yuntas de bueyes, vino al campo de labor y mientras pasaba, se soltó el manto y lo lanzó sobre los hombros de Eliseo. Luego siguió de largo como si el asunto hubiera concluido. Pero sabía que Eliseo entendía el significado de la acción, y se alejó sin decirle una palabra, para que decidiera si aceptaba o rechazaba el llamamiento.—*Youth's Instructor*, 14 de abril de 1898; abril 21 de 1898.

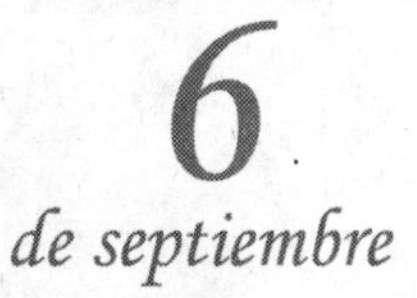

de septiembre

Respondió al llamado de Dios

Después se levantó y fue tras Elías, y le servía. 1 Reyes 19:21.

Durante los tres años y medio de sequía y hambruna, la familia de Safat se había familiarizado con la obra y la misión de Elías el profeta, y el Espíritu de Dios impresionó el corazón de Eliseo acerca de lo que significaba el acto del profeta (al colocar el manto sobre él). Esta era la señal de que Dios lo llamaba a ser el sucesor de Elías. Se apresuró tras el profeta y, adelantándose, le pidió permiso para dejar a sus padres y despedirse de su familia.

La respuesta de Elías fue: "Ve, vuelve; ¿qué te he hecho yo?" Esto no era un reproche, sino una prueba. Si el corazón de Eliseo se aferraba a su hogar y las ventajas de este, tenía el derecho de quedarse donde estaba. Pero Eliseo estaba preparado para escuchar el llamamiento de Dios...

Si Eliseo le hubiera preguntado a Elías qué se esperaba de él, cuál iba a ser su trabajo, se le habría contestado: Dios lo sabe; él te lo hará saber. Si confías en el Señor, él responderá a cada una de tus preguntas. Puedes acompañarme si tienes evidencias de que Dios te ha llamado; si no es así, abstente. No vengas simplemente porque te he llamado. Confirma por ti mismo que Dios está a tus espaldas y que es su voz la que escuchas. Si puedes contar todo por basura para ganar a Cristo, ven.

El llamado de Elías a Eliseo fue similar a la comisión que Cristo le dio al joven rico. Al joven rico se le pidió que lo dejara todo: casas, tierras, amigos, riquezas y siguiera a Jesús. Pero con el llamamiento de Cristo viene la pregunta: ¿Estamos listos para avanzar? ¿Estamos dispuestos? Al igual que Moisés, ¿consideraremos el pedido de Cristo más valioso que los tesoros de Egipto?

El Señor no aceptará un servicio a medias. Solo quienes aman la voluntad de Dios pueden ofrecer un servicio perfecto... Si proseguimos a conocer al Señor gustosa y alegremente, entenderemos que "como el alba está dispuesta su salida" (Ose. 6:3). Si hemos decidido obedecer a Cristo, debemos responder a su llamado, "si alguno quiere venir en pos de mí, niéguese a sí mismo, y tome su cruz, y sígame" (Mat. 16:24)...

La obra de Dios es un todo perfecto... y es importante que el obrero de Cristo lleve a su Maestro consigo en cada aspecto de su labor. Todo lo que se hace debe hacerse con una exactitud y un esmero tal que resista la inspección. Debe ponerse el corazón en la tarea.— *Youth's Instructor*, 21 de abril de 1898.

7

de septiembre

Nunca mire hacia atrás

Prosigo a la meta, al premio del supremo llamamiento de Dios en Cristo Jesús.
Filipenses 3:14.

Eliseo inmediatamente dejó todo para comenzar su ministerio. Su partida no fue con lamentación ni amargos remordimientos. Hicieron una fiesta en su casa en celebración del honor conferido a uno de la familia. ¿Y cuál fue la primera tarea de Eliseo? Encargarse de las cosas pequeñas y hacerlas con vigor. Era el asistente personal del profeta. Se menciona que derramaba agua en las manos de Elías, su señor.

Después de que Eliseo hubo servido al profeta por algún tiempo, fue llamado a ocupar un lugar de primera importancia. Nadie en su tiempo sería superior a él. Había trabajado bajo Elías como un aprendiz, y llegó el momento cuando el jefe principal fue quitado y su subalterno tomó su posición al frente. Y al igual que Elías estuvo preparado para ser trasladado, Eliseo estaba preparado para convertirse en su sucesor como profeta...

Había escuelas de los profetas en Gilgal, Betel y Jericó. Elías deseaba visitar estos importantes lugares antes de partir. Su espíritu se alegró cuando, dirigido por Dios, se le permitió ver las escuelas de los profetas y la obra que se efectuaba en esas instituciones: una educación que mantenía continuamente ante los estudiantes las maravillosas obras de Dios, y que magnificaba la ley de Dios y la honraba...

En cada ocasión en que Elías le pidió a Eliseo que quedara en un lugar, este tuvo la oportunidad de separarse del profeta. "Te ruego que te quedes aquí", le dijo Elías. Así fue probada la fe de Eliseo vez tras vez. Pero cuando araba en el campo, Eliseo había aprendido a no rendirse al desánimo. Ahora había colocado su mano sobre el arado en otra obra, y no fracasaría ni se desanimaría. Cada vez que se le dio la invitación para volverse, declaró: "Vive Jehová, y vive tu alma, que no te dejaré" (2 Rey. 2:6)...

De ahí en adelante Eliseo tomó el lugar de Elías... El requisito mayor para cualquier persona en un cargo de confianza es la obediencia implícita a la Palabra de Dios... Eliseo había puesto su mano en el arado, y no miraría hacia atrás. Reveló su determinación y su firme dependencia de Dios.

Debemos estudiar cuidadosamente esta lección. No debemos apartarnos en ningún caso de nuestra lealtad... La Palabra de Dios ha de ser nuestra consejera. Dios solo escogerá a los que le rinden una obediencia perfecta y concienzuda.— *Youth's Instructor*, 28 de abril de 1898.

de septiembre

Timoteo

Ninguno tenga en poco tu juventud, sino sé ejemplo de los creyentes en palabra, conducta, amor, espíritu, fe y pureza. 1 Timoteo 4:12.

La Palabra de Dios era la regla que guiaba a Timoteo... Las instructoras en su hogar cooperaron con Dios para educar a este joven para llevar las responsabilidades que le llegarían a una edad temprana.

Timoteo era solo un joven cuando fue escogido por Dios como maestro. Pero sus principios habían sido tan bien establecidos por una educación correcta que era digno de ser un maestro cristiano en conexión con Pablo, el gran apóstol a los gentiles. Y aunque era joven, llevó sus responsabilidades con mansedumbre cristiana. Era fiel, constante y sincero, y Pablo lo eligió como su compañero de trabajo y de viajes, para que tuviera el beneficio de la experiencia del apóstol en la predicación del evangelio y el establecimiento de las iglesias.

Pablo amaba a Timoteo porque Timoteo amaba a Dios. El gran apóstol a menudo lo buscaba y lo interrogaba con respecto a la historia en las Escrituras. Le enseñó la necesidad de rechazar toda maldad y le dijo que la bendición ciertamente acompañaría a todos los que fueran fieles y honestos, y les daría una noble virilidad...

Las palabras del apóstol Pablo poco antes de su muerte fueron: "Pero persiste tú en lo que has aprendido y te persuadiste, sabiendo de quién has aprendido; y que desde la niñez has sabido las Sagradas Escrituras, las cuales te pueden hacer sabio para la salvación por la fe que es en Cristo Jesús" (2 Tim. 3:14, 15)...

Pablo podía escribir esto con tranquilidad porque Timoteo no exhibía un espíritu de autosuficiencia. Trabajaba en conexión con Pablo, buscaba su consejo e instrucción. No funcionaba por impulso. Ejercía la consideración, era de pensamiento ecuánime, y se preguntaba a cada paso: "¿Será este el camino del Señor?"...

"Ten cuidado de ti mismo y de la doctrina; persiste en ello, pues haciendo esto, te salvarás a ti mismo y a los que te oyeren" (1 Tim. 4:16).

El encargo dado a Timoteo debe ser tenido en cuenta en cada hogar y debe convertirse en un móvil de la educación en cada familia y cada escuela.— *Youth's Instructor*, 5 de mayo de 1898.

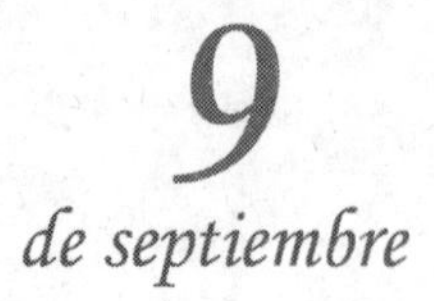

9

de septiembre

José, el firme testigo de Dios

Mas Jehová estaba con José, y fue varón próspero; y estaba en la casa de su amo el egipcio. Génesis 39:2.

Fue el plan de Dios que por medio de José fuera introducida entre los egipcios la religión de la Biblia. Este fiel testigo debía representar a Cristo en la corte de los reyes. En su juventud, Dios se comunicó con José a través de sueños, dándole un indicio del alto cargo para el cual sería llamado. Para evitar su cumplimiento, sus hermanos lo vendieron como esclavo; pero su acción cruel dio como resultado el hecho preciso que sus sueños habían predicho.

Los que buscan torcer el propósito divino y oponerse a su voluntad, pueden parecer prosperar durante un tiempo, pero Dios está obrando para cumplirlo. Él, a su debido tiempo, manifestará quién es el gobernante de los cielos y de la tierra.

José consideró como la mayor calamidad que podría haberle ocurrido el ser vendido en Egipto; pero entonces vio la necesidad de confiar en Dios como nunca lo había hecho cuando estaba protegido por el amor de su padre. José llevó a Dios consigo a Egipto, y este hecho quedó de manifiesto por su comportamiento alegre, a pesar de su tristeza... Es el propósito de Dios que los que le aman y honran también sean honrados, y que la gloria que se le da a Dios a través de ellos, se refleje sobre ellos mismos.

El carácter de José no cambió cuando fue exaltado a una posición de confianza. Fue destacado en ella para que su virtud brillara con una luz distintiva de buenas obras. La bendición de Dios descansó sobre él en la casa y en el campo. Todas las responsabilidades de la casa de Potifar fueron puestas sobre él. En todo manifestó una integridad inquebrantable, porque amaba y temía a Dios.

Por haber sido colocado en la compañía de hombres cultos, obtuvo conocimiento de la ciencia y el idioma. Esta fue su escuela de capacitación, de manera que siendo un hombre joven, pudo estar calificado para ser primer ministro de Egipto. Aprendió lo que sería esencial en su futuro cargo de confianza. Reunió toda la sabiduría, el conocimiento y el tacto que las oportunidades le presentaron, y estas no fueron pocas. Pero su corazón estaba aferrado a Dios. El conocimiento humano y la sabiduría de Dios se combinaron, de manera que él fuera una luz brillante que reflejara los brillantes rayos del Sol de Justicia entre las gruesas tinieblas del paganismo. Así se vio que la religión de los hebreos era de un carácter totalmente distinto a los ritos y costumbres religiosas de los egipcios idólatras.— *Youth's Instructor*, 11 de marzo de 1897; también se encuentra en *Recibiréis poder*, p. 258.

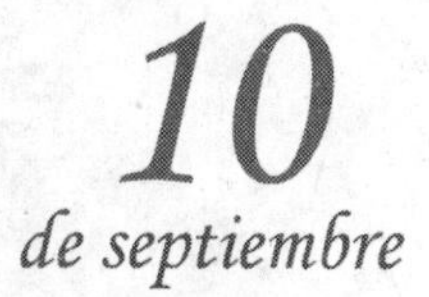

Victorioso sobre la tentación

¿Cómo, pues, haría yo este grande mal, y pecaría contra Dios? Génesis 39:9.

Cuando vino la prueba, cuando la mujer ejerció sus artificios para conducirlo a la iniquidad, José preservó su integridad. Ni las palabras agradables ni las ofertas engañosas causaron que se apartara ni un ápice de lo correcto. Todo cayó en oídos sordos. La ley de Dios apertrechaba su corazón. Le dijo a la atrevida hechicera: "¿Cómo, pues, haría yo este grande mal, y pecaría contra Dios?"

La mujer finalmente fracasó en su intento de hacer pecar a José. Satanás fue derrotado. Y entonces José advirtió que los labios que podían alabarlo también podían mentir. La esposa de Potifar buscó venganza al acusarlo. Por no querer pecar contra alguien que había confiado en él, se vio privado del honor que merecidamente había ganado por la gracia de Dios y que lo había llevado a relacionarse con los grandes hombres de Egipto.

Esta humillación súbita desde la posición de un siervo digno de confianza y honores a la de un criminal sentenciado lo habría abrumado si no hubiera sido por la mano de Dios que lo sostuvo. Pero su confianza en Dios era inamovible. El amor a Dios mantuvo su alma en una paz perfecta. El cielo estaba muy cerca del fértil valle de Egipto, porque allí había un joven que guardaba los caminos del Señor. La presencia de Jesús estuvo con él en la prisión, instruyéndolo, fortaleciéndolo y sosteniendo su mente y alma, para que la luz del cielo refulgiera.

José había sido probado por el afecto y la preferencia de su padre, por la enemistad, la envidia y el odio de sus hermanos, por la estima y la confianza de su amo, y por su elevada responsabilidad. Fue probado por la seducción de los encantos de una mujer, por la adulación de sus labios y su amor ilícito. Pero la pureza firme de José no le permitió escuchar la voz del tentador. La ley de Dios era su deleite, y él no se apartaría de sus preceptos...

Incluso cuando estaba en prisión, a José se le permitió cierta libertad, y tuvo la oportunidad de compartir la luz con sus compañeros de cárcel. La prisión fue para él una escuela... En cada fase de su administración veía la superioridad de la ley de Dios, y por su experiencia y observación estaba aprendiendo a ser justo y misericordioso, representando así el carácter de Dios.

José habría de recibir autoridad, y por su intermedio Dios habría de revelarse como el gobernador de los cielos y la tierra. Pero habría de aprender en la adversidad: la escuela en la que Dios ha designado que sus hijos aprendan.—*Youth's Instructor*, 11 de marzo de 1897.

11

de septiembre

Intérprete de sueños

Yo he tenido un sueño, y no hay quien lo interprete; mas he oído decir de ti, que oyes sueños para interpretarlos. Génesis 41:15.

Cuando José interpretó los sueños del panadero y el copero, le rogó al copero que se acordara de él cuando lo reinstalaran en su cargo; pero a este se le olvidó, y José pasó dos años más en la prisión.

Pero una persona más exaltada que el jefe de los coperos tuvo un sueño, y cuando no se pudo hallar a nadie que lo interpretara, José vino a la memoria del copero. "Entonces Faraón envió y llamó a José. Y lo sacaron apresuradamente de la cárcel, y se afeitó, y mudó sus vestidos, y vino a Faraón. Y dijo Faraón a José: Yo he tenido un sueño, y no hay quien lo interprete; mas he oído decir de ti, que oyes sueños para interpretarlos. Respondió José a Faraón, diciendo: No está en mí; Dios será el que dé respuesta propicia a Faraón" (Gén. 41:14-16).

Gracias a la sabiduría que le había sido otorgada por Dios, José pudo ver el verdadero significado del sueño. Vio los maravillosos designios de Dios y expuso todo el asunto claramente ante Faraón. Le reveló la larga hambruna que vendría sobre la tierra y los planes que debían trazarse para salvar a la nación de la destrucción… Sus palabras fueron recibidas como oro, y se le dio la respuesta: "Pues que Dios te ha hecho saber todo esto, no hay entendido ni sabio como tú. Tú estarás sobre mi casa, y por tu palabra se gobernará todo mi pueblo; solamente en el trono seré yo mayor que tú" (vers. 39, 40).

José representaba a Cristo. Él se sostuvo muchos años como el honorable administrador de Egipto. En su vida y su carácter se manifestó lo que es agradable, puro y noble. Al sobrellevar sus penas en circunstancias difíciles y al soportar la tentación, José fue uno en carácter con Cristo…

El ejemplo de José, brillante con la luminosidad del cielo, no brilló en vano en favor del pueblo con el cual Cristo se había comprometido para llegar a ser una ofrenda: un pueblo del que Dios era guardián, y sobre el cual había conferido bendiciones no solo temporales sino espirituales, con la intención de atraerlos hacia él mismo.— *Youth's Instructor*, 11 de marzo de 1897.

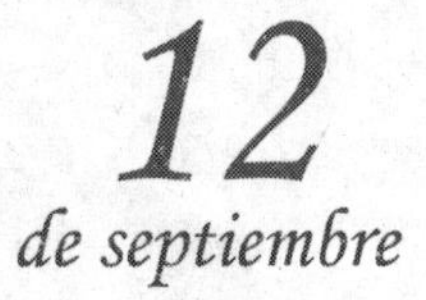

de septiembre

El llamamiento de Gedeón

De este modo empobrecía Israel en gran manera por causa de Madián; y los hijos de Israel clamaron a Jehová. Jueces 6:6.

¡Qué pena que la triste historia de la apostasía y su castigo se repita vez tras vez en la historia del pueblo escogido de Dios!...

Por causa de sus pecados, la mano protectora de Dios fue retirada de Israel y fueron dejados a merced de sus enemigos. Los salvajes y fieros habitantes del desierto (los madianitas y amalecitas) venían "en grande multitud como langostas" e inundaban la tierra con sus rebaños y alzaban sus tiendas en las praderas y los valles. Llegaron tan pronto las cosechas comenzaron a madurar, y se quedaron hasta que los últimos frutos de la tierra habían sido recogidos. Despojaron los campos de sus frutos y robaron y maltrataron a los habitantes; luego regresaron al desierto.

Durante siete años continuó esta opresión, y entonces, en su desgracia, el pueblo se acordó de Aquel que tan a menudo los había librado; y clamaron al Señor por ayuda...

Sus oraciones fueron escuchadas y nuevamente el Señor envió a un hombre escogido para que actuara como libertador de Israel. El que fue así seleccionado fue Gedeón, de la tribu de Manasés... Solo fue con la mayor dificultad que los hebreos pudieron reunir suficientes alimentos como para salvarse del hambre. Gedeón retuvo una pequeña cantidad de trigo, y por temor a que lo vieran mientras lo trillaba, lo había llevado al viñedo, cerca del lagar. Debido a que faltaba bastante tiempo para la cosecha de las uvas, la atención de los madianitas no estaría concentrada en tal lugar... Gedeón casi no se atrevía a inspirar al pueblo con fe o valor, pero sabía que el Señor obraría poderosamente a favor de Israel como lo había hecho en el pasado...

En tanto que la mente de Gedeón estaba absorta en estas meditaciones, de pronto se le apareció un ángel del Señor y se dirigió a él con las palabras: "Jehová está contigo, varón esforzado y valiente" (Jue. 6:12).

La naturaleza melancólica de los pensamientos de Gedeón se revela en su respuesta: "Ah, señor mío, si Jehová está con nosotros, ¿por qué nos ha sobrevenido todo esto?"... Convencido de su propia incapacidad para una obra tan importante, Gedeón exclamó: "Ah, señor mío, ¿con qué salvaré yo a Israel? He aquí que mi familia es pobre en Manasés, y yo el menor en la casa de mi padre" (vers. 15)... Entonces el ángel le dio una garantía llena de gracia: "Ciertamente yo estaré contigo, y derrotarás a los madianitas como a un solo hombre" (vers. 16).— *Signs of the Times*, 23 de junio de 1881.

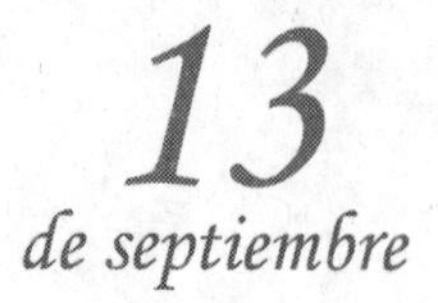

13
de septiembre

Una confianza en aumento

Yo te ruego que si he hallado gracia delante de ti, me des señal de que tú has hablado conmigo. Jueces 6:17.

Gedeón deseaba alguna evidencia de que Aquel que se dirigía a él era el mismo que le había hablado a Moisés desde la zarza ardiente. El ángel había velado la gloria divina de su presencia, pero no era otro sino Cristo, el Hijo de Dios. Cuando un profeta o un ángel entregaba un mensaje divino, sus palabras eran: "El Señor dijo, yo haré esto", pero la Persona que habló con Gedeón pudo decir: "Ciertamente yo estaré contigo" (Jue. 6:16).

Con el deseo de honrar especialmente a su ilustre Visitante, y habiendo obtenido la certeza de que el Ángel esperaría, Gedeón corrió a su tienda y de sus escasas provisiones preparó un cabrito y tortas de harina sin levadura; luego los colocó ante él. Gedeón era pobre, pero estuvo dispuesto a ejercer la hospitalidad sin remilgos.

Cuando se le presentó el obsequio, el Ángel dijo: "Toma la carne y los panes sin levadura, y ponlos sobre esta peña, y vierte el caldo" (vers. 20). Gedeón hizo tal cosa, y entonces el Ángel le dio la señal que deseaba. Con la vara que tenía en la mano, el Ángel tocó la carne y el pan sin levadura, y un fuego surgió de la roca y lo consumió todo como un sacrificio, no como alimentos ofrecidos en hospitalidad; porque se trataba de Dios, no de un hombre. Después de esta muestra de su carácter divino, el Ángel desapareció.

Cuando se convenció de haber visto al Hijo de Dios, Gedeón se llenó de temor y exclamó: "Ah, Señor Jehová, que he visto al ángel de Jehová cara a cara". Entonces el Señor se le apareció a Gedeón por segunda vez y dijo: "Paz a ti; no tengas temor, no morirás" (vers. 22, 23)...

La familia a la que pertenecía Gedeón estaba profundamente hundida en la idolatría. Su padre había erigido un gran altar a Baal en Ofra, donde vivían, y ante el cual adoraban los habitantes de los pueblos cercanos. A Gedeón se le ordenó que destruyera este altar, que cortara las arboledas que lo rodeaban y que en su lugar erigiera un altar a Jehová encima de la roca sobre la cual la ofrenda había sido consumida, y ofreciera un sacrificio al Señor. Gedeón cumplió fielmente estas instrucciones, trabajando de noche, para evitar que lo obligaran a desistir si lo intentaba de día.— *Signs of the Times*, 23 de junio de 1881.

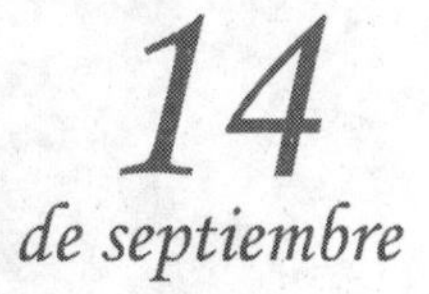

La justicia logra la victoria

Le dijo Jehová... derriba el altar de Baal que tu padre tiene, y corta también la imagen de Asera que está junto a él. Jueces 6:25.

El libertador de Israel debe declarar guerra contra la idolatría antes de salir a batallar contra los enemigos de su pueblo. Debe considerar el honor de Dios por encima de la reputación de su padre, y tener los mandamientos divinos como de mayor obligación que la autoridad paterna.

El ofrecimiento de sacrificios al Señor había sido encargado a los sacerdotes y levitas y había sido restringido al altar de Siloé, pero el que había establecido el sistema judío, y hacia quien apuntaban todos sus servicios, tenía el poder para cambiar sus requisitos. En esta ocasión tuvo a bien apartarse del programa ritual. Era de gran importancia que la liberación de Israel fuera precedida de una protesta solemne contra la adoración de Baal y un reconocimiento de Jehová como el único Dios viviente y verdadero.

Cuando los hombres de la ciudad vinieron temprano de mañana a rendir culto a Baal, quedaron grandemente sorprendidos y enfurecidos por lo sucedido. Pronto se supo que Gedeón había hecho aquello, y solo su sangre podría satisfacer a los idólatras engañados...

Gedeón le había contado a su padre Joás sobre la visita del Ángel y la promesa de que Israel sería libertado. También le relató el mandamiento divino de destruir el altar de Baal. El Espíritu de Dios movió el corazón de Joás. Vio que los dioses a los que había adorado no tenían poder ni siquiera para salvarse a sí mismos de una destrucción completa, y por lo tanto no podían proteger a sus adoradores. Cuando la multitud idólatra clamó por la muerte de Gedeón, Joás valientemente se declaró en su defensa y se esforzó para mostrarle al pueblo cuán impotentes e indignos de confianza y adoración eran sus dioses: "¿Contenderéis vosotros por Baal? ¿Defenderéis su causa? Cualquiera que contienda por él, que muera esta mañana. Si es un dios, contienda por sí mismo con el que derribó su altar" (Jue. 6:31)...

La multitud desechó todos los pensamientos de violencia y, cuando Gedeón tocó la trompeta movido por el Espíritu del Señor, ellos fueron los primeros en reunirse a su lado. Entonces él envió mensajeros a su propia tribu de Manasés, y también a Aser, Zabulón y Neftalí, y todos obedecieron a la invitación...

Puede ser que el mal prevalezca por algún tiempo, pero al final la justicia logrará la victoria.— *Signs of the Times*, 23 de junio de 1881.

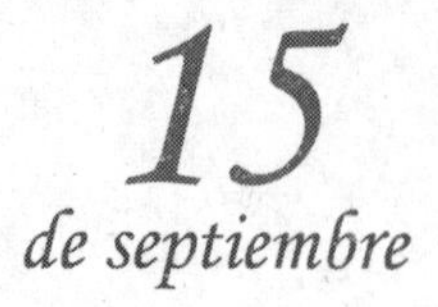

15

de septiembre

La necesidad de confiar más

Solo el vellón quedó seco, y en toda la tierra hubo rocío. Jueces 6:40.

Gedeón sintió profundamente su propia insuficiencia ante la gran tarea que enfrentaba. No se atrevía a colocarse a la cabeza del ejército sin una evidencia positiva de que Dios lo había llamado para esta obra y que estaría con él. Oró: "Si has de salvar a Israel por mi mano, como has dicho, he aquí que yo pondré un vellón de lana en la era; y si el rocío estuviere en el vellón solamente, quedando seca toda la otra tierra, entonces entenderé que salvarás a Israel por mi mano, como lo has dicho" (Jue. 6:36, 37).

El Señor concedió la petición de su siervo. En la mañana, el vellón estaba húmedo mientras que la tierra a su alrededor estaba seca. Pero ahora la incredulidad sugería que la lana naturalmente absorbe la humedad en el aire, y que la prueba no era decisiva. Por lo tanto, pidió una nueva forma de la señal, solicitando humildemente que su incredulidad no causara la ira del Señor. Su petición fue concedida.

El Señor no siempre escoge los mayores talentos para su obra, sino que selecciona a quienes puede utilizar mejor…

Dios aceptará los servicios de todos los que obran en obediencia a su voluntad, los que no traerán una mancha a su conciencia bajo ninguna consideración, los que no permitirán que influencia alguna los aparte de la senda del deber. Si lo deseamos, podemos hacer que el registro de nuestra vida sea tal que no nos avergoncemos cuando los secretos de cada corazón sean revelados, y la obra de cada uno sea pesada en las balanzas de la verdad. El Señor emplea a hombres y mujeres como sus colaboradores, pero que nadie imagine que es esencial para la obra de Dios, que sin él o ella no se puede funcionar.

Los que son dóciles y confiados y tienen el propósito correcto y un corazón puro, no necesitan esperar por grandes ocasiones o habilidades extraordinarias para emplear sus facultades. No debieran permanecer indecisos, dudando y temiendo lo que el mundo diga o piense de ellos. No hemos de fatigarnos con ansiosas preocupaciones, sino cumplir callada y fielmente la obra que Dios nos asigna, y dejando el resultado enteramente con él…

Permita que la vida diaria sea un reflejo de la vida de Cristo, y el testimonio presentado así al mundo tendrá una influencia poderosa… La gran competencia entre la verdad y el error debe ser sostenida por hombres y mujeres que atizan su fuego en el altar divino.— *Signs of the Times*, 23 de junio de 1881.

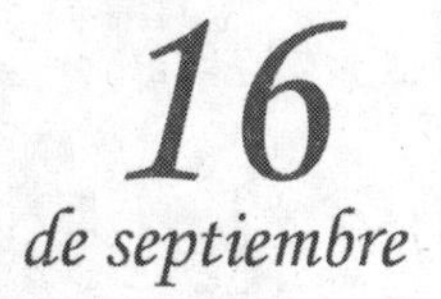

de septiembre

Cualidades de los escogidos

El pueblo que está contigo es mucho para que yo entregue a los madianitas en su mano, no sea que se alabe Israel contra mí, diciendo: Mi mano me ha salvado. Jueces 7:2.

El valor de Gedeón fue grandemente fortalecido por las muestras del favor divino que le fueron confiadas. Sin demora salió con sus fuerzas para ofrecer batalla a los madianitas. Pero ahora le aguardaba otra severa prueba de su fe. Ante el despliegue del inmenso ejército de los invasores —que en contraste hacía que los 32 mil hebreos lucieran como un mero puñado— le llegó la palabra del Señor: "El pueblo que está contigo es mucho para que yo entregue a los madianitas en su mano, no sea que se alabe Israel contra mí, diciendo: Mi mano me ha salvado. Ahora, pues, haz pregonar en oídos del pueblo, diciendo: Quien tema y se estremezca, madrugue y devuélvase desde el monte de Galaad" (Jue. 7:2, 3)...

A causa de la condición débil de los ejércitos de Israel en contraste con el número de sus enemigos, Gedeón se había refrenado de hacer la proclamación usual. Estaba lleno de asombro ante la declaración de que sus fuerzas eran demasiado grandes. Pero el Señor vio el orgullo y la incredulidad existente en los corazones de este pueblo. Animados por las apelaciones conmovedoras de Gedeón, se habían alistado gustosamente; pero cuando vieron la multitud de los madianitas, su valor se disipó...

En vez de pensar que eran demasiados, los israelitas creían que eran muy pocos; pero Gedeón dio la proclamación que el Señor había prescrito. Con corazón apesadumbrado, vio... cómo se fueron más de dos tercios de su ejército...

Nuevamente la palabra del Señor vino a su siervo: "Aún es mucho el pueblo; llévalos a las aguas, y allí te los probaré; y del que yo te diga: Vaya este contigo, irá contigo; mas de cualquiera que yo te diga: Este no vaya contigo, el tal no irá" (vers. 4)...

Unos pocos tomaron rápidamente un poco de agua en la mano y la sorbieron mientras seguían moviéndose, pero casi todos se arrodillaron y bebieron sin apuros de la superficie del agua. Los que tomaron el agua con la mano fueron apenas trescientos de entre los diez mil; pero estos fueron seleccionados, y se le permitió a la gran mayoría del ejército que regresara a su casa.

Aquí vemos los medios sencillos por los que a menudo se prueba el carácter... Los hombres seleccionados por Dios fueron los pocos que no permitieron que sus propias necesidades impidieran el cumplimiento de su deber.— *Signs of the Times*, 30 de junio de 1881.

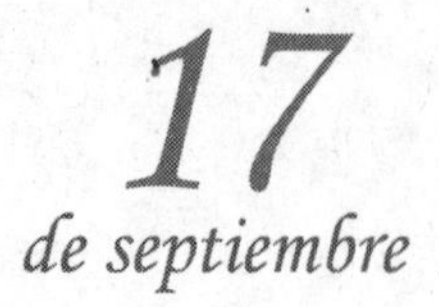

17

de septiembre

Escuchando a escondidas

Baja tú con Fura tu criado al campamento, y oirás lo que hablan.
Jueces 7:10, 11.

Cuando Gedeón se colocó a la cabeza de treinta mil hombres para entablar guerra contra los madianitas, sintió que a menos que Dios obrara a favor de Israel, su causa estaba perdida. Por el mandato divino, el ejército hebreo fue reducido por medio de pruebas sucesivas hasta que solo quedaron trescientos hombres con él para oponerse a una multitud incontable. No es de extrañar que su corazón desfalleciera anticipando el conflicto a la mañana siguiente.

Pero el Señor no dejó a su fiel siervo en el desánimo. Habló a Gedeón en la noche y le pidió que bajara con su confiable asistente, Fura, al campamento de los madianitas, sugiriendo que allí escucharía algo que lo animaría. Fue, y mientras esperaba en la oscuridad y el silencio, escuchó cómo un soldado, recién despierto, le contó un sueño a su compañero: "Veía un pan de cebada que rodaba hasta el campamento de Madián, y llegó a la tienda, y la golpeó de tal manera que cayó, y la trastornó de arriba abajo, y la tienda cayó" (Jue. 7:13).

El otro contestó en palabras que conmovieron el corazón del oyente invisible: "Esto no es otra cosa sino la espada de Gedeón hijo de Joás, varón de Israel. Dios ha entregado en sus manos a los madianitas con todo el campamento" (vers. 14).

Gedeón reconoció la voz de Dios que le hablaba a través de estos madianitas desconocidos. Su fe y valor fueron fortalecidos grandemente, y se alegró de que el Dios de Israel pudiese obrar por medio de los medios más humildes para doblegar el orgullo humano. Con confianza y esperanza regresó a los pocos hombres bajo su dirección y les dijo: "Levantaos, porque Jehová ha entregado el campamento de Madián en vuestras manos" (vers. 15)…

De la manera en que el pan de cebada destruyó la tienda donde cayó, el puñado de israelitas destruiría a sus numerosos y poderosos enemigos.

El Señor mismo dirigió la mente de Gedeón en la adopción de un plan que este último inmediatamente se dispuso a ejecutar…

¡Cuántas lecciones de humildad y fe podríamos aprender si considerásemos el trato de Dios hacia sus criaturas!— *Signs of the Times*, 14 de julio de 1881.

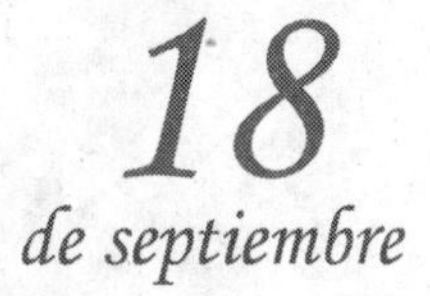

El amor supremo de Dios

¡Por Jehová y por Gedeón! Jueces 7:18.

El Señor mismo dirigió la mente de Gedeón en la adopción de un plan… Dividió a sus trescientos hombres en tres grupos. A cada hombre se le dio una trompeta y un cántaro con una lámpara encendida. Entonces colocó a sus hombres de tal manera que rodearan el campamento entero de Madián. Anteriormente se les instruyó cómo proceder, y a la medianoche, a la señal de Gedeón, los tres grupos tocaron sus trompetas, descubrieron sus lámparas y quebraron los cántaros a la misma vez, mientras clamaban: "¡Por la espada de Jehová y de Gedeón!" La luz de trescientas lámparas que rasgaban la oscuridad de la medianoche y el fuerte clamor de trescientas voces despertó súbitamente al ejército durmiente. Al creerse a la merced de fuerzas abrumadoras, los madianitas se llenaron de pánico. Siguió una terrible escena de confusión. En su terror, huían en todas las direcciones, y al confundir a sus propios compañeros por enemigos, se mataban unos a otros.

A medida que corrían las noticias de la victoria de Israel, muchos que habían sido enviados a sus casas regresaron y se unieron para perseguir a los enemigos que huían. Gedeón también envió mensajeros a los de Efraín, y les pidió que tomaran los vados del Jordán para que los fugitivos no escaparan hacia el este.

En esta terrible derrota murieron no menos de 120 mil de los invasores, y los madianitas fueron dominados hasta el punto que nunca más pudieron hacerle la guerra a Israel. Los quince mil que escaparon cruzando el río, fueron perseguidos por Gedeón y sus fieles trescientos y vencidos decisivamente, y Oreb y Zeeb, príncipes de Madián fueron asesinados…

Por causa del orgullo y la ambición de la raza humana, Dios ha escogido ejecutar sus poderosas obras por los medios más simples y humildes…

Su solicitud por las obras de su creación es incansable e incesante. Cuando los hombres y las mujeres salen a sus tareas diarias, cuando se dedican a la oración; cuando se acuestan en la noche y se levantan en la mañana; cuando los ricos se banquetean en sus palacios y los pobres reúnen a sus hijos alrededor de una escasa despensa, todos son observados tiernamente por su Padre celestial…

Con humilde oración y fe confiada, deberíamos buscar el consejo de Dios… Entonces todos nuestros actos serían gobernados por la discreción, nuestras energías serían dirigidas correctamente.— *Signs of the Times*, 14 de julio de 1881.

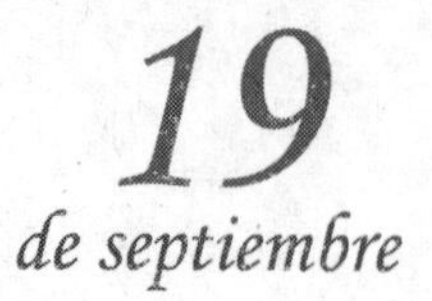

19

de septiembre

La victoria de Dios

Entonces Jehová dijo a Gedeón: Con estos trescientos hombres que lamieron el agua os salvaré. Jueces 7:7.

Después de la derrota de los madianitas, las noticias de que el Dios de Israel había peleado nuevamente por su pueblo se esparcieron rápidamente a toda la comarca. No hay palabras que puedan describir el terror de las naciones circundantes cuando se enteraron de cuáles habían sido los sencillos medios que habían prevalecido contra todo el poderío y destreza de un pueblo arriesgado y belicoso.

Doquiera se esparcían las noticias, todos sentían que la victoria debía adjudicarse únicamente a Dios. Así fue glorificado el nombre de Dios, la fe de Israel fue fortalecida y sus enemigos fueron llevados a la vergüenza y la confusión.

No es seguro para el pueblo de Dios adoptar las máximas y costumbres de los impíos. Los principios y los modos de trabajo divinos son muy diferentes a los del mundo. La historia de las naciones no presenta victorias tales como la conquista de Jericó o la derrota de los madianitas. Ningún general de ejército pagano había dirigido las batallas como lo hicieron Josué y Gedeón. Estas victorias enseñan la gran lección de que el único fundamento seguro para la victoria es la ayuda de Dios aunada al esfuerzo humano. Quienes confían en su propia sabiduría y sus propias destrezas seguramente serán chasqueados. El único proceder seguro en todos los planes y propósitos de la vida es preservar la sencillez de la fe. Una confianza humilde en Dios y la obediencia fiel a su voluntad son tan esenciales para el cristiano al entablar una guerra espiritual como lo fueron para Gedeón y sus valientes compañeros cuando peleaban las batallas del Señor.

Los mandatos de Dios se deben obedecer implícitamente, sin tomar en cuenta la opinión del mundo. Quienes ocupan cargos de responsabilidad entre sus congéneres no debieran descuidar esta lección… Todos debieran valorar fervientemente cada privilegio religioso e inquirir de Dios cada día para conocer su voluntad. Debieran estudiar diligentemente la vida y las palabras de Cristo y obedecer alegremente sus instrucciones. Los que se vistan de esta manera de la armadura de justicia, no tienen que temer a los enemigos de Dios. Pueden estar seguros de la presencia y la protección del Capitán del ejército del Señor…

El Señor está dispuesto a darle a su pueblo una experiencia preciosa… Desea enseñarles a someter su criterio y su voluntad implícitamente a él. Verán y sabrán que, de sí mismos, no pueden hacer nada; que Dios es el todo en todo.— *Signs of the Times*, 21 de julio de 1881.

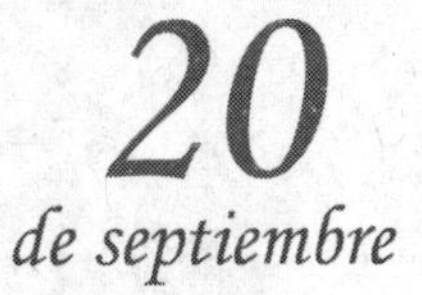

Dios provee

Mas en tu palabra echaré la red. Lucas 5:5.

Juan fue uno de los primeros en reconocer a Jesús como el Mesías. Había escuchado la predicación de Juan el Bautista y sabía que este había sido enviado como el precursor de Aquel que era la esperanza de Israel. Para Juan y Andrés, el Bautista señalaba a Jesús como el "Cordero de Dios"... Jesús los vio siguiéndolo y los recibió en su humilde morada. Se quedaron con él esa noche, y cuando dejaron su presencia, la fe de ellos en su carácter y su misión divina quedó plenamente confirmada.

Andrés fue en búsqueda de su propio hermano, Simón, y lo trajo a Jesús con el agradable anuncio: "Hemos encontrado al Mesías". Al día siguiente, Jesús llamó a Felipe para que lo siguiese...

Andrés, Pedro, Santiago y Juan desde ese momento fueron conocidos como discípulos de Jesús...

Aunque prestaban atención a la predicación de Jesús y pasaban bastante tiempo con él, todavía se ocupaban de su humilde vocación; pero llegó el momento cuando habrían de dejar sus redes y sus botes pesqueros y asociarse más estrechamente con Jesús. Ahora las multitudes seguían su ministerio, y cuando enseñaba junto al lago de Genesaret, "el gentío se agolpaba sobre él para oír la Palabra de Dios" (Luc. 5:1), al punto que entró al bote de Pedro, y desde allí les enseñaba a las personas que estaban en la orilla. Cuando terminó de hablar, le dijo a Pedro: "Boga mar adentro, y echad vuestras redes para pescar" (vers. 4).

Pedro le respondió que habían pescado toda la noche sin resultado. Sus labores habían sido infructíferas a la mejor hora para pescar, y ahora no había probabilidad humana de éxito; "mas en tu palabra echaré la red". Así fue, y la captura de peces fue tan grande que la red no podía contenerlos, y Santiago y Juan, los socios de Andrés y Pedro, fueron llamados para que les dieran ayuda...

Había una obra importante y solemne ante ellos. Habrían de dejar su único medio de sustento y dedicar su vida al esfuerzo desinteresado por salvar a pecadores que perecían. Pero antes de llamarlos a esta vida de negación propia y dependencia de Dios, el amante Salvador les demostró que él era abundantemente capaz de proveer para todas sus necesidades como Señor del cielo y la tierra.— *Signs of the Times*, 8 de enero de 1885.

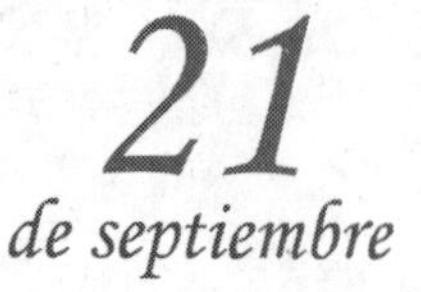

21

de septiembre

Una fe sencilla

Y añadió el filisteo: Hoy yo he desafiado al campamento de Israel; dadme un hombre que pelee conmigo. 1 Samuel 17:10.

Durante cuarenta días, el ejército de Israel había temblado ante el altivo desafío de Goliat, el gigante filisteo. Sus corazones desfallecían al mirar su enorme forma, de seis codos y medio; [es decir], diez pies y medio [cerca de 3,2 metros]. Llevaba en la cabeza un casco de bronce; vestía una cota de malla que pesaba cinco mil siclos o unas 157 libras [70 kg]; y tenía grebas de bronce sobre sus piernas. La coraza estaba hecha de placas de bronce que se superponían como las escamas de un pescado, y estaban tan unidas que ningún dardo o flecha podía penetrar la armadura...

Durante cuarenta días, de mañana y de tarde, Goliat se había acercado al campamento de Israel para decir a gran voz: "¿Para qué os habéis puesto en orden de batalla? ¿No soy yo el filisteo, y vosotros los siervos de Saúl? Escoged de entre vosotros un hombre que venga contra mí. Si él pudiere pelear conmigo, y me venciere, nosotros seremos vuestros siervos; y si yo pudiere más que él, y lo venciere, vosotros seréis nuestros siervos y nos serviréis... Oyendo Saúl y todo Israel estas palabras del filisteo, se turbaron y tuvieron gran miedo" (1 Sam. 17:8, 9, 11). Nadie se atrevió a enfrentarse a este fanfarrón hasta que David, lleno de indignación por las orgullosas palabras del idólatra, se ofreció a Saúl como uno dispuesto a pelear por la gloria de Dios y el honor de Israel.

Saúl decidió permitir que el pastor se aventurara, pero tenía pocas esperanzas de que David tuviera éxito en su valiente empresa. Se dio la orden de vestir al joven con la armadura del propio rey. Se colocó un pesado casco de bronce sobre su cabeza, y se puso una cota de malla sobre su cuerpo, a la vez que se lo ciñó con la espada del monarca. Equipado así, comenzó su camino; pero pronto se dio vuelta y comenzó a desandar lo andado... El primer pensamiento en la mente de los ansiosos espectadores era que David había decidido no arriesgar su vida en un encuentro con un antagonista tan desigual. Pero este no era ni siquiera remotamente el pensamiento del valiente joven.

Cuando regresó ante Saúl, le pidió permiso para quitarse la pesada armadura y le dijo: "Yo no puedo andar con esto, porque nunca lo practiqué" (vers. 39)...

¡Tamaña demostración de valor y de excelsa fe de parte de un simple pastor ante los ejércitos de los israelitas y los filisteos!— *Signs of the Times*, 10 de agosto de 1888.

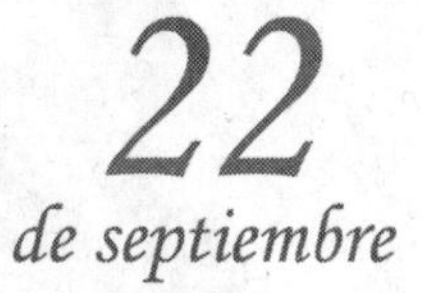

de septiembre

En aras de la fe

Tú vienes a mí con espada y lanza y jabalina; mas yo vengo a ti en el nombre de Jehová de los ejércitos, el Dios de los escuadrones de Israel, a quien tú has provocado. 1 Samuel 17:45.

David dejó la armadura del rey y en su lugar solo tomó su cayado en la mano, con su saco de pastor y una simple honda. Escogió cinco piedras lisas del arroyo, las puso en su bolsa y con su honda en la mano, se acercó al filisteo. El campeón se adelantó de manera decidida y altanera, esperando enfrentarse al más poderoso de los guerreros de Israel. Su escudero caminaba ante él, y parecía que nada podría hacerle frente. Al acercarse más a David, no vio sino a un muchacho, casi un niño por su juventud. Su rostro resplandecía de salud; y su forma delgada, sin la protección de una armadura, revelaba su perfil juvenil en marcado contraste con las enormes proporciones del filisteo.

Goliat se llenó de asombro e ira. Su indignación brotó en palabras calculadas para aterrorizar y abrumar al atrevido joven ante él. "¿Soy yo perro, para que vengas a mí con palos?", exclamó el gigante. Entonces el filisteo profirió la maldición más terrible de parte de los dioses que conocía. Clamó en son de burla: "Ven a mí, y daré tu carne a las aves del cielo y a las bestias del campo" (1 Samuel 17:43, 44). Esta altiva amenaza lo único que logró fue infundir en el joven un valor más noble y atizar en su pecho un mayor celo para silenciar al enemigo de su pueblo. No se desmayó ante el campeón de los filisteos. Sabía que estaba a punto de pelear por el honor de su Dios y la liberación de Israel, y su corazón estaba lleno de esperanza y fe tranquila.

David se adelantó y se dirigió a su antagonista en un lenguaje que era tan modesto como elocuente. Le dijo al filisteo: "Tú vienes a mí con espada y lanza y jabalina; mas yo vengo a ti en el nombre de Jehová de los ejércitos, el Dios de los escuadrones de Israel, a quien tú has provocado. Jehová te entregará hoy en mi mano, y yo te venceré, y te cortaré la cabeza, y daré hoy los cuerpos de los filisteos a las aves del cielo y a las bestias de la tierra; y toda la tierra sabrá que hay Dios en Israel" (vers. 45, 46).— *Signs of the Times*, 10 de agosto de 1888.

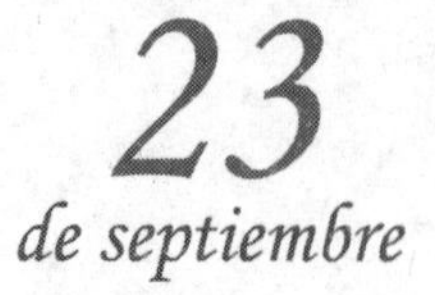

La fe sencilla es recompensada

Y sabrá toda esta congregación que Jehová no salva con espada y con lanza; porque de Jehová es la batalla, y él os entregará en nuestras manos.
1 Samuel 17:47.

¡Tamaña demostración de valor y de una fe excelsa de parte de un simple pastor ante los ejércitos de los israelitas y los filisteos! Había un timbre de temeridad en su tono, una mirada de triunfo y regocijo en su hermoso semblante...

A medida que la rica voz de David pronunciaba las palabras de confianza y triunfo, la ira de Goliat alcanzó su nivel máximo de furor. En su furia, empujó hacia arriba el casco que protegía su frente y corrió con odio determinado para ejecutar venganza contra su opositor. El hijo de Isaí se estaba preparando para su enemigo. Ambos ejércitos observaban con el mayor interés. "Y aconteció que cuando el filisteo se levantó y echó a andar para ir al encuentro de David, David se dio prisa, y corrió a la línea de batalla contra el filisteo. Y metiendo David su mano en la bolsa, tomó de allí una piedra, y la tiró con la honda, e hirió al filisteo en la frente; y la piedra quedó clavada en la frente, y cayó sobre su rostro en tierra" (1 Sam. 17:48, 49).

El asombro se esparció entre las filas de ambos ejércitos. Habían estado seguros de que David moriría; pero cuando la piedra fue zumbando por el aire, derecho al blanco, vieron cómo el poderoso guerrero temblaba y movía las manos ante sí como si hubiera quedado ciego repentinamente. El gigante se meció y se tambaleó, y cayó de bruces. David no esperó un instante. No sabía si había muerto. Se abalanzó sobre la forma postrada del filisteo, y con dos manos blandió la pesada espada de Goliat. Un momento antes, el gigante había hecho ademanes con ella ante el rostro de David con la jactancia de que le quitaría la cabeza al joven y daría su cuerpo a las aves del cielo. Ahora sirvió para obrar la voluntad del siervo de Dios. Fue levantada en el aire, y luego la cabeza del fanfarrón rodó separada del tronco, y un grito de alegría se levantó del campamento de Israel.

Los filisteos se llenaron de terror. Sabían que les esperaba la derrota. En horror y confusión se batieron en una retirada irregular... Los hebreos triunfantes... corrieron tras sus enemigos en retirada, y "siguieron a los filisteos hasta llegar al valle, y hasta las puertas de Ecrón... Y David tomó la cabeza del filisteo y la trajo a Jerusalén, pero las armas de él las puso en su tienda" (1 Samuel 17:52-54).—*Signs of the Times*, 10 de agosto de 1888.

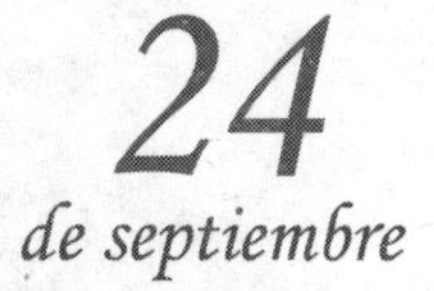

El compromiso de Daniel con Dios

Mas no podían hallar ocasión alguna o falta, porque él era fiel. Daniel 6:4.

Cuando Darío colocó ciento veinte príncipes sobre las provincias de su reino, y a tres presidentes a quienes estos príncipes les rendirían cuenta, leemos que "Daniel mismo era superior a estos sátrapas y gobernadores, porque había en él un espíritu superior; y el rey pensó en ponerlo sobre todo el reino" (Dan. 6:3). Pero los ángeles malvados, al temer la influencia de este buen hombre sobre el rey y en los asuntos del reino, incitaron a los príncipes y gobernantes a la envidia. Estos hombres impíos observaban a Daniel de cerca, para encontrar en él una falta que pudieran informar al rey; pero fracasaron, "porque él era fiel, y ningún vicio ni falta fue hallado en él" (vers. 4).

Entonces Satanás buscó la manera de convertir la fidelidad de Daniel a Dios en la causa de su destrucción. Los principales y príncipes se reunieron tumultuosamente con el rey y le dijeron: "Todos los gobernadores del reino, magistrados, sátrapas, príncipes y capitanes han acordado por consejo que promulgues un edicto real y lo confirmes, que cualquiera que en el espacio de treinta días demande petición de cualquier dios u hombre fuera de ti, oh rey, sea echado en el foso de los leones" (6:7). Esto apeló al orgullo del rey. Ignoraba el daño que se planeaba contra Daniel y concedió su petición. El decreto fue firmado y se convirtió en una de las leyes inalterables de los medos y persas.

Estos hombres envidiosos no creían que Daniel sería desleal a su Dios ni que vacilaría en su firme adhesión al principio, y no se equivocaron en la estimación de su carácter. Daniel conocía el valor de la comunión con Dios. Con conocimiento pleno del decreto del rey, todavía se inclinaba a orar tres veces al día, "abiertas las ventanas de su cámara que daban hacia Jerusalén" (vers. 10). No buscó esconder su acción, aunque sabía bien las consecuencias de su fidelidad a Dios. Vio los peligros que se agazapaban en su camino, pero sus pasos no vacilaron. Ante los que maquinaban su ruina, no permitiría siquiera la apariencia de que su conexión con el cielo había sido cortada...

Él sabía que ningún hombre, ni siquiera su rey, tenía derecho de colocarse entre su conciencia y su Dios e interferir en la adoración debida a su Hacedor.—*Signs of the Times*, 4 de noviembre de 1886.

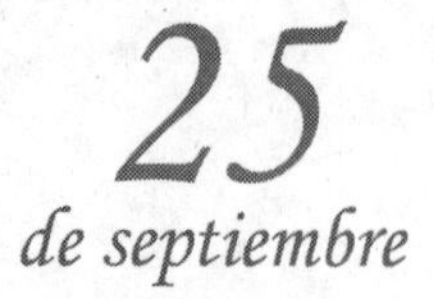

25
de septiembre

Un ejemplo de confianza y oración

Y el rey dijo a Daniel: El Dios tuyo, a quien tú continuamente sirves, él te libre. Daniel 6:16.

Por cuenta de sus oraciones a Dios, Daniel fue echado al foso de los leones... Pero Daniel continuó orando, incluso entre los leones. ¿Olvidó Dios a su siervo fiel y permitió que fuera destruido? Oh, no. Jesús, el poderoso comandante de los ejércitos del cielo, envió a sus ángeles para cerrar las bocas de aquellos leones hambrientos a fin de que no hicieran daño al devoto hombre de Dios; y hubo paz en aquel terrible foso. El rey presenció la preservación milagrosa de Daniel y lo sacó de allí con honores, en tanto que los que habían planeado su destrucción fueron totalmente destruidos, con sus esposas e hijos, en la terrible manera en que habían planeado destruir a Daniel.

Por medio del valor moral de este hombre, que escogió seguir el proceder correcto en vez del político, incluso bajo peligro de muerte, Satanás fue vencido y Dios fue honrado...

Daniel era un gigante moral e intelectual; pero no alcanzó esta preeminencia instantáneamente y sin esfuerzo. Continuamente buscaba el conocimiento elevado, los logros más nobles. Otros jóvenes tuvieron las mismas ventajas, pero a diferencia de Daniel, no concentraron todas sus energías en la búsqueda de sabiduría: el conocimiento de Dios revelado en su Palabra y sus obras. Daniel no era sino un joven cuando fue llevado a una corte pagana para servir al rey de Babilonia; y debido a su juventud extrema cuando enfrentó todas las tentaciones de una corte oriental, su noble resistencia ante el error y su firme adherencia a la justicia a lo largo de su extensa carrera son aun más admirables. Su ejemplo debiera ser una fuente de fortaleza para los probados y tentados, incluso en nuestros días...

De la historia de Daniel podemos aprender que un cumplimiento estricto de los requisitos de Dios demostrará ser una bendición, no solo en la vida inmortal futura, sino en la vida presente. Por medio de los principios religiosos, podemos triunfar sobre las tentaciones de Satanás y las artimañas de los impíos, aunque nos cueste un gran sacrificio...

Vivimos en el período más solemne de la historia de este mundo, cuando se libra con furia el último conflicto entre la verdad y el error; y necesitamos valor y firmeza a favor de la justicia y confianza acompañada de oración no inferior a la de Daniel.— *Signs of the Times*, 4 de noviembre de 1886.

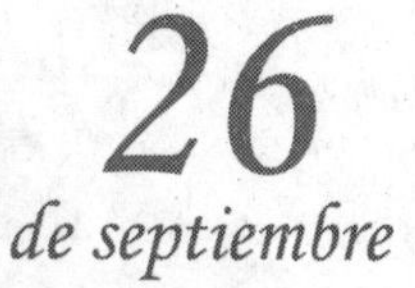

26

de septiembre

Una transformación milagrosa

Porque el Hijo del hombre no ha venido para perder las almas de los hombres, sino para salvarlas. Lucas 9:56.

Juan fue el discípulo a quien Jesús amaba, porque confiaba en su Maestro y lo amaba con devoción. Su amor por Cristo estaba caracterizado por la sencillez y el fervor. Hay muchos que creen que este amor por Cristo era algo natural en Juan, y a menudo el artista representa al discípulo con una apariencia suave, lánguida y femenina, pero tales representaciones son erróneas. Juan y su hermano eran conocidos como los "hijos del trueno" (Mar. 3:17). Juan era un hombre de carácter decidido, pero había aprendido lecciones del gran Maestro. Tenía defectos de carácter, y cualquier desprecio hacia Jesús despertaba su indignación y agresividad. Su amor por Cristo era el amor de un alma salvada por los méritos de Jesús, pero con este amor había rasgos naturales malos que tenían que ser vencidos. En una ocasión, él y su hermano reclamaron el derecho a la posición más elevada en el reino del cielo, y en otra ocasión él le prohibió a un hombre que echara fuera demonios y sanara enfermedades porque no era parte de los discípulos. En otra ocasión, cuando vio que los samaritanos despreciaban a su Señor, quiso pedir que descendiera fuego del cielo para que los consumiera. Pero Cristo lo reprendió y le dijo: "El Hijo del hombre no ha venido para perder las almas de los hombres, sino para salvarlas" (Luc. 9:56).

En el carácter y las enseñanzas de Cristo, los discípulos tenían tanto el precepto como el ejemplo, y la gracia de Cristo era un poder transformador que obraba cambios maravillosos en la vida de los discípulos. En el discípulo amado se hallaban todos los rasgos naturales de carácter, como el espíritu de crítica, la venganza, la ambición y el mal temperamento, y [estos defectos] tenían que ser vencidos para que pudiera ser un representante de Cristo. No era solo un oidor sino un hacedor de las palabras de su Señor. Aprendió de Jesús cómo ser manso y humilde de corazón... Este fue el resultado del compañerismo con su Maestro...

Tenemos necesidad de velar constantemente, porque nos acercamos a la venida de Cristo, en el tiempo cuando Satanás ha de obrar "con gran poder y señales y prodigios mentirosos, y con todo engaño de iniquidad para los que se pierden, por cuanto no recibieron el amor de la verdad para ser salvos" (2 Tes. 2:9, 10). Debemos estudiar el Modelo y llegar a ser como Jesús, que era humilde y manso de corazón, puro y sin mancha. Siempre debemos recordar que Dios está cerca, y que todas las cosas, grandes y pequeñas, están bajo su control.— *Signs of the Times*, 20 de abril de 1891.

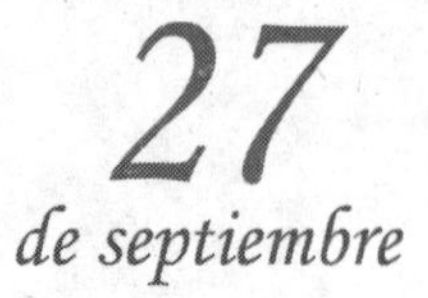

27

de septiembre

El contraste entre Judas y Juan

De cierto, de cierto os digo, que uno de vosotros me va a entregar. Juan 13:21.

Las oportunidades y ventajas ofrecidas a Juan también fueron dadas a Judas. Los mismos principios de verdad fueron colocados a su disposición; pudo contemplar e imitar el mismo ejemplo en el carácter de Cristo. Pero Judas no llegó a ser un hacedor de las palabras de Cristo. Acarició un temperamento impío, pasiones vengativas, pensamientos oscuros y negativos hasta el punto de que Satanás tuvo un control completo de su persona. Juan caminó en la luz y aprovechó las oportunidades para vencer que le fueron dadas; pero Judas se aferró a sus defectos y se negó a ser transformado a la imagen de Cristo, y por lo tanto llegó a ser un representante del enemigo de Cristo y manifestó los atributos del maligno. Cuando Judas se asoció con Cristo, tenía algunos rasgos preciosos de carácter que podrían haber sido utilizados por Dios y convertidos en una bendición para la iglesia. Si hubiera estado dispuesto a llevar el yugo de Cristo, a hacerse manso y humilde de corazón, podría haber estado entre los apóstoles principales; pero endureció su corazón cuando se le señalaron sus defectos, y en orgullo y rebelión favoreció sus propias ambiciones egoístas, y así dejó de ser idóneo para la obra que Dios le habría dado. Juan y Pedro, aunque eran imperfectos, fueron santificados por la verdad.

Ocurre hoy lo mismo que en los días de Cristo. Así como los discípulos fueron reunidos, cada uno con faltas diferentes, algunas tendencias al mal heredadas o cultivadas, en nuestras relaciones en la iglesia encontramos a hombres y mujeres cuyos caracteres son defectuosos; ninguno de nosotros es perfecto. Pero en Cristo, y a través de Cristo, hemos de morar en la familia de Dios, aprendiendo a llegar a ser uno en fe, en doctrina, en espíritu, para que al fin seamos recibidos en nuestra morada eterna. Tendremos nuestras pruebas, nuestras quejas, nuestras diferencias de opinión; pero si Cristo mora en el corazón de cada uno, no puede haber disensión. El amor de Cristo nos llevará a amar al prójimo, y las lecciones del Maestro armonizarán todas las diferencias, llevándonos a la unidad, hasta que seamos de una mente y un criterio. La lucha por la supremacía cesará, y nadie se animará a gloriarse por encima del otro, sino que estimaremos a los otros como mejores que nosotros mismos, y así seremos edificados en un templo espiritual para el Señor...

Las lecciones dadas a Pedro, Judas y los otros discípulos son provechosas para nosotros, y tienen una importancia especial en este tiempo.— *Signs of the Times*, 20 de abril de 1891.

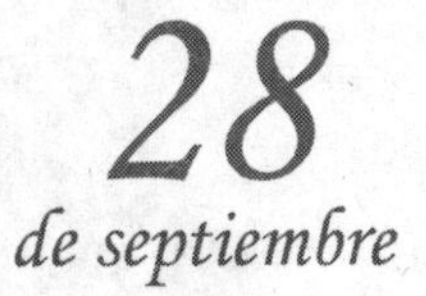

La ofrenda de María

¿Por qué la molestáis? Buena obra me ha hecho. Marcos 14:6.

La fiesta celebrada en casa de Simón atrajo a muchos judíos porque sabían que Cristo estaba allí. Y vinieron no solamente para ver a Jesús, sino a Lázaro, a quien había resucitado. Muchos pensaron que Lázaro tendría una maravillosa experiencia que relatar y estaban sorprendidos de que no les dijera nada... Lázaro tenía un maravilloso testimonio que dar, sin embargo, con respecto a la obra de Cristo. Había sido resucitado con este propósito. Era un testimonio viviente del poder divino. Con seguridad y poder declaró que Cristo era el Hijo de Dios...

A un lado del Salvador estaba sentado a la mesa Simón, a quien él había curado de una enfermedad repugnante; y al otro lado Lázaro, a quien había resucitado. Marta servía, pero María escuchaba fervientemente cada palabra que salía de los labios de Jesús. En su misericordia, Jesús había perdonado sus pecados, había llamado de la tumba a su amado hermano, y el corazón de María estaba lleno de gratitud. Anhelaba honrarlo. A costa de gran sacrificio personal había adquirido un vaso de alabastro de "nardo puro de mucho precio" para ungir su cuerpo (Mar. 14:3). Quebrando el vaso de ungüento en silencio, derramó su contenido sobre la cabeza y los pies de Jesús.

Sus movimientos podrían haber quedado inadvertidos, pero el ungüento llenó la pieza con su fragancia y delató su acto a todos los presentes. "Al ver esto, los discípulos se enojaron, diciendo: ¿Para qué este desperdicio?" (Mat. 26:8). Judas fue el primero en hacer esta observación y otros estuvieron dispuestos a hacer eco a sus palabras...

Jesús vio que María se apartó avergonzada, esperando la amonestación de Aquel a quien amaba y adoraba. Pero en su lugar escuchó palabras de elogio. "¿Por qué molestáis a esta mujer? pues ha hecho conmigo una buena obra... De cierto os digo que dondequiera que se predique este evangelio, en todo el mundo, también se contará lo que esta ha hecho, para memoria de ella" (vers. 10, 13).

Cristo se deleitó en el ferviente deseo de María de hacer la voluntad de su Señor... El deseo que María tenía de servirle era de mayor valor para Cristo que todo el ungüento precioso en el mundo, porque expresaba su aprecio por su Redentor.— *Youth's Instructor*, 12 de julio de 1900; parcialmente en *Cada día con Dios*, p. 149.

29

de septiembre

Aprendamos de la experiencia de Pedro

Si me fuere necesario morir contigo, no te negaré. Marcos 14:31.

La razón por la que tantos de los discípulos profesos de Cristo caen en penosas tentaciones es que no tienen un conocimiento correcto de sí mismos. Fue en este terreno donde Pedro fue zarandeado por el enemigo. Si pudiéramos entender nuestras propias necesidades, veríamos que necesitamos hacer tanto por nosotros mismos que humillaríamos nuestro corazón bajo la poderosa mano de Dios. Haciendo que nuestra alma impotente dependa de Cristo, suplementaríamos nuestra ignorancia con su sabiduría, nuestra debilidad con su fortaleza, nuestra fragilidad con su poder duradero…

Note el camino que Pedro siguió. Su caída no fue instantánea, sino gradual. Dio paso tras paso hasta que como miserable pecador negó a su Señor con maldiciones y juramentos…

El canto del gallo le hizo recordar las palabras de Cristo, y sorprendido e impactado por lo que acababa de hacer, se volvió y miró a su Maestro. En ese momento Cristo miró a Pedro, y al contemplar Pedro la triste mirada, en la que se mezclaban la compasión y el amor hacia él, Pedro se comprendió a sí mismo. Con una fuerza sorprendente, sus palabras de confianza propia fulguraron en su mente: "Aunque todos se escandalicen, yo no" (Mar. 14:29). "Señor, dispuesto estoy a ir contigo no solo a la cárcel, sino también a la muerte" (Luc. 22:33). ¡No obstante, había negado a su Señor con maldiciones y juramentos!

Pero Pedro no fue dejado en la desesperación. La mirada de Cristo le había dado un rayo de esperanza al discípulo errante. Allí leyó las palabras: "Pedro, lo siento por ti. Porque te has arrepentido, te perdono". Mientras el alma de Pedro pasaba por una humillación tan profunda, en medio de la horrible lucha contra las agencias satánicas, recordó las palabras de Cristo: "He orado por ti", y fueron para él una preciosa promesa…

En la caída de Pedro podemos contemplar la experiencia de muchos. Tan ciertamente como Pedro, muchos del profeso pueblo de Dios que guarda sus mandamientos, deshonran y traen reproche a su mejor Amigo, el que puede salvarlos hasta lo sumo. Pero el Señor desea restaurar a todos los que lo han avergonzado mediante un proceder ajeno a las Escrituras.

Pedro pecó contra la luz y el conocimiento y contra privilegios grandes y excelsos. Fue la confianza propia lo que lo hizo caer, y este mismo mal está obrando ahora en los corazones humanos. Puede que tengamos el propósito de estar en lo correcto y hacer lo correcto, pero ciertamente erraremos a menos que seamos aprendices permanentes en la escuela de Cristo. Nuestra única seguridad se encuentra en caminar humildemente con Dios.— *Youth's Instructor*, 15 de diciembre de 1898.

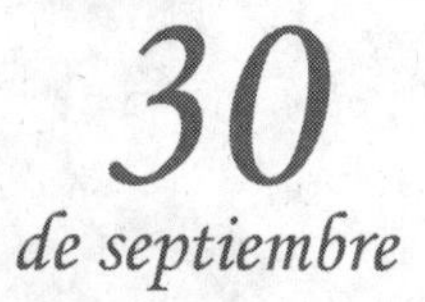

La restauración de Pedro

Simón, hijo de Jonás, ¿me amas más que estos? Juan 21:15.

Pedro nunca olvidó la triste escena de su humillación. No olvidó que había negado a Cristo ni pensó que, después de todo, ese no era un gran pecado...

Ninguna restauración puede ser completa a menos que el poder transformador del Espíritu Santo alcance lo más profundo del alma. Bajo la influencia del Espíritu Santo, Pedro se puso de pie ante una congregación de miles y con santo atrevimiento acusó a los malvados sacerdotes y gobernantes del mismo pecado del cual él había sido culpable...

Cristo puso a prueba a Pedro tres veces después de su resurrección. "Simón, hijo de Jonás —le dijo—, ¿me amas más que estos? Le respondió: Sí, Señor; tú sabes que te amo. El le dijo: Apacienta mis corderos. Volvió a decirle la segunda vez: Simón, hijo de Jonás, ¿me amas? Pedro le respondió: Sí Señor; tú sabes que te amo. Le dijo: Pastorea mis ovejas" (Juan 21:15, 16).

Cuando Cristo le dijo a Pedro por tercera vez: "¿Me amas?", la pregunta llegó hasta lo más profundo del alma. Pedro, juzgándose a sí mismo, cayó sobre la Roca, y dijo: "Señor, tú lo sabes todo; tú sabes que te amo" (vers. 17).

Algunos afirman que si un alma tropieza y cae, nunca puede recuperar su posición, pero el caso que tenemos ante nosotros contradice esto. Antes de su negación, Cristo dijo a Pedro: "Tú, una vez vuelto, confirma a tus hermanos" (Luc. 22:32). Al confiarle la mayordomía de las almas por quienes había dado su vida, Cristo dio a Pedro la más firme evidencia de su confianza en su restauración...

Pedro era ahora bastante humilde para entender las palabras de Cristo, y sin hacer más preguntas, el discípulo, en otro tiempo impaciente, jactancioso y seguro de sí mismo, se volvió sumiso y contrito. Siguió, sin duda alguna, a su Señor, al Señor que había negado. El pensamiento de que Cristo no lo había rechazado fue para Pedro una luz, un consuelo y una bendición. Creyó que podía elegir la forma en que sería crucificado, pero sería con la cabeza hacia abajo...

Cristo es nuestra torre fuerte, y Satanás no puede ejercer poder sobre el alma que camina con Dios en humildad de espíritu... Si nos apoyamos en nuestra propia sabiduría, actuaremos neciamente. Pero si nos entregamos desinteresadamente a la obra, nunca desviándonos en lo más mínimo de los principios, el Señor nos rodeará con los brazos eternos y demostrará que es un poderoso ayudador.—*Youth's Instructor*, 22 de diciembre de 1898; parcialmente en *Comentario bíblico adventista*, tomo 5, p. 1125.

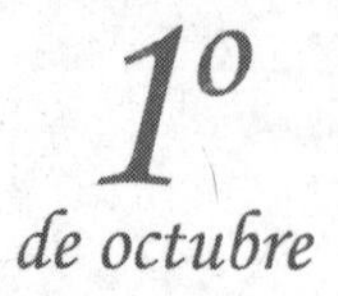

1º

de octubre

La ley moral y las leyes ceremoniales

Al que no conoció pecado, por nosotros lo hizo pecado, para que nosotros fuésemos hechos justicia de Dios en él. 2 Corintios 5:21.

El hecho de que la santa pareja, al descuidar la prohibición de Dios en un punto particular, transgrediera así su ley y sufriera como resultado las consecuencias de la caída, debiera impresionarnos a todos con una percepción justa del carácter sagrado de la ley de Dios...

El pueblo de Dios, a quien él llama su tesoro peculiar, tuvo el privilegio de contar con un sistema que incluía dos leyes: la moral y la ceremonial. La una, que señala hacia atrás a la creación, para que se mantenga el recuerdo del Dios viviente que hizo el mundo, cuyas demandas tienen vigencia sobre todos los hombres en cada dispensación, y que existirá a través de todo el tiempo y la eternidad; la otra, dada debido a que el hombre transgredió la ley moral, y cuya obediencia consistía en sacrificios y ofrendas que señalaban la redención futura...

El amor que Dios tenía por la humanidad, a quienes creó a su propia imagen, lo llevó a dar a su Hijo para morir por su transgresión; y para que el aumento del pecado no los llevara a olvidar a Dios y la redención prometida, el sistema de ofrendas de sacrificio fue establecido para tipificar la ofrenda perfecta del Hijo de Dios...

Cristo se hizo pecado por la raza caída al tomar sobre sí la condenación que recaía sobre el pecador por su transgresión de la ley de Dios. Cristo se colocó a la cabeza de la humanidad como su representante. Había tomado sobre sí los pecados del mundo. En semejanza de carne de pecado, condenó el pecado en la carne...

La ley de Jehová, que se remonta a la creación, se resumía en los dos grandes principios: "Amarás al Señor tu Dios con todo tu corazón, y con toda tu alma, y con toda tu mente y con todas tus fuerzas. Este es el principal mandamiento. Y el segundo es semejante: Amarás a tu prójimo como a ti mismo. No hay otro mandamiento mayor que estos" (Mar. 12:30, 31)...

¿Cuál es la voluntad del Padre? Que observemos sus mandamientos...

La muerte de Jesucristo por la redención de la humanidad levanta el velo y derrama sobre la institución entera del sistema judío de religión un torrente de luz que se remonta a centenares de años. Sin la muerte de Cristo, todo este sistema carecía de sentido.— *Review and Herald*, 6 de mayo de 1875; parcialmente en *Comentario bíblico adventista*, tomo 7a, p. 316.

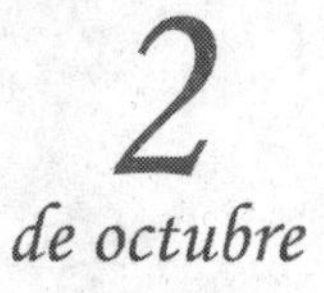

de octubre

La eterna ley de Dios

Guardaré tu ley siempre, para siempre y eternamente. Salmo 119:44.

Cuán maravillosa es la ley de Dios en su sencillez, extensión y perfección... No hay misterio en la ley de Dios. El intelecto más débil puede captar esos principios para regular su vida y formar su carácter de acuerdo con el Modelo divino...

El sacrificio infinito de Cristo hecho para magnificar y exaltar la ley, testifica que ni un tilde ni una jota de esa ley dejará de tener validez sobre el transgresor. Cristo vino a pagar la deuda en la que había incurrido el pecador por la transgresión, y a enseñar al hombre mediante su propio ejemplo a guardar la ley de Dios. Cristo dijo: "Yo he guardado los mandamientos de mi Padre" (Juan 15:10). Al considerar todos los hechos que establecen tan claramente las demandas de la ley de Dios, con el cielo y la vida eterna a la vista para inspirar esperanza e inducir el esfuerzo, es inconcebible que tantos profesos servidores de Dios puedan descartar su ley y enseñar a los pecadores que sus preceptos no tienen validez para ellos. ¡Qué engaño fatal! Satanás primero inventó esta herejía y luego indujo a Eva al pecado. Los tristes resultados de tal transgresión están ante nosotros...

Cristo vino a enseñarnos el camino de la salvación. Y cuando los servicios típicos de la antigua dispensación ya no tenían valor alguno, cuando el símbolo encontró su cumplimiento en la muerte de Cristo, entonces podríamos esperar que si la ley de los Diez Mandamientos ya no estaba vigente, Cristo hubiera declarado su abrogación. Si las Escrituras del Antiguo Testamento ya no debían ser consideradas como una guía para los cristianos, él lo habría dicho...

Los santos profetas habían predicho cómo Cristo nacería, los sucesos de su vida, su misión y su muerte y resurrección. En el Antiguo Testamento encontramos el evangelio de un Salvador que viene. En el Nuevo Testamento tenemos el evangelio de un Salvador revelado tal como la profecía lo había anunciado...

No hay discordia entre las enseñanzas de Cristo en el Antiguo Testamento y sus enseñanzas en el Nuevo...

En el último mensaje a su iglesia, vía Patmos, el Salvador resucitado pronuncia una bendición sobre los que guardan la ley de su Padre: "Bienaventurados los que guardan sus mandamientos, para que su potencia sea en el árbol de la vida, y que entren por las puertas en la ciudad" (Apoc. 22:14, RVA).— *Review and Herald*, 14 de septiembre de 1886; parcialmente en *A fin de conocerle*, p. 296.

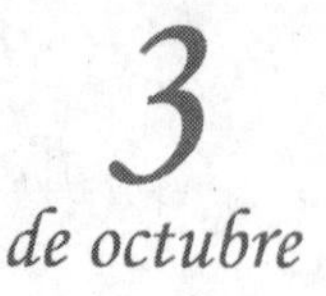

3

de octubre

Glorificar a Dios

Para que unánimes, a una voz, glorifiquéis al Dios y Padre de nuestro Señor Jesucristo. Romanos 15:6.

Todo hombre o mujer que sea un seguidor verdadero de Jesucristo mostrará amor supremo a Dios... Somos sus criaturas, la obra de sus manos, y él merece justamente reverencia, honor y amor...

En su amor, con el deseo de elevarnos y ennoblecernos, Dios nos proveyó una norma de obediencia. Con terrible majestad, entre truenos y relámpagos, proclamó sus diez preceptos santos desde el monte Sinaí...

Dios vio la condición desesperada del pecador. Contempló con pesar el mundo, que inexorablemente se tornaba más degenerado y pecaminoso. No podía cambiar su ley para ajustarse a nuestras deficiencias; porque él dice: "No olvidaré mi pacto, ni mudaré lo que ha salido de mis labios" (Sal. 89:34). Pero en su gran amor por la raza humana, en su deseo de que no enfrentáramos el castigo de nuestra transgresión, sino que fuésemos elevados y ennoblecidos, él dio "a su Hijo unigénito, para que todo aquel que en él cree, no se pierda, mas tenga vida eterna" (Juan 3:16). Cristo depuso su manto real y vino a esta tierra, trayendo con él un poder suficiente para vencer el pecado. Vino a vivir la ley de Dios en la humanidad, para que al participar de su naturaleza divina, también nosotros podamos vivir esa ley...

Ante el universo, ante los ángeles caídos, y ante aquellos a quienes vino a salvar, Cristo vivió la ley de Dios. Por su suprema obediencia a sus requisitos, la exaltó y la cumplió. Por su pureza, bondad, beneficencia, devoción y celo por la gloria de Dios, por su amor insuperable hacia los demás, dio a conocer la perfección de la ley. Por su vida irreprochable ilustró su excelencia...

La obediencia debe venir del corazón. Con Cristo era una obra del corazón... Si nos acercamos a Dios, la fuente de fortaleza que no falla, obtendremos el cumplimiento de la promesa "pedid y se os dará" (Mat. 7:7)...

Al igual que Cristo vivió la ley en su humanidad, podemos hacerlo nosotros si nos aferramos al Fuerte para obtener fuerza. Al admitir que no podemos hacer nada por nosotros mismos, recibiremos sabiduría de lo alto para honrar y glorificar a Dios. Al contemplar "la gloria del Señor, somos transformados de gloria en gloria en la misma imagen" (2 Cor. 3:18).— *Signs of the Times*, 4 de marzo de 1897.

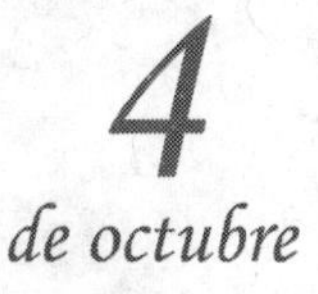

de octubre

El dúo dinámico

¿Luego la ley es contraria a las promesas de Dios? Gálatas 3:21.

La ley y el evangelio no pueden separarse. En Cristo la misericordia y la verdad se unieron; la justicia y la paz se besaron. El evangelio no ha ignorado las obligaciones del ser humano hacia Dios. El evangelio es la ley desplegada, nada más ni nada menos. No da más libertad para pecar que la ley. La ley señala a Cristo; Cristo señala a la ley. El evangelio nos llama al arrepentimiento. ¿Arrepentimiento de qué? Del pecado. ¿Y qué es el pecado? La transgresión de la ley. Por lo tanto, el evangelio llama a los pecadores a volver de su transgresión a la obediencia a la ley de Dios. Jesús, en su vida y muerte, enseñó la más estricta obediencia. Murió, el justo por el injusto, el inocente por el culpable, para que el honor de la ley de Dios fuera preservado, y para que la humanidad no se perdiera totalmente.

La obra de la salvación, tanto en la dispensación del Antiguo Testamento como en la nueva, es la misma…

Satanás obra con todos sus poderes engañosos para entrampar al mundo. Desea que creamos que este gran sacrificio se hizo para abolir la ley de Dios. Representa a Cristo como si estuviera en contra de la ley de Dios en el cielo y en la tierra. Pero el Soberano del mundo tiene una ley por la cual gobierna los seres inteligentes del cielo y su familia humana, y la muerte de su Hijo fija la inmutabilidad de esa ley sin lugar a duda alguna. Dios no tiene ninguna intención de eliminar su gran norma de justicia. Gracias a esta norma puede definir lo que es un carácter recto…

Es necesario que todo ser inteligente entienda los principios de la ley de Dios. Cristo declaró por medio del apóstol Santiago: "Cualquiera que guardare toda la ley, pero ofendiere en un punto, se hace culpable de todos" (Sant. 2:10). Estas palabras fueron expresadas después de la muerte de Cristo; por lo tanto, la ley estaba vigente para todos en ese momento…

La gente puede hablar de la libertad del evangelio. Pueden asegurar que no son esclavos de la ley. Pero la influencia de una esperanza [basada] en el evangelio no llevará a los pecadores a considerar la salvación de Cristo como un asunto de gracia mientras siguen transgrediendo la ley de Dios. Cuando la luz de la verdad se revele en su mente, entiendan plenamente los requisitos de Dios y adviertan el alcance de sus transgresiones, reformarán sus caminos, llegarán a ser leales a Dios por medio de la fuerza obtenida de su Salvador, y llevarán una vida nueva y más pura.— *Signs of the Times*, 25 de febrero de 1897.

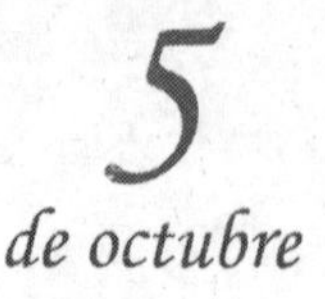

5

de octubre

Reposo en Cristo

Temamos, pues, no sea que permaneciendo aún la promesa de entrar en su reposo, alguno de vosotros parezca no haberlo alcanzado. Hebreos 4:1.

Jesús, nuestro compasivo Salvador, es el camino, la verdad y la vida. ¿Por qué no hemos de aceptar su amable oferta de misericordia y creer sus promesas para que el camino de la vida no sea tan duro? Al recorrer el precioso camino que ha sido forjado para que los rescatados del Señor lo transiten, no lo nublemos con dudas y oscuras premoniciones ni sigamos nuestra voluntad murmurando y quejándonos, como si estuviéramos obligados a cumplir una tarea desagradable y exigente. Los caminos de Cristo son caminos agradables y todas sus sendas son paz. Si hemos forjado sendas pedregosas para nuestros pies y acarreado pesadas cargas de preocupación al edificarnos tesoros sobre la tierra, cambiemos ahora y sigamos la senda que Jesús ha preparado para nosotros.

No siempre estamos dispuestos a venir a Jesús con nuestras pruebas y dificultades. A veces derramamos nuestros problemas en oídos humanos y contamos nuestras aflicciones a quienes no pueden ayudarnos, y no aprovechamos para confiarle todo a Jesús, quien es capaz de cambiar el camino del dolor en sendas de gozo y paz. La negación del yo, el sacrificio propio, le da gloria y victoria a la cruz. Las promesas de Dios son muy preciosas. Debemos estudiar su Palabra si hemos de conocer su voluntad. Las palabras de inspiración, estudiadas cuidadosamente y obedecidas en la práctica, conducirán nuestros pies por una senda llana que podremos recorrer sin tropezar. ¡Ojalá que todos, ministros y laicos, llevaran sus cargas y confusiones a Jesús, quien está esperando para recibirlos y darles paz y reposo! Él nunca rechazará a los que colocan su confianza en él…

Tenemos el deber de amar a Jesús como nuestro Redentor. Él tiene el derecho de exigir nuestro amor, pero en lugar de hacerlo nos invita a que le demos nuestro corazón. Nos llama para que caminemos con él por el sendero de la obediencia humilde y verdadera. La invitación que nos hace es un llamamiento a una vida de pureza, santidad y felicidad —una vida de paz y reposo, de libertad y amor— y a la participación de una rica herencia futura: la vida eterna. ¿Qué elegiremos, la libertad en Cristo o la esclavitud y la tiranía en el servicio de Satanás? ¿Por qué descartaremos la invitación de misericordia y rechazaremos las ofertas de amor divino? Si elegimos vivir con Cristo durante las edades interminables de la eternidad, ¿por qué no escogerlo ahora como nuestro Amigo más amado y de mayor confianza, y nuestro Consejero mejor y más sabio?— *Signs of the Times*, 17 de marzo de 1887; parcialmente en *Exaltad a Jesús*, p. 92.

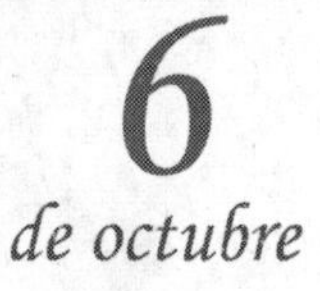

Hacia adelante y hacia arriba

Aun estimo todas las cosas como pérdida por la excelencia del conocimiento de Cristo Jesús, mi Señor. Filipenses 3:8.

Amar a Dios supremamente y a nuestro prójimo como a nosotros mismos es observar los primeros cuatro y los últimos seis mandamientos. Dios nos ha dado un gran campo en el cual trabajar; y al hacer el trabajo que Dios nos ha señalado, no nos elevaremos nosotros, sino que exaltaremos a Cristo. Cultivaremos el amor por Dios y el amor por nuestros hermanos y por todas las personas. El amor pronto muere en el corazón si se lo deja sin cultivar; solo podemos mantener el amor divino en el alma si hacemos las palabras del Maestro. ¿Acaso no hay muchos que pretenden guardar los mandamientos y viven transgrediendo los preceptos sagrados? No podemos guardar la ley de Dios a menos que le demos nuestra atención indivisa a nuestro Creador y Redentor. Es imposible guardar los últimos seis mandamientos a menos que guardemos los primeros cuatro…

Cuando entremos en compañerismo íntimo con Jesús, él nos impartirá su amor, y este fluirá de nosotros en actos de amor, en tierna compasión hacia los demás. Cuando no podemos amar a Dios supremamente, ciertamente no podemos amar a nuestro prójimo como a nosotros mismos. Cuando usted ama a Dios con todo su corazón, poder, mente, alma y fuerza, será como un manantial vivo en el desierto para todos los que lo rodean. En sus sugerencias no se expresarán dudas, ni se sembrarán cizañas. No se contentará con una experiencia pobre…

No hay inmovilidad en la vida cristiana. Los seguidores de Jesús siempre ven objetivos más elevados que alcanzar ante sí, y no estarán satisfechos con una norma baja. Hay un gran peligro en quedar satisfecho, en no esforzarse por el premio de la soberana vocación en Cristo Jesús…

En la verdad, Jesús ha sido revelado en todo su encanto inigualable; pero ¿de qué ventaja será nuestro conocimiento de la verdad si no nos lleva a Jesús, si no aumenta nuestro conocimiento de él y nuestro amor por él? Tan pronto como usted entrega todo su corazón a Dios, le rendirá una obediencia abnegada y gozosa. Dios requiere que seamos hallados en él, no teniendo nuestra propia justicia, sino la justicia de Cristo. Cuando le abrimos la puerta de nuestro corazón a Jesús con un aprecio agradecido de su amor, y le decimos: "Entra", el Invitado celestial estará con nosotros. Amar a Jesús significa amar a quienes Jesús ama.— *Signs of the Times*, 22 de septiembre de 1890.

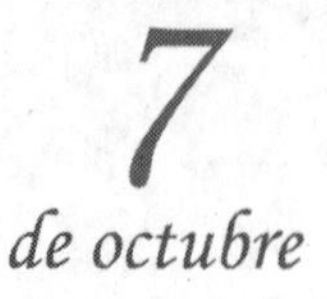

7
de octubre

Como Cristo

Por medio de las cuales nos ha dado preciosas y grandísimas promesas, para que por ellas llegaseis a ser participantes de la naturaleza divina. 2 Pedro 1:4.

Cristo es una fuente abierta, una fuente inagotable de la cual todos pueden beber vez tras vez, y siempre encontrar agua fresca. Pero solo irán a él los que respondan a la atracción de su amor. Nadie se alimentará del pan de vida que bajó del cielo, nadie beberá del agua de vida que fluye del trono de Dios, excepto los que cedan a los ruegos del Espíritu. Dado que Dios ha dado los tesoros del cielo en el don de su Hijo unigénito, ¿cómo escapará el pecador que descuida una salvación tan grande y menosprecia la gran provisión de Dios? La justicia de Dios se manifiesta en la condenación de todos los que se mantienen impenitentes e incrédulos hasta el final. No habrá excusa para el pecador que voluntariamente rechaza y descuida una salvación tan grande.

El don de la vida nos ha sido ofrecido libre, amable y gozosamente a la humanidad caída. A través de Cristo podemos llegar a ser partícipes de la naturaleza divina y obtener el don de la vida eterna; porque este don ha sido provisto abundantemente para todos los que vengan y lo reciban por los medios que Dios ha señalado. Cuando Pablo contempló las maravillas de la redención y la necedad de los que no comprendieron su naturaleza, exclamó: "¡Oh gálatas insensatos! ¿Quién os fascinó para no obedecer a la verdad, a vosotros ante cuyos ojos Jesucristo fue ya presentado claramente entre vosotros como crucificado?" (Gál. 3:1).

Quienes perseveran en el conocimiento del Señor saben que sus salidas son como la llegada de la mañana, y todos los que reciben las prendas preciosas de la verdad se apresurarán a impartir el conocimiento de sus riquezas en Cristo a los que los rodean. Cuando las personas responden a la atracción de Cristo y ven a Jesús como el Rey que sufrió en la cruz del Calvario, se unen con Cristo, se convierten en los elegidos de Dios, no por sus obras sino por la gracia de Cristo; porque todas sus buenas obras son realizadas por el poder del Espíritu de Dios. Todo es de Dios, y no de ellos...

El fruto que hemos de llevar es el fruto del Espíritu... Su fruto ha de permanecer, ha de ser de un carácter que no perezca, sino que se reproduzca según su género en una cosecha de precioso valor.— *Signs of the Times*, 2 de mayo de 1892.

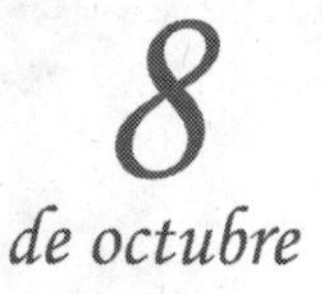

Una nueva creación

Porque en Cristo Jesús ni la circuncisión vale nada, ni la incircuncisión, sino una nueva creación. Gálatas 6:15.

Solo la gracia de Jesucristo puede cambiar el corazón de piedra por un corazón de carne y darle vida para Dios. Los hombres y las mujeres pueden realizar grandes obras a la vista del mundo; pueden tener muchos logros de un elevado nivel a la vista de otros, pero todo el talento, toda la destreza, toda la habilidad del mundo, no podrá transformar el carácter y hacer que un hijo degenerado por el pecado se torne en un hijo de Dios, un heredero del cielo. No tenemos poder para justificar el alma, para santificar el corazón...

¡Cómo amplía y exalta nuestra idea del amor de Dios la maravillosa provisión del plan de Dios para la salvación de la humanidad! ¡Cómo vincula nuestro corazón al gran corazón de amor infinito! ¡Cómo nos hace deleitarnos en su servicio, cuando nuestro corazón responde a la atracción de su amante bondad y su tierna misericordia!...

Esta es la obra que está ante nosotros. Hemos de tener la fe que obra por el amor y purifica el alma. Por medio de la fe nuestra vida ha de esconderse con Cristo en Dios. Entonces seremos los ocultados de Dios; porque el mundo no discierne el valor del carácter cristiano. El mundo admira la honestidad y las manifestaciones de las virtudes y gracias del carácter cristiano; en tanto se burlan de la rectitud de conciencia del cristiano verdadero porque es un reproche para su propia vida de pecado. Las piedras vivientes que brillan en el templo espiritual del Señor son una gran molestia para Satanás, y él siempre busca apagar la luz y eclipsar el Sol de Justicia al interponer su sombra entre el alma y Dios...

Ante los seres humanos y los ángeles, se requiere que los cristianos muestren por precepto y ejemplo el valor del carácter cristiano. Quienes reciben a Cristo como su Salvador personal serán capaces de hacer esto, y Cristo ha ido a preparar mansiones para ellos en el cielo. Hay algunos que declaran que todos merecen un lugar en el cielo, y en la misma frase reconocen que no son idóneos para la mansión celestial. Si todos... aceptaran la verdad tal como es en Jesús y le dieran un lugar en el santuario interior del alma, de manera que puedan ser santificados por ella, serían hechos idóneos para el cielo...

Aquellos cuyas vidas están ocultas con Cristo en Dios, que han sido vestidos con su justicia, tendrán derecho a la herencia incorruptible, sin mácula, que no se desvanece.— *Signs of the Times*, 2 de mayo de 1892.

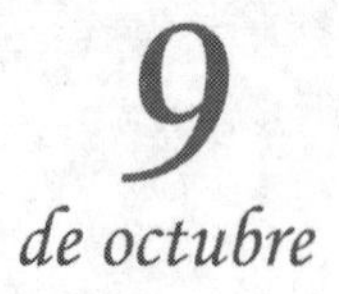

9

de octubre

El propósito de la gracia

Porque por gracia sois salvos por medio de la fe;
y esto no de vosotros, pues es don de Dios. Efesios 2:8.

El propósito y el plan de la gracia existieron desde toda la eternidad. De acuerdo con el determinado consejo de Dios, el hombre debía ser creado, dotado con la facultad de cumplir la voluntad divina. Pero el extravío del hombre, con todas sus consecuencias, no estuvo oculto de la vista del Omnipotente, no obstante lo cual tal circunstancia no lo detuvo en la realización de su propósito eterno; porque el Señor quería fundar su trono en justicia. Dios conoce el fin desde el principio. "Las obras suyas estaban acabadas desde la fundación del mundo" (Heb. 4:3). Por lo tanto, la redención no fue una improvisación ulterior, un plan formulado después de la caída de Adán, sino un propósito eterno que habría de cumplirse para bendición no solo del átomo que es este mundo, sino en beneficio de todos los mundos que Dios ha creado.

La creación de los mundos, el misterio del evangelio, tienen un solo propósito, a saber, revelar a todas las inteligencias creadas, por medio de la naturaleza y de Cristo, las glorias del carácter divino. Mediante el maravilloso despliegue de su amor al dar "a su Hijo unigénito, para que todo aquel que en él cree no se pierda, mas tenga vida eterna" se revela la gloria de Dios a la humanidad perdida y a los seres inteligentes de los otros mundos. El Señor del cielo y la tierra reveló su gloria a Moisés cuando ofreció su oración a Jehová en nombre del idólatra Israel y rogó: "Te ruego que me muestres tu gloria" (Éxo. 33:18)...

Es el privilegio de todo seguidor de Cristo contemplar la gloria de Dios, entender su bondad y saber que él es un Dios de misericordia infinita y amor... Jesús vino a revelar al Padre, a dar a conocer su gloria ante la humanidad. Nadie fue excluido de los privilegios del evangelio...

El misterio del evangelio había sido hablado en el Edén cuando la pareja perdida sintió por primera vez la culpa de la transgresión, porque Dios le dijo a la serpiente: "Y pondré enemistad entre ti y la mujer, y entre tu simiente y la simiente suya; esta te herirá en la cabeza, y tú le herirás en el calcañar" (Gén. 3:15). Si Satanás hubiera podido tocar la cabeza [de la Simiente] con sus tentaciones engañosas, la familia humana se habría perdido, pero el Señor había dado a conocer el propósito y plan del misterio de la gracia, porque "de tal manera amó Dios al mundo, que ha dado a su Hijo unigénito, para que todo aquel que en él cree, no se pierda, mas tenga vida eterna" (Juan 3:16).— *Signs of the Times*, 25 de abril de 1892; parcialmente en *La maravillosa gracia*, p. 129.

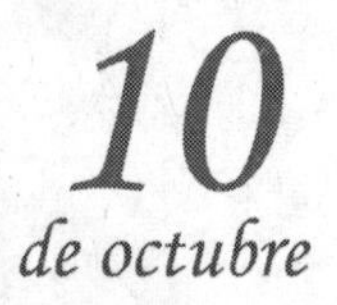

de octubre

El impacto de la verdad

Y el mismo Dios de paz os santifique por completo. 1 Tesalonicenses 5:23.

Cristo representa la verdad como un tesoro que se encuentra oculto en el campo, y debe ser buscado diligentemente por quienes desean poseerlo. En el campo de la revelación están escondidas las riquezas inescrutables de Cristo… Cada parte del campo de la revelación debe ser explorado y escudriñado diligentemente con esfuerzo perseverante, de manera que las joyas preciosas de la verdad puedan recompensar al buscador diligente y puedan ser restauradas a su estructura adecuada en el plan de redención. Dejen que el taladro se hunda profundamente en las minas de la verdad. Si usted se allega a la búsqueda en las Escrituras con contrición de alma, con un espíritu humilde y dispuesto a aprender, su búsqueda será recompensada con ricos y preciosos tesoros…

En las enseñanzas de Cristo, la doctrina del Espíritu Santo aparece con prominencia. ¡Qué tema tan vasto para contemplarlo y recibir ánimo! ¡Qué tesoros de verdad añadió al conocimiento de los discípulos su instrucción sobre el Espíritu Santo, el Consolador! [Cristo] abundó sobre este tema para consolar a sus discípulos en la gran prueba que pronto experimentarían, para animarlos en su tremendo chasco…

Y aunque Cristo destacó tanto este tema sobre el Espíritu, ¡cuán poco se medita sobre él en las iglesias! El nombre y la presencia del Espíritu Santo casi se los ignora, pero la influencia divina es esencial en la obra de perfeccionar el carácter cristiano…

El Señor nos ha dado la debida orientación para que podamos conocer su voluntad… Los que son guiados por el Espíritu Santo afirman el ancla detrás del velo, donde Jesús entró por nosotros. Investigan en las Escrituras con toda seriedad, y buscan la luz y el conocimiento que puedan guiarlos en medio de las perplejidades y peligros que encuentran a cada paso…

Para el corazón sincero, contrito, la verdad es verdad; y si se le permite, santificará el alma y transformará el carácter en la imagen divina… Quienes advierten cuál es el carácter de la obra que deben hacer para representar a Cristo, caminarán con cuidado y temblor ante Dios, mirando a Jesús, quien es el Autor y Consumador de su fe. No se atreven a confiar en sí mismos, no se atreven a encender un fuego propio y a caminar entre las chispas de su propia leña, porque el Señor ha dicho que los tales se acostarán con pena. El Señor ha confiado a su pueblo los tesoros de la verdad sagrada.— *Signs of the Times*, 14 de agosto de 1893.

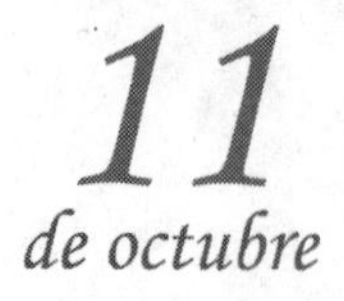

11

de octubre

Cristo a la luz de la ley

De manera que la ley a la verdad es santa, y el mandamiento santo, justo y bueno. Romanos 7:12.

Los que desean la salvación deben fijar su mente en la cruz del Calvario. Allí es donde los pecadores pueden contemplar lo que el pecado ha hecho. Allí pueden ver el sacrificio infinito que se ha hecho para redimirlos de la penalidad por haber transgedido la ley de Dios. Al advertir que están perdidos, los transgresores ven en Cristo su única esperanza de salvación. Desde la cruz aprenden preciosas lecciones preciosas de la vida... del Hijo de Dios, quien se entregó a sí mismo por nosotros. El Calvario representa los atributos incomparables del carácter divino. Al mirar a la cruz, odiarán el pecado, porque entenderán que fue el pecado el que rechazó, reprochó, negó, azotó y crucificó a la Majestad del cielo...

La cruz del Calvario cuenta cómo Cristo ha magnificado la ley y la ha honrado. Hacer expiación por los que reciben su amor y siguen sus huellas requirió los méritos infinitos de su sangre. Los pecadores pueden obtener perdón y paz únicamente a través de Aquel que nos ha amado y quien nos lavará de nuestros pecados en su propia sangre. Quienes han sido convencidos de pecado ante la ley y han ejercido arrepentimiento hacia Dios y fe hacia nuestro Señor Jesucristo, dejarán de hacer nula la ley de Dios...

Nunca podríamos haber conocido el valor de Cristo excepto mediante una comprensión de las elevadas demandas de la ley de Jehová. Nunca podríamos haber apreciado la profundidad del pozo del cual fuimos rescatados por Cristo excepto mediante una comprensión de la excelencia de los preceptos de verdad. Nunca podríamos haber entendido la profundidad del amor de Dios en Cristo Jesús sin antes haber contemplado el carácter maravilloso de la ley del cielo y la tierra. A la luz de esa ley santa, los pecadores ven al Redentor como es: lleno de misericordia, compasión, bondad y amor; y al mirar a Jesús y contemplar su amor incomparable hacia pecadores como ellos mismos, sus corazones se llenan de gratitud y paz celestial...

Aunque la ley de Dios es de un carácter santo e inmutable, el adversario de Dios y la humanidad, el primer gran rebelde que transgredió sus preceptos en el cielo, ha dirigido a hombres y mujeres en todas las edades en una guerra contra Dios... Cuando los pecadores ven que el pecado es la transgresión de la ley, y que la ley es el fundamento del gobierno de Dios en el cielo y en la tierra, se apresuran a colocar sus pies en el camino de la justicia, para poder estar sin faltas.— *Signs of the Times,* 6 de julio de 1888.

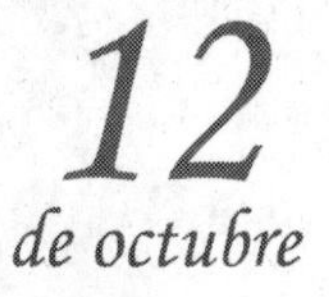

de octubre

Caminar con Cristo

Por tanto, de la manera que habéis recibido al Señor Jesucristo, andad en él.
Colosenses 2:6.

Caminen en amor, al igual que Cristo nos amó y se dio a sí mismo por nosotros como una ofrenda y sacrificio a Dios en dulce olor...

La obediencia a la ley de Dios es santificación. Hay muchos que tienen ideas erróneas con respecto a esta obra que se realiza en el alma, pero Jesús oró para que sus discípulos pudieran ser santificados por medio de la verdad y añadió: "Tu palabra es verdad" (Juan 17:17). La santificación no es una obra instantánea sino progresiva, así como la obediencia es permanente. Mientras Satanás lance sus tentaciones contra nosotros, tendremos que librar una y otra vez la batalla para vencernos a nosotros mismos; pero mediante la obediencia, la verdad santificará al alma. Los que sean leales a la verdad, vencerán por los méritos de Cristo toda debilidad de carácter que los haya inducido a recibir el molde de las diversas circunstancias de la vida.

Muchos han creído que no pueden pecar porque están santificados, pero esta es una trampa engañosa del maligno. Existe el constante peligro de que caigamos en pecado, y por eso Cristo nos ha advertido que debemos velar y orar para que no caigamos en tentación. Si somos conscientes de la debilidad de nuestro yo, no manifestaremos confianza propia ni seremos temerarios frente al peligro, sino que sentiremos la necesidad de buscar la Fuente de nuestra fortaleza, que es Jesús, nuestra justicia. Vendremos arrepentidos y contritos, con la desesperada sensación de nuestra finita debilidad, para aprender que cada día debemos requerir los méritos de la sangre de Cristo, a fin de que podamos ser vasos preparados para que el Maestro los pueda usar.

Al depender de este modo de Dios, no se nos encontrará combatiendo contra la verdad, sino que siempre estaremos en condiciones de ponernos de parte de lo recto. Debemos aferrarnos a las enseñanzas de la Biblia, y no seguir las costumbres y las tradiciones del mundo, ni los dichos ni las obras de los hombres. Cuando surjan errores y se los enseñe como la verdad de la Biblia, los que tienen una conexión con Cristo no confiarán en lo que dice el ministro, sino que como los nobles bereanos buscarán diariamente en las Escrituras para comprobar si las cosas son así. Cuando descubren cuál es la Palabra de Dios, se colocan del lado de la verdad. Escucharán la voz del Pastor verdadero diciendo: "Este es el camino, andad por él" (Isa. 30:21). Así usted aprenderá a hacer de la Biblia su consejero y a no escuchar ni seguir la voz de un extraño.— *Signs of the Times*, 19 de mayo de 1890; parcialmente en *Cada día con Dios*, p. 149.

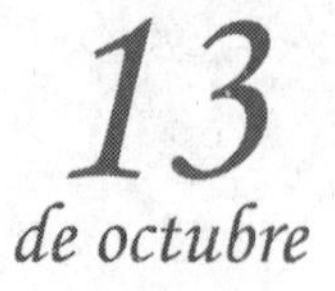

13

de octubre

Dos lecciones vitales

Juntadme mis santos, los que hicieron conmigo pacto con sacrificio.
Salmo 50:5.

Hay dos lecciones que hemos de aprender para que el alma sea purificada, ennoblecida y hecha idónea para las cortes celestiales: el sacrificio y el dominio propio. Algunos aprenden estas importantes lecciones con mayor facilidad que otros, porque se han beneficiado de la disciplina sencilla que el Señor les da con gentileza y amor. Otros requieren la disciplina lenta del sufrimiento, para que el fuego purificador purifique sus corazones del orgullo y la dependencia propia, de la pasión terrenal y el amor a sí mismos, para que el oro puro del carácter aparezca y puedan llegar a ser victoriosos por la gracia de Cristo. El amor de Dios fortalecerá el alma, y por virtud de los méritos de la sangre de Cristo, podremos permanecer incólumes dentro del fuego de la tentación y la prueba; pero ningún otro ayudador puede salvar sino Cristo, nuestra justicia, quien por nosotros es hecho sabiduría y santificación y redención.

La verdadera santificación no es más ni menos que amar a Dios de todo corazón, andar en sus mandamientos y ordenanzas sin culpa. La santificación no es una emoción, sino un principio nacido del cielo que subyuga todas las pasiones y deseos al control del Espíritu de Dios; y esta obra es hecha por medio de nuestro Señor y Salvador.

La santificación espuria no glorifica a Dios, sino que conduce a los que la reclaman a exaltarse y glorificarse a sí mismos. Sea lo que fuere que experimentemos, ya sea que nos produzca alegría o tristeza, si no refleja a Cristo ni lo señala a él como su autor… no es una experiencia cristiana genuina.

Cuando la gracia de Cristo es implantada en el alma por el Espíritu Santo, su posesor se tornará humilde en espíritu y buscará la sociedad de aquellos cuya conversación gira en torno a temas celestiales. Entonces el Espíritu tomará lo de Cristo y nos lo mostrará, y no glorificará al receptor sino al Dador. Por lo tanto, si usted tiene la paz sagrada de Cristo en su corazón, sus labios se llenarán de alabanza y acción de gracias a Dios. El tema de sus pensamientos o conversación no será sus oraciones, el desempeño de sus deberes, su benevolencia, su negación propia, sino que magnificará a Aquel que se entregó a sí mismo por usted cuando todavía era un pecador. Usted dirá: "Me entrego a Jesús. He encontrado a Aquel de quien escribieron Moisés y los profetas en la ley". Al alabarlo, usted tendrá una bendición preciosa, y toda la alabanza y gloria por lo que logren sus esfuerzos serán devueltas a Dios.— *Signs of the Times*, 19 de mayo de 1890.

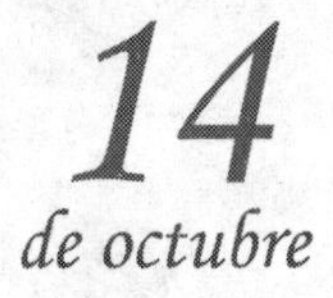

¿Desea tener paz?

Considera al íntegro, y mira al justo; porque hay un final dichoso para el hombre de paz. Salmo 37:37.

La paz de Cristo no es un elemento turbulento e ingobernable que se manifieste en voces estentóreas y ejercicios corporales. La paz de Cristo es una paz inteligente, y no induce a quienes la poseen a llevar las señales del fanatismo y la extravagancia. No es un impulso errático sino una emanación de Dios.

Cuando el Salvador imparte su paz al alma, el corazón está en perfecta armonía con la Palabra de Dios, porque el Espíritu y la Palabra concuerdan. El Señor cumple su Palabra en todas sus relaciones con los hombres. Es su propia voluntad, su propia voz, revelada a los hombres, y él no tiene una nueva voluntad, ni una nueva verdad, aparte de su Palabra, para manifestar a sus hijos. Si tienen una maravillosa experiencia que no está en armonía con expresas instrucciones de la Palabra de Dios, bien harían en dudar de ella, porque su origen no es de lo alto. La paz de Cristo viene por medio del conocimiento de Jesús, a quien la Biblia revela.

Si la felicidad proviene de fuentes ajenas y no del Manantial divino, será tan variable como cambiantes son las circunstancias; pero la paz de Cristo es constante y permanente. No depende de circunstancia alguna de la vida, ni de la cantidad de bienes mundanales, ni del número de amigos terrenales. Cristo es la fuente de aguas vivas, y la felicidad y la paz que provienen de él nunca faltarán, porque él es un manantial de vida. Los que confían en él pueden decir: "Dios es nuestro amparo y fortaleza, nuestro pronto auxilio en las tribulaciones" (Sal. 46:1)…

Tenemos motivos de incesante gratitud a Dios porque Cristo, por su perfecta obediencia, reconquistó el cielo que Adán perdió por su desobediencia. Adán pecó, y los descendientes de Adán comparten su culpa y las consecuencias; pero Jesús cargó con la culpa de Adán, y todos los descendientes de Adán que se refugien en Cristo, el segundo Adán, pueden escapar de la penalidad de la transgresión. Jesús reconquistó el cielo para el hombre soportando la prueba que Adán no pudo resistir; porque él obedeció la ley a la perfección, y todos los que tengan una concepción correcta del plan de redención comprenderán que no pueden ser salvos mientras estén transgrediendo los sagrados preceptos de Dios. Deben dejar de transgredir la ley y deben aferrarse a las promesas de Dios que están a nuestra disposición por medio de los méritos de Cristo.

Nuestra fe no debe apoyarse en la capacidad de los hombres sino en el poder de Dios… Cristo debe ser nuestra fortaleza y nuestro refugio… La religión pura y viva consiste en la obediencia a toda palabra que sale de la boca de Dios.— *Signs of the Times*, 19 de mayo de 1890; también se encuentra en *Fe y obras*, pp. 90-92.

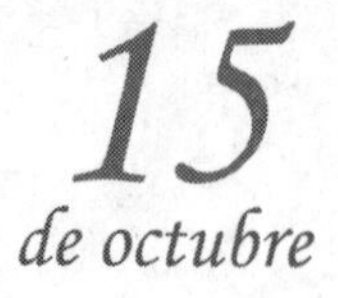

15

de octubre

Cómo funciona la fe

Pero sin fe es imposible agradar a Dios; porque es necesario que el que se acerca a Dios crea que le hay, y que es galardonador de los que le buscan.
Hebreos 11:6.

Cuando por el arrepentimiento y la fe aceptamos a Cristo como nuestro Salvador, el Señor perdona nuestros pecados y nos libra de la penalidad prescrita para la transgresión de la ley. El pecador aparece delante de Dios como una persona justa; goza del favor del cielo, y por el Espíritu tiene comunión con el Padre y con el Hijo. Sin embargo, todavía hay otra obra que se debe hacer, y esta es de naturaleza progresiva. El alma debe ser santificada por la verdad. Y esto también se logra por fe, pues es solamente por la gracia de Cristo, la cual recibimos por la fe, como el carácter puede ser transformado.

Es importante que entendamos claramente la naturaleza de la fe. Hay muchos que creen que Cristo es el Salvador del mundo, que el evangelio es real y que revela el plan de salvación, y sin embargo no poseen fe salvadora. Están intelectualmente convencidos de la verdad, pero esto no es suficiente; para ser justificado, el pecador debe tener esa fe que se apropia de los méritos de Cristo para su propia alma. Leemos que los demonios "creen y tiemblan" (Sant. 2:19), pero su creencia no les proporciona justificación, ni tampoco la creencia de los que asienten en forma meramente intelectual a las verdades de la Biblia les traerá los beneficios de la salvación. Esa creencia no alcanza el punto vital, porque la verdad no compromete el corazón ni transforma el carácter.

En la fe genuina y salvadora hay confianza en Dios por creer en el gran sacrificio expiatorio hecho por el Hijo de Dios en el Calvario. En Cristo, el creyente justificado contempla su única esperanza y su único Libertador. Puede existir una creencia sin confianza, pero la confianza no puede existir sin fe. Todo pecador que ha llegado al conocimiento del poder salvador de Cristo manifestará esta confianza en grado creciente a medida que avanza en experiencia.

Las palabras del apóstol arrojan luz sobre lo que constituye una fe genuina. Dice: "Si confesares con tu boca que Jesús es el Señor, y creyeres en tu corazón que Dios le levantó de los muertos, serás salvo. Porque con el corazón se cree para justicia, pero con la boca se confiesa para salvación" (Rom. 10:9, 10). Creer con el corazón es más que convicción, más que asentir a la verdad. Esta fe es sincera, fervorosa e involucra los afectos del alma; es la fe que obra por el amor y purifica el alma.— *Signs of the Times*, 3 de noviembre de 1890; parcialmente en *Mensajes selectos*, tomo 3, pp. 217, 218.

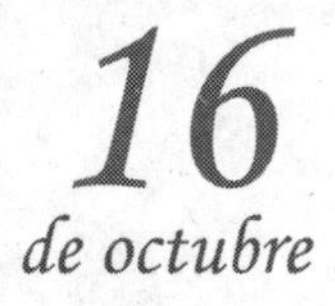

Sea honesto con Dios

Porque Dios traerá toda obra a juicio, juntamente con toda cosa encubierta, sea buena o sea mala. Eclesiastés 12:14.

Dios revela a Cristo a los pecadores, y ellos lo contemplan mientras muere en el Calvario por el pecado de sus criaturas. Entonces entienden cómo son condenados por la ley de Dios, porque el Espíritu obra sobre sus conciencias y hace cumplir las demandas de la ley quebrantada. Se les da la oportunidad de desafiar la ley, de rechazar al Salvador, o de ceder a sus exigencias y recibir a Cristo como su Redentor. Dios no forzará el servicio de los pecadores, pero les revela su obligación, despliega ante ellos los requisitos de su santa ley y coloca ante ellos el resultado de su elección: obedecer y vivir, o desobedecer y perecer.

El mandamiento desde el cielo es: "Amarás al Señor tu Dios con todo tu corazón, y con toda tu alma, y con todas tus fuerzas, y con toda tu mente; y a tu prójimo como a ti mismo" (Luc. 10:27). Cuando se entiende la fuerza de este requisito, la conciencia es convertida y el pecador es condenado. La mente carnal, que no se sujeta a la ley de Dios, ni puede someterse, se alza en rebelión contra las santas demandas de la ley. Pero en tanto los pecadores contemplan a Cristo colgando sobre la cruz del Calvario, sufriendo por su transgresión, una convicción más profunda se apodera de ellos y captan algo de la naturaleza ofensiva del pecado.

Donde existe un concepto verdadero de la espiritualidad y la santidad de la ley divina, los pecadores quedan bajo condenación y sus pecados quedan desplegados ante ellos en su carácter genuino. Por la ley viene el conocimiento del pecado, y gracias a su luz entienden la maldad de los pensamientos secretos y las obras de las tinieblas...

El carácter es probado y constatado por el cielo más por el espíritu interior, los motivos ocultos, que por lo que los demás ven. La gente puede ostentar un exterior agradable y parecer excelente desde afuera, mientras no son más que sepulcros blanqueados, llenos de corrupción y suciedad. Sus obras son registradas como no santificadas e impuras. Sus oraciones y obras, desprovistas de la justicia de Cristo, no ascienden a Dios como dulce fragancia sino que son abominación ante los ojos del Señor. A los que abren sus ojos, la ley les presenta una imagen perfecta del alma, una fotografía completa del ser interior; y a medida que este cuadro se revela ante los pecadores, son impulsados a reconocer que ellos se han vendido al pecado, pero que la ley es santa, justa y buena.—*Signs of the Times*, 3 de noviembre de 1890.

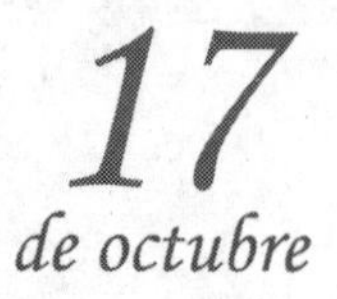

17

de octubre

Guiados por el Espíritu Santo

Y reposará sobre él el Espíritu de Jehová; espíritu de sabiduría y de inteligencia, espíritu de consejo y de poder, espíritu de conocimiento y de temor de Jehová.
Isaías 11:2.

Si vivimos por el Espíritu, andemos también por el Espíritu" (Gál. 5:25)... No podemos discernir espiritualmente el carácter de Dios ni aceptar a Jesús por la fe a menos que nuestra vida y carácter sean marcados por la pureza, por el abandono de "argumentos y toda altivez que se levanta contra el conocimiento de Dios, y llevando cautivo todo pensamiento a la obediencia a Cristo" (2 Cor. 10:5)...

El Señor está más dispuesto a impartir el Espíritu Santo a quienes lo desean fervientemente que los padres terrenales están dispuestos a dar buenos regalos a sus hijos. Cristo ha prometido el Espíritu Santo para guiarnos a toda verdad y justicia y santidad. El Espíritu Santo no se da por medida a los que lo buscan fervientemente, quienes se aferran a las promesas de Dios por la fe. Reclaman la palabra comprometida de Dios y dicen: "Tú lo has prometido. Te tomo la palabra".

El Consolador es dado para que tome de las cosas de Cristo y nos las muestre a nosotros, para que presente en su rica certeza las palabras que salieron de sus labios y las exprese con vivo poder al alma que obedece, que se ha vaciado del yo. Entonces el alma recibe la imagen y confirmación de lo divino. Entonces Jesucristo se forma en el interior, la esperanza de gloria...

El alimento es la sustancia que ingerimos para que nuestros cuerpos se fortalezcan y edifiquen. De igual manera hemos de alimentarnos de aquello que edificará nuestra naturaleza espiritual. Jesús dijo: "El espíritu es el que da vida; la carne para nada aprovecha; las palabras que yo os he hablado son espíritu y son vida" (Juan 6:63). Nuestros cuerpos están compuestos de aquello con lo cual nos alimentamos; de igual manera nuestra vida espiritual será el producto de aquello con lo cual nos alimentamos. Si nos alimentamos de Cristo, al pensar en él, al obedecer sus palabras, crecemos en él en gracia y en el conocimiento de la verdad hasta llegar a la plena estatura de hombres y mujeres en Cristo Jesús...

A medida que Dios obra en nosotros el querer, hemos de cooperar con él al manifestar una determinación como la de Daniel para hacer la voluntad de Dios y obrar en armonía con el Agente divino. Entonces tendremos reposo en Dios.—*Signs of the Times*, 25 de diciembre de 1893.

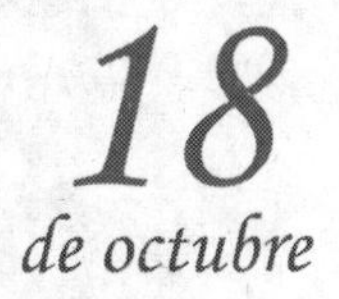

de octubre

La evidencia de la obra del Espíritu

Crea en mí, oh Dios, un corazón limpio, y renueva un espíritu recto dentro de mí. Salmo 51:10.

El Espíritu Santo es un agente libre, activo e independiente. El Dios del cielo usa su Espíritu Santo como le place; y las mentes humanas, el juicio humano y los métodos humanos no pueden poner límites a su actuación, ni prescribir el canal mediante el cual ha de actuar, como tampoco es posible ordenarle al viento: "Te pido que soples en cierta dirección, y que te conduzcas de tal o cual manera". Como el viento sopla con fuerza, y a su paso dobla y quiebra grandes árboles, así el Espíritu Santo influye sobre los corazones humanos, y ningún hombre finito puede limitar su obra…

La fuente del corazón ha de ser purificada antes de que las corrientes puedan ser puras. No hay seguridad para quien apenas tiene una religión legalista, una apariencia de piedad. La vida del cristiano no es una modificación o mejora de la vida pasada, sino una transformación de la naturaleza. Hay una muerte al pecado y al yo, y una vida totalmente nueva. Este cambio solo puede producirse por la obra efectiva del Espíritu Santo…

El Espíritu de Dios se manifiesta de maneras diferentes según el individuo. Algunos, movidos por este poder, temblarán ante la Palabra de Dios. Sus convicciones son tan profundas que su corazón se conmueve con un tumulto de sensaciones, y todo su ser se postra bajo el poder de convicción de la verdad…

Otros son traídos a Jesús de una manera más suave. Los hombres y mujeres que estaban muertos en transgresiones y pecados son convencidos y convertidos bajo la obra del Espíritu. Los insensibles y libertinos se tornan serios. Los endurecidos se arrepienten de sus pecados, y los incrédulos creen. El jugador se torna estable; el borracho, sobrio; el licencioso, puro. El rebelde y obstinado es ahora manso y semejante a Cristo…

El Espíritu Santo se mueve en el ser interior hasta que [la persona] toma conciencia del poder de Dios, y toda facultad espiritual es avivada para la acción decidida. Se efectúa una obra profunda y concienzuda en el alma, algo que el mundo no puede ver…

Los que aman a Dios de verdad tienen la evidencia interna de que son amados por Dios. Tienen comunión con Cristo, y sus corazones son enternecidos por un amor ferviente hacia él. Dios los reclama para él y les impartirá favores especiales, que los habilitan para estar completos en Cristo, más que vencedores por medio de Aquel que los ama.— *Signs of the Times*, 8 de marzo de 1910; parcialmente en *Recibiréis poder*, p. 325.

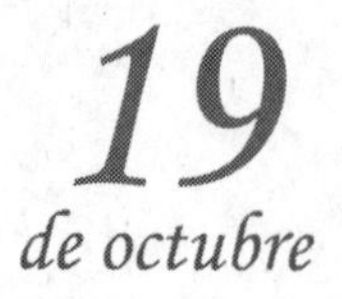

19

de octubre

Luces que brillan en las tinieblas

Porque todos vosotros sois hijos de luz e hijos del día. 1 Tesalonicenses 5:5.

Recibiréis poder, cuando haya venido sobre vosotros el Espíritu Santo" (Hech. 1:8)...

Dios no ha descuidado nada que de alguna manera pueda contribuir a la recuperación de los pecadores de los ataques del enemigo. Derramó el Espíritu Santo sobre los discípulos para que pudieran ser habilitados para cooperar con las agencias divinas en la reestructuración y remodelación del carácter humano...

Hay más gozo en el cielo por un pecador que se arrepiente que por los noventa y nueve que no necesitan arrepentimiento. Cuando escuchemos del éxito que tuvo la proclamación del mensaje en cualquier lugar, toda la iglesia debería expresar su regocijo mediante himnos de alabanza y oraciones elevadas a Dios. Que el nombre del Señor sea glorificado por nosotros...

La consagración entera al servicio de Dios revelará la influencia modeladora del Espíritu Santo a cada paso del camino. Cuando surjan en su senda obstáculos aparentemente insalvables, presente la eficiencia completa, siempre disponible del Espíritu Santo ante su corazón incrédulo, de manera que su falta de fe sea reprendida. Cuando su fe sea débil; sus esfuerzos, frágiles, hable del gran Consolador, la Fortaleza del cielo. Cuando se sienta tentado a dudar de que Dios esté obrando por medio de su Santo Espíritu a través de agentes humanos, recuerde que Dios ha utilizado a la iglesia y la está utilizando para la gloria de su propio nombre. Si no obstruimos el camino, Dios moverá la mente de muchos más para que se ocupen en el servicio activo...

El fin de todas las cosas se encuentra a la mano. Dios se está moviendo en cada mente dispuesta a recibir las impresiones de su Santo Espíritu. Está enviando mensajeros, para que den la advertencia en todo lugar. Dios está probando la devoción de sus iglesias y su disposición a rendir obediencia a la conducción del Espíritu. El conocimiento ha de aumentar. Los mensajeros del cielo correrán de aquí para allá, buscando advertir a la gente del juicio venidero por todos los medios posibles, y presentando las buenas nuevas de salvación por medio de nuestro Señor Jesucristo. La norma de justicia debe ser exaltada. El Espíritu de Dios está actuando en los corazones pecaminosos, y los que responden a su influencia se convertirán en luces del mundo. Se los ve saliendo por todas partes para comunicarles a otros la luz que han recibido, como también sucedió después del descenso del Espíritu Santo en el día de Pentecostés. A medida que su luz brilla, reciben cada vez más del poder del Espíritu. La tierra se ilumina con la gloria de Dios.—*Review and Herald*, 16 de julio de 1895.

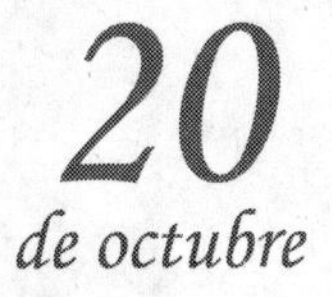

Dones del Espíritu

No quiero, hermanos, que ignoréis acerca de los dones espirituales.
1 Corintios 12:1.

Antes de dejar a sus discípulos, Cristo "sopló, y les dijo: Recibid el Espíritu Santo" (Juan 20:22). Otra vez dijo: "He aquí, yo enviaré la promesa de mi Padre sobre vosotros" (Luc. 24:49). Sin embargo, este don no fue recibido en su plenitud hasta después de la ascensión. No fue recibido el derramamiento del Espíritu hasta que, mediante la fe y la oración, los discípulos se rindieron plenamente a su influencia...

"Subiendo a lo alto, llevó cautiva la cautividad, y dio dones a los hombres" (Efe. 4:8)... Los dones ya son nuestros en Cristo, pero su posesión real depende de nuestra recepción del Espíritu de Dios.

Los talentos que Cristo confía a su iglesia representan especialmente las bendiciones y los dones impartidos por el Espíritu Santo... No se imparten todos los dones a cada creyente, pero se promete algún don del Espíritu a cada siervo del Maestro, según la necesidad que cada uno tenga para la obra del Señor.

En todos los arreglos de Dios, no hay nada más hermoso que su plan de darles una diversidad de dones a hombres y mujeres... Muchos solo han recibido una capacitación religiosa e intelectual limitada, pero Dios tiene una tarea para ellos si trabajan con humildad y confían en él...

Se imparten dones diferentes a personas diferentes, para que los obreros sientan necesidad unos de otros. Dios concede estos dones, y son empleados en su servicio, no para glorificar al poseedor, no para elevar a los seres humanos, sino para exaltar al Redentor del mundo...

Puede parecer a algunos que el contraste entre sus dones y los dones de un colega es muy grande como para que puedan unirse en un esfuerzo armonioso; sin embargo, al recordar que hemos de alcanzar a personas de mentalidad diferente y que algunos rechazarán la verdad presentada por un obrero, pero abrirán su corazón a la misma verdad cuando es presentada de otra manera por otro, con la ayuda de Dios se esforzarán en trabajar unidos. Que todos sus talentos, por diversos que sean, puedan estar bajo el control del mismo Espíritu. En cada palabra y acción se revelarán bondad y amor; y a medida que los obreros ocupen fielmente sus lugares señalados, la oración de Cristo por la unidad de sus seguidores será contestada, y el mundo sabrá que estos son sus discípulos.— *Signs of the Times*, 15 de marzo de 1910.

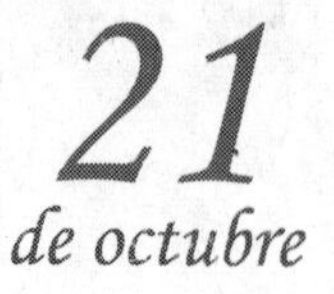

21

de octubre

Pentecostés

Cuando llegó el día de Pentecostés, estaban todos unánimes juntos... Y fueron todos llenos del Espíritu Santo. Hechos 2:1-4.

Durante el sistema judío, la influencia del Espíritu de Dios se había visto de una manera destacada, pero no en su plenitud. Durante siglos se habían ofrecido oraciones por el cumplimiento de la promesa de Dios de impartir su Espíritu, y ninguna de estas súplicas fervientes había sido olvidada.

Cristo decidió que cuando ascendiera de esta tierra, concedería un don a los que creyeron en él y a los que creerían en él. ¿Qué don suficientemente rico podía conceder que señalara y representara su ascensión al trono de mediación? Debía ser digno de su grandeza y su realeza. Decidió concedernos su representante, la tercera Persona de la Deidad. Este don no podía ser superado...

El Espíritu había estado esperando por la crucifixión, la resurrección y la ascensión de Cristo. Durante diez días los discípulos ofrecieron sus peticiones por el derramamiento del Espíritu, y Cristo en el cielo añadió su intercesión...

El Espíritu fue dado tal como Cristo había prometido, y cayó como un poderoso viento sobre los reunidos, y llenó toda la casa. Vino con plenitud y poder, como si hubiera sido retenido durante largas edades...

En el día de Pentecostés, los testigos de Cristo proclamaron la verdad, contándoles a otros las maravillosas nuevas de la salvación a través de Cristo. Y como una flameante espada de dos filos, la verdad centelleó y produjo convicción en los corazones humanos. La gente quedó bajo el control de Cristo. Las buenas nuevas fueron llevadas hasta los confines del mundo habitado. La iglesia vio cómo se le unían conversos de todas partes. Fue reparado el altar de la cruz, que santifica el don. Los creyentes se convirtieron nuevamente. Los pecadores se unieron con los cristianos para buscar la perla de gran precio. Se cumplió la profecía: "El que entre ellos fuere débil, en aquel tiempo será como David; y la casa de David como... el ángel de Jehová" (Zac. 12:8). Cada cristiano veía en su hermano la estampa divina de la benevolencia y el amor. Un solo interés prevalecía. Un tema dominaba todos los demás. Cada pulso latía en saludable concierto. La única ambición de los creyentes era ver quiénes podían revelar más perfectamente la semejanza del carácter de Cristo, quiénes podían hacer más para el engrandecimiento de su reino... El Espíritu de Cristo animaba a toda la congregación, porque habían encontrado la perla de gran precio.— *Signs of the Times*, 1 de diciembre de 1898.

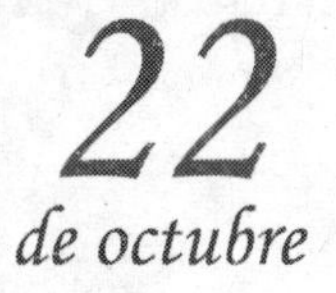

de octubre

Los frutos del Pentecostés

Entonces viendo el denuedo de Pedro y de Juan... reconocían que habían estado con Jesús. Hechos 4:13.

Después de la crucifixión de Cristo, los discípulos formaban un grupo desvalido y desanimado, como ovejas sin pastor. Su Maestro había sido rechazado, condenado y clavado en la ignominiosa cruz. Los sacerdotes y gobernantes judíos habían declarado burlonamente: "A otros salvó, a sí mismo no se puede salvar" (Mat. 27:42)...

Pero la cruz, ese instrumento de vergüenza y tortura, trajo esperanza y salvación al mundo. Los discípulos se reanimaron, los abandonó su desesperanza e impotencia. Sus caracteres fueron transformados y los lazos de amor cristiano unieron al grupo. Eran hombres humildes, sin riquezas, sin armas fuera de la Palabra y el Espíritu de Dios, y considerados por los judíos como simples pescadores; sin embargo, salieron con la fuerza de Cristo a testificar de la verdad y a triunfar sobre toda oposición. Vestidos con la armadura divina, empezaron a contar la maravillosa historia del pesebre y de la cruz. Sin honores ni reconocimiento humanos, fueron héroes de la fe. De sus labios brotaron palabras de elocuencia divina que sacudieron al mundo.

Los que habían rechazado y crucificado al Salvador y esperaban ver a los discípulos desanimados y abatidos, listos a renunciar al Señor, oyeron con asombro el testimonio claro y denodado de los apóstoles, proclamado bajo el poder del Espíritu Santo. Los discípulos trabajaron y hablaron como su Maestro había trabajado y hablado, y todos los que los oían, decían: "Han estado con Jesús, y han aprendido de él".

Cuando los apóstoles salieron por todas partes a predicar de Jesús, hicieron muchas cosas que los gobernantes judíos no aprobaron. La gente sacaba a la calle a sus enfermos y a los perturbados por espíritus inmundos; se reunían multitudes a su alrededor, y los que habían sido sanados voceaban sus alabanzas a Dios y glorificaban el nombre de Aquel a quien los judíos habían condenado, coronado de espinas, y habían azotado y crucificado. Jesús ahora era exaltado por encima del sacerdote y del gobernante, y había peligro de que las doctrinas de los rabinos se desprestigiaran, porque los apóstoles incluso declaraban que Cristo había resucitado de los muertos...

"Y todos los días, en el templo y por las casas, no cesaban de enseñar y predicar a Jesucristo" (Hech. 5:42). "Y el Señor añadía cada día a la iglesia los que habían de ser salvos" (Hech. 2:47).— *Signs of the Times,* 20 de septiembre de 1899; parcialmente en *Recibiréis poder*, p. 277.

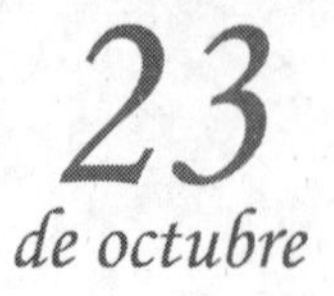

23

de octubre

Orar por el Espíritu de Dios

¿Cuánto más vuestro Padre celestial dará el Espíritu Santo a los que se lo pidan? Lucas 11:13.

La promesa del Espíritu Santo era la esperanza más brillante y el consuelo más poderoso que Cristo podía dejarles a sus discípulos cuando ascendió al cielo. Las verdades de la Palabra de Dios habían sido enterradas bajo los escombros de la interpretación equivocada; las máximas humanas, las declaraciones de seres finitos, habían sido exaltadas por encima de la Palabra del Dios vivo. Bajo el poder iluminador del Espíritu Santo, los apóstoles separaron la verdad de las teorías falsas y le dieron al pueblo la Palabra de vida...

El Espíritu de Dios inspiró a sus siervos, quienes, sin tomar en cuenta el temor o el favor de otros, declararon las verdades que les habían sido encomendadas. Y bajo la demostración del poder del Espíritu, los judíos no podían hacer otra cosa sino admitir su culpa por haber rechazado las evidencias que Dios les había enviado. Pero no cedieron en su malvada resistencia...

Debemos orar para que se nos imparta el divino Espíritu, que es el único remedio para la enfermedad del pecado. Las verdades de la revelación, sencillas y fáciles de entender, son aceptadas por muchos como algo que satisface lo que es básico y esencial para la vida. Pero cuando el Espíritu Santo actúa sobre la mente, despierta el deseo más intenso por la verdad incorrupta. El que realmente desea conocerla no permanecerá en la ignorancia, ya que la preciosa verdad recompensa al que la busca con diligencia. Necesitamos sentir el poder de conversión de la gracia de Dios. Insto a todos los que se distanciaron de su Espíritu a que abran la puerta de sus corazones y supliquen con fervor: "Habita en mí"...

El Señor desea que cada uno de sus hijos sea rico en esa fe que es fruto de la operación del Espíritu Santo en la mente. Habita en cada creyente que desea recibirlo...

El Espíritu Santo jamás deja sin asistencia al que contempla a Jesús. Al que lo busca, le muestra las cosas que son de Cristo. Si sus ojos permanecen fijos en Jesús, la obra del Espíritu Santo no cesa hasta que el creyente es conformado a la imagen del Maestro. En virtud de la bendita influencia del Consolador, los propósitos y el espíritu del pecador cambian hasta llegar a ser uno con Dios. Sus afectos por él aumentan, tiene hambre y sed de su justicia, y, al contemplar a Cristo, es transformado de gloria en gloria y de un carácter a otro mejor, hasta ser más y más semejante al Maestro.— *Signs of the Times*, 27 de septiembre de 1899; parcialmente en *Recibiréis poder*, p. 61.

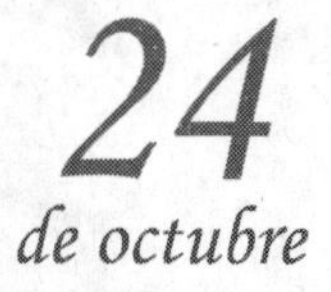

de octubre

La prueba venidera

Estad, pues, firmes, ceñidos vuestros lomos con la verdad. Efesios 6:14.

Dios ha hecho una provisión completa en las Escrituras para equiparnos contra el engaño, y no tendremos excusa si, por descuido de la Palabra de Dios, somos incapaces de resistir los engaños del malvado. Necesitamos velar en oración. Necesitamos escudriñar diariamente las Escrituras con diligencia, para no ser entrampados por algún error engañoso que parezca verdad...

Juan escribe acerca de escenas relacionadas con nuestro tiempo. Dice: "Y el templo de Dios fue abierto en el cielo, y el arca de su pacto se veía en el templo" (Apoc. 11:19). Esa arca contiene las tablas en las cuales la ley de Dios está grabada. En la isla de Patmos, Juan contempló en visión profética al pueblo de Dios, y vio que en este tiempo la atención de los seguidores leales y verdaderos de Cristo sería atraída hacia la puerta abierta del Lugar Santísimo en el Santuario celestial. Vio que por la fe seguirían a Jesús hasta dentro del velo donde ministra sobre el arca que contiene la ley inmutable de Dios. El profeta describió a los fieles diciendo: "Aquí está la paciencia de los santos, los que guardan los mandamientos de Dios y la fe de Jesús" (Apoc. 14:12). Este es el grupo que provoca la ira del dragón porque obedecen a Dios...

Los vientos de doctrina soplarán fieramente a nuestro alrededor, pero no seremos conmovidos. Dios nos ha dado una norma correcta de justicia y verdad: la ley y el testimonio. Hay muchos que profesan amar a Dios, pero cuando se abren las Escrituras ante ellos y se presentan evidencias que muestran los requisitos obligatorios de la ley de Dios, manifiestan el espíritu del dragón. Detestan la luz y no se acercan a ella, para que sus acciones no sean reprobadas. No comparan su fe y doctrina con la ley y el testimonio. Apartan sus oídos para no escuchar la verdad, e impacientemente declaran que todo lo que desean escuchar es acerca de la fe en Cristo... Se rehúsan a reconocer el cuarto mandamiento, que requiere que santifiquemos el día sábado. Declaran que el Señor les ha instruido que no tienen que observar el sábado de su ley.

La ley de Dios declara: "El que dice: Yo le conozco, y no guarda sus mandamientos, el tal es mentiroso, y la verdad no está en él" (1 Juan 2:4)... Nuestra obra es la de sostener la ley de Dios; porque Cristo dijo: "Bienaventurados los que guardan sus mandamientos, para que su potencia sea en el árbol de la vida, y que entren por las puertas en la ciudad" (Apoc. 22:14, RVA).— *Signs of the Times*, 22 de abril de 1889.

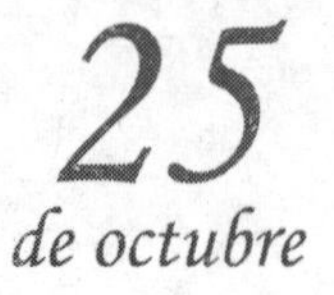

25 de octubre

Engaños en los últimos días

Pero el Espíritu dice claramente que en los postreros tiempos algunos apostatarán de la fe, escuchando a espíritus engañadores y a doctrinas de demonios. 1 Timoteo 4:1.

Previo a las últimas etapas de la obra de la apostasía habrá una confusión de la fe. No habrá ideas claras y definidas acerca del misterio de Dios. Una verdad tras otra será corrompida... Hay muchos que niegan la preexistencia de Cristo y por lo tanto niegan su divinidad; no lo aceptan como Salvador personal. Esto es una negación total de Cristo. Él era el Hijo unigénito de Dios, quien era uno con el Padre desde el mismo comienzo. Los mundos fueron hechos por él.

Al negar la encarnación milagrosa de Cristo, muchos se apartan de otras verdades de origen celestial y aceptan fábulas de invención satánica. Pierden el discernimiento espiritual y practican lo que la obra de Satanás les trae y graba en su mente...

El espiritismo está a punto de esclavizar al mundo. Hay muchos que piensan que el espiritismo se sostiene por medio de trucos y fraude; pero esto se encuentra lejos de la verdad. Un poder sobrehumano está obrando en diversas formas, y pocos tienen idea alguna sobre cuáles serán las manifestaciones del espiritismo en el futuro. La base del éxito del espiritismo ha sido colocada sobre las declaraciones hechas en los púlpitos de nuestro país. Los ministros han proclamado falsedades originadas por el archiengañador como si fueran doctrinas bíblicas. La doctrina de la vida después de la muerte, de los espíritus de los muertos en comunión con los vivos, no tiene fundamento en las Escrituras, y no obstante se afirma que esta teoría es verdad. Por medio de esta falsa doctrina se ha abierto el camino para que los espíritus de demonios engañen a la gente haciéndose pasar por los muertos. Agentes satánicos aparecen como espíritus de muertos y así aprisionan las almas. Satanás tiene una religión; él tiene una sinagoga y adoradores devotos...

Las señales y prodigios del espiritismo se tornarán cada vez más notorios a medida que el mundo cristiano profeso rechaza la verdad revelada claramente en la Palabra de Dios, [y a medida que] se niega a ser guiado por un "así dice el Señor", y acepta en su lugar las doctrinas y los mandamientos de los hombres...

La confederación del mal no perdurará. El Señor dice: "A Jehová de los ejércitos, a él santificad; sea él vuestro temor, y él sea vuestro miedo. Entonces él será por santuario" (Isa. 8:13, 14).— *Signs of the Times*, 28 de mayo de 1894.

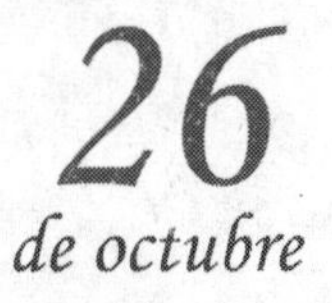

El propósito del espiritismo

Pues son espíritus de demonios, que hacen señales, y van a los reyes de la tierra en todo el mundo. Apocalipsis 16:14.

El gran poder que sostiene el espiritismo se origina en el gran jefe rebelde, Satanás, el príncipe de los demonios. En virtud de sus artificios, los ángeles malvados han podido aparecer como los espíritus de los muertos, y han conducido a hombres y mujeres a tener comunión con los demonios por medio de mentiras e hipocresía. Quienes comulgan con los susodichos espíritus de los muertos están comulgando con seres que ejercen un poder corruptivo y desmoralizador sobre la mente. Cristo ordenó que no debiéramos tener comunión con hechiceros y con los que aparecen como espíritus de familiares [fallecidos]...

El espiritismo ha ido fortaleciéndose y ganando popularidad durante años al proponer cierto tipo de fe en Cristo, y así muchos protestantes se han infatuado con este misterio de iniquidad. No es de extrañar que sean engañados cuando persisten en el error de que, tan pronto como el aliento deja el cuerpo, el espíritu se va inmediatamente al cielo o al infierno. Por medio de la influencia que esta doctrina tiene sobre ellos, se prepara el camino para la actuación engañosa del príncipe de las potestades de los aires...

A medida que el Espíritu de Dios se vaya retirando de la tierra, el poder de Satanás se manifestará cada vez más. El conocimiento que tenía por estar en conexión con Dios como querubín cubridor, lo utilizará ahora para subordinar a los ángeles que cayeron de su elevada condición. Empleará cada facultad de su exaltado intelecto para representar mal a Dios y para instigar la rebelión contra Jesucristo, el Comandante del cielo. En la sinagoga de Satanás [el maligno] reúne bajo su cetro y en sus concilios a aquellos agentes que puede utilizar para promover su propia adoración. No es extraño encontrar refinamiento y una manifestación de grandeza intelectual en la vida y carácter de los que son inspirados por los ángeles caídos. Satanás puede impartir conocimiento científico y proveerle a la gente discursos filosóficos. Conoce bien la historia y está versado en la sabiduría mundanal...

Satanás empleará sus agentes para llevar a cabo planes diabólicos para vencer a los santos de Dios... no obstante, el pueblo de Dios puede observar calmadamente todo el despliegue del mal y llegar a la feliz conclusión de que, porque Cristo vive, nosotros también viviremos... La confederación del mal finalmente será destruida.— *Signs of the Times*, 28 de mayo de 1894.

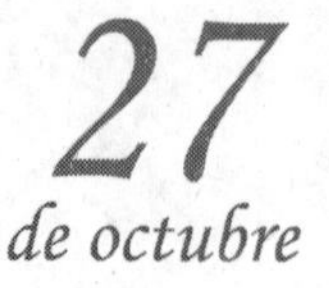

27

de octubre

Manténganse en guardia

Velad, pues, porque no sabéis a qué hora ha de venir vuestro Señor.
Mateo 24:42.

La condición actual de la sociedad es la misma que cuando Dios presentó ante Israel las abominaciones de los paganos, y se hacen necesarias las mismas advertencias para el pueblo remanente. El espiritismo está avanzando por todo el país con éxito. "Son espíritus de demonios, que hacen señales, y van a los reyes de la tierra en todo el mundo, para reunirlos a la batalla de aquel gran día del Dios Todopoderoso" (Apoc. 16:14). Hombres y mujeres buscan entre ellos los espíritus de familiares, pero el pueblo de Dios no puede en ningún sentido seguir las prácticas del mundo. Debe marcarse claramente la línea de separación entre los obedientes y los desobedientes. Debe haber una enemistad abierta y declarada entre la iglesia y la serpiente, entre la simiente de una y de la otra.

Satanás estaba determinado a mantener su control de la tierra de Canaán, y cuando [esta tierra] llegó a ser el hogar de los hijos de Israel, y la ley de Dios llegó a ser la ley del país, detestó a Israel con un odio cruel y maligno, e hizo planes para destruirlo. Se introdujeron dioses extraños por medio de espíritus malos, y por causa de su transgresión, el pueblo escogido finalmente fue esparcido desde la Tierra Prometida.

La misma experiencia se está repitiendo en la historia del pueblo de Dios...

Es hora de atender el pedido de Dios como nunca antes. "Velad y orad, para que no entréis en tentación" (Mat. 26:41). Confíe en Dios, por desconcertante que sea su situación. Busque su consejo, y no siga en pos de los que se relacionan con espíritus de "familiares" que corrompen. El que murió para redimirlo ha prometido guiarlo y vestirlo con su propia justicia, si usted aborrece el pecado y se purifica del mal lavando el manto de su carácter y blanqueándolo en la sangre del Cordero.

¡Qué amor, qué maravilloso amor el que hace que Dios soporte la perversidad de su pueblo y envíe ayuda a cada alma que desea hacer su voluntad y abandonar el pecado! Si cooperamos con los agentes del cielo, podemos salir más que vencedores. Como criaturas caídas que somos, capaces de los crímenes más espantosos, aun así podemos llegar a ser victoriosos mediante el poder de la gracia de Cristo y a tener un lugar en su reino eterno, para reinar con él para siempre.— *Signs of the Times*, 26 de agosto de 1889.

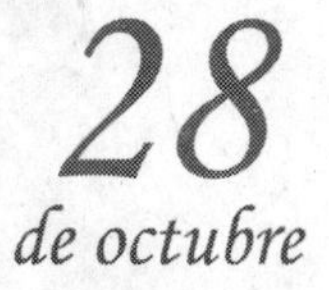

de octubre

La preparación final

Por tanto, también vosotros estad preparados; porque el Hijo del hombre vendrá a la hora que no pensáis. Mateo 24:44.

Se nos ha dado el mensaje de la pronta venida de Cristo. En la ascensión de nuestro Señor, dos ángeles se pusieron junto a los discípulos y observaron con ellos cómo el Salvador subía al cielo. Entonces se volvieron hacia los discípulos con las palabras: "Este mismo Jesús, que ha sido tomado de vosotros al cielo, así vendrá como le habéis visto ir al cielo" (Hech. 1:11)...

Solo el vestido que el propio Cristo ha provisto puede hacernos idóneos para estar en la presencia de Dios. Cristo pondrá este vestido, el manto de su propia justicia, sobre cada alma que se arrepiente y cree...

Este manto, tejido en el telar del cielo, no tiene un solo hilo de invención humana. Cristo, en su humanidad, desarrolló un carácter perfecto, y ofrece impartirnos a nosotros este carácter. "Como trapos asquerosos son todas nuestras justicias". Todo cuanto podamos hacer por nosotros mismos está manchado por el pecado...

Por su perfecta obediencia ha hecho posible que cada ser humano obedezca los mandamientos de Dios. Cuando nos sometemos a Cristo, el corazón se une con su corazón, la voluntad se fusiona con su voluntad, la mente llega a ser una con su mente, los pensamientos se sujetan a él; vivimos su vida. Esto es lo que significa estar vestidos con el manto de su justicia. Entonces, cuando el Señor nos contempla, él ve no el vestido de hojas de higuera, no la desnudez y deformidad del pecado, sino su propia ropa de justicia, que es la perfecta obediencia a la ley de Jehová...

No habrá un tiempo de gracia futuro en el cual prepararse para la eternidad. En esta vida hemos de vestirnos con el manto de la justicia de Cristo. Esta es nuestra única oportunidad de formar caracteres para el hogar que Cristo ha preparado para los que obedecen sus mandamientos.

Los días de gracia que tenemos están terminando rápidamente. El fin está cerca. Las palabras de advertencia de nuestro Señor en el Monte de los Olivos nos llegan solemnemente a través de los siglos: "Mirad también por vosotros mismos, que... venga de repente sobre vosotros aquel día... Velad, pues, en todo tiempo orando que seáis tenidos por dignos de escapar de todas estas cosas que vendrán, y de estar en pie delante del Hijo del hombre" (Luc. 21:34, 36).— *Signs of the Times*, 22 de noviembre de 1905; parcialmente en *Palabras de vida del gran Maestro,* pp. 253-260.

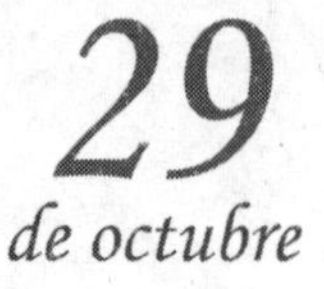

29

de octubre

La cercanía del fin

En aquel tiempo se levantará Miguel… y será tiempo de angustia, cual nunca fue desde que hubo gente hasta entonces. Daniel 12:1.

Tiempos difíciles están ante nosotros. El cumplimiento de las señales de los tiempos da evidencia de que el día del Señor está cercano. Los periódicos están llenos de indicaciones de un terrible conflicto futuro. Robos audaces ocurren con frecuencia. Las huelgas son comunes. Por todas partes se cometen hurtos y asesinatos. Hombres poseídos por los demonios quitan la vida de hombres, mujeres y niños. Todas estas cosas testifican que la venida de Cristo se halla a las puertas.

La doctrina de que los hombres y las mujeres están libres de la obediencia a los requisitos de Dios ha debilitado la fuerza de la obligación moral y abierto las compuertas de la iniquidad sobre el mundo…

Los tribunales de justicia son corruptos. Los gobernantes son motivados por un deseo de ganancia y el amor al placer sensual. La intemperancia ha nublado las facultades de muchos, de manera que Satanás tiene un control casi completo de ellos. Los expertos en la ley son pervertidos, sobornables y engañadores. Entre los que administran la ley se ven borracheras y parrandas, pasiones, envidia y deshonestidad de todo tipo. "El derecho se retiró, y la justicia se puso lejos; porque la verdad tropezó en la plaza, y la equidad no pudo venir" (Isa. 59:14). La gente se apresura en una necia carrera por las ganancias y la indulgencia egoísta como si no hubiera Dios, ni cielo, ni eternidad…

El "tiempo de angustia, cual nunca fue" pronto se cernirá sobre nosotros, y necesitaremos una experiencia [cristiana] que muchos no obtienen por ser demasiado indolentes. A menudo ocurre que la expectativa de la angustia supera la realidad, pero esto no se aplica a la crisis que se avecina. La presentación más vívida no puede describir la magnitud de esa terrible experiencia. En esa prueba todos deben sostenerse por sí solos ante Dios…

Ahora, mientras nuestro gran Sumo Sacerdote hace expiación por nosotros, debemos buscar la perfección en Cristo. Nuestro Salvador no cedió al poder de la tentación ni siquiera en pensamiento. Satanás encuentra en el corazón humano algún terreno en el que pueda sacar ventaja. Busca algún deseo pecaminoso acariciado que permita que sus tentaciones ejerzan su poder. Pero Cristo declaró sobre sí mismo: "Viene el príncipe de este mundo, y él nada tiene en mí" (Juan 14:30). Satanás no pudo encontrar nada en el Hijo de Dios que le permitiera alcanzar la victoria. Él guardó los mandamientos de su Padre, y no había pecado en él que Satanás pudiera usar para obtener ventaja alguna. Esta es la condición en la que deben encontrarse los que permanecerán firmes en el tiempo de prueba.— *Review and Herald*, 14 de marzo de 1912.

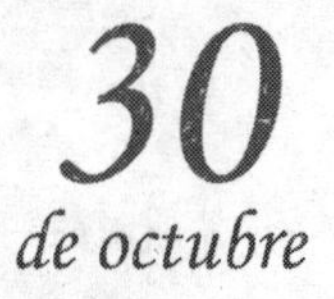

de octubre

Fijen la vista en el futuro

Enjugará Dios toda lágrima de los ojos de ellos; y ya no habrá muerte, ni habrá más llanto, ni clamor, ni dolor; porque las primeras cosas pasaron. Apocalipsis 21:4.

En los días más sombríos de su largo conflicto con el mal, le fueron dadas a la iglesia de Dios revelaciones del propósito eterno de Jehová. Se permitió a sus hijos que miraran más allá de las pruebas presentes hacia los triunfos futuros, al tiempo cuando, habiendo terminado la lucha, los redimidos entrarán en posesión de la Tierra Prometida. Estas visiones de gloria futura, cuyas escenas fueron dibujadas por la mano de Dios, deben ser apreciadas hoy por su iglesia, cuando se está acercando rápidamente el fin de la controversia secular y se han de cumplir en toda su plenitud las bendiciones prometidas...

Con frecuencia la iglesia militante fue llamada a sufrir pruebas y aflicción; porque ella no ha de triunfar sin pasar por un severo conflicto. "Pan de congoja y agua de angustia" (Isa. 30:20), son la suerte común de todos; pero nadie que ponga su confianza en el Poderoso para libertar quedará completamente derrotado...

Revestida de la armadura de la justicia de Cristo, la iglesia entrará en su conflicto final. "Hermosa como la luna, esclarecida como el sol, imponente como ejércitos en orden" (Cant. 6:10), ha de salir a todo el mundo, vencedora y para vencer. La hora más sombría de la lucha que sostiene la iglesia con las potencias del mal, es la que precede inmediatamente al día de su liberación final. Pero nadie que confíe en Dios debe temer...

A nosotros que estamos a punto de ver su cumplimiento, ¡de cuánto significado, de cuán vivo interés, son estos delineamientos de las cosas que están por venir, acontecimientos por los cuales, desde que nuestros primeros padres dieron la espalda al Edén, los hijos de Dios han estado velando y aguardando, anhelando y orando!...

Las naciones de los salvos no conocerán otra ley que la del cielo. Todos constituirán una familia feliz y unida, ataviada con las vestiduras de alabanza y agradecimiento. Al presenciar la escena, las estrellas de la mañana cantarán juntas, y los hijos de Dios aclamarán de gozo, mientras Dios y Cristo se unirán para proclamar: No habrá más pecado ni muerte.— *Review and Herald*, 1º de julio de 1915; parcialmente en *Profetas y reyes*, pp. 533-541.

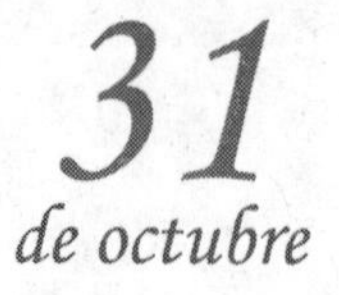

31

de octubre

Una orden divina

Velad, pues, en todo tiempo orando. Lucas 21:36.

En el lenguaje solemne de este pasaje, se señala un deber que se encuentra en la senda cotidiana de toda persona, joven o adulta. Es el deber de velar, y nuestro destino en el tiempo y la eternidad dependen de nuestra fidelidad en este sentido.

Vivimos en un momento importante. Cuando se proclamó el mensaje en 1844: "Temed a Dios, y dadle gloria, porque la hora de su juicio ha llegado" (Apoc. 14:7), el anuncio sacudió en lo más profundo a toda alma. Una solemnidad profunda reposaba sobre todos los que lo oían. Cuán dispuestos estábamos a mostrar nuestra fe por nuestras obras y a que nuestras palabras y acciones hicieran una impresión favorable en el mundo…

Hoy los ángeles observan el desarrollo del carácter, y pronto nuestra vida tendrá que pasar ante Dios para ser revisada. Pronto seremos pesados en las balanzas del santuario, y la sentencia será registrada bajo nuestros nombres. Y recibiremos el don culminante de la vida eterna o seremos castigados con destrucción eterna por la presencia del Señor. Podemos estar reacios a examinar nuestro corazón para ver cuál es nuestra condición espiritual y [para saber] si nuestros corazones están siendo debidamente impresionados por el mensaje probatorio de la verdad; pero eso no tendrá efecto sobre la obra del juicio. Habrá un veredicto de igual modo…

"Velad, pues, en todo tiempo orando". Hay gran necesidad de orar, no solo por nosotros mismos, sino por causa de nuestra influencia sobre otros. Nuestra influencia tiene un gran alcance. Podemos pensar que se reduce a nuestros propios hogares; que solo los miembros de nuestra familia conocen lo que somos y hacemos. En algunos casos pareciera que así es; pero en cierto modo, la influencia de la vida de hogar trasciende el hogar…

Si hemos de participar de la recompensa gloriosa prometida al vencedor, hemos de pelear la buena batalla de la fe. Esto es lo que hizo el apóstol Pablo, y él dice: "Por lo demás, me está guardada la corona de justicia, la cual me dará el Señor, juez justo, en aquel día" (2 Tim. 4:8). Seamos de los que son "ricos en buenas obras… atesorando para sí buen fundamento para lo por venir, que echen mano de la vida eterna" (1 Tim. 6:18, 19).— *Signs of the Times,* 7 de enero de 1886.

Los escogidos de Dios

Porque tú eres pueblo santo para Jehová tu Dios; Jehová tu Dios te ha escogido para serle un pueblo especial, más que todos los pueblos que están sobre la tierra. Deuteronomio 7:6.

Estas palabras fueron habladas por Cristo encubierto en una columna de nube y fueron dadas a Moisés para el pueblo escogido de Dios. El Señor no ha dejado el mundo sin testimonio. Él tiene a su leal pueblo escogido. Ellos no hacen de este mundo su hogar, sino que están aquí para testificar de Dios, y en tanto dure el tiempo de prueba, estos mensajeros fieles darán un testimonio vivo...

Por medio del poderoso instrumento de la verdad, Dios ha separado un pueblo de la cantera del mundo y los ha traído a su taller. Aquí el gran Artífice puede tallarlos bien con hachuela y cincel, y pulirlos para un lugar en su reino. Ya no serán como la masa de la cual fueron tomados. Se sostienen como nobles columnas, para ser utilizados para la gloria de Dios.

La gloria futura de los adoptados hijos e hijas de Dios no se discierne ahora. El pueblo de Dios recibe burlas y rechazo del mundo. Pero tienen el apoyo de un mundo mejor que este, en efecto uno celestial...

La Palabra de Dios, tal como se la redactó, es la base de nuestra fe. Esa Palabra es la palabra segura de la profecía, y demanda una fe implícita de todos los que aseguran creerla. Es autoritativa, y contiene en sí misma la prueba de su origen divino...

¿Qué somos los que decimos ser uno con Cristo? "Somos colaboradores con Dios". Entre el verdadero creyente y el incrédulo siempre habrá el mismo conflicto que hubo entre Cristo y los que lo rechazaron. Quienes son partícipes con Cristo en sus sufrimientos también serán partícipes con él de su gloria. Pero los que evaden la cruz aquí, niegan a Aquel que los ha comprado a un precio infinito, y en el día del juicio ellos serán negados. Muchos, muchos, están tergiversando y negando a Cristo al rebajar las normas de vida que identifican al cristiano. Quienes creen verdaderamente en Cristo mostrarán su fe por medio de una vida bien organizada y una conversación santa. Al actuar en armonía con Cristo, mostrarán que han sido adoptados en la familia del cielo. De los tales Dios dice: "Yo habito en la altura y la santidad, y con el quebrantado y humilde de espíritu, para hacer vivir el espíritu de los humildes, y para vivificar el corazón de los quebrantados" (Isa. 57:15).— *Signs of the Times,* 2 de junio de 1898.

2

de noviembre

Un pueblo peculiar

Quien se dio a sí mismo por nosotros para... purificar para sí un pueblo propio, celoso de buenas obras. Tito 2:14.

El Señor ha separado para sí a los que son piadosos, y esta consagración a Dios y esta separación del mundo son presentadas positivamente tanto en el Antiguo Testamento como en el Nuevo. Hay un muro de separación que el Señor mismo ha establecido entre las cosas de este mundo y las cosas que ha elegido del mundo y las ha santificado para sí. El llamamiento y el carácter del pueblo de Dios son peculiares. Sus perspectivas son peculiares, y estas peculiaridades los distinguen de todos los pueblos. Todo el pueblo de Dios sobre la tierra es un cuerpo, [así ha sido y lo será] desde el comienzo hasta el fin del tiempo. Tienen una Cabeza que dirige y gobierna el mundo. El mismo requerimiento que se aplicaba al antiguo Israel, el de ser separados del mundo, se aplica hoy al pueblo de Dios. La gran Cabeza de la iglesia no ha cambiado. La experiencia de los cristianos en estos días se parece mucho a los viajes del antiguo Israel...

Al leer la Palabra de Dios, se hace claro que el pueblo de Dios es peculiar y distinto del mundo incrédulo que lo rodea. Nuestra posición es interesante y reverente; por vivir en los últimos días, cuán importante es que imitemos el ejemplo de Cristo y andemos como él anduvo...

Los siervos de Cristo no tienen su hogar ni su tesoro aquí. Ojalá que todos ellos pudieran entender que solo porque el Señor reina es que al menos se nos permite morar en paz y seguridad entre nuestros enemigos. No es nuestro privilegio reclamar favores especiales del mundo. Debemos aceptar ser pobres y detestados en este mundo hasta que se termine la guerra y se gane la victoria. Los miembros de Cristo son llamados a salir y separarse de la amistad y el espíritu del mundo, y su fuerza y poder consiste en el hecho de haber sido escogidos y aceptados por Dios...

Así es como los miembros de Cristo están en el mundo como él lo estuvo. Son los hijos e hijas de Dios y coherederos con Cristo, y el reino y el dominio les pertenecen. El mundo no entiende su carácter y su santa vocación. No percibe su adopción en la familia de Dios. Su unión y comunión con el Padre y el Hijo no son manifiestas al mundo, y en vista de su humillación y oprobio, no pareciera que son lo que serán. Son extranjeros. El mundo no los conoce ni aprecia los motivos que los mueven.— *Review and Herald*, 5 de julio de 1875.

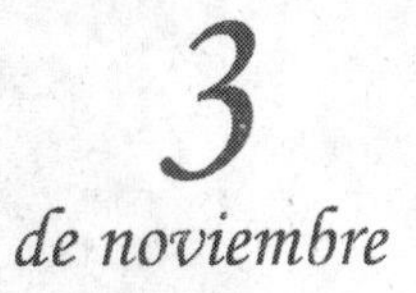

de noviembre

Separados del mundo

Y seré para vosotros por Padre, y vosotros me seréis hijos e hijas, dice el Señor Todopoderoso. 2 Corintios 6:18.

Se me ha pedido que llame la atención de nuestro pueblo a la instrucción dada por el Señor a Israel concerniente a la importancia de la separación del mundo…

Bajo el gobierno de David, el pueblo de Israel obtuvo fortaleza y rectitud por medio de la obediencia a la ley de Dios. Pero los reyes que siguieron buscaron la exaltación propia…

Dios los soportó durante largo tiempo, y los llamó a menudo al arrepentimiento. Pero se negaron a oír, y finalmente Dios se pronunció en juicio, mostrándoles cuán débiles eran sin él. Él vio que se proponían actuar según su propia voluntad, y los entregó en manos de sus enemigos…

Las alianzas formadas por los israelitas con sus vecinos paganos resultaron en la pérdida de su identidad como el pueblo peculiar de Dios. Quedaron leudados por las malas prácticas de aquellos con quienes formaron alianzas prohibidas. La afiliación con los mundanos causó que perdieran su primer amor y su celo por el servicio de Dios. Las ventajas que procuraron obtener solo produjeron chasco y causaron la pérdida de muchas almas.

La experiencia de Israel será la experiencia de todos los que buscan fortaleza en el mundo y se apartan del Dios viviente. Quienes desprecian al Poderoso, la fuente de toda fortaleza y se afilian con los mundanos, colocando su dependencia en estos, se debilitan moralmente, a semejanza de aquellos en quienes confían.

Dios se acerca con ruegos y promesas a los que están cometiendo errores. Busca mostrarles su error y llevarlos al arrepentimiento. Pero si se niegan a humillar su corazón ante él, si luchan por exaltarse a sí mismos, él tiene que pronunciarse en juicio contra ellos. Dios no aceptará ninguna apariencia de piedad, ninguna pretensión de pertenecer a él, de parte de quienes insisten en deshonrarlo al apoyarse en el brazo del poder mundanal.

La palabra de Dios hoy para su pueblo es: "Salid de en medio de ellos, y apartaos, dice el Señor, y no toquéis lo inmundo; y yo os recibiré, y seré para vosotros por Padre, y vosotros me seréis hijos e hijas" (2 Cor. 6:17, 18)…

El pueblo de Dios ha de distinguirse como un pueblo que lo sirve a él completamente, de todo corazón, no buscando honor para sí mismos, y recordando que se han comprometido a servir al Señor, y solo a él, por medio de un pacto muy solemne.— *Review and Herald,* 4 de agosto de 1875.

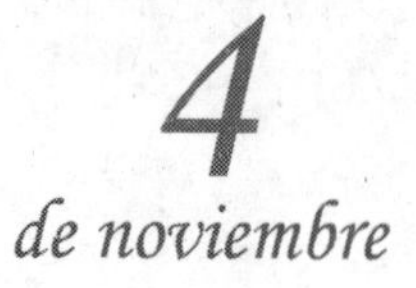

4

de noviembre

Se identifica al pueblo de Dios

Santificad mis días de reposo, y sean por señal entre mí y vosotros, para que sepáis que yo soy Jehová vuestro Dios. Ezequiel 20:20.

El Señor le habló a Moisés y le dijo: "Tú hablarás a los hijos de Israel, diciendo: En verdad vosotros guardaréis mis días de reposo; porque es señal entre mí y vosotros por vuestras generaciones, para que sepáis que yo soy Jehová que os santifico" (Éxo. 31:13).

¿Acaso estas palabras no nos señalan como el pueblo escogido de Dios? ¿Y no nos declaran que mientras dure el tiempo hemos de apreciar la distinción sagrada y denominacional que se ha colocado sobre nosotros?... El sábado no ha perdido nada de su significado. Todavía es la señal entre Dios y su pueblo, y será así para siempre...

Dios está probando a su pueblo para ver quiénes serán leales a los principios de su verdad. Nuestra obra es la de proclamar los mensajes del primero, segundo y tercer ángel. En el cumplimiento de nuestro deber, no hemos de odiar ni temer a nuestros enemigos. Atarnos por medio de contratos o sociedades o asociaciones de negocio con los que no son de nuestra fe no es el plan de Dios. Hemos de tratar con bondad y cortesía a quienes se niegan a ser leales a Dios, pero nunca, nunca, hemos de unirnos con ellos en consejo con respecto a los intereses vitales de su obra...

Al colocar nuestra confianza en Dios, hemos de movernos constantemente hacia adelante, haciendo su obra sin egoísmo... colocándonos a nosotros mismos, nuestro presente y nuestro futuro en su sabia providencia, manteniendo firme hasta el fin el comienzo de nuestra confianza, recordando que no recibimos las bendiciones del cielo porque seamos dignos, sino por los méritos de Cristo y nuestra aceptación, por la fe en él, de la gracia abundante de Dios.

Ruego que mis hermanos puedan entender que el mensaje del tercer ángel significa mucho para nosotros, y que la observancia del verdadero día de reposo ha de ser la señal que distingue a quienes sirven a Dios de los que no lo sirven... Somos llamados a ser santos, y debiéramos ser cuidadosos para no dar la impresión de que tiene poca importancia si retenemos o no los rasgos particulares de nuestra fe. Sobre nosotros descansa la solemne obligación de tomar una posición más decidida hoy por la verdad y la justicia que la que tomamos en el pasado. La línea de demarcación entre los que guardan los mandamientos de Dios y los que no lo hacen ha de revelarse con claridad indiscutible.— *Review and Herald,* 4 de agosto de 1904.

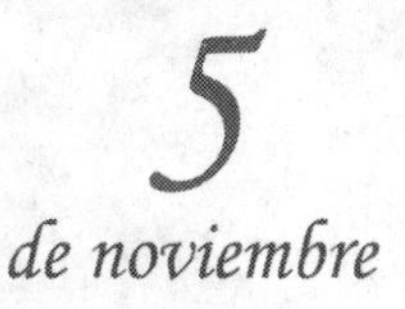

de noviembre

Representantes de Cristo

Y nosotros somos testigos suyos de estas cosas, y también el Espíritu Santo, el cual ha dado Dios a los que le obedecen. Hechos 5:32.

Los cristianos verdaderos serán semejantes a Cristo. El Redentor vistió su divinidad con humanidad y vino a nuestro mundo —un mundo chamuscado y manchado por la maldición del pecado, un valle de sombra y miseria— para cumplir una gran obra, según anunció en la sinagoga de Nazaret: "El Espíritu del Señor está sobre mí, por cuanto me ha ungido para dar buenas nuevas a los pobres" (Luc. 4:18)...

Cada miembro de iglesia ha de ser un representante del carácter y el espíritu de Cristo. Por precepto y ejemplo han de revelarse los elementos esenciales de un cristianismo genuino, saludable e influyente. Cristo debe presentarse constantemente como la fuente de la vida, la misericordia y el amor...

Por la contemplación somos transformados. Por medio del estudio cuidadoso y la contemplación ferviente del carácter de Cristo, su imagen se refleja en nuestra propia vida, y se imparte un tono más elevado a la espiritualidad de la iglesia. Si la verdad de Dios no ha transformado nuestro carácter a la semejanza de Cristo, todo nuestro profeso conocimiento de él y la verdad no es más que metal que resuena y címbalo que retiñe...

Que todos los que aseguran observar los mandamientos de Dios observen bien este asunto y vean si hay razones por las cuales no han recibido un mayor derramamiento del Espíritu Santo. ¡Cuántos han elevado su alma a la vanidad! Se sienten exaltados en el favor de Dios, pero descuidan a los necesitados, no prestan atención al clamor de los oprimidos, y hablan palabras agudas y cortantes a quienes necesitan un trato totalmente diferente. Así ofenden a Dios diariamente por su dureza de corazón. Estos afligidos merecen la solidaridad y el apoyo de otros seres humanos. Tienen el derecho a esperar ayuda, alivio y amor como el de Cristo. Pero esto no es lo que reciben. Cada descuido de los sufrientes de Dios se registra en los libros del cielo según lo percibe Cristo mismo. Que todos los miembros de la iglesia examinen cuidadosamente su corazón e investiguen su proceder para ver si estos están en armonía con el espíritu y la obra de Jesús; porque si no es así, ¿qué dirán cuando comparezcan ante el Juez de toda la tierra? ¿Podrá el Señor decirles: "Venid, benditos de mi Padre, heredad el reino preparado para vosotros desde la fundación del mundo" (Mat. 25:34)?— *Review and Herald*, 24 de abril de 1913.

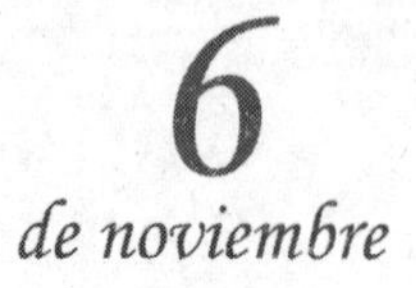

6

de noviembre

Trabajemos con Cristo

Porque Dios no es injusto para olvidar vuestra obra y el trabajo de amor que habéis mostrado hacia su nombre, habiendo servido a los santos y sirviéndoles aún. Hebreos 6:10.

Cristo ha identificado su interés con el de la sufriente humanidad; y mientras lo descuidamos en la persona de sus afligidos, todas nuestras asambleas, todas nuestras reuniones, y toda la maquinaria puesta en marcha para hacer adelantar la causa de Dios, será de poco beneficio…

Todos los que serán santos en el cielo, primero lo serán sobre la tierra. No seguirán las chispas de su propio fuego, no trabajarán por la alabanza, ni hablarán palabras de vanidad, ni levantarán el dedo de condenación y opresión; sino que seguirán la Luz de la vida y la difundirán; brindarán aliento, esperanza y ánimo precisamente a los que tengan necesidad, y no censurarán ni reprenderán…

La rica y clara luz que ha brillado en nuestro camino nos ha colocado en terreno ventajoso, y debemos aprovechar toda oportunidad para hacer el bien. Cristo vino de la corte real del cielo para buscar y salvar al perdido, y esta ha de ser nuestra obra. El celo que manifestemos en esta dirección mostrará la medida de nuestro amor por Jesús y por otros, y de nuestra eficiencia y espíritu misionero.

Se le ha encomendado una obra a cada miembro de la iglesia, y su santificación se verá en la eficiencia, el desinterés, el celo y la pureza e inteligencia con que hacen su trabajo. La causa de la humanidad y la religión no debe retroceder. Se espera el progreso de los que han recibido gran luz y tienen tantas ventajas.

La iglesia debe ser una iglesia activa si quiere ser una iglesia viva. No debe contentarse meramente con mantener su posición contra las fuerzas opositoras del pecado y el error, ni debe conformarse con avanzar a paso lento, sino que debe llevar el yugo de Cristo, y mantenerse al paso de su líder, ganando nuevos reclutas a lo largo del camino.

Cuando seamos verdaderamente cristianos, nuestro corazón estará lleno de mansedumbre, cortesía y bondad, porque Jesús ha perdonado nuestros pecados. Como niños obedientes recibiremos y apreciaremos los preceptos que nos ha dado y asistiremos a los ritos que ha instituido. Continuamente procuraremos obtener un conocimiento de Cristo.— *Review and Herald,* 1 de mayo de 1913.

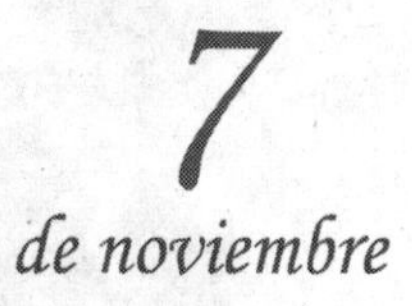

de noviembre

La iglesia ha de avanzar la obra de Dios

Haz obra de evangelista, cumple tu ministerio. 2 Timoteo 4:5.

Los que son discípulos de Cristo tomarán el trabajo que él efectuó y lo continuarán en su nombre. No imitarán las palabras, el espíritu, ni las prácticas de nadie sino las suyas. Su vista está fijada en el Capitán de su salvación. La voluntad de Cristo es su ley. Según avanzan, captan vislumbres cada vez más claras de su rostro, su carácter y su gloria. No se aferran al yo, sino a su Palabra, que es espíritu y vida. "Si vosotros permaneciereis en mi palabra, seréis verdaderamente mis discípulos; y conoceréis la verdad, y la verdad os hará libres" (Juan 8:31, 32). Aplican el conocimiento de su voluntad a la práctica. Escuchan y hacen las cosas que Jesús enseña.

Hay trabajo en la iglesia para todos los que aman a Dios y guardan sus mandamientos. Lo que las personas profesan no es evidencia segura de que son cristianas. Las palabras que hablan no ofrecen certeza de que están convertidas. Escuche las palabras de Cristo: "¿Por qué me llamáis, Señor, Señor, y no hacéis lo que yo digo?" (Luc. 6:46). A menos que la vida cotidiana se conforme a la voluntad y las obras de Cristo, nadie puede pretender ser un hijo de Dios y heredero del cielo. Hay una religión legal, que los fariseos tenían, pero una religión tal no le da al mundo un ejemplo como el de Cristo; no representa el carácter de Cristo. Aquellos en cuyos corazones mora Cristo realizarán las obras de Cristo. Los tales tienen derecho a todas las promesas de su Palabra. Al hacerse uno con Cristo, hacen la voluntad de Dios y exhiben los tesoros de su gracia. "Entonces invocarás, y te oirá Jehová; clamarás, y dirá él: Heme aquí" (Isa. 58:9). ¡Qué preciosa promesa! "Si dieres tu pan al hambriento, y saciares al alma afligida, en las tinieblas nacerá tu luz, y tu oscuridad será como el mediodía. Jehová te pastoreará siempre, y en las sequías saciará tu alma, y dará vigor a tus huesos; y serás como huerto de riego, y como manantial de aguas, cuyas aguas nunca faltan" (vers. 10, 11).

En un contraste marcado con las murmuraciones y quejas de los impíos, los siervos de Dios cantarán: "Te alabaré, oh Jehová, con todo mi corazón" (Sal. 9:1). "Porque Jehová es excelso, y atiende al humilde, mas al altivo mira de lejos" (Sal. 138:6). No se permita acariciar ninguna semejanza de orgullo o vanidad, porque desplazará a Cristo del corazón, y el vacío será llenado con los atributos de Satanás.— *Review and Herald*, 1 de mayo de 1913.

8

de noviembre

Una iglesia iluminada

Y que desde la niñez has sabido las Sagradas Escrituras, las cuales te pueden hacer sabio para la salvación por la fe que es en Cristo Jesús. 2 Timoteo 3:15.

El Señor no puede usar a hombres y mujeres en su servicio, en ninguna rama de su obra, a menos que posean un espíritu manso y educable. Las personas que Dios emplea en su servicio deben ser leales a los principios, pero, aunque no deban apartarse del camino claro del deber tras ningún interés egoísta, no han de cerrarse ni inflarse con autoestima. A menos que el corazón esté en conexión con la Fuente de toda sabiduría, no habrá un sentido permanente de lo sagrado de la obra. Los obreros de Cristo deben derivar toda su vida e inspiración de Dios. Deben conformarse a su voluntad y sus caminos y no buscar que se cumpla su propia voluntad. Quienes desean convertirse en un canal viviente de luz deben ser gobernados por algo más que el hábito o la opinión. Deben vivir hora a hora en una comunión consciente con Dios. Su vida debe ser afín a los principios de la verdad y la justicia. Deben llegar a ser partícipes de la naturaleza divina.

El siervo de Dios debe buscar poder intelectual constantemente, y cada adquisición de la mente debe dedicarse a glorificar a Dios. Necesitamos expandir los conceptos de lo que Dios requiere de su pueblo...

No debemos contentarnos con nada menos que la iluminación divina que irradia [de Aquel que es] la Luz del mundo. Cuando tengamos esta iluminación, veremos la necesidad de seguir hacia adelante y hacia arriba, de elevar la norma, de cultivar la ambición más sublime, de alcanzar los logros más altos. Debemos extraer constantemente de la Fuente de toda sabiduría y vivir como a la vista del Señor...

Su talento le ha sido confiado por el Señor, y usted será responsable de su empleo y mejoramiento... Debemos manifestar la gloria de Dios. Esta es la elevada aspiración de nuestra existencia. Debemos estar en una condición tal que podamos apreciar la luz que Dios ha traído a la experiencia de otros. Nuestra vida y carácter son influenciados por los conocimientos físicos, intelectuales y morales adquiridos por las generaciones pasadas. Si nos mantenemos en la ignorancia, no podemos culpar a otros. Si ejercemos cada destreza hasta su límite, si empleamos cada habilidad hasta lo sumo, con el objetivo singular de glorificar a Dios, no fracasaremos en la tarea de efectuar un trabajo valioso para Dios.— *Signs of the Times*, 30 de noviembre de 1888.

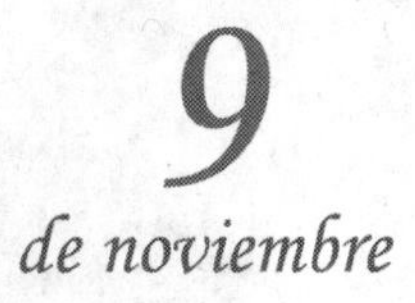

9

de noviembre

Alguien está a la puerta

He aquí, yo estoy a la puerta y llamo. Apocalipsis 3:20.

El tiempo en que vivimos está lleno de la importancia más solemne. No hay nada que pueda ser más aceptable a Dios que hacer que los jóvenes dediquen su vida a su servicio en la flor y frescura de sus años. Sus talentos pueden llegar a ser una potencia para Dios cuando son cultivados apropiadamente. Su carácter puede ser aceptable al cielo, pero deben ser moldeados línea tras línea y precepto tras precepto. Deben ser modelados según el patrón divino…

En la obra de salvar almas, hemos de saber de qué hablamos. Las palabras de Juan están llenas de significado cuando él dice: "Lo que hemos visto y oído, eso os anunciamos" (1 Juan 1:3)…

Cuando su alma es el templo del Espíritu del Salvador que mora en usted, los elementos toscos de su naturaleza serán consumidos, y el ser entero será infundido de un propósito vivo. Quienquiera sea verdaderamente de Cristo tendrá una experiencia como la de Daniel, y los frutos del Espíritu aparecerán en la vida. Hay facultades en nosotros que han sido paralizadas por el pecado, que necesitan la influencia vivificante de la gracia de Cristo para ser restauradas. Un poder tremendo de parte del Dador de la vida debe revivirlas y despertarlas a la acción. Cuando esta es su experiencia, usted puede obrar según el ejemplo dado por Jesús. Se reflejarán la luz y el amor divinos sobre los que se sienten enfermos de cuerpo y alma. Jesús se presenta a sí mismo ante su corazón: "He aquí, yo estoy a la puerta y llamo; si alguno oye mi voz y abre la puerta, entraré a él, y cenaré con él, y él conmigo" (Apoc. 3:20). ¿No le abriremos la puerta de nuestro corazón al Invitado divino?

Quienes se dedican a la obra de Dios deben ser puros de corazón y circunspectos en su conducta. Las almas del pueblo de Dios no deben ser como un desierto desolado, como muchas almas en nuestros días. Dios les ha dado a todos alguna destreza para utilizar en su servicio, y su plan es que se la emplee para su gloria y el bien de los demás. Muchos pierden mucho, simplemente porque no están dispuestos a aprender en la escuela de Cristo. Pueden ganar un tesoro eterno, pero al apartarse del divino Maestro, sus conciencias son violadas y cauterizadas, y las amonestaciones de la Palabra de Dios pierden todo el poder que tienen para sacudir su corazón. Pero no hay necesidad de cometer tal error. Cristo entrará al corazón y morará allí si usted limpia el templo del alma de toda contaminación.— *Signs of the Times*, 30 de noviembre de 1888.

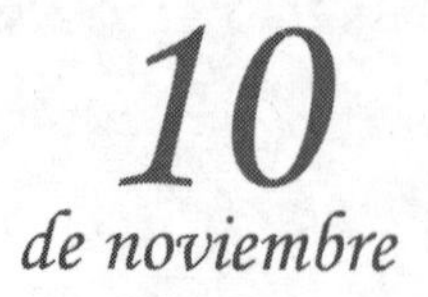

10

de noviembre

La unidad es esencial

Padre santo, a los que me has dado, guárdalos en tu nombre, para que sean uno, así como nosotros. Juan 17:11.

El Espíritu Santo desea actuar con el instrumento humano que es consagrado; este es el propósito de Dios. Nadie podrá cerrar la puerta que él abrió entre el cielo y la tierra... Cuando el pueblo de Dios establezca una correcta relación con él, y del uno con el otro, el Espíritu Santo será impartido en plenitud para la complementación armoniosa de todos los integrantes del cuerpo.

Nada debilita tan manifiestamente a una iglesia como la desunión y la contienda. Nada batalla más contra Cristo y la verdad que ese espíritu...

Solo podemos estar unidos unos con otros si estamos unidos con Cristo... Muchos que ponderan los temas doctrinales, pero no han aprendido de Cristo, se han encontrado incapaces de controlarse a sí mismos. Necesitan el poder del Espíritu Santo. Debemos buscar entender lo que significa estar en una unión total con Jesús, quien es la propiciación por nuestros pecados y por los pecados del mundo entero. Nuestra vida debiera estar ligada a la suya...

Cuando el pueblo escogido de Dios sea de un solo pensamiento, las barreras del egoísmo desaparecerán como por arte de magia, y muchas, muchas más almas serán convertidas gracias a la unidad que existe entre los creyentes. Hay un cuerpo y un espíritu. Los que han estado edificando líneas territoriales de distinción, barreras de color y clase, sería mejor que las derrumbaran mucho más rápido de lo que las pusieron.

Aquellos en cuyo corazón Cristo mora, reconocen al Cristo que mora en el corazón de otros. Cristo nunca guerrea contra Cristo. Cristo nunca ejerce influencia contra Cristo. Los cristianos han de cumplir su trabajo, sea lo que fuere, en la unidad del Espíritu, para el perfeccionamiento de todo el cuerpo. La iglesia ha de ser purificada, refinada, ennoblecida. Los miembros han de expulsar del corazón los ídolos que han impedido su avance espiritual. Los más discordantes pueden ser integrados en armonía por la influencia del Espíritu. La abnegación ha de unir al pueblo de Dios con lazos firmes y tiernos. Hay un gran poder en la iglesia cuando la energía de los miembros está bajo el control del Espíritu, y reúne lo bueno de toda fuente, educando, capacitando y disciplinando el yo. Así se presenta a Dios una organización poderosa por medio de la cual él puede obrar a favor de la conversión de los pecadores. Así se conectan el cielo y la tierra, y todas las agencias divinas cooperan con los instrumentos humanos.— *Signs of the Times*, 7 de febrero de 1900.

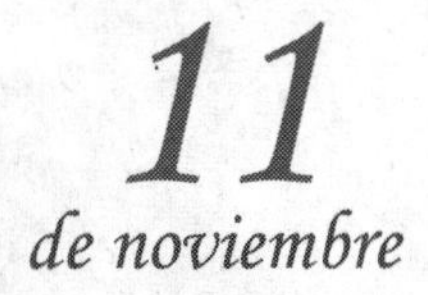

11

de noviembre

Un desafío a la iglesia de Dios

Después vi otra bestia que subía de la tierra; y tenía dos cuernos semejantes a los de un cordero, pero hablaba como dragón. Apocalipsis 13:11.

En la isla de Patmos se abrieron ante el apóstol Juan escenas de un valor profundo y emocionante en la experiencia de la iglesia. Se le presentaron temas de intenso interés y vasta importancia en figuras y símbolos, para que el pueblo de Dios pudiera adquirir inteligencia con respecto a los peligros y conflictos que enfrentaban...

A Juan se le presentaron los gobiernos terrenales que se dedicarían especialmente a aplastar la ley de Dios y a perseguir a su pueblo por medio de los símbolos de un gran dragón rojo, una bestia con forma de leopardo y una bestia con cuernos de cordero. La guerra persiste hasta el fin del tiempo. El pueblo de Dios, simbolizado por una mujer santa y sus hijos, fue representado como una clara minoría. En los últimos días, solo existiría un remanente...

Por medio del paganismo y luego por medio del papado, Satanás ejerció su poder durante muchos siglos en un esfuerzo por borrar de la tierra a los testigos fieles de Dios. Los paganos y los papistas fueron movidos por el mismo espíritu del dragón. Solo difirieron en que el papado, al pretender servir a Dios, era el enemigo más peligroso y cruel. Por medio de la agencia del romanismo, Satanás cautivó el mundo. La iglesia profesa de Dios fue arrastrada a las filas de este engaño, y durante más de mil años, el pueblo de Dios sufrió bajo la ira del dragón.

Y cuando se obligó al papado —ya debilitado— a desistir de la persecución, Juan contempló a una nueva potencia que surgía para hacer eco a la voz del dragón y adelantar la misma obra cruel y blasfema. Esta potencia, la última que habrá de hacer guerra contra la iglesia y la ley de Dios, fue simbolizada por una bestia con cuernos de cordero. Las bestias que la precedieron habían surgido del mar, pero esta salió de la tierra, representando el surgimiento pacífico de la nación que simbolizaba. Los "dos cuernos semejantes a los de un cordero" representan bien el carácter del gobierno de los Estados Unidos, según lo expresan sus dos principios fundamentales, el republicanismo y el protestantismo. Estos principios son los secretos de nuestro poder y prosperidad como nación. Los primeros en encontrar asilo en las costas de Norteamérica se alegraron al encontrar un país libre de las arrogantes pretensiones del papismo y la tiranía de la monarquía. Se propusieron establecer un gobierno sobre el amplio fundamento de la libertad civil y religiosa.— *Signs of the Times*, 1 de noviembre de 1899.

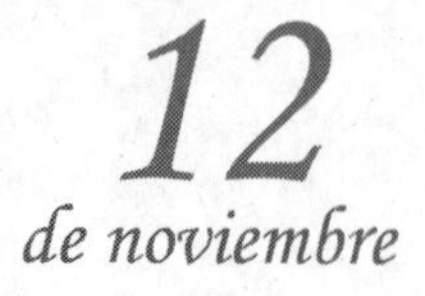

12

de noviembre

La advertencia final de Dios

Si alguno adora a la bestia y a su imagen... él también beberá del vino de la ira de Dios. Apocalipsis 14:9, 10.

El trazo inexorable del lápiz profético revela un cambio en esta escena pacífica [de libertad religiosa y civil]. La bestia con cuernos semejantes a los de un cordero habla con la voz de un dragón, y "ejerce toda la autoridad de la primera bestia en presencia de ella" (Apoc. 13:12). La profecía declara que esta les dirá a los moradores de la tierra que deben hacerle una imagen a la [primera] bestia, y que "hacía que a todos, pequeños y grandes, ricos y pobres, libres y esclavos, se les pusiese una marca en la mano derecha, o en la frente; y que ninguno pudiese comprar ni vender, sino el que tuviese la marca o el nombre de la bestia, o el número de su nombre" (13:16, 17). Así el protestantismo sigue en las pisadas del papado.

En estos momentos es cuando se ve al tercer ángel volar en medio del cielo, proclamando: "Si alguno adora a la bestia y a su imagen, y recibe la marca en su frente o en su mano, él también beberá del vino de la ira de Dios, que ha sido vaciado puro en el cáliz de su ira... Aquí está la paciencia de los santos, los que guardan los mandamientos de Dios y la fe de Jesús" (Apoc. 14:9, 10, 12). El pequeño grupo que no está dispuesto a apartarse de su lealtad a Dios se mantiene en un marcado contraste con el mundo...

El mensaje del tercer ángel contiene la advertencia más solemne y la amenaza más terrible dirigida alguna vez a los mortales. El pecado que provoca la ira de Dios sin mezcla de misericordia debe ser del carácter más atroz. ¿Quedará el mundo en tinieblas con respecto a la naturaleza de este pecado? Seguramente no. Dios no trata así con sus criaturas. Su ira nunca es descargada por causa de los pecados de ignorancia. Antes de que sus juicios caigan sobre la tierra, debe presentarse al mundo la luz con relación a este pecado, para que todos puedan saber por qué estos juicios van a ser infligidos y tengan la oportunidad de escapar.

El mensaje que contiene esta esperanza es el último que ha de ser proclamado antes de la revelación del Hijo del hombre. Las señales que él mismo ha dado declaran que su venida está cercana. El mensaje del tercer ángel ha estado resonando desde hace más de cuarenta años [en 1899]... Ha llegado la hora cuando todos los que se interesan en la salvación de su alma deben preguntar ferviente y solemnemente: ¿Qué es el sello de Dios? ¿Qué es la marca de la bestia? ¿Cómo podemos evitar recibirla?— *Signs of the Times*, 1 de noviembre de 1899.

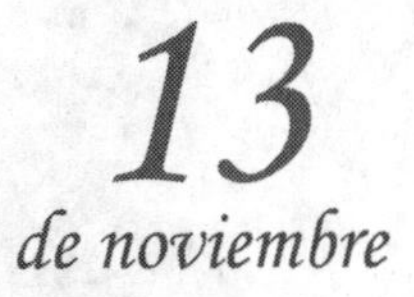

El sello de Dios y la marca de la bestia

No hagáis daño a la tierra, ni al mar, ni a los árboles, hasta que hayamos sellado en sus frentes a los siervos de nuestro Dios. Apocalipsis 7:3.

El sello de Dios, la muestra o señal de su autoridad, se encuentra en el cuarto mandamiento. Este es el único precepto del Decálogo que señala a Dios como el Creador de los cielos y la tierra y claramente distingue al Dios verdadero de todos los dioses falsos. A lo largo de las Escrituras se cita el hecho de que el poder creador de Dios es la prueba de que él está por encima de todas las deidades paganas.

El día de reposo prescrito por el cuarto mandamiento fue instituido para conmemorar la obra de la creación, para mantener las mentes de todos enfocadas en el Dios vivo y verdadero. Si se hubiera observado siempre el sábado, nunca hubiera existido un idólatra, un ateo o un pagano. La observancia sagrada del día santo de Dios habría conducido la mente de hombres y mujeres a su Creador. Las cosas de la naturaleza les habrían recordado a Dios, y habrían testificado de su poder y su amor. El día de reposo del cuarto mandamiento es el sello del Dios viviente. Señala a Dios como el Creador y es la señal de su autoridad legítima sobre todos los seres que él ha creado.

Entonces, ¿qué es la marca de la bestia, si no el falso día de reposo que el mundo ha aceptado en lugar del verdadero?

La declaración profética de que el papado habría de exaltarse sobre todo aquello que responde al nombre de Dios o recibe adoración, ha sido cumplida sorprendentemente en el cambio del día de reposo del séptimo al primer día de la semana. Cada vez que se honra el día de reposo papal en lugar del día de reposo de Dios, se exalta al hombre de pecado por encima del Creador del cielo y la tierra.

Quienes aseguran que Cristo cambió el día de reposo contradicen directamente sus propias palabras. En el Sermón del Monte, él declaró: "No penséis que he venido para abrogar la ley o los profetas; no he venido para abrogar, sino para cumplir" (Mat. 5:17)...

Los católicos reconocen que el cambio en el día de reposo fue hecho por su iglesia, y citan este cambio como evidencia de la autoridad suprema de esta iglesia. Declaran que al observar el primer día de la semana como el día de reposo, los protestantes reconocen su autoridad para legislar en los asuntos divinos... Según gana favor la institución dominical, él [el papista] se regocija, sintiéndose confirmado en que tarde o temprano traerá a todo el mundo protestante bajo la bandera de Roma.— *Signs of the Times,* 1 de noviembre de 1899.

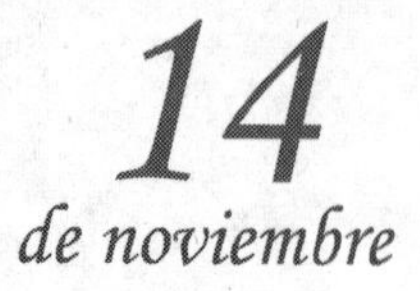

14

de noviembre

La imagen de la bestia

Mandando a los moradores de la tierra que le hagan imagen a la bestia que tiene la herida de espada, y vivió. Apocalipsis 13:14.

El cambio del sábado es una señal o marca de la autoridad de la Iglesia Romana. Quienes aun comprendiendo las aseveraciones del cuarto mandamiento escogen observar el falso día de descanso en lugar del verdadero, están con ello rindiendo homenaje al único poder que lo ordena…

Hay cristianos verdaderos en todas las iglesias, sin exceptuar la comunidad católica romana. Nadie es condenado hasta que haya tenido la luz y haya visto la obligación del cuarto mandamiento. Pero cuando se ponga en vigencia el decreto que ordena falsificar el sábado, y el fuerte clamor del tercer ángel amoneste a los hombres contra la adoración de la bestia y su imagen, se trazará claramente la línea entre lo falso y lo verdadero. Entonces los que continúen aún en transgresión recibirán la marca de la bestia.

Con pasos rápidos nos aproximamos a este tiempo. Cuando las iglesias protestantes se unan con el poder secular para sostener una falsa religión, a la cual se opusieron sus antepasados soportando la más terrible persecución, entonces el día de descanso papal será hecho obligatorio por la autoridad combinada de la Iglesia y el Estado. Habrá una apostasía nacional que determinará tan solo la ruina nacional…

Por medio de componendas y concesiones, los protestantes se han relacionado con el papismo y lo han favorecido; dándole un terreno ventajoso que los mismos papistas ven con sorpresa y no pueden entender. El mundo protestante necesita despertar para resistir los avances de este enemigo tan peligroso para la libertad civil y religiosa.

Cuando el Estado haga cumplir los decretos y sostenga las instituciones de la Iglesia, entonces la América protestante habrá formado una imagen del papado. Entonces la verdadera iglesia será atacada por la persecución como lo fue el pueblo de Dios en la antigüedad. Casi cada siglo ofrece ejemplos de lo que los corazones humanos, controlados por la furia y la malicia, pueden hacer con la excusa de servir a Dios por medio de la protección de los derechos de la Iglesia y el Estado. Las iglesias protestantes que han seguido los pasos de Roma al formar alianzas con potencias mundanales han manifestado un deseo similar de restringir la libertad de conciencia. ¡Cuántos ministros no conformistas han sufrido bajo el poder de la Iglesia Anglicana! La persecución siempre sigue a la restricción de la libertad religiosa de parte de los gobiernos seculares.— *Signs of the Times*, 8 de noviembre de 1899.

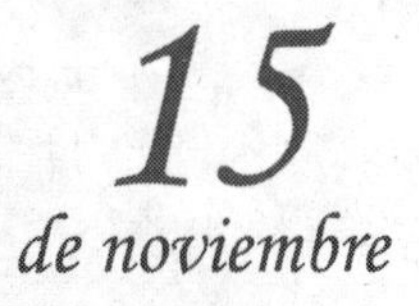

15

de noviembre

La historia se repite

Porque vendrá tiempo cuando no sufrirán la sana doctrina, sino que teniendo comezón de oír, se amontonarán maestros conforme a sus propias concupiscencias. 2 Timoteo 4:3.

Muchos proponen que las tinieblas intelectuales y morales prevalecientes durante la Edad Media favorecieron el esparcimiento de dogmas, superstición y la opresión de parte del papado, y que la difusión general del conocimiento y la aceptación casi universal de los principios de la libertad religiosa prohíben un reavivamiento de la superstición y la tiranía. Es verdad que una gran luz —intelectual, moral y religiosa— está brillando sobre esta generación. Desde 1844 la luz del cielo ha brillado desde la puerta abierta del templo de Dios. Pero debe recordarse que cuanto mayor es la luz conferida, tanto mayores son el engaño y las tinieblas de los que rechazan la Palabra de Dios y aceptan fábulas, enseñando como doctrina los mandamientos de hombres.

Satanás incitará la indignación del cristianismo apóstata contra el humilde remanente que conscientemente se niega a aceptar costumbres y tradiciones falsas. Cegados por el príncipe de las tinieblas, los religiosos populares pensarán como él y sentirán como él… La libertad de conciencia, que ha costado tanto sacrificio, ya no será respetada. La iglesia y el mundo se unirán, y el mundo le cederá a la iglesia el poder para aplastar el derecho del pueblo a adorar a Dios según su Palabra.

El decreto que se proclamará contra el pueblo de Dios en el futuro cercano es similar al decreto de Asuero contra los judíos en el tiempo de Ester en algunos aspectos. El edicto persa surgió de la malicia de Amán contra Mardoqueo. Mardoqueo no le había hecho daño a Amán, pero se había negado a alimentar su vanidad mostrándole la reverencia debida únicamente a Dios…

La historia se repite a sí misma. La misma mente magistral que conspiró contra los fieles en épocas pasadas ahora se ocupa en obtener el control de las iglesias protestantes, para por medio de ellas condenar y producirles la muerte a todos los que no adoren el sábado idolátrico. No tenemos guerra contra simples mortales, como podría parecer. No luchamos contra carne y sangre, sino contra principados, contra potencias y gobernantes de las tinieblas de este mundo, contra malicias espirituales en las alturas. Pero si el pueblo de Dios coloca su confianza en él, y por la fe dependen de su poder, las artimañas de Satanás serán vencidas en nuestro tiempo de manera tan notable como en los días de Mardoqueo.— *Signs of the Times*, 8 de noviembre de 1899.

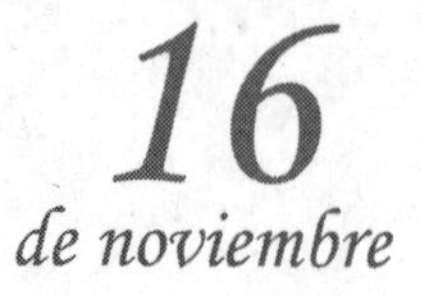

16

de noviembre

¡Victoria al fin!

Después miré, y he aquí el Cordero estaba en pie sobre el monte de Sion, y con él ciento cuarenta y cuatro mil, que tenían el nombre de él y el de su Padre escrito en la frente. Apocalipsis 14:1.

Habrá de salir un decreto que dictará que todos los que no reciban la marca de la bestia no puedan comprar ni vender, y finalmente sean muertos. Pero los santos de Dios no recibirán esta marca. El profeta de Patmos contempló a los que habían obtenido la victoria sobre la bestia y sobre su imagen, sobre su marca y el número de su nombre, de pie sobre el mar de cristal, con las arpas de Dios, y cantando el himno de Moisés y del Cordero.

La prueba reveladora vendrá a toda alma: ¿Obedeceré a Dios antes que a los hombres? La hora decisiva está a las puertas. Satanás está haciendo un esfuerzo supremo en la furia de una última lucha desesperada contra Cristo y sus seguidores. Los falsos maestros están empleando todo artificio posible para estimular al pecador empedernido en su rebelde atrevimiento, para confirmar [en su actitud] a los inquisitivos, los dudosos, los incrédulos, y si fuere posible, para engañar por medio de tergiversaciones y falsedades a los mismos escogidos. ¿Quiénes están preparados para colocarse firmemente bajo el estandarte en que está inscrito "los mandamientos de Dios y la fe de Jesús"?

Cristo nunca compró la paz y la amistad por medio de transigencias con el mal. Aunque su corazón rebosaba de amor hacia la raza humana, no podía consentir sus pecados. Debido a que amaba a los hombres y a las mujeres, reprobaba severamente sus vicios. Su vida de sufrimiento, la humillación a la que fue sometido por una nación perversa, muestran a sus seguidores que no deben sacrificarse los principios. El pueblo de Dios que ha sido probado debe mantenerse en guardia, con oración ferviente, para que en sus ansias por prevenir la discordia, no vayan a renunciar a la verdad, deshonrando así al Dios de la verdad. Obtener la paz por medio de concesiones pequeñas a las agencias de Satanás, es pagar un precio demasiado caro. La menor renuncia a los principios nos enreda en la trampa del enemigo.

Pablo les escribe a los romanos: "Si es posible, en cuanto dependa de vosotros, estad en paz con todos los hombres" (Rom. 12:18). Pero existe una línea que no puede cruzarse para mantener la unión y la armonía sin sacrificar los principios. Entonces la separación se convierte en un deber absoluto. Deben respetarse las leyes de las naciones cuando no entran en conflicto con las leyes de Dios. Pero cuando hay un choque entre ambas, todo discípulo verdadero de Cristo dirá como el apóstol Pedro cuando se le exigió que no hablara más en el nombre de Jesús: "Es necesario obedecer a Dios antes que a los hombres" (Hech. 5:29).—*Signs of the Times*, 8 de noviembre de 1899.

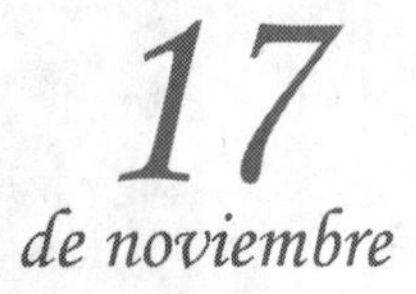

Canales para el Sol de justicia

Así que, somos embajadores en nombre de Cristo. 2 Corintios 5:20.

La iglesia que profesa servir a Dios puede poseer riquezas, educación y el conocimiento de la doctrina, y puede decir con su actitud: "Yo soy rico, y me he enriquecido, y de ninguna cosa tengo necesidad" (Apoc. 3:17); pero si sus miembros están privados de la santidad interior, no pueden ser la luz del mundo. La iglesia ha de reflejar luz que penetre las tinieblas morales del mundo como las estrellas reflejan luz en la oscuridad de la noche. Quienes tienen una forma de piedad pero niegan el poder de esta, no reflejan luz en el mundo y no tendrán el poder [necesario] para alcanzar los corazones de los perdidos. Sin una conexión vital con Cristo, el valor de la verdad no puede manifestarse en buenos frutos en el mundo; pero si Cristo es formado dentro, la esperanza de gloria, su gracia salvadora se mostrará en compasión y amor por las almas que perecen.

Cada alma convertida verdaderamente a Dios será una luz en el mundo. Los rayos brillantes y claros del Sol de justicia resplandecerán por medio de los agentes humanos que emplean la habilidad que le ha sido confiada para el bien; porque cooperan con agencias celestiales y laboran con Cristo para la conversión de las almas. Difundirán la luz que Cristo derrama sobre ellos. El Sol de justicia que brilla en sus corazones resplandecerá, iluminando y bendiciendo a otros.

Los rayos del cielo ejercerán una influencia enternecedora sobre los que Cristo está atrayendo hacia sí. La iglesia es débil ante los ángeles del cielo a menos que se revele poder por medio de sus miembros para convertir a quienes perecen. Si la iglesia no es la luz del mundo, es oscuridad. Pero de los verdaderos seguidores de Cristo se escribe: "Porque nosotros somos colaboradores de Dios, y vosotros sois labranza de Dios, edificio de Dios" (1 Cor. 3:9).

Puede ser que la iglesia se componga de los pobres y faltos de educación; pero si han aprendido de Cristo la ciencia de la oración, la iglesia tendrá poder para mover el brazo del Omnipotente. El verdadero pueblo de Dios tendrá una influencia que hablará a los corazones. Lo que constituye la eficiencia de los miembros de la iglesia no es la riqueza ni el nivel educativo que puedan poseer... Cuando el Sol de justicia resplandece en el pueblo de Dios, Cristo es glorificado y avanza su reino. Entonces [sus hijos fieles] se convierten en recipientes escogidos de salvación y son capacitados para el uso del Maestro.— *Signs of the Times*, 11 de septiembre de 1893.

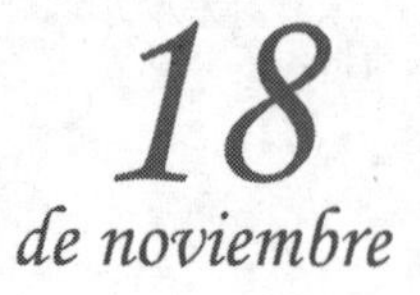

18

de noviembre

La fuente de toda verdad

Yo soy el camino, y la verdad, y la vida. Juan 14:6.

Si las iglesias establecidas en nuestro mundo siguieran a Cristo, orarían como Cristo oraba, y se vería el resultado de sus oraciones en la conversión de las almas; porque cuando se abre la comunicación entre las almas y Dios, se derrama una influencia divina sobre el mundo. Cuando los miembros de la iglesia moran en Cristo, comunican un testimonio efectivo por medio de su vida. Cumplen las palabras de Cristo: "Me seréis testigos" (Hech. 1:8). Por su influencia cotidiana, por precepto y ejemplo, dicen: "Venid". "He aquí el Cordero de Dios, que quita el pecado del mundo" (Juan 1:29)...

Jesús es la fuente del conocimiento, la cantera de la verdad, y él anhelaba abrir ante sus discípulos tesoros de valor infinito, para que ellos a su vez los pudieran abrir ante otros. Pero por causa de su ceguera, no podía revelarles los misterios del reino del cielo. Les dijo: "Aún tengo muchas cosas que deciros, pero ahora no las podéis sobrellevar" (Juan 16:12). La mente de los discípulos había sido influenciada en gran medida por las tradiciones y máximas de los fariseos, quienes colocaban los mandamientos de Dios al mismo nivel que sus propias invenciones y doctrinas. Los escribas y fariseos no recibieron o enseñaron las Escrituras en su pureza original, sino que interpretaron el lenguaje de la Biblia de tal manera que expresara opiniones y preceptos que Dios nunca había dado. Le daban una interpretación mística a los escritos del Antiguo Testamento y confundían aquello que el Dios infinito había hecho claro y sencillo. Estos hombres entendidos colocaban ante el pueblo sus propias ideas y responsabilizaban a los patriarcas y profetas de cosas que ellos nunca expresaron. Estos falsos maestros enterraban las prendas preciosas de la verdad bajo la escoria de sus propias interpretaciones y máximas, y ocultaban las indicaciones más claras de la profecía acerca de Cristo...

Cuando el Autor de la verdad vino a nuestro mundo como intérprete vivo de sus propias leyes, las Escrituras se abrieron ante sus oyentes como una nueva revelación; porque enseñaba como quien tenía autoridad, como uno que sabía de qué hablaba. La mente de la gente fue confundida con falsas enseñanzas hasta el punto de que no podían captar plenamente el significado de la verdad divina, y aun así se sentían atraídos hacia el gran Maestro y decían: "¡Jamás hombre alguno ha hablado como este hombre!" (Juan 7:46).— *Signs of the Times*, 11 de septiembre de 1893.

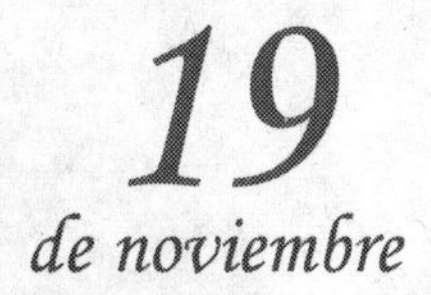

19

de noviembre

La proclamación del remanente de Dios

Vi volar por en medio del cielo a otro ángel, que tenía el evangelio eterno para predicarlo a los moradores de la tierra. Apocalipsis 14:6.

El capítulo 15 de Apocalipsis bosqueja la obra que ha de hacer el pueblo de Dios poco antes de la segunda venida de nuestro Salvador. Aquí se presentan tres mensajes que deben ir a todos los habitantes del mundo.

Juan escribe acerca de un ángel que vio volar "por en medio del cielo a otro ángel, que tenía el evangelio eterno para predicarlo a los moradores de la tierra, a toda nación, tribu, lengua y pueblo... Otro ángel le siguió, diciendo: Ha caído, ha caído Babilonia... Y el tercer ángel los siguió, diciendo a gran voz: Si alguno adora a la bestia y a su imagen, y recibe la marca en su frente o en su mano, él también beberá del vino de la ira de Dios" (Apoc. 14:6-10).

Estos tres ángeles representan a las personas que aceptan la luz de los mensajes de Dios y salen como sus agentes a proclamar la advertencia a lo largo y ancho de la tierra. Cristo les declaró a sus seguidores: "Ustedes son la luz del mundo". A cada alma que acepta a Jesús, la cruz del Calvario le habla: "Ved el valor de un alma". "Id por todo el mundo y predicad el evangelio a toda criatura" (Mar. 16:15). No debe permitirse que nada entorpezca esta obra. Es la obra esencial para este tiempo, y debe tener tanto alcance como la eternidad...

En este día Dios ha llamado a su iglesia, según llamó al antiguo Israel, para que se coloque como luz en la tierra. Por medio del poderoso cuchillo de la verdad —los mensajes de los tres ángeles— él ha separado un pueblo de las iglesias y el mundo, para llevarlo a una sagrada intimidad con él. Los ha hecho depositarios de su ley y les ha encomendado las grandes verdades de la profecía para este tiempo. Como los santos oráculos confiados al antiguo Israel, estas verdades son un legado sagrado que debe ser comunicado al mundo...

Con respecto al tema del conflicto, todo el cristianismo será dividido en dos grandes grupos: quienes guardan los mandamientos de Dios y la fe de Jesús, y los que adoran a la bestia y su imagen y reciben su marca... El profeta de Patmos contempla a "los que habían alcanzado la victoria sobre la bestia... con las arpas de Dios... Y cantan el cántico de Moisés siervo de Dios, y el cántico del Cordero" (Apoc. 15:2, 3).— *Signs of the Times*, 25 de enero de 1910.

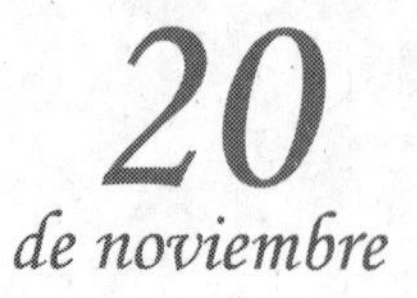

20

de noviembre

La obra de cierre

He aquí yo vengo pronto, y mi galardón conmigo. Apocalipsis 22:12.

Mire a su alrededor en el mundo de hoy. ¿Se escucha la voz de la oración en medio del ruido de la confusión? Se erigen altares, pero no es a Dios a quien se ofrecen sacrificios. Hay muchos engañadores, ladrones y asesinos. El orgullo del abolengo y el orgullo de las riquezas hacen su parte en la obra de la destrucción del alma. La avaricia, la sensualidad, la malicia, son los atributos que abundan. Miles se encuentran al borde de la perdición. ¿Acaso no los ve, muchos de ellos perdidos, eternamente perdidos, mientras los cristianos profesos duermen el sueño de la indiferencia?

Se necesitan hombres y mujeres fervientes y dispuestos al sacrificio, hombres y mujeres que acudan a Dios y con mucho clamor y lágrimas intercedan por las preciosas almas que van rumbo a la ruina… Cristo dio su vida para salvar a los pecadores, y les dice a sus seguidores: “Id por todo el mundo y predicad el evangelio a toda criatura” (Mar. 16:15). “He aquí yo estoy con vosotros todos los días, hasta el fin del mundo” (Mat. 28:20). Él ha colocado ante nosotros la obra que ha de hacerse, y ha declarado que nos dará poder para su cumplimiento…

La obra está llegando a su final rápidamente, y está aumentando la maldad por todas partes. Tenemos poco tiempo para trabajar. Dios no desea que nadie se pierda. Él ha provisto abundantemente para la salvación de todos. Si su pueblo hubiera salido como debió hacer, y hubiera dado la invitación de misericordia, muchas almas habrían sido ganadas para Cristo. Despertémonos del sueño espiritual y consagremos todo lo que tenemos y somos al Señor. Su Espíritu morará con los misioneros genuinos, equipándolos con poder para el servicio. Dios es una fuente rebosante de eficiencia y fortaleza. El evangelio es el poder de Dios para salvación de todo aquel que cree. Cuando se utiliza este poder, se nota que es más que suficiente para enfrentar el poder del enemigo.

Para nosotros que creemos en Cristo es imposible ver la obra que se debe realizar y no hacer nada. La iglesia ha de recibir diariamente del cielo el bálsamo curador de la gracia de Dios para impartir al necesitado y al que sufre. A la iglesia de Dios se le han confiado las responsabilidades más sagradas y los privilegios más gloriosos. Todos los que creen en el mensaje del pronto regreso de Cristo, saldrán a hacer algo por el Maestro… En la obediencia práctica al mandato divino, su confianza aumentará y se multiplicarán sus talentos.— *Signs of the Times*, 28 de noviembre de 1906.

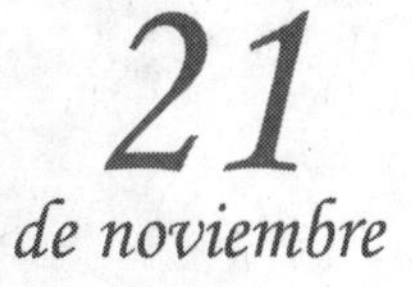

de noviembre

El perdón no es imposible

Porque si perdonáis a los hombres sus ofensas, os perdonará también a vosotros vuestro Padre celestial. Mateo 6:14.

Cristo nos enseñó a orar: "Perdona nuestras deudas como nosotros perdonamos a nuestros deudores" (Mat. 6:12). Pero incluso para los que aseveran ser seguidores de Jesús es muy difícil perdonar como él perdonó. El verdadero espíritu del perdón es tan poco practicado, y se interpreta de tantas maneras el requisito de Cristo, que se han perdido de vista su fuerza y su belleza. Tenemos perspectivas muy inciertas de la gran misericordia y de la bondad de Dios. Él está lleno de compasión y perdón, y perdona libremente cuando nos arrepentimos de verdad y confesamos nuestros pecados... Debemos integrar en nuestro carácter el amor y la compasión manifestados en la vida de Cristo...

Si hemos recibido el don de Dios y tenemos un conocimiento de Jesucristo, tenemos una obra que hacer por los demás. Debemos imitar la paciencia de Dios con nosotros. El Señor requiere de nosotros que demos a sus seguidores el mismo trato que recibimos de él. Hemos de ejercer paciencia y ser amables, aunque no cumplan nuestras expectativas. El Señor espera que seamos piadosos y bondadosos, que tengamos corazones llenos de compasión. Desea que mostremos los frutos de la gracia de Dios en nuestro comportamiento para con otros. Cristo no dijo: "Pueden tolerar a su prójimo", sino: "Amarás a tu prójimo como a ti mismo" (Mat. 22:39). Esto significa mucho más que lo que los profesos cristianos llevan a cabo en su vida diaria...

Cristo procede a enseñar que los principios de la ley de Dios incluso alcanzan las intenciones y propósitos de la mente. Y declara llanamente que si observamos fielmente los diez preceptos, amaremos a nuestro prójimo como a nosotros mismos...

Una vida religiosa consecuente, una santa conversación, un ejemplo piadoso, una benevolencia sincera, identifican a los representantes de Cristo. Se esforzarán por sacar a los pecadores como ascuas del fuego; cumplirán todo deber fielmente. Así se convertirán en un fanal de luz.

Lector, estamos cerca del juicio. Se nos han confiado talentos. Que ninguno sea condenado como siervo holgazán. Envíe las palabras de vida a los que están en tinieblas. Que la iglesia sea leal a su cometido. Sus oraciones fervientes y humildes harán efectiva la presentación de la verdad, y Cristo será glorificado.— *Review and Herald,* 19 de mayo de 1910.

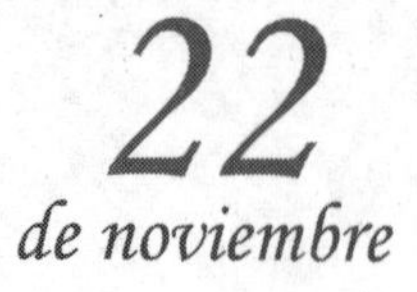

22

de noviembre

El trabajo en las ciudades

El siguiente día de reposo se juntó casi toda la ciudad para oír la palabra de Dios. Hechos 13:44.

El mensaje del tercer ángel de Apocalipsis 14 debe proclamarse ahora, no solo en las tierras lejanas, sino en los lugares cercanos descuidados, donde moran multitudes sin advertencia y sin salvación. Dios llama a su pueblo en esta hora a una obra que se ha postergado durante mucho tiempo. Deben hacerse esfuerzos decididos por iluminar a los que nunca han sido advertidos. La obra en las ciudades debe considerarse de importancia especial ahora. Deben seleccionarse cuidadosamente obreros que trabajen de dos en dos en las ciudades en armonía con el consejo de líderes experimentados y bajo la dirección y comisión de Jesucristo.

Dios desea que su pueblo trabaje en perfecta armonía en un esfuerzo por llevar la verdad a las ciudades. Tengo la orden de mantener este asunto ante la atención de los creyentes hasta que despierten a la comprensión de su importancia. Que ningún labio imprudente pronuncie palabras de desánimo, sino que todos los que ocupan posiciones de responsabilidad se unan para planificar el cumplimiento de esta obra, sabiendo que Aquel que ha guiado a sus siervos hasta aquí, no les fallará en esta hora especial de necesidad. Los ángeles de Dios irán delante de los obreros y serán su suficiencia. Habrá ángeles en las asambleas para impresionar los corazones de los oidores...

Las labores de los apóstoles en la iglesia cristiana primitiva se caracterizaban por maravillosas manifestaciones del poder de Dios en la vida de los creyentes. Por medio de la inspiración del Espíritu Santo, multitudes llegaron al conocimiento de la verdad que está en Jesús. Las necesidades del mundo hoy no son menores que lo que eran en los días de los apóstoles. Los que trabajan por las almas en estos tiempos de impenitencia e incredulidad, deben rendirse totalmente a Dios, y obrar unidos a los agentes celestiales. El poder del Espíritu Santo acompañará las labores de quienes dedican sus energías y su todo sin reservas a la terminación de la obra que debe lograrse en los últimos días. Los ángeles del cielo cooperarán con ellos, y muchos llegarán al conocimiento de la verdad y echarán su suerte gustosamente con el pueblo de Dios que guarda sus mandamientos. Los medios fluirán a la tesorería, se levantarán obreros fuertes, se entrará en los campos de las grandes regiones lejanas que aún no han sido advertidos, y la obra pronto culminará en triunfo.— *Review and Herald*, 7 de abril de 1910.

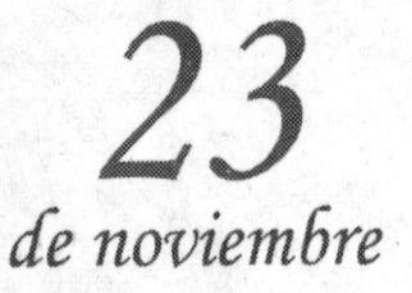

Rechacen la especulación

Que prediques la palabra; que instes a tiempo y fuera de tiempo.
2 Timoteo 4:2.

La experiencia del pasado se repetirá. En el futuro, los engaños de Satanás adoptarán nuevas formas. Los errores serán presentados de una manera agradable y halagadora. Falsas teorías, revestidas con mantos de luz, serán presentadas al pueblo de Dios. Así Satanás intentará engañar, de ser posible, a los mismos escogidos. Se ejercerán las influencias más seductoras; las mentes serán hipnotizadas.

Para cautivar las mentes se presentarán corrupciones de todo tipo, similares a las existentes entre los antediluvianos. Para conseguir ciertos fines, Satanás utiliza como medios la exaltación de la naturaleza como Dios, la libertad sin restricciones de la voluntad humana y el consejo de los impíos. Empleará el poder de una mente sobre otra mente para llevar a cabo sus designios. Lo más triste de todo es que por causa de su influencia engañosa, los hombres y las mujeres mostrarán una forma de piedad sin tener una conexión real con Dios. Como Adán y Eva, quienes comieron del fruto del árbol del conocimiento del bien y el mal, muchos ahora se están alimentando de las migajas del error.

Los agentes de Satanás están revistiendo teorías falsas con un ropaje atractivo, al igual que Satanás ocultó su identidad en el jardín del Edén de nuestros primeros padres al hablar por medio de la serpiente. Estos agentes están inculcando en las mentes humanas aquello que en realidad es un error mortal. La influencia hipnótica de Satanás se ejercerá en los que se apartan de la sencilla Palabra de Dios en favor de fábulas halagadoras.

Satanás busca con mayor esfuerzo entrampar a quienes han tenido la mayor luz. Sabe que si los puede engañar, bajo su control se vestirán con ropas de justicia y apartarán a muchos del camino.

Les digo a todos: Estén en guardia; porque Satanás camina como ángel de luz en cada asamblea de obreros cristianos y en cada iglesia, e intenta ganar a los miembros para su bando. Tengo la orden de darle al pueblo de Dios la advertencia: "No os engañéis; Dios no puede ser burlado" (Gál. 6:7)...

Caminen firmes y decididos, con los pies calzados con... el evangelio de paz. Pueden confiar en que la religión pura y sin mancha no es una religión sensacionalista. Dios no le ha dado a nadie la carga de incitar un apetito por doctrinas y teorías especulativas. Mis hermanos, mantengan estas cosas fuera de su enseñanza. No permitan que se introduzcan en su experiencia. Que no manchen la obra de su vida.— *Review and Herald*, 3 de marzo de 1904.

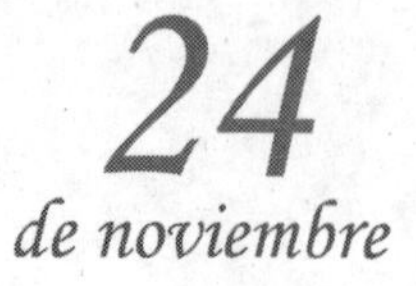

24

de noviembre

El Espíritu Santo y el remanente

Después de esto vi a otro ángel descender del cielo con gran poder; y la tierra fue alumbrada con su gloria. Apocalipsis 18:1.

Ante nosotros vemos una obra especial que se debe hacer. Ahora hemos de orar como nunca antes por la conducción del Espíritu Santo. Busquemos al Señor de todo corazón, de manera que lo podamos encontrar. Hemos recibido la luz de los mensajes de los tres ángeles; y ahora necesitamos adelantarnos al frente decididamente y ponernos de parte de la verdad…

El conocimiento salvífico de Dios cumplirá su función purificadora en la mente y el corazón de cada creyente. La Palabra declara: "Esparciré sobre vosotros agua limpia, y seréis limpiados" (Eze. 36:25)… Este es el descenso del Espíritu Santo, enviado por Dios para hacer su obra. La casa de Israel ha de ser imbuida con el Espíritu Santo y bautizada con la gracia de la salvación.

En medio de los clamores confusos de "¡Aquí está Cristo! ¡He aquí el Cristo!" se dará un testimonio especial, un mensaje especial de verdad apropiado para este tiempo; un mensaje que ha de ser recibido, creído y aplicado… La verdad eterna de la Palabra de Dios se alzará libre de todo error seductor y de interpretaciones espiritistas; libre de toda idealización fantasiosa producto de caprichos. Se animará al pueblo de Dios a prestar atención a falsedades, pero la verdad se alzará vestida en sus ropas hermosas y puras. No debe degradarse la Palabra, preciosa por su influencia santa y elevadora, al nivel de las cosas comunes y ordinarias. Siempre debe permanecer libre de la contaminación de falacias por las cuales Satanás busca engañar, si fuere posible, a los escogidos.

La proclamación del evangelio es el único medio en el que Dios puede emplear a los seres humanos como sus instrumentos para la salvación de las almas. A medida que los hombres, mujeres y niños proclaman el evangelio, el Señor abrirá los ojos de los ciegos para que vean sus estatutos y escribirá su ley en los corazones de los penitentes sinceros. El vivificante Espíritu de Dios, obrando por medio de agentes humanos, lleva a los creyentes a ser de una mente, un alma; unidos en el amor a Dios y la observancia de sus mandamientos, preparándose aquí abajo para la traslación…

Que la tarea de proclamar el evangelio de Cristo sea hecha eficiente por la obra del Espíritu Santo. Que ningún creyente, en el día del juicio y la prueba, escuche los ardides del enemigo. La Palabra viva es la espada del Espíritu. Desde el cielo se enviarán clemencias y castigos. Tanto en las clemencias como en los castigos se revelará la obra de la providencia.— *Review and Herald*, 13 de octubre de 1904.

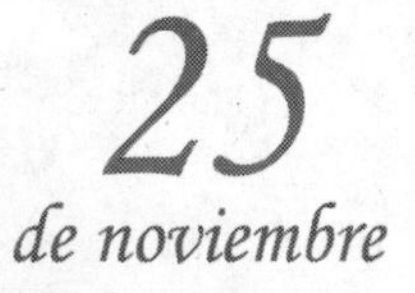

de noviembre

Un pueblo santo

Se alegrará el justo en Jehová, y confiará en él; y se gloriarán todos los rectos de corazón. Salmo 64:10.

Esta Escritura se cumplirá literalmente. Todo lo que puede ser zarandeado, lo será, para que las cosas que no pueden ser zarandeadas permanezcan. Estoy maravillada al considerar el pasado, el presente y el futuro del pueblo de Dios. El Señor tendrá un pueblo puro y santo; un pueblo que pasará la prueba. Ahora todos los creyentes necesitan escudriñar sus corazones con una vela encendida…

Ante nosotros está la maravillosa posibilidad de ser obedientes como Cristo a todos los principios de la ley de Dios. Pero somos extremadamente incapaces de alcanzar por nosotros mismos esa condición. Todo lo que es bueno en el hombre le llega mediante Cristo. La santidad que la Palabra de Dios dice que debemos tener antes de poder ser salvados es el resultado de la obra de la gracia divina cuando nos sometemos a la disciplina y a la influencia moderadora del Espíritu de verdad…

La obra de transformación que lleva de la profanidad a la santidad es una obra continua. Día tras día Dios labora por la santificación del hombre, y el hombre ha de colaborar con él haciendo esfuerzos perseverantes en el cultivo de hábitos correctos. En el primer capítulo de Segunda de Pedro se especifica claramente la manera en que hemos de obrar nuestra propia salvación. Constantemente hemos de añadir gracia sobre gracia, y al hacerlo, Dios obrará por nosotros en base al plan de la multiplicación. Siempre está dispuesto a escuchar y responder la oración del corazón contrito, y multiplicará gracia y paz a sus fieles. Gustosamente les concede las bendiciones que necesitan en su lucha contra los males que los asedian. Los que escuchan los consejos de su Palabra no carecerán de ninguna cosa buena…

Dios hará más que cumplir las más elevadas expectativas de los que confían en él. Desea que recordemos que si somos humildes y contritos, estaremos donde él puede y quiere manifestarse a nosotros. Se complace cuando le presentamos sus mercedes y bendiciones del pasado como una razón por la cual debe concedernos bendiciones mayores y más abundantes. Es honrado cuando lo amamos y damos testimonio de la sinceridad de nuestro amor al guardar sus mandamientos. Él es honrado cuando apartamos el séptimo día como sagrado y santo. Para quienes hacen esto, el sábado es una señal, para que sepan —les dijo— "que yo soy Jehová que los santifico" (Eze. 20:12). La santificación significa una comunión habitual con Dios. No hay nada tan grande y poderoso como el amor de Dios por los que son sus hijos.— *Review and Herald*, 15 de marzo de 1906; parcialmente en *Dios nos cuida*, p. 172.

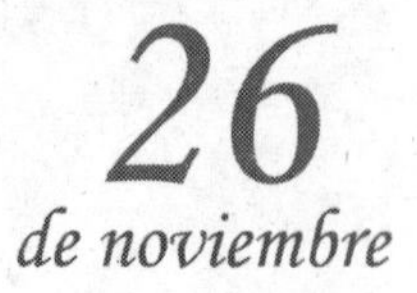

26

de noviembre

Una iglesia perfeccionada

Y él es la cabeza del cuerpo que es la iglesia, él que es el principio, el primogénito de entre los muertos, para que en todo tenga la preeminencia. Colosenses 1:18.

Cristo amó a la iglesia, y se entregó a sí mismo por ella, para santificarla, habiéndola purificado en el lavamiento del agua por la palabra, a fin de presentársela a sí mismo, una iglesia gloriosa, que no tuviese mancha ni arruga ni cosa semejante, sino que fuese santa y sin mancha" (Efe. 5:25-27).

Cuando Dios dio a su Hijo al mundo, hizo posible que los hombres y las mujeres fueran perfeccionados por el uso de cada capacidad de su ser para la gloria de Dios. En Cristo les dio las riquezas de su gracia y un conocimiento de su voluntad...

La iglesia todavía milita en un mundo que aparentemente se encuentra en la oscuridad de la medianoche, y va de mal en peor. Aunque los requisitos de un simple "así dice Jehová" no son tomados en cuenta por el elemento mundano en la iglesia, las voces de los siervos fieles de Dios han de fortalecerse para dar el mensaje solemne de advertencia. Las obras que deben caracterizar a la iglesia militante y las obras de la iglesia que ha tenido la luz de la verdad para estos tiempos no corresponden. El Señor llama a los miembros de iglesia a vestirse con las hermosas ropas de la justicia de Cristo...

Dios necesita a hombres y mujeres que obrarán en la sencillez de Cristo para traer el conocimiento de la verdad ante quienes necesitan su poder de conversión. El mensaje de la justicia de Cristo debe proclamarse de un confín al otro confín de la tierra. Nuestro pueblo debe ser despertado para que prepare el camino del Señor. El mensaje del tercer ángel —el último mensaje de misericordia a un mundo que perece— es tan sagrado, tan glorioso. La verdad ha de avanzar como una lámpara que alumbra. La iglesia de Dios ha de dar a conocer los misterios que los ángeles deseaban contemplar; que los profetas, los reyes y los justos deseaban conocer.

El maravilloso sacrificio de Cristo por el mundo atestigua del hecho de que los hombres y las mujeres pueden ser rescatados de la iniquidad. Si rompen con Satanás y confiesan sus pecados, hay esperanza para ellos. Las personas —por pecadoras, ciegas y miserables que sean— pueden arrepentirse y convertirse, y pueden día tras día ir formando un carácter como el de Cristo. Los seres humanos pueden ser reinvindicados, regenerados, y pueden aprender a vivir ante el mundo vidas preciosas, semejantes a la de Cristo.— *Review and Herald*, 22 de abril de 1909.

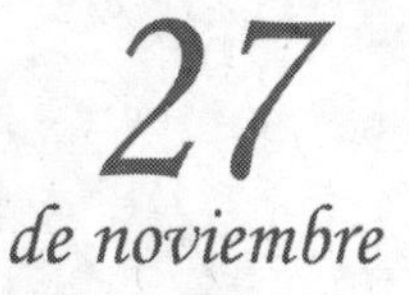

27

de noviembre

Un reflejo de Cristo

Vestíos del nuevo hombre, creado según Dios en la justicia y santidad de la verdad. Efesios 4:24.

Dios espera para ver revelada en su pueblo una fe que obra por el amor y purifica el alma; porque únicamente esto los hará idóneos para la vida futura e inmortal. Debe hacerse una gran obra y hay poco tiempo para hacerla. La causa necesita mujeres y hombres convertidos y devotos que dependan del Señor. El Señor revelará el poder de su gracia a través de tales obreros…

Mis hermanos y hermanas, dejen que la verdad de Dios more en su corazón por medio de una fe viva y santa. La verdad de la Biblia debe ser comprendida antes de que pueda convencer la conciencia y convertir la vida. El pueblo remanente de Dios debe ser un pueblo convertido. La presentación de este mensaje ha de resultar en la conversión y la santificación de las almas. Hemos de sentir el poder del Espíritu de Dios en este movimiento. Este es un mensaje maravilloso y definido; tiene un significado supremo para el receptor, y ha de proclamarse con un fuerte pregón. Debemos tener fe genuina y eterna en que este mensaje avanzará con importancia creciente hasta el cierre del tiempo.

Dios desea ver su semejanza reflejada en cada alma renovada. Él convertirá en colaboradores de Dios a quienes sigan mansos y humildes de corazón. Podría decirse que nuestros conflictos espirituales a menudo son rebeliones espirituales. Lo que tan a menudo nos produce dificultades es la falta de sumisión del corazón a la voluntad de Dios. Queremos seguir nuestro propio camino, y a menudo esto representa rebelión contra el camino de Dios. Necesitamos hacer como hizo Cristo: luchar con el Padre en oración en busca de fuerza y poder para darlo a conocer a él en nuestras palabras y acciones…

Nuestra vocación y el propósito de nuestra vida deben seguir las órdenes del Maestro e impulsar su obra en la tierra. Entonces se producirá un crecimiento hacia arriba, y el Espíritu Santo obrará en el corazón para transformar el carácter. Un espíritu generoso se revelará en [actos de] bondad y en una consideración tierna hacia los demás. El yo se esconderá con Cristo en Dios. Al contemplar el carácter de Cristo, seremos cambiados a su semejanza.

Abandonemos el yo y aceptemos a Jesucristo como el camino, la verdad y la vida. La fe en él es la única ciencia valiosa. Él es el vivo representante de la obediencia perfecta a la Palabra eterna.— *Review and Herald*, 26 de agosto de 1909.

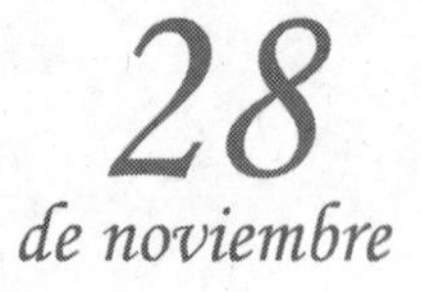

28
de noviembre

Separados del mundo

Conservaos en el amor de Dios, esperando la misericordia de nuestro Señor Jesucristo para vida eterna. Judas 1:21.

Los que oigan de los labios de Cristo las palabras "bien, buen siervo fiel" serán ministros heroicos de la justicia. Quizá nunca prediquen un discurso desde el púlpito, pero leales a un sentido de lo que Dios les pide, servirán a las almas que han sido compradas por la sangre de Cristo. Verán la necesidad de llevar a su trabajo una mente dispuesta, un espíritu ferviente y un celo vigoroso y desinteresado. No estudiarán cómo preservar mejor su propia dignidad, sino que con solicitud y tacto buscarán ganar los corazones de las personas a quienes sirven...

El apóstol Pablo nos insta a considerar las ventajas puestas a nuestro alcance. "Así que, amados —nos dice—, puesto que tenemos tales promesas, limpiémonos de toda contaminación de carne y de espíritu, perfeccionando la santidad en el temor de Dios" (2 Cor. 7:1). Si queremos ser hijos e hijas de Dios, hemos de separarnos del mundo en espíritu y práctica. En su oración por sus seguidores, Cristo pidió: "No ruego que los quites del mundo, sino que los guardes del mal. No son del mundo, como tampoco yo soy del mundo. Santifícalos en tu verdad; tu palabra es verdad" (Juan 17:15-17).

Hay una obra intensa ante cada uno de nosotros. Los pensamientos correctos, los motivos puros y santos no nacen naturalmente en nosotros. Hemos de luchar por ellos... Quienes están bajo el control del Espíritu de Dios no buscarán su propio placer o entretenimiento. Si Cristo preside en los corazones de los miembros de su iglesia, estos responderán al llamado: "Salid de en medio de ellos, y apartaos" (2 Cor. 6:17). No seamos partícipes de su pecado.

Dios tiene una obra que sus centinelas fieles han de cumplir en defensa de la verdad. Han de advertir y apelar, mostrando su fe por sus obras. Han de sostenerse como Noé, con una fidelidad noble, íntegra, y con un carácter que no se ha contaminado del mal que los rodea. Han de ser salvadores de la humanidad, tal como Cristo. Los obreros que así se sostienen fieles a su cometido, serán objeto de odio y reproche. Se los acusará falsamente para hacerlos caer de su elevada posición. Pero tienen su fundamento sobre la Roca, y no se moverán. Por su propia rectitud moral y su vida circunspecta, advertirán, suplicarán, reprenderán el pecado y el amor al placer.— *Review and Herald,* 28 de noviembre de 1899.

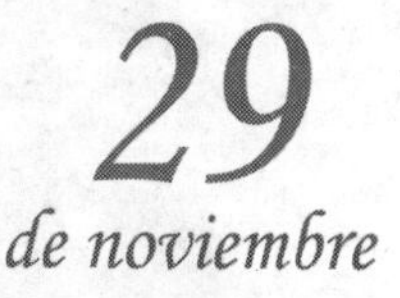

de noviembre

El templo de Dios

El templo de Dios, el cual sois vosotros, santo es. 1 Corintios 3:17.

La iglesia en la tierra es el templo de Dios y como tal ha de aparecer ante el mundo. Este edificio debe ser la luz del mundo. Debe estar compuesto por piedras vivas estrechamente unidas, encajadas unas con otras para formar un edificio sólido. No todas estas piedras tienen la misma forma ni dimensión. Algunas son grandes y otras son pequeñas, pero cada una ha de ocupar su propio lugar. En todo el edificio no debe haber ni una sola piedra mal adaptada. Cada una es perfecta. Y cada piedra es una piedra viva, una piedra que arroja luz. El valor de las piedras es proporcional a la luz que reflejan sobre el mundo.

Ahora es el tiempo cuando deben sacarse las piedras de la cantera del mundo para llevarlas al taller de Dios, para que sean cortadas, escuadradas y pulidas hasta que brillen. Este es el propósito de Dios, y él desea que todos los que profesan creer la verdad ocupen sus respectivos lugares en la obra grandiosa y admirable para este tiempo...

El designio divino es que su iglesia siempre avance en pureza y conocimiento, de luz en luz, de gloria en gloria... Su iglesia es el escenario de la vida santa, llena de dones variados y dotada del Espíritu Santo. El cielo le asigna a la iglesia sobre la tierra diversas responsabilidades, y los miembros han de encontrar su felicidad en la felicidad de las personas a quienes ayudan y bendicen.

A lo largo de las épocas de oscuridad moral, durante siglos de luchas y persecución, la iglesia de Cristo ha sido una ciudad situada sobre un monte. En todas las épocas, a lo largo de generaciones sucesivas hasta el presente, las puras doctrinas de la Biblia se han revelado dentro de sus confines. La iglesia de Cristo, por débil e imperfecta que parezca, es el único objeto sobre la tierra al cual él confiere en un sentido especial su amor y cuidado. La iglesia es el escenario de su gracia, en el cual él se deleita en efectuar experimentos de misericordia en los corazones humanos.

La iglesia es la fortaleza de Dios, su ciudad de refugio que él sostiene en un mundo en rebelión. Cualquier traición a su sagrada confianza es una traición contra Aquel que la ha comprado con la sangre preciosa de su Hijo unigénito. En el pasado, almas fieles han constituido la iglesia sobre la tierra, y Dios los ha tomado en una relación de pacto consigo mismo, uniendo a la iglesia en la tierra con la iglesia en el cielo. Ha enviado a sus santos ángeles a ministrarle a su iglesia, y las puertas del infierno no han podido prevalecer contra ella.— *Review and Herald*, 4 de diciembre de 1900; parcialmente en *En lugares celestiales*, p. 281.

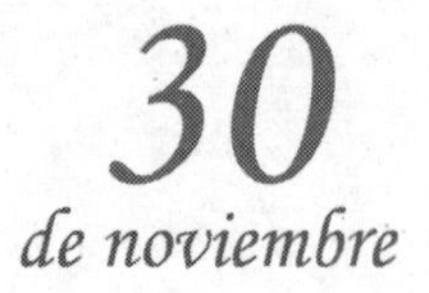

30

de noviembre

Colaboradores con la iglesia en el cielo

Puestos los ojos en Jesús, el autor y consumador de la fe. Hebreos 12:2.

Hoy como en el pasado, todo el cielo espera para ver cómo la iglesia se desarrolla en la verdadera ciencia de la salvación. Cristo ha comprado la iglesia con su sangre, y él anhela vestirla de salvación. La ha hecho depositaria de la verdad sagrada, y desea que ella participe de su gloria. Pero para que la iglesia pueda ser una potencia educativa en el mundo, debe cooperar con la iglesia en el cielo. Sus miembros deben representar a Cristo. Sus corazones deben abrirse para recibir todo rayo de luz que Dios tenga a bien impartirle. Al recibir esta luz, serán capaces de recibir e impartir más y más de los rayos del Sol de Justicia.

Se necesita un nivel más elevado de espiritualidad en la iglesia. Se necesita la purificación del corazón. Dios llama a su pueblo a sus puestos de responsabilidad. Los invita a limpiarse de aquello que ha mostrado ser la ruina de la iglesia: la exaltación de los que son colocados en cargos de confianza. Hay una obra seria que debe hacerse. Los hombres y las mujeres han de buscar a Dios con fe, sobre sus rodillas, y luego salir a hablar la Palabra con poder de lo alto. Tales creyentes se presentan ante el pueblo inmediatamente después de haber estado en la cámara de audiencia del Altísimo, y sus palabras y hechos promueven la espiritualidad. Cuando entran en contacto con principios equivocados, plantan sus pies firmemente sobre las palabras: "Escrito está"…

Hoy la iglesia necesita obreros que, como Enoc, caminen con Dios y revelen a Cristo al mundo. Los miembros de iglesia necesitan alcanzar una norma más alta… Nuestra percepción del Sol de Justicia está nublada por la exaltación propia. Cristo es crucificado otra vez por muchos que, por la indulgencia propia, le permiten a Satanás que los controle. La iglesia necesita a hombres y mujeres devotos que lleven al mundo el mensaje de salvación, que les señalen a los pecadores el Cordero de Dios; obreros que, por sus obras de justicia y sus palabras puras y verdaderas, puedan sacar del pozo de la degradación a quienes los rodean.

Con piedad y compasión, con tiernos anhelos y amor, el Señor contempla a su pueblo tentado y probado… El propósito de Dios es que todos sean probados y juzgados, para ver si son leales o desleales a las leyes que gobiernan el reino celestial. Hasta el fin del tiempo Dios permitirá que Satanás se revele a sí mismo como un mentiroso, un acusador y un asesino. Así el triunfo final de su pueblo será más evidente, más glorioso, pleno y completo.— *Review and Herald*, 4 de diciembre de 1900.

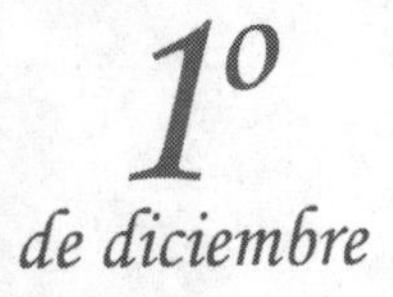

Una puesta de sol en Colorado

Pero anhelaban una mejor, esto es, celestial; por lo cual Dios no se avergüenza de llamarse Dios de ellos; porque les ha preparado una ciudad.
Hebreos 11:16.

Cuando los vagones que llevaban nuestro grupo entraron en la ciudad de Denver, quedamos fascinados al presenciar una de las hermosas puestas de sol de Colorado. El sol pasaba detrás de las montañas coronadas de nieve, e iba dejando suaves rayos de luz dorada que teñían el cielo. Según se profundizaban y se extendían en el firmamento los colores mezclados con una belleza indescriptible, parecía que las puertas del cielo se entreabrían para dejar escapar los destellos de su gloria. Los tonos dorados eran cada vez más cautivadores, como si invitaran a nuestra imaginación a representar la mayor gloria que quedaba adentro… Si esto arroba nuestros sentidos de esta manera, ¿qué sería la plenitud de la gloria en el cielo mismo?…

El cielo parecía muy cercano… Cuando dejamos de mirar las deslumbrantes glorias del día que concluía, no pudimos hacer otra cosa sino reflexionar en que si viéramos más del cielo por el ojo de la fe, nuestra vida abundaría en mayor luz, mayor paz y gozo… Si el ojo de la fe se elevara para ver a través del velo del futuro y discerniera las muestras del amor de Dios y la gloria en la vida prometida más allá, tendríamos una mente más espiritual, y las bellezas y gozos del cielo se mezclarían con nuestra vida diaria. Debiéramos estar preparándonos para el cumplimiento fiel de nuestra obra en esta vida, y para la vida superior que sigue…

Nuestro Padre celestial quiere que, al contemplar las maravillas del firmamento, tengamos una muestra de su amor en la revelación de sus obras portentosas. Dios no desea que seamos indiferentes a estas manifestaciones de su poder infinito en los cielos. David se deleitó al meditar en estas maravillas. Compuso salmos que los cantores hebreos interpretaban para alabar a Dios. "Los cielos cuentan la gloria de Dios, y el firmamento anuncia la obra de sus manos… En ellos puso tabernáculo para el sol; y este, como esposo que sale de su tálamo, se alegra cual gigante para correr el camino" (Sal. 19:1, 4, 5)…

Todas las facultades de nuestro ser, cada recurso de nuestra existencia y felicidad, todas las bendiciones del cálido sol y las lluvias refrescantes que hacen crecer la vegetación, cada comodidad y toda bendición de esta vida, provienen de Dios. Él envía lluvia sobre los justos e injustos. Los tesoros del cielo se derraman sobre todos.— *Signs of the Times*, 12 de diciembre de 1878.

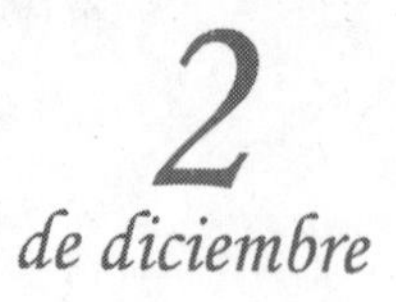

2

de diciembre

El ejemplo de Juan el Bautista

Hubo un hombre enviado de Dios, el cual se llamaba Juan. Juan 1:6.

El nacimiento de Juan el Bautista había sido predicho por los profetas, y un ángel fue enviado para notificarle a Zacarías del suceso. El mensajero celestial le encargó especialmente al padre que criara al hijo con hábitos estrictos de temperancia…

Juan no se sentía suficientemente fuerte para soportar la gran presión de las tentaciones que habría encontrado al mezclarse con la sociedad. Temía que su carácter fuera moldeado según las costumbres prevalecientes de los judíos, y decidió separarse del mundo y hacer su hogar en el desierto… Lejos de sentirse solo, pesaroso o deprimido, disfrutaba de su vida de sencillez y aislamiento, y sus hábitos temperantes mantenían sus sentidos puros…

Juan tenía que desempeñar una obra especial para Dios. Debía tratar con los pecados e insensateces del pueblo. Para prepararse para esta importante obra pública, debía calificarse en privado al procurar el conocimiento celestial. Debía meditar y orar, y familiarizarse con las profecías y la voluntad de Dios por medio del estudio. Separado del ajetreado mundo, cuyos intereses y placeres seductores habrían desviado su mente y pervertido sus pensamientos e imaginación, se apartó para estar con Dios y la naturaleza… Gracias a sus hábitos estrictos de temperancia, adquirió salud física, mental y moral…

Juan se acostumbró a las privaciones y estrecheces; de este modo, ante el pueblo permaneció tan inmune a las circunstancias como las rocas y las montañas del desierto que lo habían rodeado durante treinta años. Le esperaba una gran obra; y era necesario que formara un carácter que no se desviara de lo correcto y del deber por ninguna influencia circundante…

Juan fue un ejemplo para… las personas de estos días finales, a quienes se han encomendado verdades importantes y solemnes. Dios desea que sean temperantes en todas las cosas. Desea que vean la necesidad de dominar el apetito, de mantener las pasiones bajo el control de la razón. Se necesita esto para que tengan la fuerza mental y la claridad para discernir entre el bien y el mal, entre la verdad y el error. Hay una tarea para todos… en la viña del Señor, y él desea que se preparen para desempeñar un papel útil.— *Youth's Instructor*, 7 de enero de 1897.

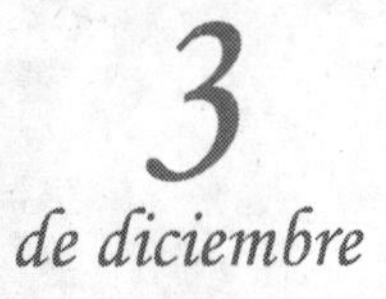

de diciembre

Una voz en el desierto

Este es aquel de quien habló el profeta Isaías, cuando dijo: Voz del que clama en el desierto: Preparad el camino del Señor, enderezad sus sendas. Mateo 3:3.

La predicación de Juan el Bautista creó un intenso entusiasmo. Al comienzo de su ministerio había muy poco interés en lo religioso. La superstición, la tradición y las fábulas habían confundido la mente del pueblo, y no se comprendía el camino correcto. El pueblo se había olvidado de Dios en su celo por conseguir tesoros y honor mundanales...

La enseñanza de Juan despertó en el corazón de muchos un gran deseo de tener una parte en las bendiciones que Cristo habría de traer, y recibieron la verdad. Estos vieron la necesidad de una reforma. No solo debían entrar por la puerta estrecha; también debían luchar y agonizar para tener las bendiciones del evangelio. Solo un deseo vehemente, una voluntad determinada, una firmeza de propósito, podían resistir las tinieblas morales que cubrían la tierra como un paño mortuorio. Para obtener las bendiciones que tenían el privilegio de recibir, debían esforzarse fervientemente y negarse a sí mismos.

La obra de Juan el Bautista representa la obra para estos tiempos. Su obra, y la de quienes salen en el espíritu y poder de Elías para despertar a la gente de su apatía, en muchos aspectos son las mismas. Cristo ha de venir por segunda vez para juzgar al mundo en justicia. Los mensajeros de Dios que llevan el último mensaje de advertencia al mundo, han de preparar el camino para la segunda venida de Cristo, tal como Juan preparó el camino para su primera venida. Si el reino de los cielos sufrió violencia en los días de Juan, también sufre violencia hoy; hoy deben obtenerse las bendiciones del evangelio de la misma manera. Si las formas y la ceremonia no sirvieron en aquel entonces, una forma de piedad sin poder no resolverá nada hoy.

Hay dos potencias en juego. Por una parte, Satanás obra con todas sus fuerzas para contrarrestar la influencia de la obra de Dios; por otra parte, Dios actúa por medio de sus siervos para llamar a los pecadores al arrepentimiento. ¿Quién prevalecerá? Satanás, sabiendo que le queda poco tiempo, ha descendido con gran poder y obra con todo engaño de injusticia sobre los que perecen. Usa a todo agente disponible para prevenir que las almas vengan a la luz. Las victorias que ganamos sobre el yo y el pecado se obtienen a expensas del enemigo, y él no nos dejará disfrutar las bendiciones de Dios sin ejercer esfuerzos determinados para resistirnos.— *Youth's Instructor*, 17 de mayo de 1900.

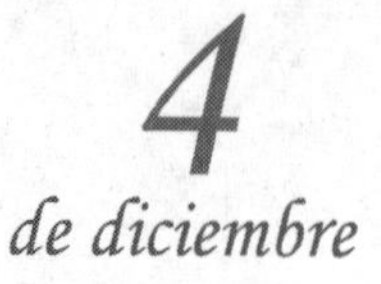

de diciembre

Un precursor de Cristo

E irá delante de él con el espíritu y el poder de Elías, para hacer volver los corazones de los padres a los hijos, y de los rebeldes a la prudencia de los justos, para preparar al Señor un pueblo bien dispuesto. Lucas 1:17.

En Juan el Bautista, Dios levantó a un mensajero para preparar el camino del Señor. Habría de dar un testimonio inquebrantable al mundo, al condenar y denunciar el pecado... Juan no había sido educado en las escuelas de los rabinos. No había realizado estudios humanos...

Para preparar el camino de Cristo se necesitaba a uno que, como los profetas de antaño, pudiera llamar a la degenerada nación al arrepentimiento, y la voz de Juan se levantó como una trompeta. Su comisión fue: "Anuncia a mi pueblo su rebelión, y a la casa de Jacob su pecado" (Isa. 58:1)...

En estos tiempos, justo antes de la segunda venida de Cristo en las nubes del cielo, Dios llama a obreros que prepararán a un pueblo que se sostenga en el gran día del Señor. En estos últimos días debe llevarse a cabo una obra como la de Juan. El Señor ha dado mensajes a su pueblo, por medio de los instrumentos que ha escogido, y desea que todos presten atención a las amonestaciones y advertencias que él envía. El mensaje previo al ministerio público de Cristo era: Arrepiéntanse, publicanos y pecadores; arrepiéntanse, fariseos y saduceos, "porque el reino de los cielos se ha acercado" (Mat. 3:2). Nuestro mensaje no ha de ser un mensaje de paz y seguridad. Como un pueblo que cree en la pronta venida de Cristo, tenemos un mensaje: "Prepárense para encontrarse con Dios". Hemos de levantar el estandarte y llevar el mensaje del tercer ángel. Nuestro mensaje debe ser tan directo como el mensaje de Juan. Él reprendió a reyes por su iniquidad. A pesar de que su vida corría peligro, la verdad no languideció en sus labios. Y debemos cumplir fielmente nuestra tarea en estos tiempos...

Vea el cuadro que el mundo presenta hoy día. Por todas partes hay deshonestidad, fraude y bancarrotas, violencia y derramamiento de sangre... Por eso el discernimiento y la sensibilidad se han embotado al punto de no poder identificar los principios correctos... La luz dada que llama al arrepentimiento, ha sido bloqueada por la espesa nube de la incredulidad y la oposición producida por los planes e invenciones humanas...

Las apelaciones devotas y fervientes que proceden del corazón del mensajero sincero crearán convicción... Todos los que conocen al único y verdadero Dios vivo conocerán a Jesucristo, el unigénito del Padre, y predicarán a Cristo y a este crucificado.— *Review and Herald*, 1 de noviembre de 1906.

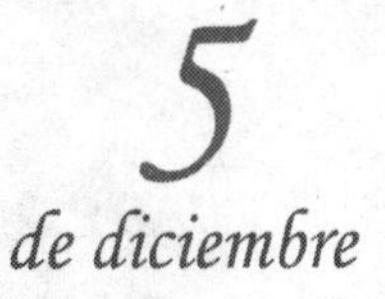

de diciembre

Como en los días de Noé

Y vio Jehová que la maldad de los hombres era mucha en la tierra.
Génesis 6:5.

Los habitantes del mundo en estos tiempos están representados por los moradores de la tierra en el tiempo del diluvio. La maldad de los antediluvianos fue expresada claramente: "Y vio Jehová que la maldad de los hombres era mucha en la tierra, y que todo designio de los pensamientos del corazón de ellos era de continuo solamente el mal" (Gén. 6:5). Dios se cansó de este pueblo cuyos pensamientos solo se concentraban en los placeres pecaminosos y en la indulgencia. No buscaban el consejo de Dios que los había creado, ni les importaba hacer su voluntad. La reprensión de Dios había caído sobre ellos porque seguían la imaginación de su propio corazón, y había violencia en la tierra. "Y se arrepintió Jehová de haber hecho hombre en la tierra" (6:6)...

Jesús se refirió a este hecho en sus enseñanzas. "Mas como en los días de Noé —dijo—, así será la venida del Hijo del hombre" (Mat. 24:37)...

A los habitantes del mundo antediluviano se les había dado la advertencia antes de su destrucción, pero no le prestaron atención. Se negaron a escuchar las palabras de Noé; se burlaron de su mensaje. En esa generación vivían personas justas. Antes de la destrucción del mundo antediluviano, Enoc llevó su testimonio resueltamente. Y en visión profética vio la condición del mundo en el presente. Dijo: "He aquí, vino el Señor con sus santas decenas de millares, para hacer juicio contra todos, y dejar convictos a todos los impíos de todas sus obras impías que han hecho impíamente, y de todas las cosas duras que los pecadores impíos han hablado contra él. Estos son murmuradores, querellosos, que andan según sus propios deseos, cuya boca habla cosas infladas, adulando a las personas para sacar provecho" (Jud. 1:14-16)...

Dios requiere un fervor vivo en este tiempo. Puede ser que los ministros tengan poco conocimiento académico, pero si hacen lo mejor que puedan con sus talentos; si obran según la oportunidad que se presenta; si expresan sus declaraciones en el lenguaje más claro y sencillo; si andan con tacto y humildad, buscando la sabiduría celestial; si trabajan para Dios de corazón, motivados por amor a Cristo y a las almas por las cuales él murió, serán escuchados por los que tienen habilidad y talentos superiores. La sencillez de las verdades que presentan tendrá cierto encanto.— *Review and Herald*, 1 de noviembre de 1906.

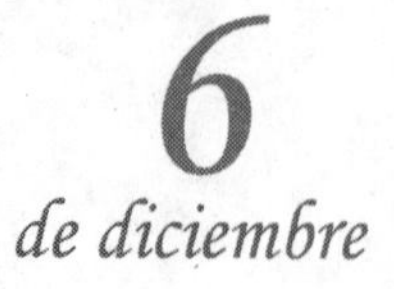

6
de diciembre

“Noé, construye un arca”

Hazte un arca de madera de gofer. Génesis 6:14.

Cuán rápidamente aumentó el pecado y se esparció como la lepra después del primer pecado de Adán. La naturaleza del pecado es hacia el crecimiento. De generación a generación el pecado se ha esparcido como una enfermedad contagiosa. El odio a la ley de Dios y su resultado seguro, el odio a todo lo bueno, se tornó universal. El mundo estaba en su infancia, pero después de que se introdujo el pecado por primera vez, pronto adquirió proporciones temibles hasta que inundó el mundo. Dios, quien creó a la humanidad y le dio con mano generosa los tesoros de su providencia, recibió el menosprecio y el rechazo de los receptores de sus dones… Pero aunque los pecadores se olvidaron de su benévolo Benefactor, Dios no los desestimó ni se apartó de ellos, ni los dejó morir en su violencia y crimen sin mostrarles su maldad y el resultado de la transgresión de su ley. Les envió mensajes de advertencia y súplica…

Dios, a quien los hombres y las mujeres habían desestimado y deshonrado, y de cuya gracia y benevolencia habían abusado, todavía sentía lástima por la raza y en su amor proveyó un refugio para todos los que lo aceptaran. Dirigió a Noé para que edificara un arca y a la vez predicara a los habitantes del mundo que Dios iba a traer un diluvio sobre la tierra para destruir a los malvados. Si creían el mensaje y se preparaban para ese suceso por medio del arrepentimiento y la reforma, encontrarían perdón y serían salvos. Dios no retiró su Espíritu de la raza humana sin advertirles del resultado seguro de su transgresión de la ley…

El Espíritu de Dios continúo luchando con los rebeldes hasta que el momento especificado por Dios estaba por expirar, cuando Noé y su familia entraron al arca y la mano de Dios cerró la puerta del arca. La misericordia había descendido del trono dorado, y ya no habría de interceder por la humanidad.

Aunque Dios obraba para atraer a los pecadores por la convicción de su Santo Espíritu, ellos en su rebelión se estaban apartando de Dios y resistían continuamente los ruegos de su amor infinito. Noé se sostuvo noblemente en medio de un mundo que menospreciaba a Dios y se entregaba a toda suerte de distracciones extravagantes que conducían a crímenes y violencia de todo tipo… Qué espectáculo para el mundo fue ver a Noé sostenerse conectado con Dios por su obediencia, en contraste con el mundo.— *Signs of the Times*, 20 de diciembre de 1877.

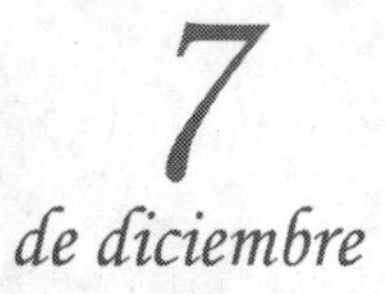

de diciembre

La inquebrantable obediencia de Noé

Noé, varón justo, era perfecto en sus generaciones; con Dios caminó Noé. Génesis 6:9.

Cuán sencilla e infantil era la fe de Noé ante la incredulidad del mundo... Su fe fue perfeccionada por sus obras. Le dio un ejemplo al mundo al creer precisamente lo que Dios había dicho. Siguiendo las instrucciones de Dios, comenzó a construir el arca, un barco inmenso, sobre tierra seca. Las multitudes venían de todas partes a ver esta extraña escena... y a escuchar las palabras intensas y fervientes de este hombre singular que parecía creer cada palabra que pronunciaba... Un poder acompañaba a las palabras de Noé, porque era la voz de Dios que hablaba al pueblo por medio de su siervo. Algunos fueron profundamente convencidos y habrían creído las palabras de advertencia, pero había tantos que bromeaban y ridiculizaban el mensaje de súplica y advertencia para llevarlos al arrepentimiento, que participaron del mismo espíritu, resistieron las invitaciones de la misericordia... y pronto se encontraron entre los burladores más atrevidos y desafiantes; porque nadie es tan descuidado y se adentra tanto en el pecado como los que tuvieron la luz alguna vez, que fueron convencidos y se resistieron al Espíritu de Dios. Noé se distinguió por su santa integridad y su invariable obediencia, en medio del desprecio y la mofa del pueblo... Estaba en el mundo, pero no era del mundo. Noé se convirtió en objeto del desprecio y la burla por su firme adherencia a las palabras de Dios...

Mientras se escuchaba la voz de Dios a través de Noé en súplicas y advertencias y la condenación del pecado y la iniquidad, Satanás no dormía; estaba convocando sus fuerzas... Noé fue probado y examinado. Recibió oposición de los grandes hombres del mundo, de filósofos y presuntos hombres de ciencia, que intentaron mostrarle que su mensaje no podía ser verdad, pero su voz no fue silenciada. Durante 120 años se siguieron escuchando las palabras de advertencia en tonos fervientes, y apoyadas por su enérgico trabajo en el arca... El Espíritu de Dios luchaba con la gente para llevarla a aceptar y creer la verdad, pero las sugerencias de Satanás también eran atendidas; sus propios corazones malvados estaban más inclinados a armonizar con los sofismas del padre de mentiras que con los ruegos del amor infinito. Manifestaron su indiferencia y desprecio hacia las solemnes advertencias de Dios al continuar viviendo de la misma manera que habían vivido antes de que se diera la advertencia...

Cristo nos dice que los días de Noé fueron como serán los días previos a su venida en las nubes del cielo.— *Signs of the Times*, 20 de diciembre de 1877.

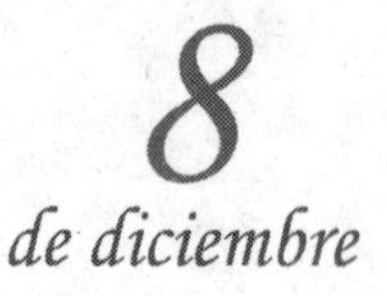

8

de diciembre

El fin de la paciencia

Y dijo Jehová: No contenderá mi espíritu con el hombre para siempre. Génesis 6:3.

En los días de Noé no toda la gente era idólatra y pagana en el sentido pleno de la palabra. El grupo que profesaba un conocimiento de Dios era el que tenía la mayor influencia y tomaba la delantera en minimizar las palabras habladas por Noé. No solo rechazaron ellos el mensaje del fiel pregonero de justicia, sino que como su amo el diablo, buscaban todo medio posible para prevenir que otros creyeran y fueran obedientes a Dios... Mientras Noé hacía sonar la nota de advertencia de la inminente destrucción de aquella generación, todavía tenían la oportunidad y privilegio de ser sabios para salvación. Pero entregaron su mente al control de Satanás en lugar de entregarla a Dios, y [el enemigo] los engañó tal como engañó a nuestros primeros padres...

El mundo antes del diluvio razonó que las leyes de la naturaleza se habían mantenido fijas durante siglos. Las estaciones regresaban en su orden. Los ríos y manantiales nunca habían sobrepasado sus límites sino que sin percance habían llevado sus aguas al imponente mar. Los inmutables designios [divinos] habían impedido que las aguas rebasaran sus cauces. Pero no reconocieron la mano que había aquietado las aguas, diciéndoles: "Hasta aquí pueden llegar y no más"... Razonaban en ese entonces como ahora, como si la naturaleza estuviera por encima del Dios de la naturaleza, y que sus sendas estaban fijadas de tal manera que ni siquiera Dios podía cambiarlas, lo que hacía que en sus mentes mundanas los mensajes de advertencia de Dios fueran interpretados como un delirio, un gran engaño, porque si el mensaje de Noé era correcto, la naturaleza tendría que desviarse de su curso prefijado...

La naturaleza humana en los días de Noé, sin la influencia del Espíritu de Dios, es la misma en nuestros días. En sus aseveraciones y representaciones, Jesús reconoce el Génesis como palabra inspirada. Muchos admiten que el Nuevo Testamento es divino, en tanto que no muestran ninguna consideración especial por las Escrituras del Antiguo Testamento; pero estos dos grandes libros no pueden divorciarse. Los apóstoles inspirados que escribieron el Nuevo Testamento continuamente llevan los pensamientos de los estudiosos de las Escrituras al Antiguo. Cristo lleva la mente de todas las generaciones, presentes y futuras, al Antiguo Testamento. Se refiere a Noé como una persona literal que existió; se refiere al diluvio como un hecho histórico; muestra la descripción de aquella generación como característica de esta era. [Cristo], la Verdad y la Vida, se anticipó a las interrogantes y las dudas de hombres y mujeres con respecto de Antiguo Testamento y lo pronunció divino.— *Signs of the Times*, 20 de diciembre de 1877.

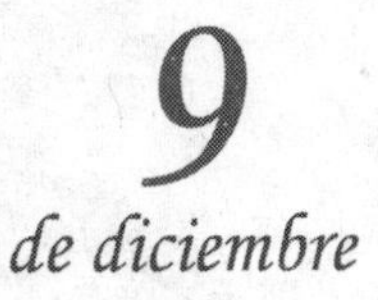

de diciembre

El reposo de Dios

Mas el séptimo día es reposo para Jehová tu Dios. Éxodo 20:10.

Cuando Dios creó la tierra y colocó a los seres humanos en ella, dividió el tiempo en siete periodos. Nos dio seis para nuestro propio uso, para emplearlos en negocios seculares, y reservó uno para él. Después de reposar en el séptimo día, lo bendijo y lo santificó. De ahí en adelante, el séptimo día habría de ser considerado el día de reposo del Señor, y debía ser observado sagradamente como el memorial de su obra creadora. No se santificó ni apartó para un uso santo el primero, segundo, tercero, cuarto, quinto o sexto día; ni tampoco se trataba de una séptima porción del tiempo sin una designación particular; sino que Dios reposó en el séptimo día…

Cuando se dio la ley en el Sinaí, se colocó el sábado en medio de los preceptos morales, en el seno mismo del Decálogo. Pero esta no era la primera vez que se había dado a conocer la institución del sábado. El cuarto mandamiento remonta su origen a la creación. El día de reposo del Creador fue santificado por Adán en el santo Edén, y por el pueblo de Dios a través de la era patriarcal. Durante el largo cautiverio de Israel en Egipto, bajo amos que no conocían a Dios, no pudieron guardar el sábado; por lo tanto el Señor los sacó adonde pudieran recordar su día santo…

Se obró un milagro triple en honor del sábado, incluso antes de que la ley se diera en Sinaí. En el sexto día caía una doble porción de maná, y la porción necesaria para el sábado era preservada dulce y pura, cuando la que se acumulaba en cualquier otro momento se echaba a perder. Aquí hay una evidencia concluyente de que el sábado fue instituido en la creación, cuando se colocó el fundamento de la tierra, cuando las estrellas de la mañana cantaron juntas y los hijos de Dios clamaron con gozo. Y su condición sagrada permanece sin cambios, y permanecerá así hasta el fin del tiempo. Desde la creación, la humanidad ha estado obligada a cumplir todo precepto de la ley divina, y esta ha sido observada por los que temen al Señor. La doctrina que dice que la ley de Dios ha sido abolida es una de las artimañas de Satanás para lograr la ruina de la raza…

Los oráculos divinos fueron confiados especialmente a los judíos; no ser un israelita significaba no pertenecer al pueblo favorecido de Dios… Ahora el profeta declara que el extraño que ama y obedece a Dios disfrutará los privilegios que han pertenecido exclusivamente al pueblo escogido.— *Signs of the Times*, 28 de febrero de 1884.

10

de diciembre

El sábado en la dispensación evangélica

Bienaventurado el hombre... que guarda el día de reposo para no profanarlo, y que guarda su mano de hacer todo mal. Isaías 56:2.

El profeta Isaías, al anticipar la dispensación evangélica, presenta la obligación del sábado y las bendiciones conectadas con su observancia de la manera más impresionante...

Hasta ese momento, la circuncisión y una observancia estricta de la ley ceremonial habían sido las condiciones para la admisión de los gentiles en la congregación de Israel; pero estas distinciones habrían de ser abolidas por el evangelio. "A todos los que guarden el día de reposo para no profanarlo, y abracen mi pacto, yo los llevaré a mi santo monte, y los recrearé en mi casa de oración; sus holocaustos y sus sacrificios serán aceptos sobre mi altar; porque mi casa será llamada casa de oración para todos los pueblos" (Isa. 56:6, 7)...

Más adelante, después de reprender el egoísmo, la violencia y la opresión de Israel y exhortarlos a obras de justicia y misericordia, Dios declara: "Si retrajeres del día de reposo tu pie, de hacer tu voluntad en mi día santo, y lo llamares delicia, santo, glorioso de Jehová; y lo venerares, no andando en tus propios caminos, ni buscando tu voluntad, ni hablando tus propias palabras, entonces te deleitarás en Jehová; y yo te haré subir sobre las alturas de la tierra, y te daré a comer la heredad de Jacob tu padre; porque la boca de Jehová lo ha hablado" (58:13, 14)...

Esta profecía se extiende a través de los siglos hasta el tiempo en que el hombre de pecado intentó anular uno de los preceptos de la ley de Dios, pisotear el día de reposo original de Jehová y exaltar en su lugar uno de su propia creación...

Hubo dos instituciones fundadas en el Edén que no se perdieron en la caída: el sábado y el matrimonio. Estas fueron "trasladadas" por la humanidad más allá de las puertas del paraíso. Todos los que aman y observan el sábado, y mantienen la pureza de la institución del matrimonio, demuestran ser amigos de la humanidad y amigos de Dios. Todos los que por precepto o ejemplo disminuyen la obligación de estas instituciones sagradas son los enemigos de Dios tanto como de la humanidad, y emplean su influencia y los talentos recibidos de Dios para producir un estado de confusión y corrupción moral.— *Signs of the Times*, 28 de febrero de 1884.

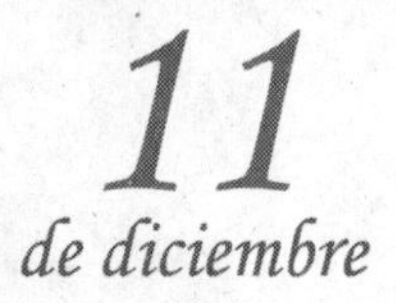

El fundamento bíblico del sábado

Escrito está: No solo de pan vivirá el hombre, sino de toda palabra que sale de la boca de Dios. Mateo 4:4.

Cristo resistió las tentaciones del enemigo con la única arma que el soldado de la cruz de Cristo puede usar con éxito: "Escrito está". ¿Dónde? En el Antiguo y el Nuevo Testamentos. Con estas palabras hemos de defendernos y advertirles a otros, al presentarles la Palabra de vida.

Muchos nunca han comprendido que el domingo no es el día de reposo del cuarto mandamiento. En su sutileza, Satanás ha ocultado este hecho y ha presentado un día común como sagrado, para que todo el mundo resulte culpable ante Dios por esta transgresión. Muchos ignoran totalmente que no están observando el cuarto mandamiento. Es esencial que todos busquen la verdad en el Libro divino, para que puedan decidir qué es lo que el Señor dice sobre este asunto. La gente dice muchas cosas, pero no podemos edificar nuestra fe sobre las palabras de persona alguna. Hay dos bandos en este asunto. El Dios del cielo presenta su ley, y Satanás sostiene su día espurio de reposo…

El domingo es hijo del papado. Ha sido nutrido y acunado por el mundo protestante como un requisito genuino de Jehová; pero no tiene fundamento en la Palabra de Dios. El mundo cristiano es probado sobre la base de su relación con este asunto. Dios influye sobre hombres y mujeres para que escudriñen las Escrituras en busca de evidencia para sostener el domingo. Quienes buscan con un deseo de conocer la verdad, verán que han dependido de la tradición en el pasado y han aceptado una institución del papado…

Somos responsables tan solo por la luz que brilla sobre nosotros. Los mandamientos de Dios y el testimonio de Jesús nos están probando. Si somos fieles y obedientes, Dios se deleitará en nosotros, y nos bendecirá como su pueblo escogido y peculiar. Cuando la fe perfecta, el amor perfecto y la obediencia abunden y obren en el corazón de los que siguen a Cristo, estos ejercerán una poderosa influencia. Difundirán una luz que disipará las tinieblas circundantes, refinará y elevará a todos los que caigan dentro de la esfera de su influencia, e impartirá un conocimiento de la verdad a todos los que estén dispuestos a ser iluminados y a seguir en la humilde senda de la obediencia.

Se prometen grandes bendiciones a quienes guardan el santo sábado de Dios.—*Review and Herald*, 13 de julio de 1897; parcialmente en *Joyas de los testimonios*, tomo 1, p. 285.

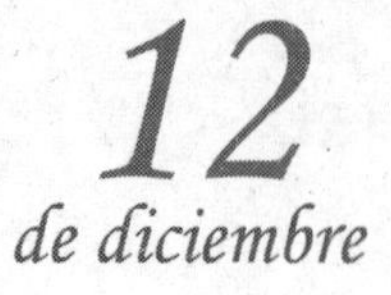

12

de diciembre

¿Qué es lícito en el sábado?

Aconteció también en otro día de reposo, que él entró en la sinagoga y enseñaba; y estaba allí un hombre que tenía seca la mano derecha. Lucas 6:6.

"Y le acechaban los escribas y los fariseos, para ver si en el día de reposo lo sanaría, a fin de hallar de qué acusarle. Mas él conocía los pensamientos de ellos; y dijo al hombre que tenía la mano seca: Levántate, y ponte en medio. Y él, levantándose, se puso en pie. Entonces Jesús les dijo: Os preguntaré una cosa: ¿Es lícito en día de reposo hacer bien, o hacer mal? ¿Salvar la vida, o quitarla?" (Luc. 6:7-9)... Aquí Cristo respondió la pregunta que había hecho. Pronunció que era correcto hacer una obra de misericordia y necesidad. "Es lícito —dijo—, hacer el bien en los días de reposo" (Mat. 12:12).

Los maestros del pueblo a menudo decían, de hecho era uno de sus refranes, que no hacer el bien cuando tenían la oportunidad era hacer el mal, que abstenerse de salvar una vida cuando podían hacerlo era hacerse culpables de asesinato... Seguían la pista de Jesús para encontrar la ocasión para acusarlo falsamente; acechaban su vida con amargo odio y malicia, en tanto él salvaba vidas y traía felicidad a muchos corazones. ¿Era mejor matar en sábado, como ellos tenían planes de hacer, que sanar a los afligidos, como él hacía? ¿Acaso era más justo albergar [intenciones de] asesinato en el corazón en el día santo de Dios que amar a la gente de tal modo que ese amor se expresara en obras de caridad y misericordia?..

Los gobernantes se reunían para decidir cómo librarse de este valiente Abogado de la justicia, cuyas palabras y obras apartaban a la gente de los maestros de Israel. Sin embargo, muy a su pesar, decían: "El mundo se va tras él" (Juan 12:19). Aun así pensaban que por su poder y su ventaja numérica las cosas saldrían a su favor; e hicieron planes acerca de cómo destruirlo.

Hoy vemos una representación de lo mismo. Los que transgreden ellos mismos la ley de Dios, anulando los mandamientos de Dios por medio de su tradición, reaccionan con reproches y acusaciones contra los siervos a quienes Dios envía con un mensaje para corregir sus maldades. Deciden eliminarlos, callar sus voces para siempre, en vez de abandonar los pecados que han provocado la reprensión de parte de Dios.— *Review and Herald*, 10 de agosto de 1897.

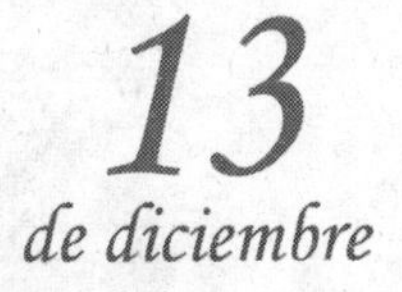

de diciembre

La preparación para la venida de Jesús

Aguardando la esperanza bienaventurada y la manifestación gloriosa de nuestro gran Dios y Salvador Jesucristo. Tito 2:13.

Jesús viene pronto; y a nosotros que creemos esta verdad solemne nos toca dar la advertencia al mundo. Debemos mostrar por nuestra vestimenta, nuestra conversación y nuestras acciones, que nuestra mente está concentrada en algo superior a los negocios y placeres de esta corta vida. No somos más que peregrinos y extranjeros aquí y debiéramos dar alguna evidencia de que estamos listos y esperando la aparición de nuestro divino Señor. Que el mundo vea que usted va en camino a una patria mejor, querido lector, a una herencia inmortal que no pasará; que no puede darse el lujo de dedicar su vida a las cosas de este mundo, sino que su preocupación es prepararse para el hogar que lo aguarda en el reino de Dios.

¿Cómo haremos esta preparación? Colocando nuestros apetitos y pasiones en sujeción a la voluntad de Dios y mostrando en nuestra vida los frutos de la santidad. Debemos hacer justicia, amar misericordia y humillarnos ante nuestro Dios. Hemos de dejar que Cristo entre en nuestro corazón y nuestro hogar. Debemos cultivar el amor, la compasión y la cortesía genuina unos con otros...

Nuestra vida debe consagrarse al bien y la felicidad de otros, como hizo nuestro Salvador. Este es el gozo de los ángeles, y la obra en la que se ocupan. El espíritu de amor sacrificado de Cristo es el espíritu que permea el cielo y la fuente de su felicidad. Y si hemos de ser idóneos para unirnos a la sociedad de las huestes angélicas, debe ser el nuestro. A medida que el amor de Cristo llena nuestro corazón y controla nuestra vida, el egoísmo y el amor a lo fácil serán vencidos; será de nuestro agrado servir a los demás y hacer la voluntad de nuestro Señor, a quien esperamos ver pronto...

Debemos hacer lo correcto porque es correcto, y no para evitar el castigo o por temor a una gran calamidad que pueda sobrevenirnos. Yo deseo hacer lo correcto por el placer que me da la justicia. Hay tanta felicidad en hacer el bien aquí; tanta satisfacción en hacer la voluntad de Dios; tanto placer en recibir su bendición. Entonces mostremos que somos hombres y mujeres de criterio sano, que no elegimos nuestra porción en este mundo, sino en el mundo venidero. Mantengámonos en nuestro puesto, fieles en el cumplimiento de todo deber, con nuestra vida oculta con Cristo en Dios, para que cuando el Pastor de los pastores aparezca, recibamos una corona imperecedera.— *Signs of the Times*, 10 de noviembre de 1887.

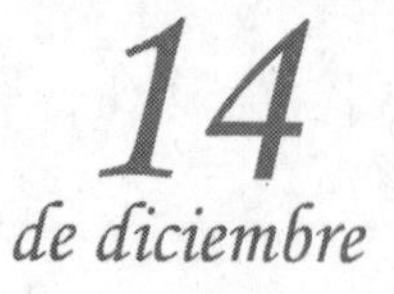

14

de diciembre

El deber presente

En lo que requiere diligencia, no perezosos; fervientes en espíritu, sirviendo al Señor. Romanos 12:11.

El deber actual de cada hijo verdadero de Dios es esperar pacientemente, velar atentamente, trabajar fielmente, hasta la venida del Señor, para que estemos preparados para el solemne evento. Las características del verdadero seguidor de Cristo, el hombre y la mujer perfectos en Cristo Jesús, se manifestarán en trabajar, velar y esperar al Señor. No se darán enteramente a la contemplación y la meditación ni estarán tan absortos en ajetreos que descuiden el ejercicio de la piedad personal; pero en el cristiano simétrico, la devoción personal se mezclará con el trabajo ferviente, y los seguidores de Cristo no serán perezosos, sino que serán "fervientes en espíritu, sirviendo al Señor". Deben mantenerse las lámparas alistadas y prendidas, para que envíen brillantes rayos de luz en las tinieblas morales del mundo...

El Señor viene pronto, y por esta precisa razón necesitamos nuestras escuelas, no para ser educados según el sistema del mundo, sino para que nuestras instituciones de aprendizaje puedan parecerse más a las escuelas de los profetas, lugares donde podamos conocer la voluntad de Dios y alcanzar los niveles más elevados de la ciencia, para entender mejor a Dios y sus obras, y el carácter de Jesucristo, a quien él ha enviado... El pueblo de Dios debe adquirir más destrezas y experiencia; porque habrá más tareas para todos, y especialmente para los que están en posiciones de confianza. Al acercarnos al fin, Satanás se animará a hacer un esfuerzo desesperado para vencer a todos los que disputen su pretensión de ser la autoridad suprema sobre la tierra, y el pueblo de Dios debe prepararse para la lucha. Dios requiere el ejercicio completo de toda habilidad. Les ha dado a hombres y mujeres que hagan todo lo que les sea posible hacer según sus facultades naturales y cultivadas... Los seguidores de Cristo no pueden abandonar sus puestos sin traicionar un deber sagrado, sin poner en peligro la salvación de sus propias almas y las ajenas. Usted debe ser leal al trabajo que se le ha confiado, y dejar de buscar algo nuevo y extraño.

Cuando Cristo les explicó a los discípulos la gran obra que habría de hacerse, y les prometió el don del Espíritu Santo, estuvieron ansiosos por saber si entonces verían el cumplimiento de la esperanza ansiada por tanto tiempo. Preguntaron: "¿Restaurarás el reino a Israel en este tiempo?" El Señor reprendió su curiosidad y les dijo: "No os toca a vosotros saber los tiempos o las sazones, que el Padre puso en su sola potestad" (Hech. 1:6, 7).— *General Conference Bulletin*, cuarto trimestre de 1896, p. 764.

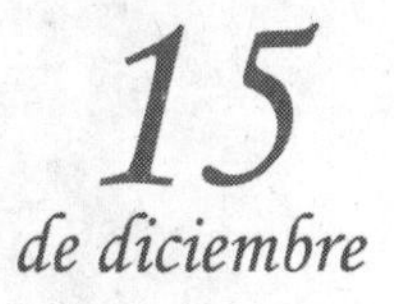

de diciembre

Reflectores de Cristo

No os toca a vosotros saber los tiempos o las sazones, que el Padre puso en su sola potestad. Hechos 1:7.

Los discípulos no podían conocer la hora de la segunda venida de Cristo. Había una cosa que podían entender, y era que habrían de recibir poder luego que el Espíritu Santo descendiera sobre ellos, y que habían de ser testigos de Cristo. Se reprende toda esta ardiente curiosidad por conocer la fecha. No se nos ha revelado, y no hemos de sentirnos ansiosos por estas cosas que el Señor nunca nos ha confiado, sino que ha mantenido en su sola posesión. Pero la dotación del Espíritu es para nosotros; podemos esperar este don en confianza y recibirlo libremente; porque no podemos hacer nada por la salvación de las almas sin este agente celestial. Debido a la brevedad de la vida humana, debemos aprovechar toda ocasión para enriquecer las almas con las verdades del evangelio.

Según nos vamos acercando al fin del tiempo, debemos mantener en mente la espiritualidad de la ley y la extrema impotencia de una obediencia formal, ceremonial a los mandamientos de una religión legalista. Los principios eternos de la verdad deben destacarse. El carácter santo y paternal de Dios debe presentarse a todos. Debe aclararse nuestra obligación en nuestras acciones cotidianas, para que entendamos nuestra relación con Dios y con cada otra persona; porque hemos de velar por las almas como quienes han de rendir cuentas. Debemos presentarle a la gente, no las imaginaciones de los hombres, ni sus intrigas y conclusiones, sino la gracia de Dios en el don de su Hijo unigénito, de manera que todo el que crea en él no se pierda, sino que tenga vida eterna. Hemos de levantar a Jesús, para que él atraiga hacia sí a los hombres y las mujeres…

Cuán difícil se les hace advertir la necesidad de una oración constante, un arrepentimiento sincero, de obtener más y más perfección de carácter, que es la sal de la experiencia cristiana y la evidencia de la operación del Espíritu Santo en el corazón. El Espíritu Santo ha de iluminar, renovar y santificar el alma…

Que todos cumplan su deber, que laboren activamente con Cristo Jesús. Represente a Jesús dando un ejemplo de piedad cristiana, para que la gracia de Cristo se muestre como es: hermosa, atrayente, armoniosa y siempre constante. Una vida hermoseada por la santidad no es una vida de contemplación ociosa, sino una llena de trabajo ferviente por el Maestro, cuya luz brilla más y más hasta que el día es perfecto.— *General Conference Bulletin*, cuarto trimestre de 1896, p. 764, 765.

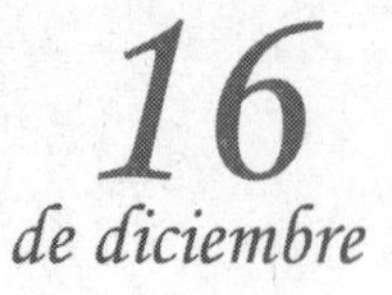

16

de diciembre

Una acción decisiva

Negociad entre tanto que vengo. Lucas 19:13.

Como adventistas del séptimo día, tenemos una obra que cumplir en testificar por Cristo… Si el Señor ha de venir pronto, comience a actuar decisiva y determinadamente, y con interés intenso para mejorar los recursos de las instituciones, para que pueda efectuarse una gran obra en poco tiempo.

Quienes se han aliado con el mundo deberían atender la invitación del Señor. Él dice: "Salid de en medio de ellos, y apartaos, dice el Señor, y no toquéis lo inmundo" (2 Cor. 6:17)… Los brillantes rayos del Sol de justicia han de brillar sobre ustedes, para que sean hermoseados con la santidad.

¿Habremos de decir ahora que no necesitamos recursos? ¿Que todo lo que necesitamos es fe? La fe genuina es una base para la conducta, y las obras aparecerán como una prueba de este agente en el alma. Usted debe redoblar sus esfuerzos, redoblar sus fuerzas de trabajo…

Debe hacerse una gran obra por todo el mundo, y que nadie se ufane de que porque el fin está cerca, no hay necesidad de hacer esfuerzos especiales para edificar las diversas instituciones según demande la causa… Todos han de ser obreros, pero la carga más pesada de responsabilidad cae sobre los que tienen el mayor talento, los mayores recursos, las mayores oportunidades. Hemos de ser justificados por la fe y juzgados por nuestras obras.

Cuando el Señor nos pida que depongamos la armadura y cejemos en nuestros esfuerzos por establecer escuelas, por construir instituciones para el cuidado de los enfermos, para amparar a los huérfanos y los desamparados, y para el consuelo de ministros agotados, será la hora de cruzar las manos y dejar que el Señor concluya la obra; pero ahora es nuestra oportunidad de mostrar nuestro celo por el Señor…

Además de todo esto, Dios pide misioneros del hogar. Que cada alma se niegue a sí misma, lleve la cruz y dedique mucho menos a la gratificación del yo, para que haya agentes vivos y activos en todas las iglesias. Una fe menos abarcante que esta niega el carácter cristiano. La fe del evangelio es aquella cuyo poder y gracia tienen autoría divina. Por eso hagamos manifiesto que Cristo mora en nosotros, al dejar de gastar dinero en vestidos y en cosas innecesarias, mientras que la causa de Cristo está paralizada por falta de recursos, no se pagan las deudas de nuestros edificios de reunión y la tesorería está vacía. "Por sus frutos los conoceréis"(Mat. 7:20). ¿Acaso no seguiremos el ejemplo de aquel que por nosotros se hizo pobre, para que por su pobreza nosotros fuéramos enriquecidos?— *General Conference Bulletin*, cuarto trimestre de 1896, p. 765-768.

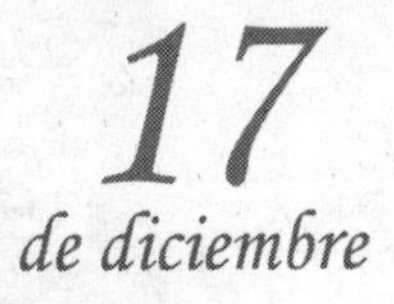

Vidas llenas de las cosas celestiales

Bienaventurados los que lavan sus ropas, para tener derecho al árbol de la vida, y para entrar por las puertas en la ciudad. Apocalipsis 22:14.

Si deseamos entrar al cielo debemos luchar por integrar todo lo que podamos del cielo en nuestra vida terrenal. La religión de Cristo nunca rebaja al receptor. Ejerce una influencia celestial sobre la mente y los modales de hombres y mujeres. Cuando la Palabra de Dios encuentra acceso a los corazones de los rudos y los ásperos, comienza un proceso de refinamiento del carácter, y quienes son objeto de ese proceso se tornan humildes y receptivos, como niños pequeños... Han de ser piedras vivas en el templo de Dios, y son cortadas, ajustadas y cinceladas para ser colocadas en el edificio de Dios. Quienes están llenos de estima propia llegan a ser mansos y humildes de corazón. Su carácter cambia, y son transformados por la renovación de su mente y la regeneración obrada por el Espíritu Santo.

Dios dijo en el principio: "Hagamos al hombre a nuestra imagen, conforme a nuestra semejanza" (Gén. 1:26), pero el pecado casi ha borrado la imagen moral de Dios en la humanidad. Esta condición lamentable se habría mantenido sin posibilidad de cambio, sin esperanza, si Jesús no hubiera descendido a nuestro mundo para ser nuestro Salvador y Ejemplo. En medio de la degradación moral del mundo, él permanece [como modelo de] un carácter hermoso e impecable, el único modelo digno de nuestra imitación. Debemos estudiar, copiar y seguir al Señor Jesucristo; entonces podremos traer la belleza de su carácter a nuestra propia vida y entretejer su hermosura en nuestras palabras y acciones diarias... Por medio de Cristo podemos poseer el espíritu de amor y obediencia a los mandamientos de Dios. Este amor puede ser restaurado en nuestra naturaleza caída a través de sus méritos; y cuando el juez se siente y los libros se abran, podremos recibir la aprobación de Dios.

Juan vio la santa ciudad, la Nueva Jerusalén, con sus doce puertas de perla y doce fundamentos de piedras preciosas, descendiendo del cielo de parte de Dios... Todo el que entre por esas puertas y camine por esas calles habrá sido cambiado y purificado por el poder de la verdad; y la corona de gloria inmortal adornará la frente del vencedor.

Las naciones que han guardado la verdad entrarán, y la voz del Hijo de Dios pronunciará la alegre bienvenida: "Bienaventurados los que lavan sus ropas, para tener derecho al árbol de la vida" (Apoc. 22:14).— *Signs of the Times*, 22 de diciembre de 1887.

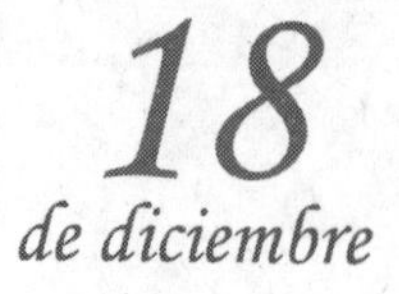

18

de diciembre

Honremos al Dador de dones

¿Qué vieron en tu casa? 2 Reyes 20:15.

Estudie el caso de Ezequías. Había estado enfermo de muerte. Había apelado al Señor, y Dios le había añadido quince años a su vida. "En aquel tiempo… [el] rey de Babilonia, envió mensajeros con cartas y presentes a Ezequías, porque había oído que Ezequías había caído enfermo. Y Ezequías los oyó, y les mostró toda la casa de sus tesoros, plata, oro, y especias, y ungüentos preciosos, y la casa de sus armas, y todo lo que había en sus tesoros; ninguna cosa quedó que Ezequías no les mostrase, así en su casa como en todos sus dominios. Entonces el profeta Isaías vino al rey Ezequías, y le dijo: ¿Qué dijeron aquellos varones, y de dónde vinieron a ti?… ¿Qué vieron en tu casa? Y Ezequías respondió: Vieron todo lo que había en mi casa; nada quedó en mis tesoros que no les mostrase" (2 Rey. 20:12-15).

La visita de los embajadores a Ezequías fue una prueba de su gratitud y devoción… Dios lo había levantado de un lecho de muerte, y le había dado una nueva oportunidad de vida. Los babilonios habían escuchado de su recuperación milagrosa. Se maravillaron que el Sol se hubiera retrasado diez grados, como señal de que la palabra de Dios se cumpliría. Enviaron mensajeros a Ezequías para felicitarlo por su recuperación. La visita de estos mensajeros le dio una oportunidad para alabar al Dios del cielo. Pero el orgullo y la vanidad se apoderaron del corazón de Ezequías, y en su exaltación propia expuso ante sus ojos codiciosos los tesoros con los cuales el Señor había enriquecido a su pueblo… Su indiscreción preparó el camino para un desastre nacional. Los embajadores llevaron a Babilonia el informe de las riquezas de Ezequías y el rey y sus consejeros hicieron planes de enriquecer a Babilonia con los tesoros de Jerusalén.

Si Ezequías hubiera aprovechado la oportunidad recibida para testificar del poder, la bondad, la compasión del Dios de Israel, los informes de los embajadores habrían sido como una luz que atravesara la oscuridad. Pero él se exaltó por encima del Señor de los ejércitos y no le dio a Dios la gloria…

¡Qué bueno sería que aquellos por los cuales Dios ha hecho cosas maravillosas manifestaran su alabanza y contaran de sus poderosas obras! Pero cuán a menudo aquellos por los cuales Dios obra son como Ezequías y se olvidan del Dador de todas sus bendiciones.— *Signs of the Times*, 1 de octubre de 1902.

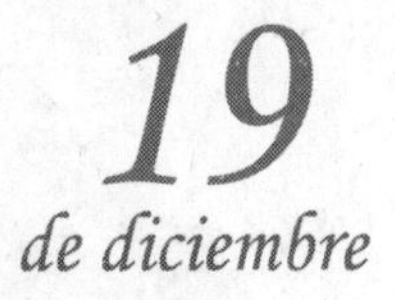

Somos responsables como individuos

Por tanto, pruébese cada uno a sí mismo. 1 Corintios 11:28.

Este mundo es una escuela de entrenamiento, y el gran propósito de la vida es obtener la idoneidad para las gloriosas mansiones que Jesús ha ido a preparar. Recordemos que esta obra de preparación es un trabajo individual. No somos salvados en grupos. La pureza y devoción de uno no compensará la falta de estas cualidades en otro. Cada caso debe soportar la inspección individual. Cada uno de nosotros debe ser probado y encontrado sin mancha ni arruga ni cosa semejante.

Vivimos en el gran día antitípico de la expiación. Jesús se encuentra ahora en el Santuario celestial, haciendo reconciliación por los pecados de su pueblo, y el juicio de los muertos justos ha venido ocurriendo desde hace casi cuarenta años (escrito en mayo 1884). No sabemos cuán pronto vendrán a juicio los casos de los vivos ante este tribunal; pero sí sabemos que estamos viviendo en las escenas finales de la historia de la tierra; nos encontramos, por así decirlo, en la frontera misma del mundo eterno. Es importante que cada uno de nosotros se pregunte: ¿Cómo estará mi caso en las cortes del cielo? ¿Serán borrados mis pecados? ¿Tengo defectos de carácter, y las costumbres y opiniones del mundo me han cegado tanto que el pecado no me parece tan ofensivo ante Dios como lo es en realidad? Ahora no es el momento de permitir que nuestras mentes sean absorbidas con las cosas de la tierra al punto de que apenas ocasionalmente pensamos en Dios y nos preparamos muy poco para la tierra hacia la cual viajamos.

En el típico Día de la Expiación, se requería que todo el pueblo afligiera su alma ante Dios. No habrían de afligir el alma ajena, sino que el asunto era entre Dios y sus propias almas. La misma obra de autoexamen y humillación se requiere ahora de cada uno de nosotros... Se desperdician momentos preciosos en el adorno del vestido y otros asuntos triviales, [momentos] que debieran usarse en buscar el adorno interno de un espíritu manso y tranquilo...

Vivimos en un tiempo importante y portentoso. Casi estamos en el hogar. Pronto irrumpirán ante nuestra vista las muchas mansiones que nuestro Salvador ha ido a preparar... Ahora podemos tener en nuestro corazón gozo y una paz indecible y gloriosa; y pronto, en la venida de Cristo, será nuestro el premio que nos aguarda al final de la carrera cristiana, para que lo disfrutemos durante las edades perpetuas.— *Signs of the Times*, 29 de mayo de 1884.

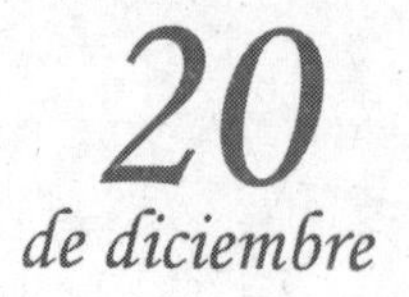

20

de diciembre

La lluvia tardía

Pedid a Jehová lluvia en la estación tardía. Jehová hará relámpagos, y os dará lluvia abundante. Zacarías 10:1.

En el Oriente la lluvia temprana cae en el momento de la siembra. Es necesaria para que la semilla pueda germinar. Bajo la influencia de las lluvias fertilizantes, surge el brote tierno. La lluvia tardía, que cae cerca del fin de la estación, madura el grano y lo prepara para la hoz. El Señor emplea estas operaciones de la naturaleza para representar la obra del Espíritu Santo. Al igual que se nos dan primero el rocío y la lluvia para hacer que la semilla germine y luego para madurar la cosecha, el Espíritu Santo es dado para llevar a cabo, de una etapa a la siguiente, el proceso del crecimiento espiritual. La maduración del grano representa la finalización de la obra de la gracia de Dios en el alma...

La lluvia tardía, que madura la cosecha de la tierra, representa la gracia espiritual que prepara a la iglesia para la venida del Hijo del hombre. Pero a menos que haya caído la primera lluvia, no habrá vida; la brizna verde no surgirá. A menos que las lluvias tempranas hagan su tarea, la lluvia tardía no podrá perfeccionar la semilla...

La obra que Dios ha comenzado en el corazón humano al proveer su luz y conocimiento, debe avanzar continuamente. Todos debemos advertir nuestra propia necesidad. El corazón debe vaciarse de toda impureza y ser limpiado para la morada interior del Espíritu. Fue por la confesión y el abandono del pecado, por la oración ferviente y la consagración de sí mismos a Dios, que los primeros discípulos se prepararon para el derramamiento del Espíritu Santo en el día de Pentecostés. La misma obra, solo que en un grado mayor, debe hacerse ahora...

Solo los que viven a la altura de la luz que tienen recibirán mayor luz. A menos que avancemos diariamente en la ejemplificación de las virtudes cristianas activas, no reconoceremos las manifestaciones del Espíritu Santo en la lluvia tardía. Puede ser que esté cayendo a nuestro alrededor, pero no la discernamos ni la recibamos.

En ningún momento de nuestra experiencia podemos prescindir de la asistencia [divina] que nos habilita para dar el primer paso. Las bendiciones recibidas bajo la lluvia temprana nos son necesarias hasta el fin.— *Review and Herald*, 2 de marzo de 1897.

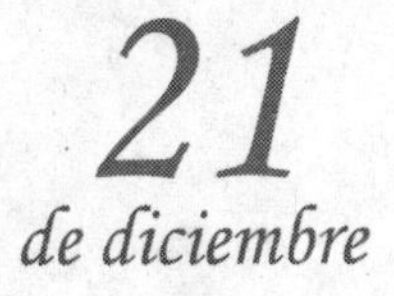

Acepte la invitación

Vé por los caminos y por los vallados, y fuérzalos a entrar,
para que se llene mi cas Lucas 14:23.

Un hombre que fue invitado a la fiesta con Cristo en la casa de uno de los fariseos principales, y que escuchó a Cristo declarar cuál era el deber de quienes habían sido objeto de la generosidad de Dios, exclamó en complacencia y satisfacción propia: "Bienaventurado el que coma pan en el reino de Dios" (Luc. 14:15). Deseaba desviar la mente de los presentes en la fiesta del tema de su deber práctico; pero más bien proveyó la ocasión para que Cristo contara una parábola de un significado aún más profundo, y esto abrió ante el grupo el tema del carácter y el valor de sus privilegios presentes...

Cristo había enviado una invitación a una fiesta que él habría de proveer pagando un elevado costo. Había enviado al Espíritu Santo para influir sobre la mente de los profetas y los santos hombres de antaño para invitar a su pueblo escogido a la rica fiesta del evangelio... El hombre que intentaba desviar la atención del grupo hablaba con gran seguridad propia, como si pensara que él seguramente comería pan en el reino de Dios. Pero Jesús les advirtió a él y a todos los presentes del peligro de rechazar la invitación vigente a la fiesta del evangelio...

El Señor había enviado primero su invitación a su pueblo escogido, pero ellos habían desestimado y rechazado a su mensajero. ¡Cuán vanas e innecesarias fueron las excusas que ofrecieron! Pero, ¿acaso son más lógicas las excusas que ofrecen hombres y mujeres en nuestro tiempo que las ofrecidas en tiempos de Cristo?

Algunos que son invitados exclaman: "Pido que me excuses. Si viniera, mis vecinos se burlarían de mí y me ridiculizarían, y no puedo soportar su escarnio. He vivido entre ellos mucho tiempo, y no quiero disgustar a mis vecinos"... Otros desean pagar sus tierras y fortalecer sus intereses temporales, y dedican las facultades de la mente y el alma a sus asuntos terrenales...

En estos últimos días nos ha llegado el precioso mensaje... Se ha dado la invitación: "Vengan, porque ya todo está listo"...

Cristo ha comprometido su propia vida para redimir a su pueblo, y él desea que ellos tomen en cuenta sus requerimientos superiores y eternos.— *Review and Herald*, 5 de noviembre de 1895.

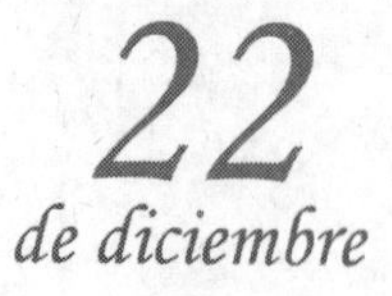

22

de diciembre

A todas las naciones

Y me seréis testigos en Jerusalén, en toda Judea, en Samaria, y hasta lo último de la tierra. Hechos 1:8.

Cristo ordenó a sus discípulos que empezasen en Jerusalén la obra que él había dejado en sus manos. Jerusalén había sido el escenario de su asombrosa condescendencia hacia la familia humana. Allí había sufrido, había sido rechazado y condenado. La tierra de Judea era el lugar donde había nacido. Allí, vestido con el atavío de la humanidad, había caminado con los hombres, y pocos habían discernido cuánto se había acercado el cielo a la tierra cuando Jesús estuvo entre ellos. En Jerusalén debía empezar la obra de los discípulos.

Pero la obra no debía detenerse allí. Había de extenderse hasta los más remotos confines de la tierra. Cristo dijo a sus discípulos: Habéis sido testigos de mi vida de abnegación en favor del mundo. Habéis presenciado mis labores para Israel. Aunque no han querido venir a mí para obtener la vida, aunque los sacerdotes y príncipes han hecho de mí lo que quisieron, aunque me rechazaron según lo predecían las Escrituras, deben tener todavía una oportunidad de aceptar al Hijo de Dios. Habéis visto todo lo que me ha sucedido, habéis visto que a todos los que vienen a mí confesando sus pecados yo los recibo libremente. De ninguna manera echaré al que venga a mí. Todos los que quieran pueden ser reconciliados con Dios y recibir la vida eterna. A vosotros, mis discípulos, confío este mensaje de misericordia. Debe proclamarse primero a Israel y luego a todas las naciones, lenguas y pueblos...

Mediante el don del Espíritu Santo, los discípulos habían de recibir un poder maravilloso. Su testimonio iba a ser confirmado por señales y prodigios...

Los discípulos tenían que comenzar su obra donde estaban. No habían de pasar por alto el campo más duro ni menos promisorio. Así también, todos los que trabajan para Cristo han de empezar donde están. En nuestra propia familia puede haber almas hambrientas de comprensión, que anhelan el pan de vida. Puede haber hijos que han de educarse para Cristo. Hay paganos cerca de nuestra misma puerta. Hagamos fielmente la obra que está más cerca. Luego extiéndanse nuestros esfuerzos hasta donde la mano de Dios nos conduzca. La obra de muchos puede parecer restringida por las circunstancias; pero dondequiera esté, si se cumple con fe y diligencia, se hará sentir hasta las partes más lejanas de la tierra. La obra que Cristo hizo cuando estuvo en la tierra parecía limitarse a un campo estrecho, pero multitudes de todos los países oyeron su mensaje.— *Review and Herald*, 9 de octubre de 1913.

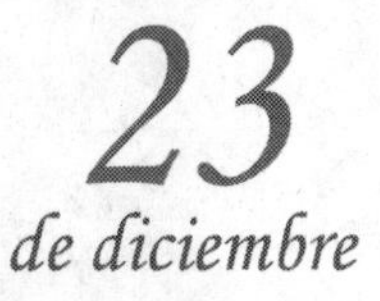

La primera y la segunda venida

Y enviará sus ángeles con gran voz de trompeta, y juntarán a sus escogidos, de los cuatro vientos, desde un extremo del cielo hasta el otro. Mateo 24:31.

Los líderes de la nación judía tenían las Escrituras del Antiguo Testamento, las cuales predecían claramente la forma de la primera venida de Cristo. Por medio del profeta Isaías, Dios había descrito la apariencia y la misión de Cristo, al decir que sería "despreciado y desechado entre los hombres, varón de dolores, experimentado en quebranto" (Isa. 53:3)…

Buscaron en su primera venida todos los maravillosos sucesos que rodearán su segunda venida. Por lo tanto, cuando vino, no estaban preparados para recibirle…

Entre el primer y el segundo advenimiento de Cristo se percibirá un contraste extraordinario. Ningún lenguaje humano es capaz de describir las escenas relativas a la segunda venida del Hijo del hombre en las nubes de los cielos. Aparecerá con su propia gloria, y con la gloria de su Padre y la de sus santos ángeles. Vendrá cubierto con el manto de luz, que ha vestido desde los días de la eternidad. Lo acompañarán los ángeles… Se escuchará el sonido de la trompeta que llama a los muertos que duermen en sus tumbas…

Mientras ellos [los líderes judíos] contemplan su gloria, ante su mente aparece el recuerdo del Hijo del hombre revestido del atuendo de la humanidad. Recuerdan cómo lo trataron, cómo lo rechazaron y se unieron al bando del gran apóstata. Las escenas de la vida de Cristo aparecen ante ellos en toda su claridad. Todo lo que hizo, todo lo que dijo, la humillación a la cual se sometió para salvarlos de la mancha del pecado, se alzará para condenarlos…

Ahora nos encontramos entre los peligros de los últimos días. Las escenas del conflicto se apresuran, y el día de días se nos viene encima. ¿Estamos preparados?…

El Hijo del hombre conferirá a los justos la corona de vida eterna, y "le sirven día y noche en su templo; y el que está sentado sobre el trono extenderá su tabernáculo sobre ellos. Ya no tendrán hambre ni sed, y el sol no caerá más sobre ellos, ni calor alguno; porque el Cordero que está en medio del trono los pastoreará, y los guiará a fuentes de aguas de vida; y Dios enjugará toda lágrima de los ojos de ellos" (Apoc. 7:15-17).— *Review and Herald*, 5 de septiembre de 1899.

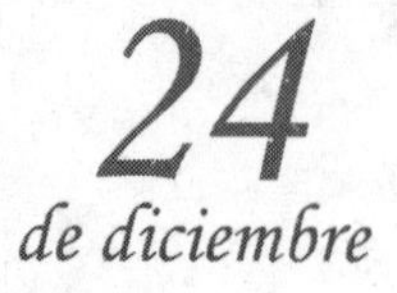

24

de diciembre

¡Tamaño regalo de Navidad!

Vendré otra vez, y os tomaré a mí mismo. Juan 14:3.

Se acercaba el momento de la traición, el sufrimiento y la crucifixión de Jesús; y cuando los discípulos se reunieron a su alrededor, el Señor les reveló los tristes sucesos que habrían de ocurrir, y sus corazones se llenaron de pena. Para consolarlos les habló estas tiernas palabras: "No se turbe vuestro corazón... vendré otra vez, y os tomaré a mí mismo" (Juan 14:1-3). Apartó sus mentes de las escenas de pesar y las llevó a las mansiones del cielo y el momento de la reunión en el reino de Dios... Aunque debía alejarse de ellos y ascender a su Padre, su obra a favor de los que amaba no habría de concluir. Habría de preparar hogares para los que por su causa habrían de ser peregrinos y extranjeros sobre la tierra...

Después de su resurrección, "los sacó fuera hasta Betania, y alzando sus manos, los bendijo. Y aconteció que bendiciéndolos, se separó de ellos, y fue llevado arriba al cielo" (Luc. 24:50, 51)... ¿Imagina usted que cuando regresaron a Jerusalén se dijeron uno al otro: "El Señor nos ha abandonado. ¿De qué vale intentar ganar seguidores para Jesús? Regresemos a nuestras redes"?... No hay registro alguno de tal conversación. No se ha escrito una frase ni se ha dado una sugerencia de que hayan pensado dejar el servicio de su Señor ascendido para servir al yo y al mundo. La mano del Señor se había extendido para bendecir a sus discípulos que dejaba al ascender. Habían visto su gloria. Él se había ido a preparar mansiones para ellos. Se había hecho provisión para su salvación, y si ellos eran fieles en el cumplimiento de las condiciones, seguramente lo seguirían hasta el mundo de gozo sin fin. Sus corazones se llenaron con cantos de alegría y alabanza.

Todos tenemos el mismo motivo de agradecimiento. La resurrección y la ascensión de nuestro Señor son evidencia segura del triunfo de los santos de Dios sobre la muerte y la tumba, y una promesa de que el cielo se encuentra abierto para quienes lavan sus ropas del carácter y las emblanquecen en la sangre del Cordero. Jesús ascendió al Padre como un representante de la raza humana, y Dios traerá a los que reflejan su imagen para que contemplen y compartan la gloria suya...

Avancemos juntos para alcanzar la gran recompensa y unirnos al canto de los redimidos. Si hemos de cantar las alabanzas de Dios para siempre en el cielo, primero debemos cantarlas aquí.— *Signs of the Times*, 27 de enero de 1888.

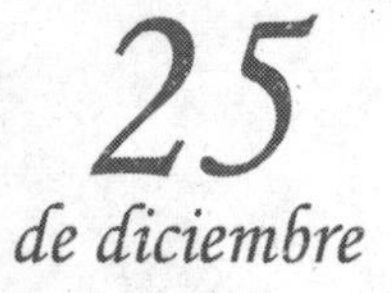

El cumplimiento de la promesa

Entra en el gozo de tu señor. Mateo 25:21.

Aunque los discípulos habían mirado hacia lo más lejano del cielo hasta que su Señor se desapareció de su vista, no vieron a los ángeles que rodearon a su amado Comandante. Jesús llevaba consigo a una multitud de cautivos que habían salido de sus tumbas con su resurrección. A medida que la gloriosa compañía se acerca a las puertas de la ciudad eterna, los ángeles cantan: "Alzad, oh puertas, vuestras cabezas, y alzaos vosotras, puertas eternas, y entrará el Rey de gloria". Y los ángeles que guardan las puertas responden: "¿Quién es este Rey de gloria?" Los ángeles acompañantes responden: "Jehová de los ejércitos, él es el Rey de la gloria" (ver Salmo 24:7-10). Según va entrando la gloriosa caravana, los ángeles se disponen a postrarse en adoración ante el Señor de gloria; pero él los detiene con su mano. Antes de permitir su homenaje, necesita saber si su sacrificio por la raza caída ha sido aceptado por el Padre. Debe saber si el precio pagado por la redención de los perdidos ha sido suficiente para rescatarlos del poder del pecado y de la tumba… Entre el resplandor de las cortes de gloria, entre diez millares de millares y millares de millares que aguardan para rendir sus coronas ante sus pies, él no se olvida de los que ha dejado en la tierra para enfrentar oposición, reproche y escarnio. Después de que el Padre le ha asegurado que el [precio del] rescate ha sido aceptado, todavía hace un pedido a favor de los que creen en él y siguen sus pisadas: "Padre, aquellos que me has dado, quiero que donde yo estoy, también ellos estén conmigo, para que vean mi gloria que me has dado; porque me has amado desde antes de la fundación del mundo" (Juan 17:24). Pidió que sus discípulos pudieran entrar en su gozo y compartir su gloria, y finalmente el siervo fiel del Señor escuchará las felices palabras: "Entra en el gozo de tu señor".

Cuando hubo terminado de conceder sus peticiones, el Padre dio la orden: "Que los ángeles de Dios lo adoren". Entonces el canto de gozo y amor inunda los atrios celestiales: "Digno, digno, digno, es el Cordero que fue inmolado y vive otra vez como un Conquistador victorioso". Y este mismo Jesús, a quien las huestes innumerables de ángeles se deleitan en adorar, viene otra vez para cumplir su promesa y recibir consigo a los que lo aman. ¿No tenemos un gran motivo para alegrarnos?… La consumación de nuestra esperanza está a las puertas; los fieles pronto entrarán en el gozo de su Señor.— *Signs of the Times*, 27 de enero de 1888.

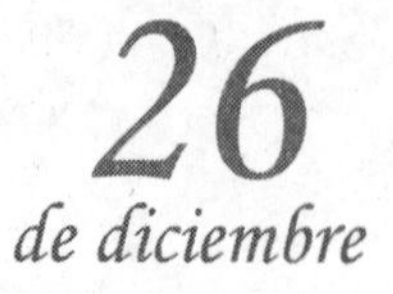

26

de diciembre

Una resolución

No te dejaré, si no me bendices. Génesis 32:26.

Se requiere un trabajo ferviente para que tengamos la fuerza de Dios para resistir al enemigo cuando este venga como una inundación. Debemos agonizar para someter el yo; porque silenciar la voz de la conciencia y la indulgencia propia son los pecados más engañosos, ya que embotan la conciencia y ciegan el entendimiento... Necesitamos el deseo ferviente de la viuda inoportuna y la mujer sirofenicia: una determinación que no será rehusada.

Muchos, muchísimos, están cometiendo un error fatal al desatender esta lección de la providencia de Dios. Solo a través del conflicto pueden asegurarse la paz y el descanso. Las potencias de la luz y las tinieblas están en orden de batalla, y debemos participar en la lucha como individuos. Jacob luchó toda la noche con Dios antes de ganar la victoria. Cuando luchó con Dios en oración, sintió una mano fuerte sobre él, y pensando que era la mano de un enemigo, empleó toda su fuerza para resistirlo. Luchó durante varias horas pero no obtuvo ventaja alguna sobre su Oponente, y no se atrevía a disminuir sus esfuerzos por un solo instante, para evitar ser vencido y perder la vida.... Entonces el Extraño dio fin al conflicto. Tocó el muslo de Jacob y la fuerza del luchador quedó paralizada. En ese momento Jacob aprendió quién era en realidad su Oponente, y aferrándose tullido y lloroso a su cuello, rogó por su vida.

El Ángel pudo haberse soltado fácilmente de Jacob, pero no lo hizo. "Déjame —le pidió—, porque raya el alba". Pero la respuesta de un Jacob sufriente pero firme fue: "No te dejaré, si no me bendices" (Gén. 32:26). Las lágrimas y las oraciones del suplicante le permitieron lograr lo que en vano había intentado obtener por medio de la lucha. "¿Cuál es tu nombre?" le preguntó el ángel. "Y él respondió: Jacob. Y el varón le dijo: No se dirá más tu nombre Jacob, sino Israel; porque has luchado con Dios y con los hombres, y has vencido... Y lo bendijo allí" (vers. 27-29)...

Se requiere resolución, negación propia y un esfuerzo consagrado para la obra de la preparación... Solo podemos vencer y ganar el reino del cielo por medio de un esfuerzo ferviente y determinado, y fe en los méritos de Cristo. Nuestra oportunidad para obrar es corta. Cristo está presto para venir por segunda vez.—*Youth's Instructor*, 24 de mayo de 1900.

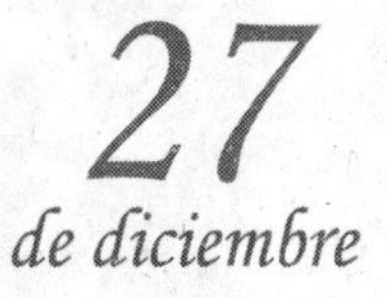

Un cambio de vestimenta

Yo te aconsejo que de mí compres oro refinado en fuego, para que seas rico, y vestiduras blancas para vestirte. Apocalipsis 3:18.

El Señor Jesús ha enviado un mensaje muy solemne a la iglesia de Laodicea... En el consejo del Testigo Verdadero, insta a su pueblo sobre la necesidad de ser vestidos con el blanco manto de su justicia. Cada invitado aceptado en la cena de bodas del Cordero estará vestido con este manto inmaculado. Pero Satanás ha resuelto que los que han sido pecadores no deben vestir esta pieza inmaculada, y busca obtener poder ilimitado sobre ellos. El profeta describe la controversia en torno a quienes han sido comprados con la sangre de Cristo. Dice: "Me mostró al sumo sacerdote Josué, el cual estaba delante del ángel de Jehová, y Satanás estaba a su mano derecha para acusarle. Y dijo Jehová a Satanás: Jehová te reprenda, oh Satanás; Jehová que ha escogido a Jerusalén te reprenda. ¿No es este un tizón arrebatado del incendio?" (Zac. 3:1, 2).

Josué representa a los que están elevando un ruego penitente ante el trono de la gracia, y Satanás se presenta como su adversario para acusarlos ante Cristo. El profeta continúa: "Y Josué estaba vestido de vestiduras viles, y estaba delante del ángel. Y habló el ángel, y mandó a los que estaban delante de él, diciendo: Quitadle esas vestiduras viles. Y a él le dijo: Mira que he quitado de ti tu pecado, y te he hecho vestir de ropas de gala" (vers. 3, 4)...

El vestido de bodas es la justicia de Cristo y representa el carácter de quienes serán aceptados como invitados a la cena de bodas del Cordero. Los que han transgredido la ley, que han cometido pecado, no pueden encontrar méritos de salvación en la ley que los condena, pero Cristo se ha convertido en aquel que lleva el pecado de todo el mundo...

Quienes reciben a Cristo como su Salvador personal aceptan la voluntad de Dios y sus caminos en lugar de los suyos. Echan sus pecados sobre él y reciben y se gozan en la justicia imputada de Cristo. Saben lo que significa tener un cambio de vestiduras... "El que cree en el Hijo tiene vida eterna" (Juan 3:36).— *Youth's Instructor*, 21 de octubre de 1897.

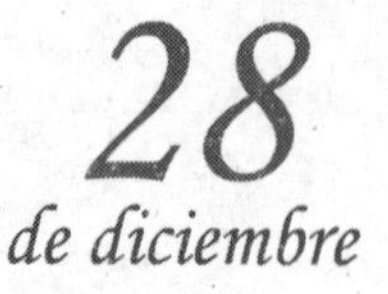

28

de diciembre

Use lo que tenga

Y todo lo que hagáis, hacedlo de corazón, como para el Señor y no para los hombres.
Colosenses 3:23.

Todo individuo, desde el más humilde y desconocido hasta el mayor y más exaltado, es un agente moral dotado de habilidades por las cuales debe dar cuenta a Dios…

El hombre y la mujer de negocios deben hacer sus tratos de modo que glorifiquen a su Maestro por su fidelidad. Deben llevar su religión a todo lo que hacen, y revelarles a otros el espíritu de Cristo. Que el mecánico sea un representante diligente y fiel de Aquel que se esforzó en las condiciones sociales más humildes de las ciudades de Judea. Todos los que proclaman el nombre de Cristo deben obrar de modo que otros, al ver sus buenas obras, sean llevados a glorificar a su Creador y Redentor…

Quienes han sido bendecidos con talentos superiores no deben despreciar el valor del servicio de quienes tienen menos dones que ellos. El legado más pequeño sigue siendo un legado de Dios. Con su bendición, un solo talento será duplicado por su uso diligente, y los dos talentos empleados en el servicio de Cristo serán aumentados a cuatro; y de esta manera el instrumento más humilde puede crecer en poder y utilidad…

Somos responsables únicamente por los talentos que Dios nos ha conferido. El Señor no censura al siervo que ha duplicado su talento, que ha hecho según su habilidad. Los que demuestran así su fidelidad pueden ser felicitados y recompensados; pero quienes pierden el tiempo en la viña, los que no hacen nada, o hacen la obra del Señor negligentemente, manifiestan por sus hechos su actitud real hacia la obra para la cual han sido llamados. Muestran que su corazón no está en el servicio para el cual fueron empleados…

Nadie debe lamentarse de que no tiene talentos mayores para emplear para el Maestro… Dé gracias a Dios por la habilidad que tiene, y ruegue para ser capacitado para cumplir las responsabilidades que le han encomendado. Si desea una utilidad mayor, póngase a trabajar y adquiera aquello por lo cual se lamenta. Vaya a trabajar con una paciencia constante, y haga lo mejor, sin preocuparse por lo que otros hacen… No permita que sus palabras sean: "¡Oh, si tuviera una responsabilidad mayor! ¡Oh, si yo tuviera este u otro cargo!" Cumpla su deber donde se encuentra. Haga las mejores inversiones que pueda hacer con el don que se le ha confiado en el lugar preciso donde su esfuerzo contará al máximo ante Dios.— *Review and Herald*, 26 de octubre de 1911.

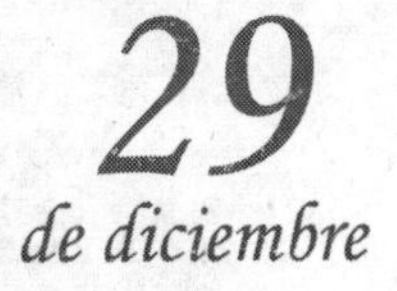

de diciembre

La esperanza bienaventurada

Vivamos en este siglo sobria, justa y piadosamente. Tito 2:12.

Se nos exhorta a vivir sobria, justa y piadosamente en este mundo actual, y a aguardar la gloriosa venida del gran Dios y Salvador Jesucristo. Algunos han objetado mi obra, porque enseño que es nuestro deber esperar el regreso personal de Cristo en las nubes de los cielos. Han dicho: "Cuando escuchamos a la Sra. White referirse a la venida de Cristo, parecería que el día del Señor ya está sobre nosotros. Ella ha estado predicando sobre el mismo tema durante los últimos cuarenta años, y el Señor todavía no ha venido". Podría hacerse una objeción idéntica a las palabras de Cristo mismo. Él dijo por boca de su discípulo amado: "Ciertamente vengo en breve", y Juan responde: "Amén; sí, ven, Señor Jesús" (Apoc. 22:20).

Jesús pronunció estas palabras como un mensaje de advertencia y aliento para su pueblo, ¿y por qué no las tendremos en cuenta? El Señor ha dicho que será el siervo fiel quien velará y esperará por él. Fue el siervo malo quien dijo: "Mi señor tarda en venir", y comenzó a golpear a sus consiervos, y a comer y a beber con los borrachos (ver Mat. 24:47-51).

El momento exacto de la segunda venida de Cristo no ha sido revelado. Jesús dijo: "Del día y la hora nadie sabe" (Mat. 24:36). Sin embargo, dio señales de su venida, y dijo: "Cuando veáis todas estas cosas, conoced que está cerca, a las puertas" (vers. 33). Les encomendó, a medida que las señales de su venida aparecieran: "Levantad vuestra cabeza, porque vuestra redención está cerca" (Luc. 21:28). En vista de estas cosas el apóstol escribió: "Mas vosotros, hermanos, no estáis en tinieblas, para que aquel día os sorprenda como ladrón. Porque todos vosotros sois hijos de luz e hijos del día" (1 Tes. 5:4, 5). Puesto que no conocemos la hora de la venida de Cristo, debemos vivir sobria y piadosamente en este mundo, "aguardando la esperanza bienaventurada y la manifestación gloriosa de nuestro gran Dios y Salvador Jesucristo" (Tito 2:13).

Cristo se entregó por nosotros, para redimirnos de toda iniquidad y purificar para sí a un pueblo peculiar, celoso de buenas obras. Su pueblo ha de preservar sus características peculiares como sus representantes. Hay una obra que cada uno de ellos ha de hacer... El apóstol dice: "No somos de la noche ni de las tinieblas. Por tanto, no durmamos como los demás, sino velemos y seamos sobrios" (1 Tes. 5:5, 6).— *Signs of the Times*, 24 de junio de 1889; parcialmente en *Reflejemos a Jesús,* p. 250.

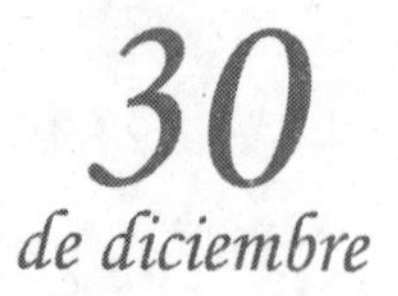

30

de diciembre

Preparándonos para el cielo

Y pusieron una mitra limpia sobre su cabeza, y le vistieron las ropas.
Zacarías 3:5.

Al aproximarnos a los peligros de los últimos días, las tentaciones del enemigo se tornan más fuertes y más decididas. Satanás ha descendido con gran poder, sabiendo que su tiempo es corto; y está obrando "con todo engaño de iniquidad para los que se pierden" (2 Tes. 2:10). Mediante la Palabra de Dios nos llega la advertencia de que, si fuera posible, engañaría a los mismos elegidos.

Sucesos extraordinarios han de ocurrir pronto en el mundo. El fin de todas las cosas está cercano. El tiempo de angustia está por llegar para el pueblo de Dios. Será entonces cuando se promulgará el decreto que prohíbe comprar o vender a los que guardan el sábado del Señor, y que los amenazará con castigos, y aun con la muerte, si no observan el primer día de la semana como día de reposo...

En el tiempo de angustia Satanás excita a los malvados y estos rodean a los hijos de Dios para destruirlos. Pero no sabe que en los libros del cielo se ha escrito la palabra "perdón" frente a sus nombres. Tampoco sabe que se ha dado esta orden: "Quitadle esas vestiduras viles... Pongan mitra limpia sobre su cabeza, y vístanlo con ropas nuevas"...

Aunque hablamos de la necesidad de separarnos del pecado, recuerde que Cristo vino a nuestro mundo a salvar a los pecadores, y que él "puede también salvar perpetuamente a los que por él se acercan a Dios" (Heb. 7:25). Es nuestro privilegio creer que su sangre es capaz de limpiarnos de toda mancha y suciedad de pecado. No debemos limitar el poder del Santo de Israel. Él desea que vengamos a él tal como somos, pecaminosos y contaminados. Su sangre es eficaz. Le suplico que no entristezca a su Espíritu al continuar en el pecado. Si usted cae en tentación, no se desanime. Esta promesa resuena hasta nuestros tiempos: "Si alguno hubiere pecado, abogado tenemos para con el Padre, a Jesucristo el justo" (1 Juan 2:1). Creo que los labios de los mortales debieran entonar un canto continuo de acción de gracias por esta sola promesa. Reunamos estas preciosas joyas de promesas, y cuando Satanás nos acuse por nuestra gran pecaminosidad, y nos tiente a dudar del poder de Dios para salvar, repitamos las palabras de Cristo: "Al que a mí viene, no le echo fuera" (Juan 6:37).—*Review and Herald,* 19 de noviembre de 1908; parcialmente en *En lugares celestiales,* p. 344.

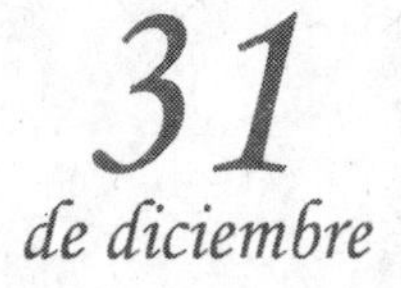

El cielo abajo y el cielo arriba

Porque las cosas que se escribieron antes, para nuestra enseñanza se escribieron, a fin de que por la paciencia y la consolación de las Escrituras, tengamos esperanza. Romanos 15:4.

No tenemos más que un tiempo de prueba para formar el carácter, y nuestro destino depende del tipo de carácter que formamos. Los que han formado caracteres que llevan el molde celestial por la gracia de Cristo en la tierra, serán madurados por medio de la influencia benigna del Espíritu Santo para obtener la recompensa eterna. Llegan a ser partícipes de la naturaleza divina, habiendo escapado de la corrupción que hay en el mundo por la concupiscencia. Advertir que nuestro carácter es semejante al de Cristo despierta [en nuestro corazón] el canto de alabanza y la acción de gracias. Los que aprecian la bondad, la misericordia y el amor de Cristo y al contemplarlo se transforman según su imagen, serán partícipes de la vida eterna. Los atributos de su carácter son como los de Cristo, y no pueden dejar de obtener el descanso que aún resta para el pueblo de Dios…

Si hemos de ver el cielo, debemos tener el cielo aquí abajo. Debemos tener un cielo [primero aquí] si queremos ir al cielo. Debemos tener un cielo en nuestras familias, al acercarnos a Dios continuamente por medio de Cristo. Cristo es el gran centro de atracción, y el hijo de Dios que se oculta en Cristo se encuentra con Dios y se pierde en el divino Ser. La oración es la vida del alma; es alimentarse de Cristo; es voltear nuestros rostros totalmente hacia el Sol de justicia. Cuando tornamos nuestro rostro hacia él, él torna su rostro hacia nosotros…

La capacidad de pensar en las cosas celestiales aumenta grandemente por medio de la oración sencilla, ferviente y contrita. No pueden sustituirse otros medios de gracia para preservar la salud del alma. La oración coloca el alma en contacto inmediato con el manantial de la vida y fortalece los tendones y músculos espirituales de nuestra experiencia religiosa; porque vivimos por la fe, viendo a Aquel que es invisible…

La Palabra de Dios es un granero espiritual del cual el alma recibe lo que nutre su vida. Al examinar la Palabra de Dios encontramos doctrinas, preceptos, promesas, admoniciones, exhortaciones y palabras de ánimo que sostendrán a toda mente humana en casos de emergencia. Aquí el hombre y la mujer de Dios pueden equiparse concienzudamente para toda buena obra; porque "toda la Escritura es inspirada por Dios, y útil para enseñar, para redargüir, para corregir, para instruir en justicia, a fin de que el hombre de Dios sea perfecto, enteramente preparado para toda buena obra" (2 Tim. 3:16, 17).— *Signs of the Times*, 31 de julio de 1893.

Ha llegado el momento de renovar tu

Suscripción

2014

Esta es la lista de materiales que están a tu disposición para tu estudio diario y el de toda tu familia. Indica en la casilla la cantidad de cada material que deseas obtener para el año 2014, y entrega esta hoja al director de publicaciones o a la persona responsable de las suscripciones **antes de que finalice el mes de julio.**

Nombre ______________________________

Ciudad ______________________________

Iglesia ____________________ **Distrito** ____________________

Pastor ____________________ **Misión / Asociación** ____________________

Edad	Material	Cantidad
0-2	*Cuna – Alumno	
	*Cuna – Maestro	
3-5	*Jardín de infantes – Alumno	
	*Jardín de infantes – Maestro	
6-9	*Primarios – Alumno	
	*Primarios – Maestro	
10-12	*Menores – Alumno	
	*Menores – Maestro	
13-14	*FeReal.net – Alumno	
	*FeReal.net – Maestro	
15-18	*Jóvenes – Alumno	
	*Jóvenes – Maestro	
18+	*El Universitario	
18+	*Adultos – Alumno	
	* Adultos – Maestro	
	*Tres en Uno	
	**Matutina para adultos	
	**Matutina para la mujer	
	**Matutina para jóvenes	
	**Matutina para primarios	
	**Matutina para preescolares	
	***Revista misionera	

Importante:

* Cada suscripción anual del material de Escuela Sabática incluye un folleto o libro (caso del Tres en Uno), por trimestre; es decir, cuatro al año. Por ejemplo, si colocas la cifra 1 en la casilla «Cantidad» de El Universitario, al principio de cada trimestre del próximo año recibirás un ejemplar. Si escribes 2, recibirás dos ejemplares cada trimestre, y así sucesivamente.

** Todas las matutinas son un libro anual que se entrega al comienzo del año.

*** Cada suscripción de la revista misionera incluye los doce números del año.

Firma: ____________________ **Fecha:** _____ **de julio de 2013**

Guía para el Año Bíblico
en orden cronológico

ENERO

1. Gén. 1, 2
2. Gén. 3-5
3. Gén. 6-9
4. Gén. 10, 11
5. Gén. 12-15
6. Gén. 16-19
7. Gén. 20-22
8. Gén. 23-26
9. Gén. 27-29
10. Gén. 30-32
11. Gén. 33-36
12. Gén. 37-39
13. Gén. 40-42
14. Gén. 43-46
15. Gén. 47-50
16. Job 1-4
17. Job 5-7
18. Job 8-10
19. Job 11-13
20. Job 14-17
21. Job 18-20
22. Job 21-24
23. Job 25-27
24. Job 28-31
25. Job 32-34
26. Job 35-37
27. Job 38-42
28. Éxo. 1-4
29. Éxo. 5-7
30. Éxo. 8-10
31. Éxo. 11-13

FEBRERO

1. Éxo. 14-17
2. Éxo. 18-20
3. Éxo. 21-24
4. Éxo. 25-27
5. Éxo. 28-31
6. Éxo. 32-34
7. Éxo. 35-37
8. Éxo. 38-40
9. Lev. 1-4
10. Lev. 5-7
11. Lev. 8-10
12. Lev. 11-13
13. Lev. 14-16
14. Lev. 17-19
15. Lev. 20-23
16. Lev. 24-27
17. Núm. 1-3
18. Núm. 4-6
19. Núm. 7-10
20. Núm. 11-14
21. Núm. 15-17
22. Núm. 18-20
23. Núm. 21-24
24. Núm. 25-27
25. Núm. 28-30
26. Núm. 31-33
27. Núm. 34-36
28. Deut. 1-3
29. Deut. 4, 5

MARZO

1. Deut. 6, 7
2. Deut. 8, 9
3. Deut. 10-12
4. Deut. 13-16
5. Deut. 17-19
6. Deut. 20-22
7. Deut. 23-25
8. Deut. 26-28
9. Deut. 29-31
10. Deut. 32-34
11. Jos. 1-3
12. Jos. 4-6
13. Jos. 7-9
14. Jos. 10-12
15. Jos. 13-15
16. Jos. 16-18
17. Jos. 19-21
18. Jos. 22-24
19. Juec. 1-4
20. Juec. 5-8
21. Juec. 9-12
22. Juec. 13-15
23. Juec. 16-18
24. Juec. 19-21
25. Rut 1-4
26. 1 Sam. 1-3
27. 1 Sam. 4-7
28. 1 Sam. 8-10
29. 1 Sam. 11-13
30. 1 Sam. 14-16
31. 1 Sam. 17-20

ABRIL

1. 1 Sam. 21-24
2. 1 Sam. 25-28
3. 1 Sam. 29-31
4. 2 Sam. 1-4
5. 2 Sam. 5-8
6. 2 Sam. 9-12
7. 2 Sam. 13-15
8. 2 Sam. 16-18
9. 2 Sam. 19-21
10. 2 Sam. 22-24
11. Sal. 1-3
12. Sal. 4-6
13. Sal. 7-9
14. Sal. 10-12
15. Sal. 13-15
16. Sal. 16-18
17. Sal. 19-21
18. Sal. 22-24
19. Sal. 25-27
20. Sal. 28-30
21. Sal. 31-33
22. Sal. 34-36
23. Sal. 37-39
24. Sal. 40-42
25. Sal. 43-45
26. Sal. 46-48
27. Sal. 49-51
28. Sal. 52-54
29. Sal. 55-57
30. Sal. 58-60

MAYO

1. Sal. 61-63
2. Sal. 64-66
3. Sal. 67-69
4. Sal. 70-72
5. Sal. 73-75
6. Sal. 76-78
7. Sal. 79-81
8. Sal. 82-84
9. Sal. 85-87
10. Sal. 88-90
11. Sal. 91-93
12. Sal. 94-96
13. Sal. 97-99
14. Sal. 100-102
15. Sal. 103-105
16. Sal. 106-108
17. Sal. 109-111
18. Sal. 112-114
19. Sal. 115-118
20. Sal. 119
21. Sal. 120-123
22. Sal. 124-126
23. Sal. 127-129
24. Sal. 130-132
25. Sal. 133-135
26. Sal. 136-138
27. Sal. 139-141
28. Sal. 142-144
29. Sal. 145-147
30. Sal. 148-150
31. 1 Rey. 1-4

JUNIO

1. Prov. 1-3
2. Prov. 4-7
3. Prov. 8-11
4. Prov. 12-14
5. Prov. 15-18
6. Prov. 19-21
7. Prov. 22-24
8. Prov. 25-28
9. Prov. 29-31
10. Ecl. 1-3
11. Ecl. 4-6
12. Ecl. 7-9
13. Ecl. 10-12
14. Cant. 1-4
15. Cant. 5-8
16. 1 Rey. 5-7
17. 1 Rey. 8-10
18. 1 Rey. 11-13
19. 1 Rey. 14-16
20. 1 Rey. 17-19
21. 1 Rey. 20-22
22. 2 Rey. 1-3
23. 2 Rey. 4-6
24. 2 Rey. 7-10
25. 2 Rey. 11-14:20
26. Joel 1-3
27. 2 Rey. 14: 21-25
    Jon. 1-4
28. 2 Rey. 14:26-29
    Amós 1-3
29. Amós 4-6
30. Amós 7-9

JULIO

1. 2 Rey. 15-17
2. Ose. 1-4
3. Ose. 5-7
4. Ose. 8-10
5. Ose. 11-14
6. 2 Rey. 18, 19
7. Isa. 1-3
8. Isa. 4-6
9. Isa. 7-9
10. Isa. 10-12
11. Isa. 13-15
12. Isa. 16-18
13. Isa. 19-21
14. Isa. 22-24
15. Isa. 25-27
16. Isa. 28-30
17. Isa. 31-33
18. Isa. 34-36
19. Isa. 37-39
20. Isa. 40-42
21. Isa. 43-45
22. Isa. 46-48
23. Isa. 49-51
24. Isa. 52-54
25. Isa. 55-57
26. Isa. 58-60
27. Isa. 61-63
28. Isa. 64-66
29. Miq. 1-4
30. Miq. 5-7
31. Nah. 1-3

AGOSTO

1. 2 Rey. 20, 21
2. Sof. 1-3
3. Hab. 1-3
4. 2 Rey. 22-25
5. Abd. y Jer. 1, 2
6. Jer. 3-5
7. Jer. 6-8
8. Jer. 9-12
9. Jer. 13-16
10. Jer. 17-20
11. Jer. 21-23
12. Jer. 24-26
13. Jer. 27-29
14. Jer. 30-32
15. Jer. 33-36
16. Jer. 37-39
17. Jer. 40-42
18. Jer. 43-46
19. Jer. 47-49
20. Jer. 50-52
21. Lam.
22. 1 Crón. 1-3
23. 1 Crón. 4-6
24. 1 Crón. 7-9
25. 1 Crón. 10-13
26. 1 Crón. 14-16
27. 1 Crón. 17-19
28. 1 Crón. 20-23
29. 1 Crón. 24-26
30. 1 Crón. 27-29
31. 2 Crón. 1-3

SEPTIEMBRE

1. 2 Crón. 4-6
2. 2 Crón. 7-9
3. 2 Crón. 10-13
4. 2 Crón. 14-16
5. 2 Crón. 17-19
6. 2 Crón. 20-22
7. 2 Crón. 23-25
8. 2 Crón. 26-29
9. 2 Crón. 30-32
10. 2 Crón. 33-36
11. Eze. 1-3
12. Eze. 4-7
13. Eze. 8-11
14. Eze. 12-14
15. Eze. 15-18
16. Eze. 19-21
17. Eze. 22-24
18. Eze. 25-27
19. Eze. 28-30
20. Eze. 31-33
21. Eze. 34-36
22. Eze. 37-39
23. Eze. 40-42
24. Eze. 43-45
25. Eze. 46-48
26. Dan. 1-3
27. Dan. 4-6
28. Dan. 7-9
29. Dan. 10-12
30. Est. 1-3

OCTUBRE

1. Est. 4-7
2. Est. 8-10
3. Esd. 1-4
4. Hag. 1, 2
   Zac. 1, 2
5. Zac. 3-6
6. Zac. 7-10
7. Zac. 11-14
8. Esd. 5-7
9. Esd. 8-10
10. Neh. 1-3
11. Neh. 4-6
12. Neh. 7-9
13. Neh. 10-13
14. Mal. 1-4
15. Mat. 1-4
16. Mat. 5-7
17. Mat. 8-11
18. Mat. 12-15
19. Mat. 16-19
20. Mat. 20-22
21. Mat. 23-25
22. Mat. 26-28
23. Mar. 1-3
24. Mar. 4-6
25. Mar. 7-10
26. Mar. 11-13
27. Mar. 14-16
28. Luc. 1-3
29. Luc. 4-6
30. Luc. 7-9
31. Luc. 10-13

NOVIEMBRE

1. Luc. 14-17
2. Luc. 18-21
3. Luc. 22-24
4. Juan 1-3
5. Juan 4-6
6. Juan 7-10
7. Juan 11-13
8. Juan 14-17
9. Juan 18-21
10. Hech. 1, 2
11. Hech. 3-5
12. Hech. 6-9
13. Hech. 10-12
14. Hech. 13, 14
15. Sant. 1, 2
16. Sant. 3-5
17. Gál. 1-3
18. Gál. 4-6
19. Hech. 15-18:11
20. 1 Tes. 1-5
21. 2 Tes. 1-3
    Hech. 18:12-19:20
22. 1 Cor. 1-4
23. 1 Cor. 5-8
24. 1 Cor. 9-12
25. 1 Cor. 13-16
26. Hech. 19:21-20:1
    2 Cor. 1-3
27. 2 Cor. 4-6
28. 2 Cor. 7-9
29. 2 Cor. 10-13
30. Hech. 20:2
    Rom. 1-4

DICIEMBRE

1. Rom. 5-8
2. Rom. 9-11
3. Rom. 12-16
4. Hech. 20:3-22:30
5. Hech. 23-25
6. Hech. 26-28
7. Efe. 1-3
8. Efe. 4-6
9. Fil. 1-4
10. Col. 1-4
11. Heb. 1-4
12. Heb. 5-7
13. Heb. 8-10
14. Heb. 11-13
15. Fil.
    1 Ped. 1, 2
16. 1 Ped. 3-5
17. 2 Ped. 1-3
18. 1 Tim. 1-3
19. 1 Tim. 4-6
20. Tito 1-3
21. 2 Tim. 1-4
22. 1 Juan 1, 2
23. 1 Juan 3-5
24. 2 Juan
    3 Juan y Judas
25. Apoc. 1-3
26. Apoc. 4-6
27. Apoc. 7-9
28. Apoc. 10-12
29. Apoc. 13-15
30. Apoc. 16-18
31. Apoc. 19-22